MEXIQUE GUATEMALA

COPAN ET BELIZE

DANS LA MEME COLLECTION

AFRIQUE DU SUD
de I. Dor
ALSACE
de R. Hanrion
ANTILLES
de J.-P. Jardel
AQUITAINE/GASCOGNE
de J.-L. Delpal
BIRMANIE
de G. Le Ramier
BOURGOGNE
de C. Rivet
BRESIL
de D. Camus et C. Manoncourt
BRETAGNE
de R. Hanrion
CHATEAUX DE LA LOIRE
de C. Rivet (à paraître)
CHINE
de R. Giudicelli,
M. Holzman et D. Crisà
COREE DU SUD
de C. Rivet
CUBA
de E. Bailby
EGYPTE
de M.-F. Bonnet et E. Husson
ENVIRONS DE PARIS
de D. Camus (à paraître)
FLORENCE
de K. Zimmermanns (parution 89)
LA FRANCE
par les fleuves et les canaux
de H. Mc Knight
LA FRANCE
par les petites routes
ouvrage collectif
GRECE
de C. Debayle (à paraître)
HONG KONG/MACAO/TAIWAN/
SINGAPOUR
de C. Ohl (parution 89)
ILES GRECQUES
de E. Melas
ILES DE L'OCEAN INDIEN
SEYCHELLES/REUNION/MAURICE
de J.-P. Jardel (parution 89)
INDE DU NORD
de Y. Beigbeder
INDE DU SUD
de D. Sandmann
JAPON
de H. Cornevin
KENYA/TANZANIE
de G. Crowther
LADAKH
de G. Doux-Lacombe
MAROC
de C. Debayle
MEXIQUE/GUATEMALA
de J.-P. Courau
MOSCOU/LENINGRAD
de Toumanova
NEPAL
de R. Rieffel
NEW YORK
de J.-P. Courau (parution 89)
PAKISTAN
de J.R. Santiago
PARIS
de D. Camus
PAYS BASQUE
de J.-L. Delpal
PEKIN ET SES ENVIRONS
de R. Giudicelli, M. Holzman
et D. Crisà
QUEBEC
de C. Texier
ROME
de H. Fischer (parution 89)
SRI LANKA/MALDIVES
de I. Trey et Y. Piel
SENEGAL
de A. Arvel
SYRIE/JORDANIE
de H. Finlay
TAHITI ET LA POLYNESIE FRANÇAISE
de R. Kay
THAILANDE
de G. Le Ramier
TIBET
de M. Buckley et R. Strauss
TURQUIE
de T. Brosnahan
VENISE
de R. Salvadori
VIETNAM/LAOS/CAMBODGE
de M. Blanchard
YEMEN
de P. Hämäläinen
YOUGOSLAVIE
de F. Rother

MEXIQUE GUATEMALA

COPAN ET BELIZE

Jean-Pierre Courau

GUIDE ARTHAUD

Ce n'est pas le temps qui passe, c'est nous.
Le facteur Cheval

 ISBN 2.7003.0686.4. ISSN : 0982-6769. Imprimé en France.

Sommaire

PRÉSENTATION 11

Géographie et climat, 22 - Les ressources, 23 - L'industrie, 24 - Investissements et devises, 24 - **Culture,** 24 - L'indien, 29 - Le métis, 33 - Peuplement du continent américain, 34 - **Les civilisations précolombiennes,** 34 - Les Olmèques, 35 - Rayonnement de Teotihuacan, 35 - Apogée de l'ère classique, 36 - Les Zapotèques, 36 - Les anciens Mayas, 37 - Les orfèvres mixtèques, 40 - Les Chichimèques, 40 - Les Toltèques et les Aztèques, 41 - **Histoire et politique,** 43 - La Nouvelle Espagne, 43 - Christophe Colomb, 43 - Cortes et les Aztèques, 45 - Organisation coloniale, 47 - **Le Mexique,** 50 - L'Indépendance, 50 - La perte du territoire, 54 - La guerre des Castes, 54 - La guerre de la Réforme, 55 - L'empereur Maximilien, 55 - Juarez et Porfirio Diaz, 56 - Les Barcelonnettes, 58 - La Révolution, 60 - Parti unique, 62 - Le P.R.I. et les gouvernements actuels, 63.

RENSEIGNEMENTS PRATIQUES 67

Avant de partir, 67 - A l'arrivée, 67 - Quelle saison choisir, 68 - Budget, change, 69 - Transport, 69 - Hébergement, 72 - Gastronomie, 73 - Santé, 82.

LE MEXIQUE DE A À Z 85

À LA DÉCOUVERTE DU MEXIQUE 95

Mexico pratique, 95 - **Mexico visite,** 104 - **Le Yucatan,** 124 - Ciudad del Carmen, 127 - Champoton, 127 - Campeche, 128 - Les sites Puuc, 129 - Uxmal, 131 - Merida, 132 - Chichen Itza, 135 - Valladolid, 139 - Isla Mujeres, 139 - Cancun, 139 - Cozumel, 141 - Tulum, 141 - Coba, 142 - Chetumal, 143 - Les sites Rio Bec, 144 - Ressources du Yucatan, 145 - **Chiapas-Tabasco,** 147 - Tuxtla Guttierez, 148 - San Cristobal de las Casas, 149 - Route vers les Basses Terres, 161 - Palenque, 162 - Usumacinta, 168 - Villahermosa, 169 - **Oaxaca,** 171 - Monte Alban, 179 - Route à travers la Sierra, 181 - **La route du Nord,** 183 - Queretaro, 185 - San Miguel de Allende, 187 - Atotonilco, 191 - Guanajuato, 191 - **La route du Sud,** 194 - Cuernavaca, 195 - Taxco, 197 - Acapulco, 202 - **Alentours de Mexico,** 206 - Teotihuacan, 206 - Acolman, 210 - L'ascension du Popocatepelt, 210 - Circuit vers le Nord, 210 - **Michoacan,** 214 - Morelia, 216 - Patzcuaro, 218 - Tzintzuntzan, 220 -

Santa Clara del Cobre, 220 - Les Tarasques, 220 - Vasco de Quirogua, 220 - Uruapan, 221 - Le Paricutin, 221 - La Cañada, 222 - **Sierra de Puebla,** 224 - Cacaxtla, 224 - Tlaxcala, 225 - Puebla, 225 - Jalapa, 227 - Veracruz, 229 - Papantla, 231 - El Tajin, 231 - Le marché de Cuetzalan, 233 - San Rafael, 233 - **L'Occident,** 234 - Guadalajara, 236 - Colima, 240 - Puerto Vallarta, 242 - **Zacatecas,** 243 - **Sierra Tarahumara et Basse Californie,** 247 - Creel, 250 - Divisadero, 252 - Bahuichivo, 252 - La Paz, 255 - Cabo San Lucas et San Jose del Cabo, 256 - Loreto, 257 - Mulegé, 259 - Santa Rosalia, 260 - Guerrero Negro, 261.

GUATEMALA 263

Avant de partir, 265 - Accès par avion, 265 - Accès par voie terrestre, 265 - Accès par voie fluviale, 266 - A l'arrivée, 266 - Quelle saison choisir ?, 267 - Budget, change, 267 - Vocabulaire, 267 - Transport, 267 - Hébergement, 267 - Gastronomie, 267 - **Guate-pratique,** 268 - **Guate-visite,** 273 - La Reforma, 273 - Centre-ville, Zona 1, 275 - Parc Aurora, 276 - Kaminaljuyu, 277 - Mixco Viejo, 277 - **Antigua,** 278 - Ciudad Vieja, 281 - **Le parc des Quetzales,** 281 - Biotopo del Quetzal, 281 - Tactic, 282 - Coban, 282 - **Les Hautes-Terres,** 282 - Iximché-Tecpan, 282 - Atitlan et Chichicastenango, 282 - Solola, 284 - Panajachel, 284 - Le lac Atitlan, 285 - Chichicastenango, 286 - Les Quichés, 287 - Nahuala, 288 - Sacapulas, 288 - Nebaj, 288 - Quetzaltenango, 289 - Huehuetenango, 289 - **Le Peten,** 291 - Flores-Santa Elena, 293 - Tikal, 293 - Uaxactun, 299 - Petexbatun et Seïbal, 299 - Sayaxché, 301 - Seïbal, 301 - Dos Pilas, Aguateca, 303 - **La côte Pacifique,** 303 - Volcan Pacaya, 304 - Palin, 304 - Escuintla, 304 - La Democracia, 304 - Bilbao, 305 - El Baul, 306 - San Francisco, Dios Mundo, 306 - Abaj Takalik, 306 - **La côte Caraïbe,** 306 - Le Belize, 307 - Livingstone, 308 - Rio Dulce, 308 - Puerto Banios, 308 - La Ceïba et les îles (Honduras), 309 - Trujillo (Honduras), 309 - **Quirigua,** 309 - **Copan (Honduras),** 310 - Le village de Copan, 311 - Site de Copan, 312.

Lexique 320

Bibliographie 323

Index 325

Plan cartographique 331

Présentation

Le Mexique est-il en Amérique du Nord ou en Amérique centrale? Question difficile car la limite tant géographique que culturelle de ces deux régions passe en son milieu, à la hauteur de la ville de Mexico (l'Amérique du Sud ne commence qu'à 3000 km de là).

Devant la grandeur exceptionnelle du Mexique (quatre fois la France ; et l'on verra que le Nord n'est pas seulement un désert), nous avons choisi d'effectuer un découpage par régions. Un nombre de jours minimum et maximum sera proposé pour chacune d'elles, garantissant un rythme de voyage détendu pour tous. On parlera souvent de nuits, car si la visite d'une ville nécessite deux jours, par exemple, ils ne seront garantis que par trois nuits sur place (on arrive rarement à l'heure). Un itinéraire sera présenté pour chaque région. On parlera plus de temps de parcours que de distance, comme c'est l'habitude dans le pays, les moyennes dépendant de la géographie et des imprévus qui n'apparaissent pas sur une carte. On donnera, dans la mesure du possible, l'altitude ainsi que la température moyenne de chaque ville importante pour donner une idée des changements climatiques qui peuvent surprendre.

On commencera par *Mexico* selon toute logique, puis le *Yucatan* pour ne pas l'escamoter (vu son éloignement on le visite souvent en fin de voyage, or il faut éviter d'y arriver fatigué). Les moyens de liaison signalés entre chaque circuit permettront un choix à la carte. Ceux présentés en fin d'ouvrage ne seront pas les moins intéressants, loin de là. Ils pourront devenir un prétexte à un séjour prolongé ou à un retour.

Nous serons assez directifs pour régler certains problèmes pratiques afin de passer plus rapidement aux vrais motifs du voyage. « Guider », en respectant les libertés de chacun, tel est le but de cet ouvrage.

Nous n'avons pas hésité à donner des orientations, et inévitablement des impressions, en essayant de ne pas détruire les mystères. Apparaîtront des détails comme la recommandation d'horaires afin d'être dans les meilleures conditions pour retrouver ce qu'a voulu exprimer l'artiste ou l'architecte. Les musées ne seront pas forcément présentés dans leur totalité, mais comme un complément de la visite d'un site ou d'une église, ou comme une illustration de la vie actuelle. Les musées mexicains sont bien présentés et clairement expliqués, ce qui rend leur visite agréable. Sur les sites, on recommandera de monter et de descendre les pyramides en zigzag pour éviter le vertige (ce que font les mules en montagne). Emporter des jumelles n'est pas une mauvaise idée.

Si vous arrivez de nuit en avion, vous serez émerveillé du spectacle qu'offre Mexico, mais peut-être anxieux à l'idée de vous y perdre. *No se preocupe* (ne vous en faites pas) est

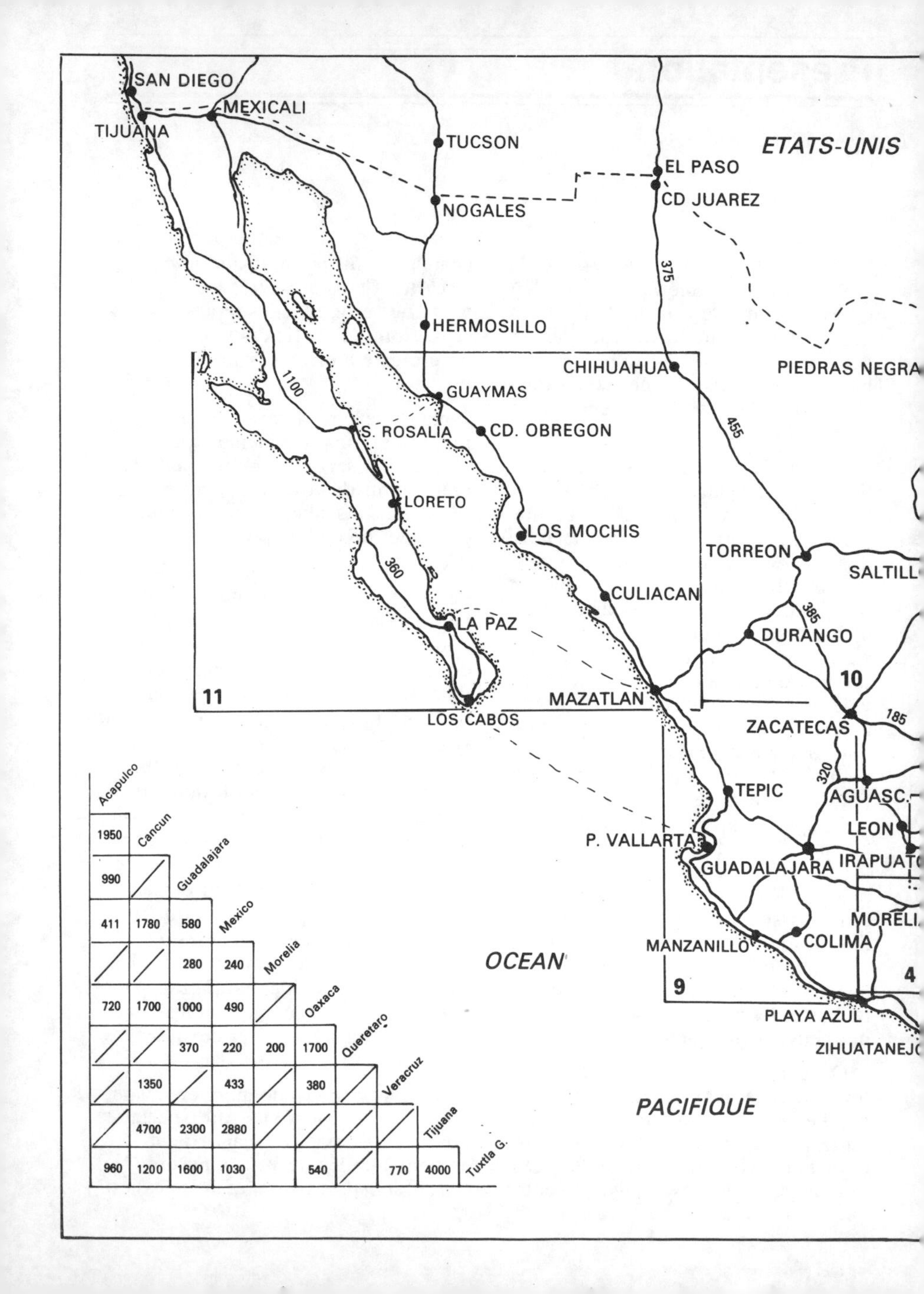

	Acapulco	Cancun	Guadalajara	Mexico	Morelia	Oaxaca	Queretaro	Veracruz	Tijuana
Cancun	1950								
Guadalajara	990	/							
Mexico	411	1780	580						
Morelia	/	/	280	240					
Oaxaca	720	1700	1000	490	/				
Queretaro	/	/	370	220	200	1700			
Veracruz	/	1350	/	433		380	/		
Tijuana	/	4700	2300	2880	/	/	/	/	
Tuxtla G.	960	1200	1600	1030		540	/	770	4000

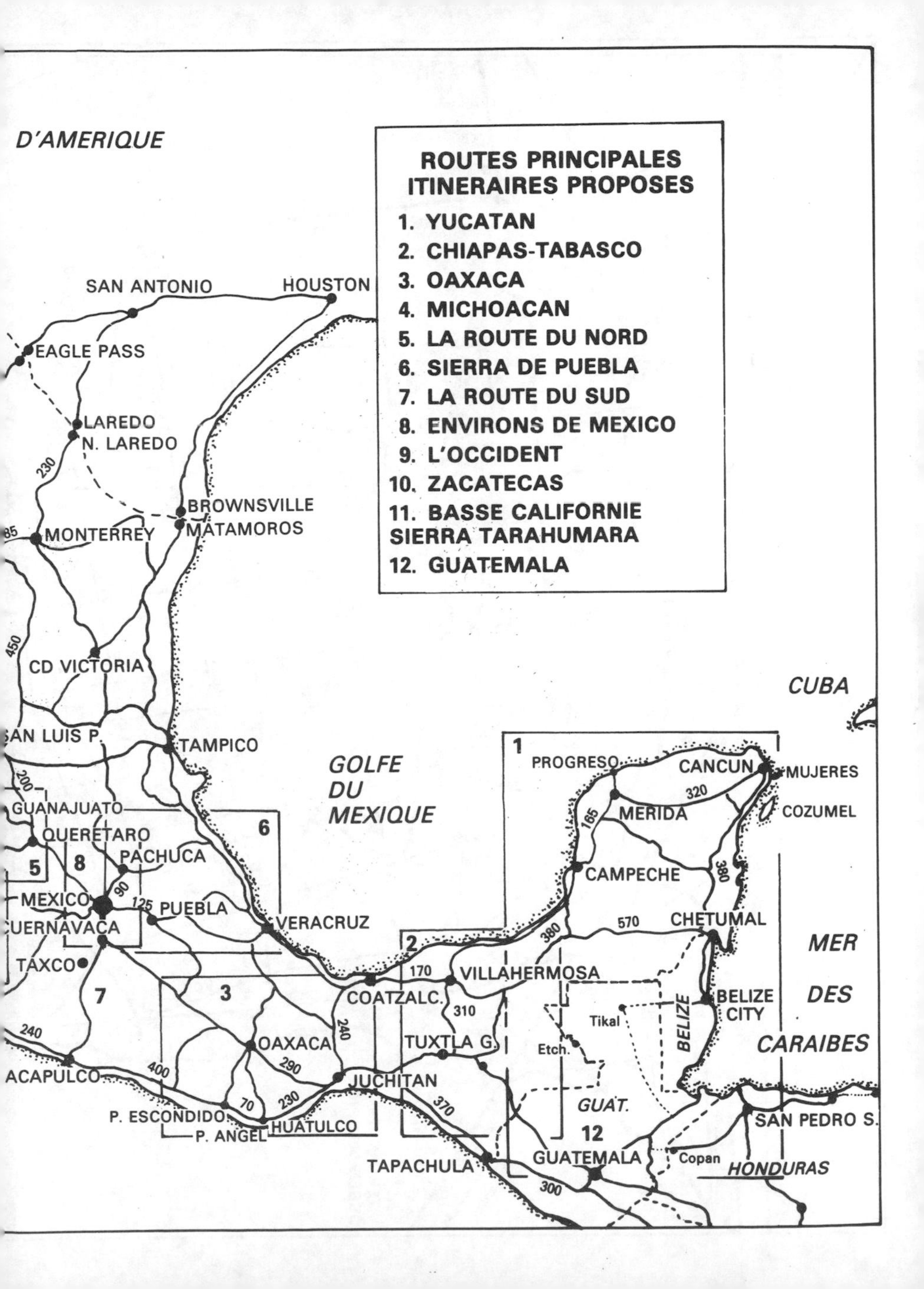
D'AMERIQUE
ROUTES PRINCIPALES
ITINERAIRES PROPOSES
1. YUCATAN
2. CHIAPAS-TABASCO
3. OAXACA
4. MICHOACAN
5. LA ROUTE DU NORD
6. SIERRA DE PUEBLA
7. LA ROUTE DU SUD
8. ENVIRONS DE MEXICO
9. L'OCCIDENT
10. ZACATECAS
11. BASSE CALIFORNIE
SIERRA TARAHUMARA
12. GUATEMALA
SAN ANTONIO
HOUSTON
EAGLE PASS
LAREDO
N. LAREDO
230
BROWNSVILLE
MATAMOROS
MONTERREY
450
CD VICTORIA
CUBA
SAN LUIS P.
TAMPICO
GOLFE
DU
MEXIQUE
PROGRESO
CANCUN
MUJERES
320
165
MERIDA
COZUMEL
200
GUANAJUATO
QUERETARO
6
PACHUCA
5
8
CAMPECHE
380
90
MEXICO
125
PUEBLA
VERACRUZ
570
CHETUMAL
CUERNAVACA
380
MER
TAXCO
2
170
VILLAHERMOSA
7
3
COATZALC.
BELIZE
CITY
DES
310
Tikal
BELIZE
240
OAXACA
240
TUXTLA G.
Etch.
CARAIBES
ACAPULCO
400
290
JUCHITAN
370
GUAT.
70
230
P. ESCONDIDO
HUATULCO
SAN PEDRO S.
P. ANGEL
12
GUATEMALA
Copan
TAPACHULA
HONDURAS
300

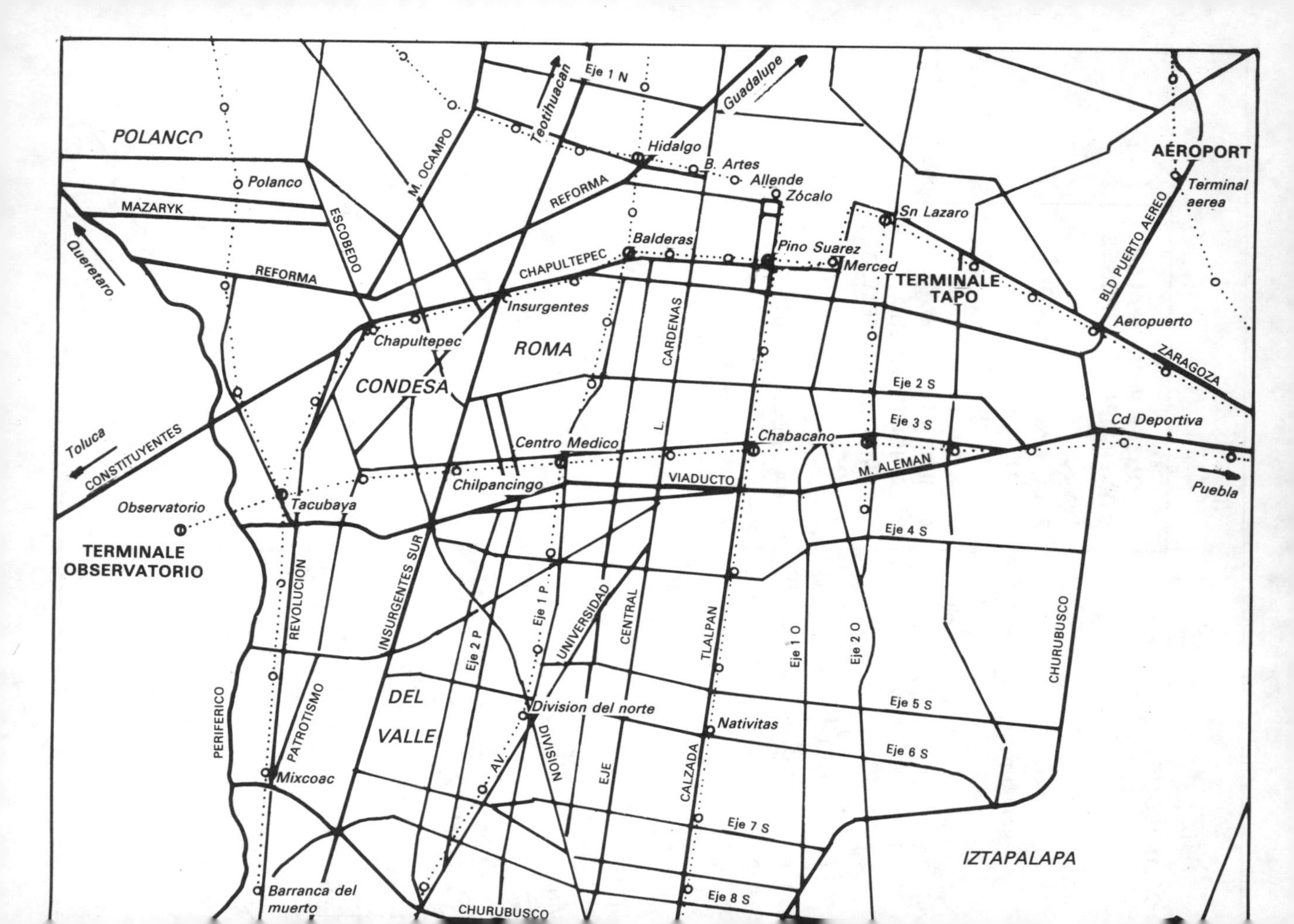
POLANCO
AÉROPORT
Terminal aerea
BLD PUERTO AEREO
Aeropuerto
ZARAGOZA
Cd Deportiva
Puebla
Eje 1 N
Teotihuacan
Guadalupe
Hidalgo
B. Artes
Allende
Zócalo
Polanco
MAZARYK
M. OCAMPO
REFORMA
ESCOBEDO
Queretaro
Sn Lazaro
Balderas
Pino Suarez
Merced
TERMINALE TAPO
CHAPULTEPEC
Insurgentes
Chapultepec
ROMA
CONDESA
CARDENAS
L.
Eje 2 S
Eje 3 S
Centro Medico
Chabacano
M. ALEMAN
VIADUCTO
Chilpancingo
Toluca
CONSTITUYENTES
Tacubaya
Observatorio
TERMINALE OBSERVATORIO
Eje 4 S
REVOLUCION
INSURGENTES SUR
Eje 1 P
UNIVERSIDAD
CENTRAL
TLALPAN
Eje 1 O
Eje 2 O
CHURUBUSCO
Eje 2 P
DEL VALLE
Division del norte
Nativitas
Eje 5 S
Eje 6 S
PERIFERICO
PATROTISMO
Mixcoac
AV.
DIVISION
EJE
CALZADA
Eje 7 S
IZTAPALAPA
Barranca del muerto
CHURUBUSCO
Eje 8 S

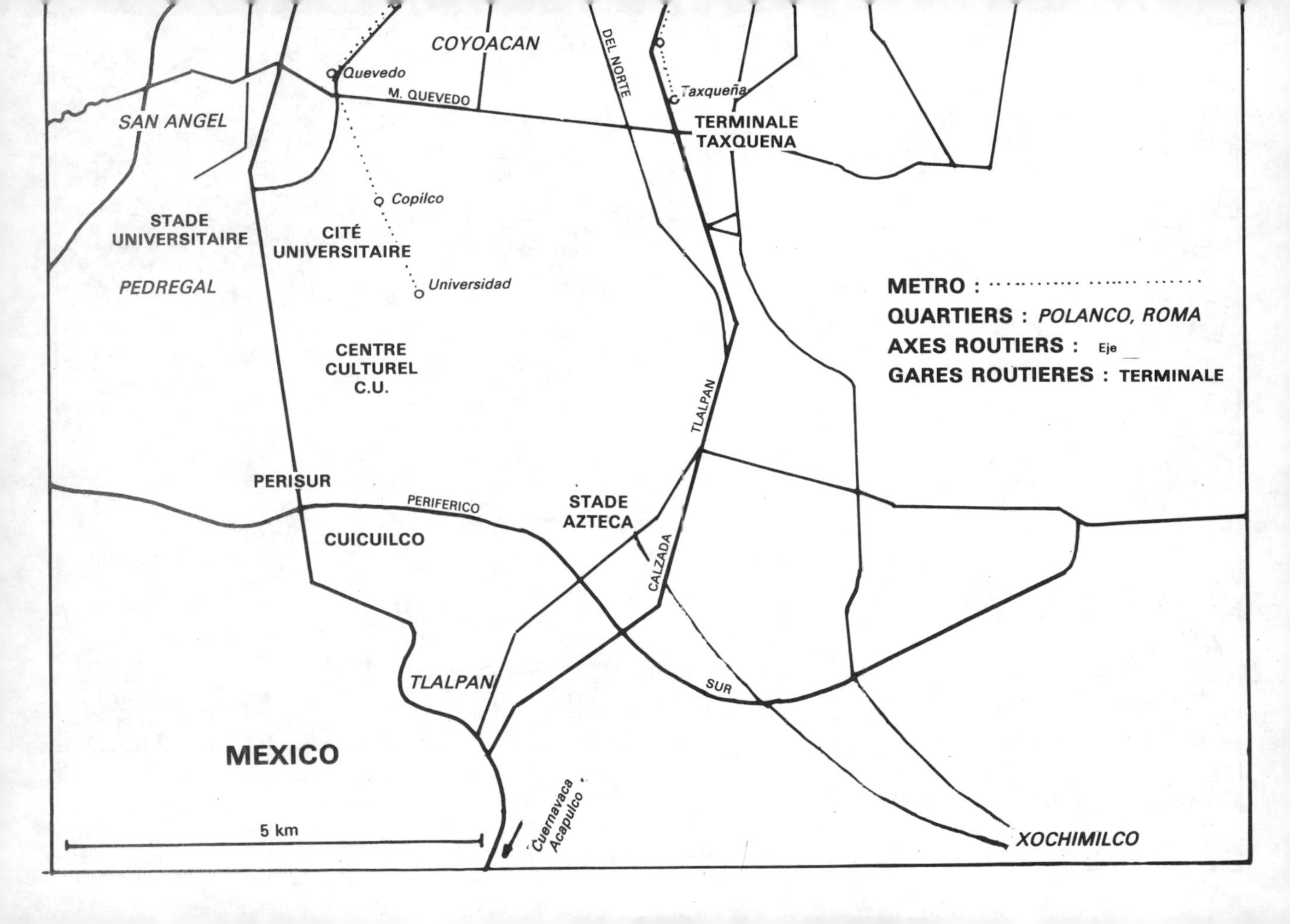
COYOACAN
Quevedo
M. QUEVEDO
DEL NORTE
Taxqueña
TERMINALE
TAXQUENA
SAN ANGEL
Copilco
STADE
UNIVERSITAIRE
CITÉ
UNIVERSITAIRE
PEDREGAL
Universidad
METRO :
QUARTIERS : POLANCO, ROMA
AXES ROUTIERS : Eje
GARES ROUTIERES : TERMINALE
CENTRE
CULTUREL
C.U.
TLALPAN
PERISUR
PERIFERICO
STADE
AZTECA
CUICUILCO
CALZADA
TLALPAN
SUR
MEXICO
Cuernavaca
Acapulco
5 km
XOCHIMILCO

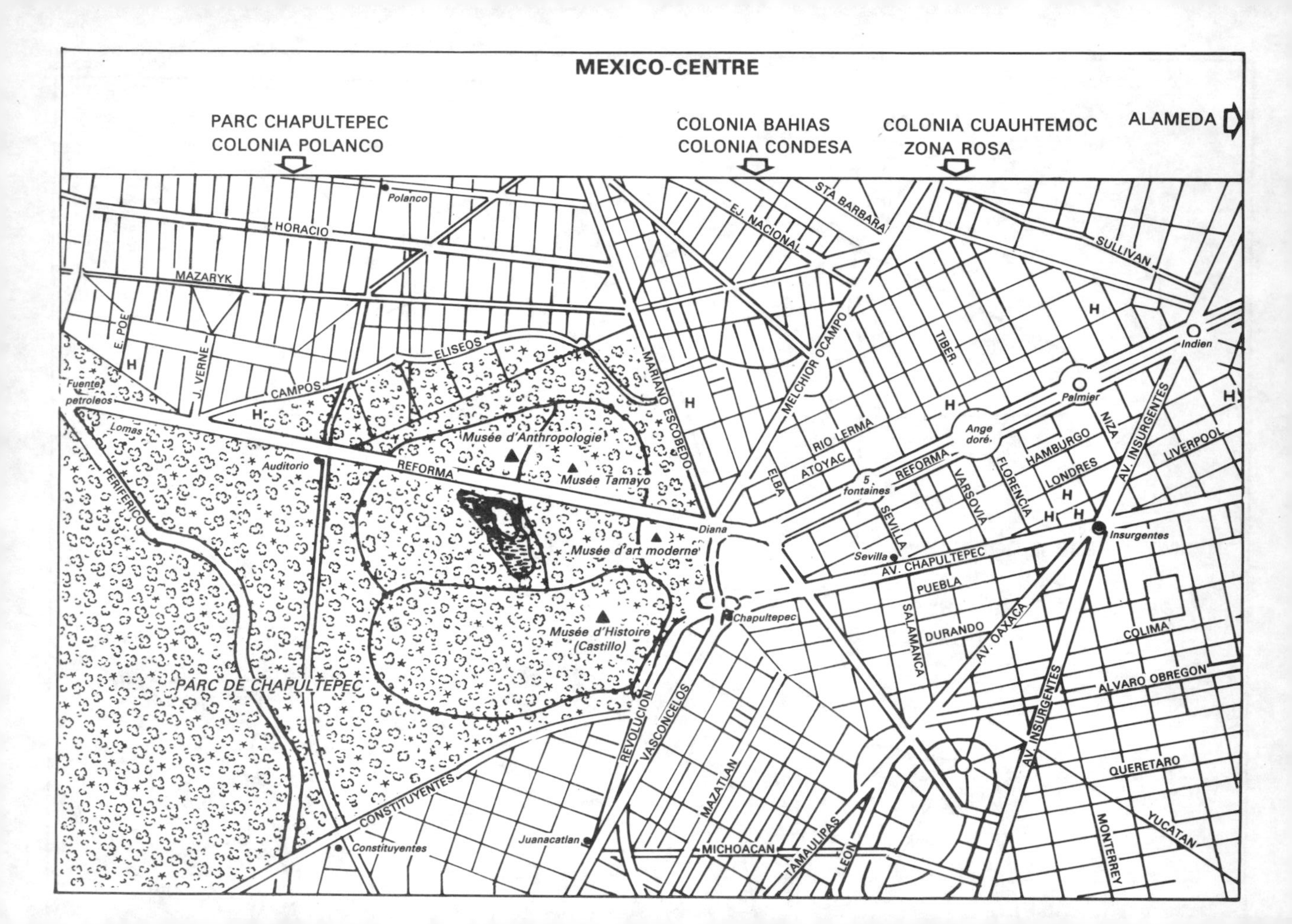
MEXICO-CENTRE
PARC CHAPULTEPEC
COLONIA POLANCO
COLONIA BAHIAS
COLONIA CONDESA
COLONIA CUAUHTEMOC
ZONA ROSA
ALAMEDA
Polanco
HORACIO
MAZARYK
E. POE
J. VERNE
CAMPOS
ELISEOS
Fuente petroleos
Lomas
Auditorio
PERIFERICO
REFORMA
Musée d'Anthropologie
Musée Tamayo
Musée d'art moderne
Musée d'Histoire (Castillo)
PARC DE CHAPULTEPEC
MARIANO ESCOBEDO
EJ. NACIONAL
STA BARBARA
SULLIVAN
MELCHIOR OCAMPO
TIBER
RIO LERMA
ATOYAC
ELBA
5 fontaines
Ange doré
Palmier
Indien
NIZA
HAMBURGO
LONDRES
FLORENCIA
VARSOVIA
SEVILLA
Sevilla
Diana
AV. CHAPULTEPEC
Chapultepec
Insurgentes
AV. INSURGENTES
LIVERPOOL
PUEBLA
SALAMANCA
DURANDO
AV. OAXACA
COLIMA
ALVARO OBREGON
QUERETARO
YUCATAN
MONTERREY
LEON
TAMAULIPAS
MICHOACAN
MAZATLAN
VASCONCELOS
REVOLUCION
Juanacatlan
CONSTITUYENTES
Constituyentes
H

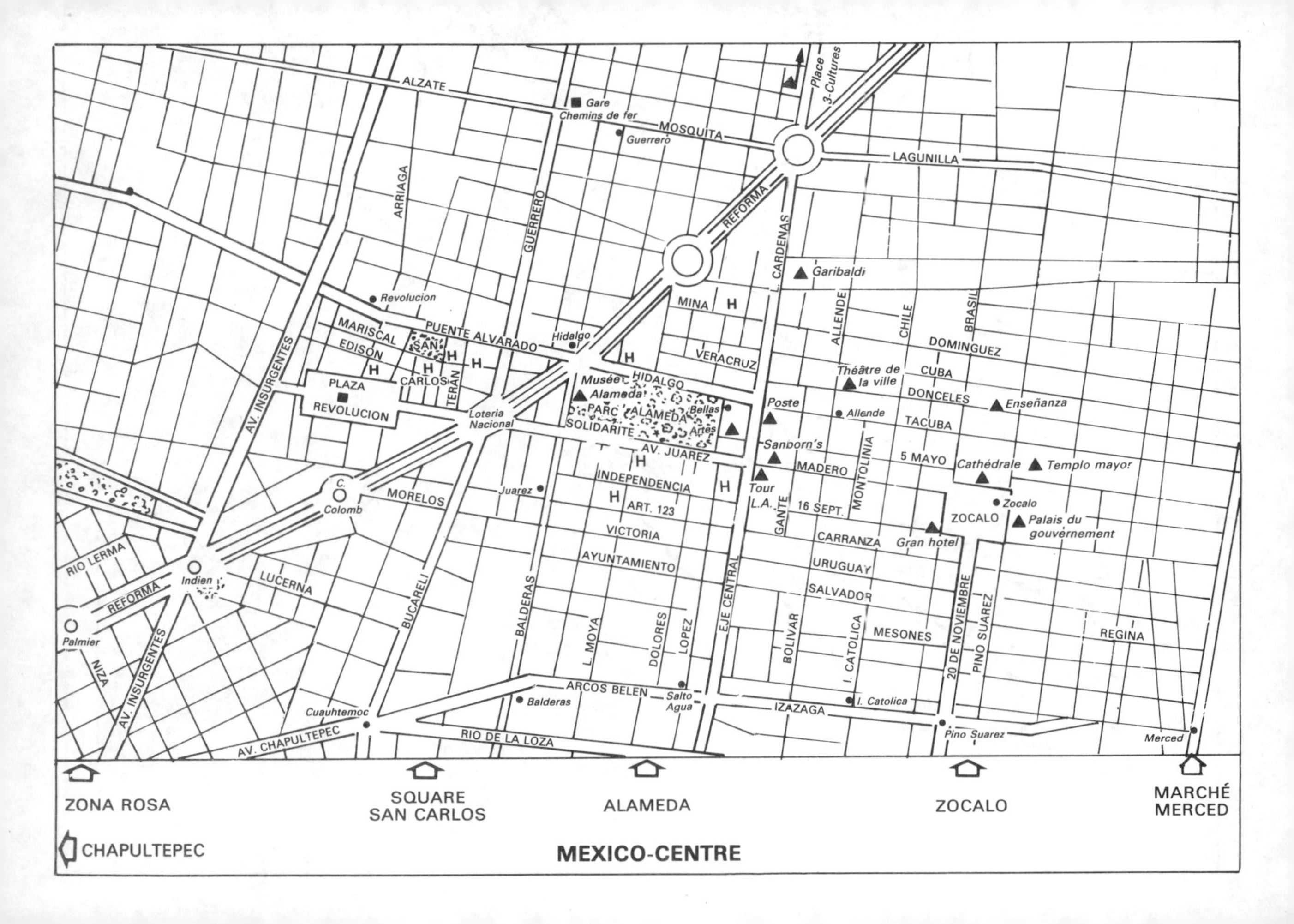
ALZATE
Gare
Chemins de fer
MOSQUITA
Guerrero
Place
3-Cultures
LAGUNILLA
ARRIAGA
GUERRERO
REFORMA
L. CARDENAS
Garibaldi
Revolucion
MINA
ALLENDE
CHILE
BRASIL
MARISCAL
SAN
PUENTE ALVARADO
Hidalgo
DOMINGUEZ
EDISON
CARLOS
TERAN
VERACRUZ
Théâtre de
la ville
CUBA
PLAZA
REVOLUCION
Musée
Alameda
HIDALGO
DONCELES
Enseñanza
Loteria
Nacional
PARC ALAMEDA
SOLIDARITE
Bellas
Artes
Poste
Allende
TACUBA
AV. INSURGENTES
AV. JUAREZ
Sanborn's
5 MAYO
Cathédrale
Templo mayor
MADERO
MONTOLINIA
C.
Colomb
MORELOS
Juarez
INDEPENDENCIA
Tour
L.A.
GANTE
16 SEPT.
Zocalo
ZOCALO
Palais du
gouvernement
ART. 123
VICTORIA
CARRANZA
Gran hotel
RIO LERMA
AYUNTAMIENTO
URUGUAY
Indien
LUCERNA
SALVADOR
REFORMA
Palmier
BUCARELI
BALDERAS
L. MOYA
DOLORES
LOPEZ
EJE CENTRAL
BOLIVAR
I. CATOLICA
MESONES
20 DE NOVIEMBRE
PINO SUAREZ
REGINA
NIZA
AV. INSURGENTES
ARCOS BELEN
Balderas
Salto
Agua
I. Catolica
Cuauhtemoc
IZAZAGA
AV. CHAPULTEPEC
RIO DE LA LOZA
Pino Suarez
Merced
ZONA ROSA
SQUARE
SAN CARLOS
ALAMEDA
ZOCALO
MARCHÉ
MERCED
CHAPULTEPEC
MEXICO-CENTRE

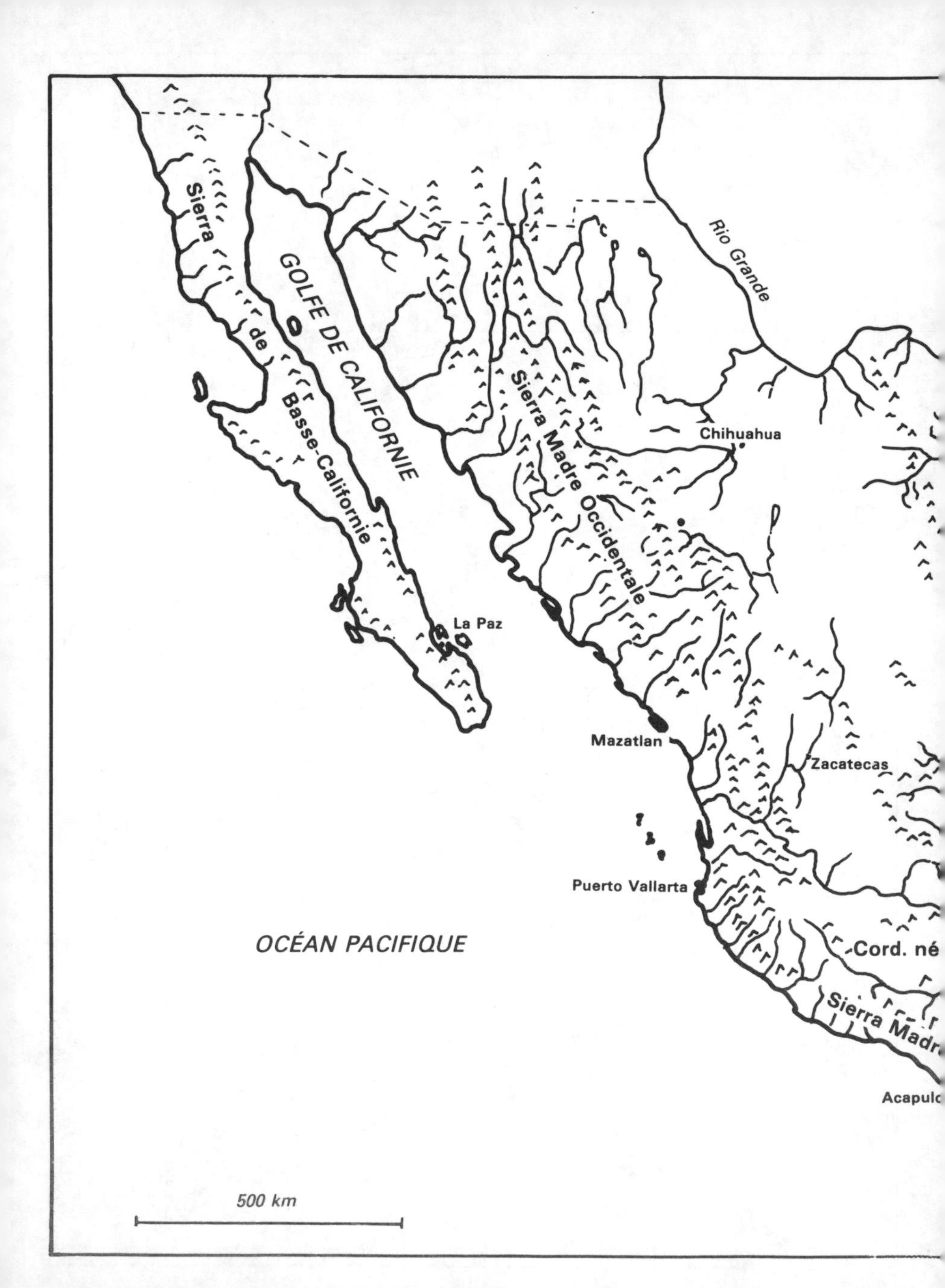
Sierra de Basse-Californie
GOLFE DE CALIFORNIE
Sierra Madre Occidentale
Rio Grande
Chihuahua
La Paz
Mazatlan
Zacatecas
Puerto Vallarta
OCÉAN PACIFIQUE
500 km

ÉTATS-UNIS D'AMÉRIQUE
OCÉAN ATLANTIQUE
CUBA
GOLFE DU
MEXIQUE
Merida
Sierra Madre Orientale
Mexico
volcanique
Veracruz
du Sud
Sierra Madre d'Oaxaca
Sierra Madre du Chiapas
Jsumacinta
BELIZE
GUATEMALA
HONDURAS

Mexicali
ÉTATS-
BASSE CALIFORNIE Nord
SONORA
Hermosillo
CHIHUAHUA
Chihuahua
MER DE CORTES
BASSE CALIFORNIE Sud
COAHUILA
SINALOA
Saltillo
DURANGO
Culiacan
Durango
La Paz
ZACATECAS
SAN LUIS
Zacatecas
POTOS
NAYARIT
AGUAS
Aguascalientes
Tepic
OCÉAN PACIFIQUE
Guadalajara
Guan
GUANAJUAT
JALISCO
Morelia
Colima
COLIMA
MICHOACAN
0
500 km

IS D'AMÉRIQUE
NUEVO
EON
Monterrey
Ciudad Victoria
TAMAULIPAS
San Luis
Potosi
uato
QUER
HIDALGO
Queretaro
Pachuca
MEXICO
D.F.
Tlaxcala
Xalapa
Toluca
TLAX
Mexico
Puebla
Cuernavaca
MORELOS
PUEBLA
VERACRUZ
Chilpancingo
GUERRERO
Oaxaca
OAXACA
OCÉAN ATLANTIQUE
GOLFE
DU
MEXIQUE
CUBA
Merida
YUCATAN
QUINTANA
ROO
Campeche
Chetumal
CAMPECHE
TABASCO
Villahermosa
BELIZE
MER
DES
CARAÏBES
Tuxtla Gutiérrez
CHIAPAS
GUATEMALA
HONDURAS

la réponse clef. Un lexique, en fin d'ouvrage, vous éclairera sur les expressions les plus courantes, parfois révélatrices du caractère mexicain. Si, une fois perdu, vous rencontrez des rues aux noms historiques de Hidalgo, Juarez et Carranza, c'est que vous approchez du centre des villes en vous initiant à l'histoire du pays.

Enfin, que vous vous intéressiez au niveau de vie, aux parcs naturels ou aux lieux du meilleur artisanat, la rubrique de « A à Z » répondra à vos questions.

Géographie et climat

Les Mexicains qui plaisantent volontiers sur leur propre compte, aiment raconter l'histoire de Dieu le Père qui, au moment de la création du monde, réservait le meilleur à leur pays (côtes, fleuves, montagnes, forêts, etc.). Alors que son entourage le lui faisait remarquer, il répondit : « Ne craignez rien, j'y mettrai les Mexicains. »

Si, en effet, on ne tire pas toujours parti de cette richesse, l'extrême variété de climats et de paysages permettra au voyageur sensible à la nature d'apprécier ce pays grand comme l'Europe des Dix, soit 1 970 000 kilomètres carrés. L'humidité permettant le climat tropical des Basses Terres ainsi que le climat tempéré des Hautes Terres (alors que nous sommes à la même latitude qu'au Sahara) est due à deux courants chauds qui passent le long des côtes du Mexique. D'un côté, celui des Caraïbes ; de l'autre, celui remontant depuis Panama le long de la côte Pacifique.

C'est un climat tropical bien que nous soyons très au nord. Des pluies de diverses intensités allant de 4 000 mm dans la Sierra Negra près de Palenque à 200 mm seulement dans le désert de Sonora ; 800 à Mexico et 1 200 à Patzcuaro (500 à Paris). Quand les précipitations descendent au-dessous de 600 mm, on trouvera des cactus (Guanajuato). Dans le nord-ouest et en Basse Californie, ce sont les cactus candélabre et les épineux. Sur les plateaux du Centre et du Nord : arbustes, yuccas, agaves et figuiers de barbarie. On retrouvera cette végétation dans le sud, comme dans le bassin de Oaxaca, régions abritées du vent, où les pluies se font rares.

L'étagement en altitude permet de passer de la chaleur humide des Basses Terres aux neiges et glaces des plus hauts sommets. Forêts et prairies en altitude. Forêt tropicale dans les Basses Terres. Ailleurs, bois de pins et de chênes. C'est dans le nord que l'on connaît les plus grands extrêmes : de − 29° à + 59° (Chihuahua comme Durango).

Le relief accroît cette tendance à la diversité : versants ravinés, affleurements de roches calcaires mises à nu, coulées volcaniques récentes, déserts pierreux et fonds de cuvette salés. Autant d'espaces réduisant le nombre d'hectares cultivables dont la base est la *milpa,* champs de maïs temporaire après défrichage par brûlis.

Le cœur du Mexique est formé d'une région volcanique correspondant à la convergence de deux Sierras Madre avec multiplicité des cassures, grande fréquence de tremblements de terre, et nombreux volcans dominant ces hauts plateaux. Toute une chaîne : le pic de Orizaba (5 640 m), le Popocatepetl (5 465 m), l'Ixtaccihuatl (5 230 m), le Nevado de Toluca (4 690 m) et celui de Colima (4 328 m). Les vols intérieurs entre Mexico et le sud-est du pays nous permettent une vue des plus saisissantes sur ces sommets enneigés.

Le Mexique étant dans l'hémisphère Nord, les mois les plus froids sont décembre et janvier. Sa position sous le tropique du Cancer le met au régime des saisons des pluies (15 mai au 15 octobre environ) et de la saison sèche le reste de l'année. Avant le 15 mai, tout est jauni ; ensuite, tout reverdit. S'ajoutent les différences de température dues à l'altitude (on vit autant à 3 000 m qu'au niveau de la mer), et à la longitude (ce pays a 5 000 km dans sa plus grande longueur). Pour diversifier encore plus le climat, les ouragans des Caraïbes peuvent changer le temps et les températures dans le sud pendant quelques jours, alors que des dépressions venant du Canada provoquent des enneigements sur les montagnes du Nord et les volcans du Centre. Les constructions sont en général mal adaptées au froid, sans doute parce qu'il ne dure jamais longtemps, mais assez pour que des Allemands de Hambourg se soient plaints de n'avoir jamais eu aussi froid qu'à Mexico.

Les ressources

En agriculture, on trouvera presque partout le maïs (originaire de ce continent) qui s'adapte à tous les climats et aux accidents de terrain, le haricot noir et la courgette. Ces trois composent la nourriture traditionnelle. Le blé est cultivé dans le nord-ouest en alternance avec le coton. Canne à sucre et coton toujours dans le nord-ouest, ainsi que sur les terres humides du sud et de l'ouest du pays. Le café a remplacé le cacao dans le sud-est. Orge dans les terres sèches des plateaux (pour la bière). Primeurs, fleurs et palmes décoratives pour l'exportation. Produits oléagineux (cacahuètes, palmiers à huile, cocotiers). Fruits tropicaux dans toutes les terres chaudes. Riz sur les terres irriguées du Sud et de l'Ouest. Sisal au Yucatan. Tabac principalement dans l'Etat du Nayarit.

Le bétail se rencontre surtout dans les plaines du Golfe. Près des grandes villes, un élevage spécial est assuré pour leur approvisionnement en lait. Dans le nord, on pratique l'élevage de veaux pour l'exportation. De la mer (le Mexique compte 9 000 kilomètres de côtes), on tire les grosses crevettes, surtout dans le Campeche, mais aussi les huîtres, les sardines et le thon. L'exploitation du bois à grande échelle inquiète les écologistes (pin dans les Hautes Terres — le chêne étant déjà presque épuisé — et bois tropicaux ailleurs).

L'exode rural a lieu depuis les régions d'agriculture traditionnelle vers les plaines côtières nouvellement ouvertes à la colonisation, mais surtout vers les villes.

Les compagnies anglaises et américaines qui exploitaient le pétrole furent nationalisées en 1936 (Pemex signifie Petroleos Mexicanos). Mais c'est dans les années 1970 que l'exploitation du gaz et du pétrole fut entreprise à grande échelle (les réserves dépassent celles de l'Irak ou de l'Iran). L'équipement en oléoducs, gazoducs et raffineries permit le départ d'industrie chimique lourde autour du Golfe et sur les plateaux (Mexico, Monterrey et Salamanca) avec fabrication d'engrais, insecticides, colorants, plastique et asphalte. Sans compter la modernisation des chemins de fer, des centrales, de l'irrigation et de l'industrie.

L'équipement pour l'exploitation à un rythme exagéré provoqua l'endettement dont le pays a beaucoup de mal à se sortir. Mais cela est certainement une des raisons de la progression du Mexique en comparaison de ses voisins centraméricains. Le prix de l'essence est actuellement 4 fois moindre que celui de la France.

Enfin, le Mexique demeure le premier exportateur mondial d'argent, métal très demandé pour la fabrication de produits photographiques.

L'industrie

Elle est particulièrement développée : sidérurgie à Mexico et à Monterrey, grande ville du Nord ; industrie mécanique sous licences américaines et japonaises et dont l'ampleur permet l'exportation ; importants barrages mis en service au Chiapas et au Michoacan. En province, les grandes villes se sont industrialisées dans le nord comme à Queretaro, San Luis Potosi, Saltillo, Torreon et Chihuahua.

Investissements et devises

L'exportation de main-d'œuvre pour les travaux agricoles saisonniers aux Etats-Unis est une importante source de devises, mais la nouvelle loi sur l'immigration promulguée par ce dernier pays oblige à plus de contrôle, portant préjudice aux Mexicains qui y entrent illégalement, ceci au bénéfice de ressortissants d'autres pays.

Par contre, des usines de montage sont autorisées à s'installer en franchise d'impôts à la frontière. Si elles ne produisent rien pour le pays, elles répondent cependant au besoin du marché du travail. Sinon, l'investissement étranger n'est autorisé qu'à 49 %, un problème facilement contourné par l'intervention de prête-noms. On prévoit de gros investissements japonais dans un avenir proche.

Le tourisme est une grande source de revenus. Il s'agit d'abord d'Américains passant les villes frontière pour quelques heures mais achetant beaucoup de souvenirs. Vient ensuite un tourisme américain et latino-américain d'un séjour moyen d'une semaine. Un autre enfin, de Canadiens et d'Européens de trois semaines et plus.

Culture

Essayer de se faire une idée sur un pays grand comme l'Europe occidentale et où l'on parle 52 langues serait assez téméraire si on oubliait le contact humain. La réussite de votre voyage en dépend plus que de l'efficacité d'une agence de voyages, car de toute façon, l'improvisation l'emporte sur l'organisation. Au Mexique, tout finit par s'arranger. Vous trouverez toujours quelqu'un pour résoudre vos problèmes, mais n'oubliez pas qu'un impair peut vite froisser. Or les Mexiicains n'en disent jamais les raisons.

On attend partout et pour tout. A ce sujet (comme sur d'autres), si les Mexicains font leur autocritique, ils n'aiment pas trop que d'autres s'en chargent. N'essayez pas d'adopter votre logique à leur façon de faire. Leur caractère a hérité de la patience orientale et du retard des Espagnols. On ne comprendra pas votre impatience et l'on prendra vos sautes d'humeur pour de la bizarrerie. Par contre, on vous attendra.

Vous attendrez pour vous faire servir, mais on ne trouvera rien à redire si vous continuez d'occuper la table sans consommer. Les passagers d'un autobus ne réagiront point si vous arrivez les derniers après un arrêt. Les retards, les oublis qui nous agacent sont choses communes.

On s'imaginerait mal vivant dans une ville comme Mexico sans sombrer dans une névrose collective. Or ici, on rit de ce qui peut se passer et aucun des téléphones publics n'est endommagé. Pour compléter l'illustration de la notion du temps, on apprendra à connaître les expressions détaillées dans le lexique en fin d'ouvrage et qui nous éclaireront sur la mentalité du pays. Enfin, pour traduire « je ne sais pas », on dira *quien sabe,* « qui sait ? ». Depuis des siècles, on se méfie de son supérieur qui fut le conquérant. On évite de prendre ses responsabilités. Evitez, par exemple, de laisser des messages verbaux. Ils seront rarement transmis.

Ne commencez pas un dialogue par un *Do you speak english ?* mais par un timide et persuasif *Perdoneme, no hablo español.* Vous serez surpris des résultats obtenus.

Ne refusez pas une invitation. Ce pourrait être mal compris. Cette offre est la preuve que, grâce à vous, vos interlocuteurs ont réussi à sublimer leurs complexes vis-à-vis de ce qui est étranger. Une manière de vous en remercier. Chez les Indiens encore dans leur culture, un refus peut passer pour un affront. Et n'allez pas gâcher ce moment exceptionnel en sortant votre appareil, à moins qu'à la sortie on ne décide de la photo souvenir, mais avec vous. Envoyez-en un tirage, même six mois plus tard. Le temps ne détruira pas le souvenir. Si vous apportez un cadeau, ne vous étonnez pas qu'il ne soit pas ouvert devant vous et que l'on n'émette aucun commentaire. C'est la coutume, toujours basée sur la discrétion. Si votre visite a un objet particulier, n'annoncez pas pourquoi vous êtes venu. Cela doit venir au cours de la conversation ; le fin du fin étant que votre interlocuteur glisse la question sur le tapis le premier, montrant ainsi qu'il a compris de quoi il s'agit et que l'on peut en discuter. Il faut donc de la patience, mais on s'apercevra que les choses introduites de cette façon ont une tout autre résonance.

Dans vos relations avec les autorités, il faudra éviter de mettre en doute l'interlocuteur et d'utiliser la légalité comme argument. Il faut avant tout sauver le dialogue. Tout commentaire dans notre langue, même s'il n'est pas malveillant peut être mal pris.

Le Mexicain manque de confiance en lui, ce qui se traduit par un *mea culpa* en public, ne cherchant pas pour autant à montrer un autre visage. Il préférera vous tromper pour se rassurer sur sa puissance tout en préservant sa liberté.

Le mélange du vainqueur et du vaincu de la conquête est ancré dans son métissage (il confond souvent sa droite de sa gauche — un détail à considérer quand on demande son chemin). Sa première question sera de savoir ce que vous pensez de son pays. Dans l'idée de changements politiques, il est plus attiré vers un leader que vers un parti. Et certains vont jusqu'à dire que depuis l'abolition de l'esclavage, il demeure mal à l'aise se sentant au niveau de l'Indien. Les choses s'arrangent souvent d'elles-mêmes. On a appris à faire la queue pour monter dans l'autobus urbain, ce qui ne se voyait pas il y a quelques années (les autorités ne sont pas intervenues). Enfin, on réalisera la proportion d'enfants en assistant aux défilés du jour anniversaire de la Révolution ou du Drapeau. Les handicapés sont secourus par des instituts et retrouvent leurs familles le soir.

Le père mexicain n'hésite pas à montrer de la tendresse envers ses enfants. Les associations de parents d'élèves sont souvent actives et tout le monde témoigne un certain respect pour les maîtres d'école. Ces derniers sont parfois le premier contact avec le monde extérieur pour des populations reculées. Ils sont souvent abandonnés par une administration centralisée et loin des problèmes locaux.

L'école primaire est obligatoire. Le secondaire comprend trois ans, puis trois autres pour le baccalauréat avec possibilité d'orientation vers le technique ou l'Ecole normale. Les universités sont privées ou nationales (autonomes). Il existe des Ecoles supérieures techniques, une Ecole d'anthropologie, une d'arts plastiques, de danse.

Dans les écoles, l'uniforme est obligatoire. Une mesure pour faire oublier les différences de classes sociales. On apprend à marcher au pas pour les défilés commémoratifs. Et si l'on voit dans les musées des gens de toutes conditions (avec leurs enfants), c'est qu'ils y ont été habitués depuis l'école. On y verra souvent des groupes scolaires. Par contre, habitué à annoncer, ou à copier, l'enfant acquiert difficilement un esprit de synthèse.

Le D.I.F. est une organisation d'Etat au bénéfice des enfants qui œuvre en essayant de ne pas bousculer les structures familiales. Ses hôpitaux ont bonne renommée. Il comprend aussi des centres de rééducation, de récréation, de vacances et des centres sociaux pour les enfants délaissés. On écoutera des messages par radio demandant de dénoncer les parents qui maltraitent leurs enfants. Mais on ajoute que les mêmes parents doivent être vus pour qu'on les aide à résoudre leurs problèmes.

On demande aussi aux conducteurs de faire attention aux petits marchands de journaux et l'on propose qu'une organisation leur procure des gilets phosphorescents. On préconise la répartition des tâches ménagères à l'intérieur des foyers.

La famille reste le noyau de stabilité du pays. L'enfant est très entouré et d'une façon naturelle. Sa famille est nombreuse (on compte une moyenne de 6 enfants et 8 pour la génération précédente). Un orphelin est tout de suite pris en charge par les voisins si l'on ne trouve pas trace de sa famille. Au sein des familles, les frères et sœurs se différencient souvent par le critère racial. Dans les villages, presque tous les jeunes ont un *apodo,* un surnom qui correspond d'une façon frappante à un trait physique ou de caractère. Habitué à être nommé ainsi, l'individu est garanti de tout complexe, car plus personne n'attache d'importance à ce qui pourrait apparaître comme une tare s'il en prenait conscience plus tard.

Pour la jeune fille, la grande fête est celle de ses 15 ans. C'est le baroud d'honneur avant de devenir la femme soumise et la mère de famille nombreuse. Elle se retrouve seule en face du prêtre, assise sur un trône dans une église comble et pleine de fleurs. Les parents s'endettent longtemps pour que la fête soit une réussite. La Mexicaine est souvent moins compliquée que le Mexicain ; plus accessible. Douce et charmante, elle doit montrer une certaine timidité. Dans les campagnes, les voyageurs gagneront à se séparer pour permettre une approche entre femmes. Elle en éprouvera de la reconnaissance.

Les allocations familiales n'existent évidemment pas, mais la Sécurité sociale se généralise petit à petit. On doit alors se faire soigner dans l'hôpital de son quartier, sinon à ses frais. La notion de chômage n'existe pas. On est à la recherche de travail sans penser que c'est un dû. Les vieux sont intégrés encore souvent dans les familles et ils sont respectés.

La conjuration de la mort, que l'on rencontre dans des comportements extérieurs comme le goût du risque, semblerait remonter au passé aztèque. L'aspect morbide de leur art réapparaît à travers ces crânes en sucre que l'on offre à ses amis le jour de la fête des Morts, sans avoir omis d'y inscrire leurs noms. (Cela semble se localiser à la région de Mexico et plus au nord, car dans les régions indiennes la seule extériorisation est le contact avec ses propres morts et non pas avec la mort en soi.)

Il y a séparation de l'Eglise et de l'Etat. On peut dire que la majorité de la population est catholique, mais de plus en plus, les églises protestantes interviennent dans les régions nouvellement colonisées et coupées des traditions (on y notera les noms de villages inspirés de la Bible, différents de ceux de saints, plus anciens). Mais le culte des saints semble le mieux correspondre au mysticisme hérité de la culture indienne (si la statue de la Vierge est volée dans un village, les protestants participent au tollé général). Les nouvelles Eglises protestantes évangélistes sont appuyées par les Américains qui se méfient de la tournure politique de certaines factions de religieux catholiques. Le marxisme, de son côté, fait son chemin à travers l'Université nationale (et autonome) le plus notoire étant par la radio, la télévision et la foire annuelle du livre qui en dépendent. A travers l'Ecole nationale d'anthropologie aussi.

Le dimanche soir, est le grand moment social des Mexicains. A huit heures, que ce soit dans une ville traditionnelle où tout le monde vient caracoler sur le zócalo, que ce soit dans une ville de climat chaud, sur le front de mer, jeunes gens et jeunes filles, familles : tous viennent se montrer. Ce sera pour vous le moment de sentir l'âme d'un peuple et de réaliser sa démographie. Si l'on participe à cette grande réunion, on sera considéré comme un invité. C'est la même chose pour les fêtes, car c'est toujours un peu la fête au Mexique. Il existe celles des Saints-Patrons, instituées par les pères espagnols parfois en superposition de célébrations plus anciennes (elles ont lieu dans les quartiers ou villages) ; les fêtes religieuses communes à tout le pays et les fêtes nationales.

Il ne faudra pas hésiter alors à rechercher ce qui va se passer. S'il y a un moment où les Mexicains répugnent à vous parler d'organisation, c'est bien au cours de la préparation d'une fête, car c'est déjà son début. Vous ne saurez jamais quand cela commence, mais vous devez savoir que cela peut durer plusieurs jours. On ne quittera pas une fête sans avoir vu brûler le *castillo* (château de feu) qui en est parfois la conclusion. On le reconnaîtra, dans la journée, à son grand mât, ses croisillons de baguettes de bois appelées à s'embraser en formant des roues de feu laissant alors apparaître dans le ciel le héros de la fête : Miguel Hidalgo ou bien la vierge de la Guadalupe.

Quand vous n'hésiterez plus à entamer les dialogues, quand vous irez assister aux fêtes et aux dimanches soir sur le zócalo, vous toucherez les Mexicains au fond du cœur et votre relation avec le pays deviendra réalité.

Si vous prenez des photos dans une église, personne ne vous dira rien. Mais si vous attendez que l'office soit terminé, on appréciera votre geste. Si vous éternuez dans la rue, vous entendrez vos voisins vous dire *salud*. N'oubliez pas alors de leur répondre *gracias*. Evitez de donner à manger aux chiens. Cela passerait pour une dépréciation de ce qui vous a été servi. On notera d'ailleurs que si les chiens ne sont pas toujours bien gras, ils ne sont pas maltraités.

La mendicité n'est apparue que depuis peu et a été provoquée par des touristes, mexicains compris. Chez les Indiens, les mères n'aiment pas trop que l'on intervienne dans l'éducation de leurs enfants en leur donnant quelque chose. Il y a d'ailleurs mille façons d'aider les gens aux coins des rues : achat de jouets qui sont des plus imaginatifs, de fruits, de graines de citrouille (excellent préventif de la *turista*) ; accepter le service de porteurs, de cireurs, de conteurs, autant de gens dispersés qui en font vivre bien d'autres.

La tenue. Les Mexicains y sont très sensibles. On les verra eux-mêmes correctement habillés, de quelque condition qu'ils soient. Il faut avant tout se rappeler que la rue, le parc, sont des endroits communautaires. C'est de tradition. (Il est délicat de se promener dans un village indien sans se présenter aux autorités, même si l'on n'entre pas dans les maisons.) Il ne faudra pas hésiter à se désolidariser de ceux qui, à cet égard, pourraient vite faire du tort à la réussite de votre voyage. Le short ? Oui, mais quand vous verrez les gens du pays et de votre âge en faire autant. D'ailleurs se poser la question, c'est déjà presque y répondre. Question de regarder autour de soi. Comme pour le reste, les Mexicains ne disent rien mais n'en pensent pas moins. Il ne faudrait pas s'étonner que les choses tournent mal (renseignements faux, silences, etc.). Comme les chats, ils choisissent leurs amis. Par contre, il n'est pas du tout impoli de se curer les dents en public. C'est d'ailleurs fort agréable. (On verra des cure-dents un peu sur toutes les tables.)

Ceux qui trouvent que le Mexique est américanisé connaissent mal les Etats-Unis. Nous sommes chez des Latins. On y trouvera cependant le besoin de renouveau perpétuel propre au continent américain, aux grands espaces qui le caractérisent. Autrefois, chaque pyramide était recouverte par une nouvelle pour telle ou telle occasion. On brisait des objets, parfois très beaux, à l'occasion du Nouvel An. Ces habitudes continuent. A Oaxaca, au cours de cette fête, on va au zócalo, manger des crêpes et l'on casse son assiette sur le sol qui se couvre de débris. On préfère construire de nouvelles routes plutôt que de réparer les anciennes. Chaque président tient à marquer son passage par de nouveaux plans (travaux publics, agriculture ou ressources naturelles, sujets culturels) effaçant ainsi d'autres projets élaborés par le précédent. Tout ceci dérange nos habitudes européennes de conservation. Mais si nous parlons tranquillement de la « pluie et du beau temps », au Mexique, tremblements de terre fréquents et ouragans sont prêts, de toute façon, à détruire rapidement ce qui est construit. Et puis, sous les climats tropicaux, on n'apprend pas à faire des réserves pour l'hiver.

Si le Mexique a une énorme dette extérieure, c'est aussi qu'il avait énormément dépensé. Il ne pose pas le principe du refus de son remboursement (malgré certaines pressions intérieures), mais rembourse un peu pour obtenir d'avantage (il n'a jamais reçu autant de prêts que depuis qu'il est reconnu comme le pays le plus endetté du monde). Le Mexicain est particulièrement fort pour ne pas rembourser ses dettes. Il pense que le plus ennuyé est celui qui a déboursé. Les propriétaires d'appartements se déplacent eux-mêmes pour venir chercher le montant des loyers.

Avec la situation économique actuelle, et certainement sous la pression des organismes monétaires internationaux, le pays se décide à réparer les ponts et les routes au lieu de refaire du neuf. Parmi la classe moyenne, beaucoup de ceux qui avaient pris l'habitude d'aller passer des vacances en Floride partent maintenant à la découverte de leur propre pays (on aime beaucoup se déplacer, à l'occasion de fêtes par exemple, pour retrouver le berceau familial souvent éloigné). L'Institut des consommateurs passe à la télévision des informations quotidiennes sur les prix des différents fournisseurs.

Ce qui détermine le Mexique depuis sa création par Cortes lorsqu'il mariait ses soldats avec les filles de noblesse aztèque, c'est le métissage qui en résultera. L'image du gros Mexicain moustachu inquiétant cache l'Asiatique comme l'Espagnol arabisé. Du premier il a gardé la finesse, le mystère, la patience mais la dissimulation et la cruauté ; du second, l'orgueil, la violence, le conformisme, la passion jalouse et le mépris des femmes.

L'INDIEN

Il a sa propre identité culturelle.

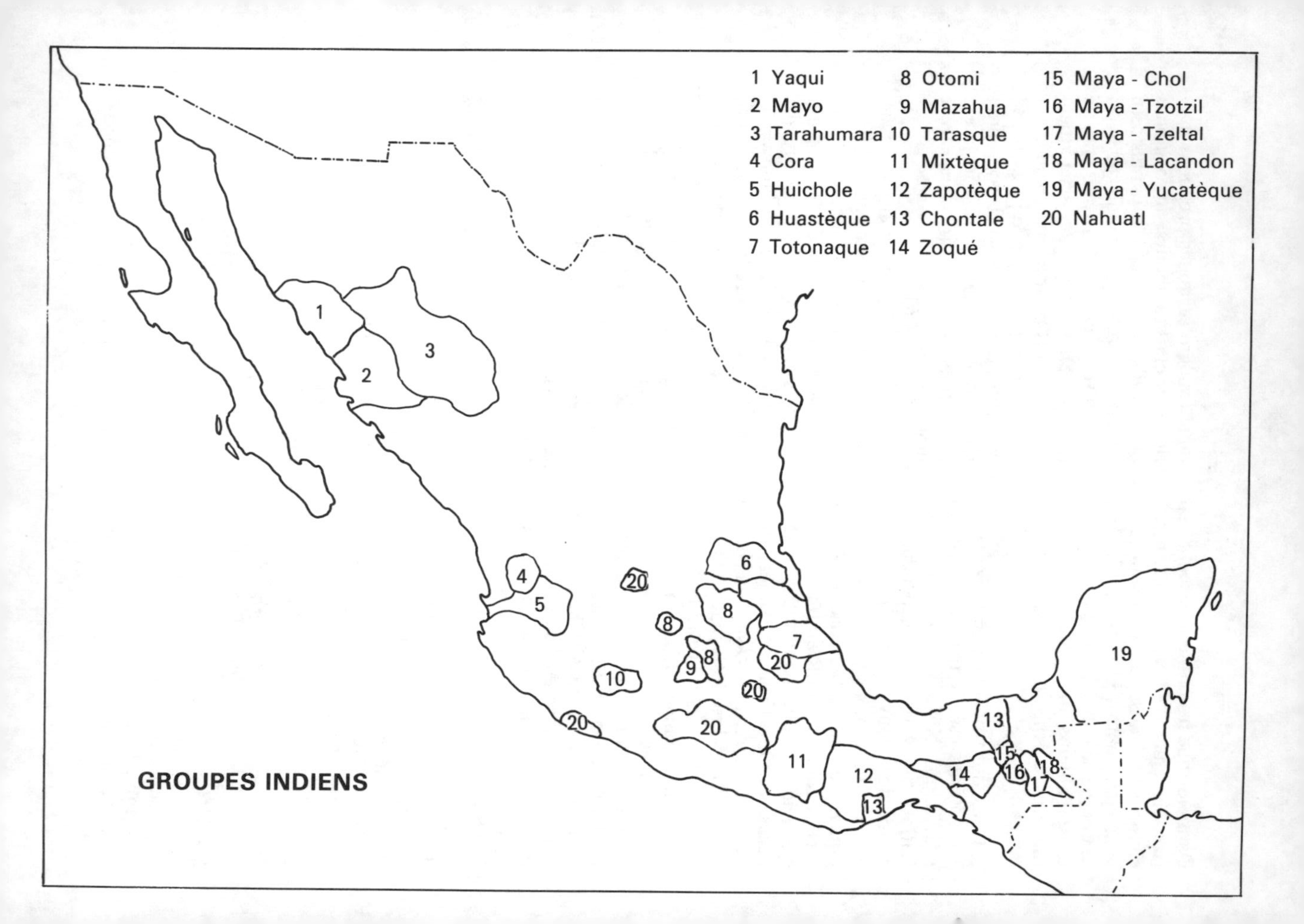
1 Yaqui
2 Mayo
3 Tarahumara
4 Cora
5 Huichole
6 Huastèque
7 Totonaque
8 Otomi
9 Mazahua
10 Tarasque
11 Mixtèque
12 Zapotèque
13 Chontale
14 Zoqué
15 Maya - Chol
16 Maya - Tzotzil
17 Maya - Tzeltal
18 Maya - Lacandon
19 Maya - Yucatèque
20 Nahuatl
GROUPES INDIENS

Dans les régions de passage (Michoacan, Yucatan, côte du Golfe), il est plus ouvert et accessible. Bien que vêtu le plus souvent à l'européenne, il ne reniera pas pour autant sa culture. L'Indien de la montagne, lui, éprouvera un certain complexe en descendant en ville face à une société qui l'aura toujours exploité. Ce n'est donc pas là que vous le découvrirez sous son meilleur jour, mais chez lui ou au cours d'une fête.

Ne soyez pas surpris de trouver dans les coins les plus reculés des petits Indiens en costume jouant au baby-foot. Les petits Nahuas qui viennent vous vendre des *papel de amate* à Taxco sont aussi experts en jeux électroniques type Space-Invador que les petits Tarahumaras de Creel. A San Cristobal, vous ferez la queue à la banque en compagnie de Tzotzils venus vérifier leur compte bloqué à trois mois. Les choses évoluent, mais derrière tout ce contexte contemporain, la tradition persiste plus qu'il n'y paraît. Et si l'on peut facilement reconnaître un Yucatèque d'un Tarasque, il demeurera chez chacun d'eux des expressions auxquelles vous n'échapperez pas si vous savez regarder : cette sagesse, ce côté rêveur, un certain humour dans le sourire, tout un ensemble secret que l'on aimerait connaître, ce qui n'est pas toujours facile avec nos habitudes occidentales.

Les anthropologues ont classé les Indiens selon des critères linguistiques car à travers les migrations et les métissages, la langue reste le reflet le plus proche d'une culture. Ils reçoivent alors leur « appellation contrôlée ». C'est ainsi que vous entendrez de telle ou telle personne qu'elle parle encore le *dialecto*. Les langues mexicaines sont difficilement communicables entre elles, quand ce n'est pas impossible. L'Institut indigéniste, un secrétariat d'Etat du gouvernement, est chargé d'intégrer l'Indien au fait mexicain, ce qui n'est pas toujours le meilleur cadeau à lui faire, mais c'est réaliste. En lui enseignant l'espagnol il lui sera donné les premières armes pour se défendre, il pourra revendiquer ses droits à la terre et améliorer ses conditions de vie. Des stations radio dans les langues locales ont été mises en placc un peu partout sur le territoire. Les problèmes posés par cette intégration ne se situent pas au niveau des villes où les gens trouvent très folkloriques leurs origines indiennes (vous y trouverez même de jeunes bourgeois s'appeler Cuauhtemoc ou Xochitl), mais plutôt chez les Indiens eux-mêmes quand les limites de terrains ne sont pas claires, quand les éleveurs métis cherchent à agrandir leurs zones de pâturage, quand les exploitants de bois cherchent d'autres arbres à couper.

A l'intérieur de l'Institut indigéniste, un problème se pose au niveau des éducateurs indiens formés par cet organisme pour accoutumer l'enfant à la langue espagnole avant son entrée dans l'enseignement primaire. Ces éducateurs, parfois, finissent par dénigrer leur propre culture. Par contre, certains anthropologues aimeraient figer la culture indienne parce qu'ils la trouvent à leur goût. Face à toutes ces tendances, l'Indien continue de montrer une force de résistance passive qui lui a permis de surmonter l'invasion des Conquistadors, l'évangélisation, le Mexique moderne, l'idéologie et le tourisme.

Citons les groupes indiens les plus

importants : *Tarahumara* (Sierra au sud-ouest de Chihuahua). *Cora* et *Huichol* (Sierra de l'Occident entre les villes de Durango et de Guadalajara). *Tarasque* (Michoacan). *Nahua* (dispersés en Sierra du Sud entre Taxco et Acapulco ; dans la Sierra de Puebla comme à Cuetzalan). *Otomi* (autour de Toluca, Pachuca et Mexico comme les vendeuses de chiclé dans la Zona Rosa). *Totonaque* (Papantla et Tajin, Veracruz ; ils viennent exécuter la danse du Volador à Teotihuacan). *Mixtèque* (Sierra à l'ouest de la ville de Oaxaca). *Zapotèque* (vallées au sud de la ville de Oaxaca et région de Tehuantepec). *Chontal* (région de Villahermosa). *Zoque* (région de Tuxtla, Chiapas). *Maya-Tzotzil* (Hautes-Terres, région de San Cristobal, Chiapas). *Maya-Tzeltal* (descente de San Cristobal à Palenque ; forêt en direction de l'Usumacinta). *Maya-Lacandon* (même forêt). *Maya-Chol* (autour de Palenque). *Maya-Yucatèque* (péninsule du Yucatan) ; les *Lacandons* sont de langue et de type yucatèques).

En tout, 10 % de la population. Donc 8 millions environ, qui parlent au total 52 langues.

LE METIS

Un métis en général, est issu du croisement de deux races différentes. Au Mexique, la majorité de la population est métissée de Blancs et d'Indiens. Un autre métissage s'est produit avec les Noirs que l'on a fait venir comme esclaves (à la différence des Etats-Unis où chaque groupe est resté enfermé sur lui-même). L'individu issu du croisement de Noir et de Blanc reçut un nom : *Mulato,* « comme le mulet » (les Noirs étaient reconnus pour être plus résistants que les Indiens au travail forcé). C'est ce qui a donné mulâtre en français. Enfin, ceux qui descendaient d'un Noir et d'une Indienne recevaient le nom de *Zambo,* le babouin, vocable qui a complètement disparu. Il y avait toute une variété de termes suivant les combinaisons que l'on peut multiplier. Cette idée de diversité raciale est restée ancrée chez les métis. Dans certains musées on remarquera un tableau explicatif de ces différents métissages présenté sous la forme d'imagerie d'Epinal. Il remporte toujours un grand succès auprès des visiteurs.

Le métis mexicain, en effet, est souvent à la recherche de son identité. Se sentant encore proche de la culture indienne qu'il pense devoir rejeter, il ne peut plus se raccrocher à son origine européenne (on sourit du zézaiement des Espagnols). Tout en affirmant sa mexicanité, il garde une certaine admiration pour ce qui est à l'extérieur de son pays. La mode de la France eut son époque. A présent il s'agit plutôt des Etats-Unis. Certains ministres du gouvernement s'expriment dans un anglais correct de Harvard où ils ont poursuivi leurs études. Parmi les paysans qui se louent comme travailleurs saisonniers dans les fermes de Californie ou d'autres Etats, beaucoup au retour affichent un certain style pour se démarquer des voisins qui restent au village.

Ce qui est japonais inspire, à présent, l'admiration. Dans les soirées, le feuilleton de la télévision dont on parle n'est pas *Dallas* mais *Ochine,* ou bien *Le péché de Oyouki.*

Pour se différencier socialement, la

première chose que le paysan (métis ou indien) fera, sera d'acheter des chaussures pour remplacer ses grosses sandales, les *huaraches,* ce qui explique le nombre de magasins de chaussures dans ce pays.

Quand les étrangers voyagent en portant ces sandales, car ils ont trouvé qu'elles étaient bien adaptées au climat, beaucoup de gens souriront ou tout simplement s'étonneront. « Il porte des *huaraches* » peut faire partie du signalement d'un quidam. Ce même paysan aura pris soin de ne plus porter le chapeau lorsqu'il doit se rendre en ville afin de mieux s'intégrer.

La différence se fait plus sentir quand arrivent dans ces petites villes de province des gens de la classe aisée de Mexico (on remarquera, par exemple, la taille des voitures). Une différence, cependant, qui n'est pas ressentie comme chez nous car avant tout, le Mexicain aime la vie.

Cette nation mexicaine violente et troublante, affectueuse et attachante, garde ses mystères pour ceux qui auront pris le temps de la découvrir.

Question démographie, voici quelques chiffres :
1950 : 25 millions (en France : 43)
1960 : 35 millions
1970 : 48 millions
1980 : 67 millions.

La moitié de la population a moins de 18 ans. A ce rythme, la France devrait compter 116 millions d'habitants, le double d'à présent. Une limitation des naissances fut essayée dans un Etat du Mexique par les autorités qui revenaient de Chine. Cela faillit tourner mal pour elles.

Peuplement du continent américain

Il remonterait à au moins 15 000 ans, au cours du dernier âge glaciaire, quand la glace permettait le passage de la Sibérie à l'Alaska sur une largeur de 1 500 kilomètres, faisant de cette région un passage pour les chasseurs à la poursuite de gros gibier composé d'espèces en majorité éteintes aujourd'hui : bison, cheval américain, paresseux géant, etc. Les Asiatiques pénètrent donc sur le continent américain et continuent d'émigrer vers le sud. Au Mexique, on observera que les groupes ethniques présentent les mêmes traits raciaux mongoloïdes. Bien entendu, il faut imaginer cette migration étendue sur des milliers d'années. Les musées de Mexico *(salle des origines),* de *Tepexpan* sur la route de Teotihuacan, et de *Tehuacan* (Etat de Puebla) nous donneront les meilleures informations sur le sujet. Cette vie de chasse continuera encore très longtemps (jusqu'au XVIIe siècle) avec les Chichimèques dans les déserts du nord, alors que plus au sud, dans un climat et un environnement plus favorables, leurs cousins auront appris à cultiver le maïs, à fabriquer la terre cuite pour faire la cuisine, ce qui permettra à ces nomades de se fixer.

LES CIVILISATIONS PRECOLOMBIENNES

Tout en schématisant la chronologie pour y voir plus clair, nous décrirons ces civilisations à leur apogée, en négligeant l'histoire de leur développement.

C'est vers 2000 av. J.-C. que datent

les premières traces comme les figurines exposées au musée de Mexico dans la salle *occidente* et la salle *preclasico*. Le passage à la civilisation se fait sans le concours du métal et des animaux de bât, de remonte ou de trait (on continue de nos jours à porter sur le dos, aidé du bandeau frontal et à semer le maïs non avec la charrue mais avec le bâton à fouir). L'agriculture s'améliore avec les races de maïs plus productives. Les villages, sous la poussée démographique, s'organisent, et durant cette époque, qu'on appelle préclassique naît la première grande civilisation avec un rayonnement tout particulier.

Les Olmèques

Leur apogée se situe entre 1200 et 800 av. J.-C. dans quelques grands centres du golfe du Mexique comme *San Lorenzo* et la *Venta.* Ils cultivaient une terre enrichie par les alluvions des grands fleuves qui drainent les forêts tropicales du sud. C'était le pays du caoutchouc et du cacao. Les sculptures provenant de la Venta sont exposées au *parc de la Venta* à Villahermosa, celles des autres sites, au musée de cette même ville et dans celui de *Jalapa.*

Cette civilisation qui fut la première à travailler le jade et à créer une sculpture colossale, nous émerveille par la force et la sobriété de son expression artistique. Elle étendit son influence à travers l'isthme en se dispersant en éventail, suivant alors la côte Pacifique pour remonter dans les Hautes-Terres du Oaxaca et du Guerrero ainsi que dans celles de l'Amérique centrale.

Il existe des traits physiques qui se sont perpétrés, comme cette lèvre supérieure relevée chez des gens de Oaxaca (voyez un des vendeurs à la sauvette de pièces archéologiques de Monte Alban). Cette expression de dépit qui n'est en rien un trait négroïde (adjectif souvent employé à propos des têtes colossales), on la retrouve sur les statuettes dites « baby faces » en jade ou en céramique (musée de Mexico, salle *golfo ;* musées de *Jalapa* et de *Villahermosa ;* musée de *Oaxaca* sur quelques urnes et sur la statuette du scribe). On pourra aussi remarquer des masques où la lèvre supérieure se retrousse au point de figurer l'expression d'un jaguar qui montre les dents. La lèvre épaisse des hommes se confond avec la gueule de l'animal sacré qui hante les nuits de la forêt tropicale (il faut avoir bivouaqué dans ces forêts pour saisir le côté angoissant de la nuit). Sur certains masques, figurent les crocs. Les guerriers gravés sur les stèles ou les rochers ainsi que les chefs représentés par des têtes de 30 tonnes ne sont pas des portraits.

Rayonnement de Teotihuacan

Le mot *Mésoamérique* que l'on emploie souvent, se rapporte à la fois à une aire et à une tradition culturelle définies par des traits communs à toutes les civilisations d'Amérique moyenne : connaissance de l'écriture hiéroglyphique et du calendrier, construction de la pyramide tronquée à escalier et du jeu de balle cérémoniel, trilogie maïs-haricot-courge. Elle comprend le *centre du Mexique,* le *Yucatan,* le *Guatemala,* le *Belize* et une partie du reste de l'*Amérique centrale.*

Quelque 500 ans après le déclin des Olmèques, se développe, dans la vallée de Mexico, la civilisation de *Teotihuacan.* Cette ville immense (c'est le site archéologique le plus étendu du Mexique) présente une architecture originale avec ses bases pyramidales en *talud-tablero* (une combinaison de mur vertical et d'une pente) et un urbanisme tiré au cordeau suivant des orientations définies par des alignements astronomiques. Parmi une céramique très variée dont nous retiendrons les statuettes de personnages dynamiques avec des têtes triangulaires ainsi que les encensoirs très élaborés, le vase cylindrique à trois pieds avec couvercle conique en est l'exemple le plus caractéristique. Il était recouvert de stuc et peint en plusieurs couleurs (on en verra de très beaux au musée de *Mexico*). On découvre de cette poterie à plus de 2 000 kilomètres de là, ce qui prouve le grand rayonnement de cette civilisation. Le stuc peint était utilisé aussi pour recouvrir les bâtiments. On reconnaît sur les peintures des jaguars, des oiseaux de terres chaudes, des coquillages marins, autant d'animaux qui témoignent de contacts étroits entre Teotihuacan située sur les Hauts Plateaux et les peuples du Golfe.

L'apogée de *Teotihuacan* se situe entre 300 et 600 ap. J.-C. Assez loin vers l'ouest et sans relation avec elle, la civilisation de l'*Occident* atteint son point culminant et sans influences extérieures. Elle nous a laissé des céramiques particulièrement expressives dont nous citerons les chiens dodus et les perroquets de Colima que l'on peut voir au musée de cette ville et dans celui de Mexico, mais pas d'architecture.

Apogée de l'ère classique

Dans le monde mésoaméricain sur lequel Teotihuacan étendait son influence, les civilisations locales se développèrent et atteignirent à leur tour leur apogée entre 600 et 900 ap. J.-C. : *Totonaques* le long du Golfe, *Mayas* au sud, *Zapotèques* dans le centre.

Les Zapotèques

La civilisation zapotèque se développa dans les hautes vallées de Oaxaca où l'on suit très bien sa lente progression. Intervint d'abord l'influence olmèque dont les centres étaient assez loin (500 kilomètres en passant par l'isthme). Le jaguar donna le ton aux visages comme on le voit sur les premiers encensoirs qui étaient le prélude aux urnes, ainsi que sur les pierres gravées réunies à Monte Alban, les *danzantes.* Ce fut aussi le début d'aménagement de la grande plate-forme du site. Ensuite, entre les époques préclassique et classique, apparut le fait zapotèque à travers la réunion des influences maya et olmèque. *Cosijo,* le dieu local de la Pluie prit alors un air maya avec sa déformation crânienne. Puis la période classique commença avec une nette influence de Teotihuacan que l'on reconnaît au style d'architecture *talud-tablero.* *Cosijo* ressemble alors à *Tlaloc* qui vient de 500 kilomètres au nord.

Le jeu de balle cérémoniel était très important. On peut s'en rendre compte sur le site de *Dainzu* (au sud de Oaxaca) où les joueurs sont représentés en ligne sur des dalles gravées posées verticalement. Puis vint l'époque postclassique. *Yagul,* dans la même région fut construite en défense. Les Mixtèques intervinrent alors pour supplanter les Zapotèques alors en décadence.

Les tombes et les urnes funéraires qui les ornaient furent les traits les plus remarquables de la civilisation zapotèque. On remarquera une certaine évolution dans la construction de ces tombes. D'abord, un couloir auquel on accédait par un escalier, l'urne trônant dans une niche au-dessus de l'escalier. Le défunt était placé au fond du couloir. Le toit était fait de dalles reposant sur les murs latéraux. Le long de ces derniers étaient prévues d'autres niches où des offrandes étaient placées. Plus tard, ces niches prirent de l'importance au point de devenir couloirs à leur tour, la tombe prenant alors la forme d'une croix.

Les urnes funéraires (dont on voit de nombreux exemplaires au musée de Oaxaca) étaient un vase décoré d'une figure humaine et dans lequel on déposait des offrandes. Elles devinrent le trait fondamental de la culture zapotèque et leur côté extravagant fait qu'elles sont parmi les objets les plus imités par les faussaires. Les dieux figurés y étaient ornés à profusion de bijoux et de plumes. Leur style était unique, tant dans l'ensemble de l'objet que dans la disproportion entre la tête et le reste du corps, la taille n'étant pas fonction de la réalité mais de l'importance qu'il revêtait. Elles suivirent une évolution de style, devenant progressivement des statuettes (la vitrine du musée de Oaxaca est très parlante à ce sujet). On retrouve leurs traits caractéristiques sur les visages de certains habitants de la région.

Malgré toutes les influences qu'elle reçut, la civilisation zapotèque s'affirma finalement dans une tradition locale.

Les anciens Mayas

Leur territoire comprend la *péninsule du Yucatan,* le *Guatemala,* le *Belize* et une *frange du Honduras.* Il est presque aussi grand que la France et reste occupé par leurs descendants. Leurs réalisations dans les domaines intellectuel et artistique furent particulièrement brillantes. Dès la fin de la période préclassique, on écrit en glyphes, on crée le zéro, et l'architecture en pierre apparaît. A l'époque classique, les cités-Etats se créent et progressent. La structure sociale est de plus en plus complexe. L'espace architectural est étroitement associé à l'astronomie. L'agriculture connaît des progrès grâce à l'usage de techniques intensives. L'art s'enrichit. L'écriture, réservée à un usage religieux et politique combine idéogrammes (signes représentant des concepts comme les glyphes des diverses périodes de temps) et phonogrammes syllabiques. Les textes sont souvent accompagnés d'images, ce qui incite à ne pas séparer iconographie et épigraphie (leur déchiffrement a beaucoup progressé dernièrement). A la fin du classique, le développement de la civilisation maya atteint son apogée avec une population très importante, un grand nombre de centres et une grande puissance de la classe dirigeante. Alors que le vent paraît en poupe, tout s'arrête rapidement : *Palenque :* 799, *Bonampak :* 802, *Yaxchilan :* 808, *Copan :* 814, *Tikal :* 869.

On peut imaginer ainsi la disparition de leur civilisation : « En grandissant, la civilisation s'étant transformée pour s'adapter à une nouvelle situation (pression démographique, urbanisme, compétition entre cités-Etats), elle devait bouleverser ses propres structures pour survivre. L'unification politique pouvait être une solution ; une autre eût été la conquête de nouvelles terres et de nouveaux marchés. Or les Mayas n'ont été expansionnistes qu'au début de leur histoire. La chute de leur civilisation est exemplaire dans le sens où elle met en relief d'une manière saisissante son inhérente fragilité » (Claude F. Baudez). Car il ne s'agit pas de mystérieuse disparition (cette idée provient de la sensation que provoque la découverte des ruines dans la jungle). On voit les Mayas fonder des villes dans le nord du Yucatan (la région Puuc), et plus tard s'intégrer à l'influence mexicaine qui atteignait cette même région (Chichen Itza). Leurs descendants sur l'ensemble de leur territoire se comptent actuellement au nombre de trois millions. La famille Itza vous servira les meilleurs plats traditionnels à Coba, et d'autres noms prestigieux figurent encore dans l'annuaire du téléphone de Merida.

Simultanément, un peuple situé entre les mondes « mexicain » et maya, les *Chontales-Putun,* commerçants dans l'âme et donc bilingues, consolidaient leurs positions tout en agrandissant leur territoire. Ils avancent vers le sud-est en remontant les grands fleuves et vers le nord-est, contournent la péninsule devenant les intermédiaires-alliés des envahisseurs mexicains dont les Yucatèques se méfieront toujours. C'est alors l'installation des *Xiues* à Uxmal, et puis l'entrée par l'est (île de Cozumel) des *Itzas* qui fondent le nouveau Chichen. C'est la renaissance toltèque mais provisoire, car elle est très vite suivie par la décadence économique, les luttes de clans dirigeants et l'apparition de petits Etats en lutte continuelle. Les Espagnols débarquent dans ce contexte.

La société maya comprenait des nobles, des artisans, des marchands et des paysans. Tout en bas de l'échelle, les esclaves (condition due par la naissance ou prisonniers de guerre, condamnés, orphelins). En haut, les dirigeants avec des fonctions civiles et religieuses. Entre les grands centres, s'établissaient des contacts commerciaux, matrimoniaux ou belliqueux. Chacun avait son emblème que l'on trouve sur les glyphes.

Le monde maya était carré, plan et soutenu aux quatre coins par quatre personnages appelés *Bacabs.* Du centre surgit la *Ceïba* (cet arbre peut atteindre 60 mètres de haut). Le ciel est divisé en treize niveaux, les enfers en neuf. Une divinité régit chaque niveau. Les dieux créèrent l'homme en argile puis en bois, mais ni l'une ni l'autre de ses créatures ne les adoraient. Elles furent alors exterminées. Finalement, c'est de maïs que fut créé le premier homme. On lui donna une épouse. Les dieux sont partout. *Itzamna* à leur tête, gardien des cieux, du jour et de la nuit. *Chac,* c'est la pluie, les éclairs et la foudre. Il existe aussi les dieux-patrons : *Ek Chuah* est celui des marchands et du cacao (cette denrée, particulièrement prisée, était même utilisée comme monnaie. On dit que la visite à une prostituée en coûtait six cosses). *Ek Chuah* est bon quand il est le dieu du Commerce, mauvais quand il devient celui de la Guerre. Il est à double face, comme les autres (on voit se profiler la chute des Mayas). *Ixchel,* qui vit dans les lagunes et les cenotés, est associée à la femme et aux activités féminines : tissage, poterie.

Les Mayas utilisaient deux calendriers : le sacré de 260 jours et le civil de 365 jours. Pour le premier, il y a 13 numéros et 20 noms se présentant de telle sorte que la même combinaison numéro/nom ne pouvait se répéter qu'au bout de 260 jours. Ce calendrier était utilisé pour la divination et pour déterminer les époques de brûlis, de semailles et les destins des individus (il est encore utilisé par des Indiens retirés dans les montagnes du Chiapas). Le calendrier de 365 jours se composait de 18 mois de 20 jours auxquels s'ajoutaient 5 jours néfastes. Dans le système vigésimal utilisé par les Mayas, un glyphe était donné à chaque unité de 20 fois supérieure à la précédente : 1, 20, 400, 8 000, 160 000. Les deux calendriers ne se rejoignaient que tous les 52 ans.

L'art peut représenter les dieux et les monarques, mais aussi des scènes civiles, militaires et religieuses, comme on peut le voir sur les *peintures* de Bonampak. La *céramique,* à la période préclassique est faite d'une pâte fine et incisée. Puis à la période classique, sont peints en plusieurs couleurs des animaux, des personnages, des symboles religieux. Cette céramique est très appréciée et très exportée. Les vases funéraires représentent des créatures surnaturelles ou illustrent des scènes qui se passent dans l'inframonde. On peut observer une grande variété des gestes de la main. De nombreuses figurines d'un réalisme étonnant, comme celles dites de *Jaina,* nous renseignent sur les habits, les parures, les fonctions de chacun (musée de Mexico). Le *jade* est la pierre précieuse par excellence. Les rois en sont couverts (colliers, ornements d'oreilles, pectoraux, bracelets et bagues). On en tire des plaques sur lesquelles on sculpte des scènes en bas relief. Mais la pierre en général, sert aussi à l'élaboration de la sculpture monumentale. En bas relief : les *stèles* de Coba et les *linteaux* de Yaxchilan figurent des scènes de capture, autosacrifice, présentation d'offrandes à des dignitaires (musée de Mexico). De la ronde-bosse, on retiendra la stèle de Tonina du souverain portant la barre cérémonielle ou celle très grande de Calakmul qui occupe le centre de la salle maya du même musée. Les dignitaires sont représentés avec des coiffures très élaborées, des ornements aux oreilles, un collier de perles, des sandales aux pieds, comme celles que portent toujours les chefs de village du Chiapas (premier étage du musée). La sculpture est aussi au service du décor architectural. Sur les sites Puuc et Chen du Yucatan, des motifs sont appliqués en mosaïque sur les façades des édifices. Sur les sites de l'Usumacinta, leurs toits sont surmontés de crêtes ajourées qui étaient décorées de stuc. Palenque, où le *stuc* est utilisé à profusion, nous a laissé une quantité exceptionnelle de sculptures à admirer.

En architecture, sont construites les bases pyramidales sur lesquelles sont posés les temples. Les fausses voûtes, originales sont inspirées du toit à deux pentes. D'une région à l'autre, on observera des styles différents. Le *Chenes* (700 ap. J.-C.) : constructions anciennes à Uxmal ; le site purement maya de Chichen ; Hochob dans le centre de la péninsule dont un monument est reproduit au musée de Mexico ; certains des sites Rio Bec où ce style s'allie avec celui de la région. Le style Chenes est caractérisé par les portes symbolisant la gueule du monstre terrestre, les décorations en croisillons, l'ornementation des angles des édifices avec des masques de Chac. Le style *Peten* (qui est aussi celui de Coba) se caractérise avec ses bases pyramidales assez hautes pour que le temple domine la forêt. Le style *Puuc* (800 ap. J.-C.) est sans bavure, précis dans son élégance et sa décoration architecturale. Il reste localisé à la région sud-ouest de Mérida. Le style *Rio Bec* (700 ap. J.-C.) se distingue par ses escaliers et ses temples en trompe l'œil, parfois en combinaison avec le style Chenes (Xpujil et ses environs, au sud de la péninsule du Yucatan). Dans la région du fleuve *Usumacinta,* le style architectural est original, oriental dit-on (Yaxchilan et Palenque). Enfin, beaucoup plus tard, le *Tolteco-Maya* (1000 ap. J.-C.) à Chichen Itza : guerrier, sévère et impressionnant.

Les orfèvres mixtèques

Ces « Gens des Nuages » furent les grands maîtres de l'orfèvrerie, une technique nouvellement importée d'Amérique centrale et limitée à la joaillerie. Le raffinement de leur art se révèle de même sur la céramique, les os gravés, l'albâtre, le cristal de roche et la décoration architecturale, comme on pourra le voir sur le site de Mitla et dans les musées de Oaxaca et de Mexico. Véritables miniatures sont leurs livres, les Codex, faits d'écorce et pliés en accordéon (on en verra des exemples au musée de Mexico).

Leur grande époque, est le XIIIe siècle. Les Mixtèques, qui ont pris la place des Zapotèques, s'installent dans les villes et utilisent même leurs tombes (on verra des offrandes de la tombe n° 7 au musée de Oaxaca). De nos jours, les descendants des Mixtèques et des Zapotèques vivent toujours côte à côte. Ces derniers dans les bassins de la Sierra, les Mixtèques dans les hauteurs souvent noyées de brume.

Les Chichimèques

D'abord les Toltèques avec Tula leur capitale fondée vers l'an 1000, puis les Aztèques à Tenochtitlan près de quatre siècles plus tard (à l'emplacement de l'actuel Mexico) sont les héritiers de groupes nomades du désert qui se sont sédentarisés au seuil nord de la Mésoamérique. Les deux villes sont à moins de 50 kilomètres l'une de l'autre et également proches de Teotihuacan qui les précéda dans le bassin de Mexico. Les barbares du Nord dont tous ces peuples sont originaires étaient appelés Chichimèques. Vivant en zone aride, ils se nourrissaient de fruits dont le principal était la *tuna* (figue de barbarie) mais également de feuilles, de racines et des produits de la chasse (rongeurs, serpents, oiseaux, chevreuils). Les femmes devaient accoucher en cours de route, les malades avaient quatre jours pour guérir, et les vieillards qui ne pouvaient suivre étaient supprimés. On comprendra à quel point ces populations ont dû apprendre à s'acclimater en menant une vie d'épreuves, d'endurance et de défi face à cet environnement.

Comme tous les nomades, ils formaient des clans qui circulaient sur un certain territoire, et des guerres survenaient quand l'ordre était rompu. La guerre devint rituelle, conséquence de l'agressivité permanente pour la survie ou pour se fournir en victimes. Ainsi s'octroyaient-ils la force et le courage du chef d'un clan ennemi en consommant rituellement sa chair. Les victimes, scalpées, agonisaient en d'horribles souffrances au fur et à mesure que leur chair était consommée crue, leurs nerfs arachés et récupérés. Toujours dans l'idée de s'octroyer les vertus des victimes, on mangeait les membres de son propre clan décédés de mort naturelle quand ils avaient révélé des qualités exceptionnelles. Cette consommation était cependant le privilège des femmes, rejoignant ainsi une tradition d'alliance.

Les Toltèques et les Aztèques

Nous sommes au xe siècle, après que les grandes cultures mexicaines aient connu leur déclin. Les Toltèques-Chichimèques déferlent vers le sud. Un de leurs chefs prend le nom de la divinité qui depuis Teotihuacan représente le concept du serpent à plumes : *Quetzalcoatl,* en langue nahuatl. Il fonde Tula. Le style de cette ville est original et combine deux éléments revendiqués des civilisations précédentes : l'aigle et le jaguar, synthèse des jungles du Golfe et de l'altitude des Hauts Plateaux.

Quetzalcoatl propose une religion abstraite et peu sanglante, mais échoue face aux Ordres Guerriers adeptes de *Tezcatlipoca* (« Miroir qui fume ») un partisan des sacrifices humains. Il doit s'exiler et, avec quelques fidèles, atteint le Golfe, se jette dans le feu. Ses cendres s'élèvent vers le ciel. Il devient l'Etoile du matin, Vénus. (La crémation a toujours été un trait culturel propre à ces nomades.) Ayant promis de revenir à la date « Un Roseau », l'image de ce retour tant attendu profitera à Cortes qui débarquera par hasard à ce moment-là, cinq siècles plus tard.

En fait, c'est encore Quetzalcoatl qui réapparaît peu de temps après au Yucatan où, introduit par les Putuns du Tabasco, il fonde Chichen Itza en 980. Cette ville ressemble à Tula en beaucoup plus grand et à plus de 1 500 kilomètres de là. En l'absence de Quetzalcoatl, Tula connaît une période de prospérité et de grandeur avec de nouvelles techniques architecturales comme les colonnes qui permettent la construction de grandes salles, les piliers gigantesques en forme d'atlantes guerriers en étant l'illustration la plus célèbre. Au XIIe siècle, Tula est détruite.

Il faut avoir eu un aperçu de la vie chichimèque pour mieux comprendre les Aztèques qui en avaient partagé leur mode de vie quatre siècles avant l'apogée de leur empire. Leur art est exposé magistralement dans la plus grande salle du musée d'Anthropologie de Mexico.

Ils ont pour ancêtre mythique le Serpent de Nuages *(Mixcoatl).* Le Nord est la terre des serpents, la région où les morts doivent errer pendant quatre ans avant de trouver le repos éternel au Mictlan, sous les cactus. C'est pour cela qu'on dépose une jarre pleine d'eau dans leur tombe. Les Aztèques qui meurent noyés sont privilégiés : ils vont au paradis terrestre, le Tlalocan (*Tlaloc* est le dieu de la Pluie). Quant à ceux qui meurent au combat ou sur la pierre du sacrifice, ils aident le soleil dans sa course en lui ouvrant la voie depuis le levant jusqu'au zénith. Les femmes mortes en couche prennent le relais, jusqu'au couchant.

S'ils sont avant tout des intrus, les Aztèques connaissent cependant une carrière fulgurante. Vers 1350, ils s'établissent sur la petite île au milieu du lac de Texcoco (le zócalo actuel de Mexico), et seulement deux siècles plus tard, alors que les Espagnols débarquent, leur empire connaît son apogée. Ils n'y parvinrent pas facilement, car ils furent mal accueillis par les peuples de la région déjà sédentarisés. Comme ils ne pouvaient pas payer tribut, ils se louent comme mercenaires (ce qui leur donnera l'occasion d'utiliser un système de contrôle original : pour ne pas être trompés au moment des comptes, ils coupent l'oreille gauche des vaincus et les apportent dans un sac). Pour rivaliser avec les tribus qu'ils côtoient, ils en acquièrent les titres de noblesse par alliances. Dorénavant, ils devront justifier leur présence sur cette île du lac de Texcoco où on leur avait permis de s'installer. Là « où l'aigle perché sur le cactus dévore le serpent », selon le présage, les Aztèques ont retrouvé leur lieu d'origine l'*Aztlan* ou l'« île aux Hérons » que l'on localise dans le nord-ouest du pays. Ce lieu a donné leur nom. Pour apparaître comme des guerriers, ils ne veulent plus qu'on les nomme *Azteca,* mais *Mexica* en tant que fils de *Mexitl-Huitzilopochtli,* dieu du Soleil et de la Guerre qui les avait conduit à travers leurs pérégrinations. Tout rentre alors dans l'ordre et la légalité.

Tenochtitlan (Mexico) s'organise. Ces nouveaux sédentaires trouvent moyen de planter tout en restant sur leur île devenue trop étroite. Le lac n'étant pas très profond, ils en draguent la vase qu'ils posent sur un radeau pour y planter légumes et maïs. Ces champs flottant sont remorqués par les barques pour être ensuite amarrés aux arbres de la berge. A côté de cela, on construit des digues par alignement de pieux qui contournaient des aires définies que l'on comblait petit à petit (les barques plates utilisées pour le ramassage de la vase sont encore en service à Xochimilco pour l'horticulture ; elles sont beaucoup plus petites que celles réservées au tourisme). Tenochtitlan s'agrandit ainsi. On pourra s'imaginer le cachet de cette ville en regardant les peintures de la salle Mexica au musée d'Anthropologie de Mexico ou bien celles du premier étage du Palais présidentiel du zócalo. Les Espagnols furent fortement impressionnés par sa beauté. Ces remblais pouvaient supporter de petites maisons, mais évidemment pas les lourdes églises coloniales qui continuent de s'y enfoncer de nos jours (l'une d'elles, *San Hipolito* se trouve actuellement à 23 marches en contrebas de la chaussée).

Mais la guerre s'amplifie. Les guerriers obtiennent des avantages comme la propriété des terres acquises. Les enfants des nobles sont enrôlés dans de sévères académies militaires de haut niveau avant de prétendre aux postes de fonctionnaires. Le tribut imposé aux ennemis soumis est une ressource essentielle pour ce peuple qui disposait de peu de terres. L'empire s'étend. Il ne s'agit pas de colonisation vu le manque d'effectif (et c'eût été contre toute logique), mais d'emplacement de garnisons militaires aux points stratégiques. Les marchands vont chercher des débouchés commerciaux tout en espionnant les contrées qu'ils traversent, celles-ci devant accepter les échanges souvent pour éviter une déclaration de guerre.

Car il faut apaiser la soif des dieux. *Huitzilopochtli* est exigeant de ce côté-là. Or le temple qui lui est dédié se trouve aux côtés de celui de *Tlaloc* et sur la même pyramide, Tlaloc dieu de la Pluie qui était vénéré depuis toujours par les tribus locales. Le fanatisme religieux n'empêche pas le sens pratique. Les Aztèques passent un accord avec certaines tribus voisines, comme celle de Tlaxcala pour organiser des combats à dates régulières avec des effectifs réduits au cours desquels on capturera les prisonniers nécessaires aux sacrifices de masse. C'est ce qu'on appelle la « guerre fleurie ». Les princes vassaux étaient invités aux grandes cérémonies où, en première loge, ils assistaient aux sacrifices des vaincus. D'après un chroniqueur, 30 000 personnes auraient été sacrifiées en deux jours à l'occasion de l'inauguration du grand temple. Ce chiffre paraît exagéré pour des raisons pratiques d'organisation dans une ville dont on estime la population à 300 000 personnes. Les Aztèques, contrairement aux Mayas qui préférèrent la décapitation, tuaient le plus souvent leurs victimes par arrachage du cœur. L'anthropophagie existait bien, mais était limitée à certaines occasions et à certaines personnes.

Ces rites macabres s'exécutaient dans un faste incroyable. Les grands prêtres étaient recouverts de pierres précieuses, d'or, de plumes. Mais rien de tout cela ne supprimait complètement l'angoisse, la superstition. A l'écoute des devins, ils attendaient le retour de Quetzalcoatl...

Si Cortes sut s'allier les populations soumises aux Aztèques, c'est qu'il comprit vite qu'elles étaient excédées et qu'il leur fournissait une façon d'en finir avec leurs agresseurs. La civilisation aztèque, qui n'a duré que deux siècles à peine s'est cependant révélée la plus brillante des civilisations post-classiques de la Mésoamérique.

Histoire et politique

LA NOUVELLE ESPAGNE

Christophe Colomb

Jusqu'à la fin de ses jours, Christophe Colomb restera convaincu d'avoir atteint les Indes (ce terme à l'époque englobait tout l'Extrême-Orient). La rotondité de la terre était admise, mais atteindre ces régions en faisant le tour par l'ouest était jugé irréalisable vu les distances. Christophe Colomb devra sa découverte à une grossière erreur de calcul, à son obstination, et à l'Espagne qui eut le mérite d'être le seul grand pays de l'époque à lui fournir les moyens nécessaires à son entreprise. Mais curieusement, ce sera le nom d'un touriste chroniqueur, Americo Vespucci, qui sera laissé à la postérité par un cartographe.

D'origine catalane ou gênoise, Christophe Colomb s'était installé assez jeune au Portugal, un haut lieu de la science nautique de l'époque. Etabli comme cartographe, il put écouter les récits des navigateurs. Il reçut les confidences d'un pilote anonyme mort chez lui : une tempête avait entraîné ce dernier jusqu'à des îles à l'ouest des Açores (déjà occupées par les Portugais). Malgré son mariage qui lui permit une introduction à la cour, Christophe Colomb n'obtint pas l'appui du roi à cause du caractère fantaisiste de son entreprise et du niveau de ses prétentions tant matérielles qu'honorifiques. Les rois d'Espagne, par contre, l'écoutèrent avec intérêt et nommèrent une commission d'enquête qui après six ans rejeta finalement le projet. Il envoya alors son frère plaider sa cause auprès du roi de France, ce qui décida finalement la reine Isabelle la Catholique de tenter l'expérience malgré l'avis de la commission. Il était urgent d'ouvrir par mer la route des Indes que l'empire Ottoman bloquait sur le continent. Or les Portugais avaient déjà découvert le cap de Bonne-Espérance en 1847. C'est ainsi que l'année 1492 qui sonnait la fin de l'occupation musulmane en Espagne fut aussi celle de la découverte d'un nouveau monde.

Trois caravelles légères prennent la mer avec cent personnes à bord et dans le frêt, des pacotilles pour les cadeaux. Peu de confort, et beaucoup de discipline. Le convoi ne se dirige vers l'ouest qu'après avoir passé les Canaries, mais la constance des vents finit par inquiéter les marins qui craignent bien de ne jamais pouvoir revenir. Ils touchent enfin une île près de la Floride. Des Indiens, amusés par ces bateaux, sont fait prisonniers. Puis les voiliers continuent leur route sur Cuba et Haïti qui deviendront pour quelque temps le centre de la colonisation hispanique. Des rapports se nouent avec les indigènes. Christophe Colomb habille un de leurs chefs avec une chemise et des gants. N'arrivant pas à trouver la source de l'or que portent ces gens, il s'en procure par le troc des pacotilles. A ce butin s'ajoutent Indiens et perroquets des îles. Puis laissant une partie de ses hommes avec des armes et des vivres, il prend le chemin du retour pour être reçu à la cour d'Espagne avec les honneurs réservés aux têtes couronnées (la reine renverra les Indiens par le prochain convoi). Une guerre sur mer se prépare entre l'Espagne et le Portugal mais sera empêchée par l'intervention du pape qui décide un partage suivant un axe nord-sud, laissant aux Portugais la partie à l'est des Açores vers l'Afrique (cette ligne coupant le Brésil, cela explique pourquoi on y parle portugais alors que dans tout le reste de l'Amérique latine c'est l'espagnol qui domine).

Christophe Colomb fait ensuite deux autres voyages, mais la maladresse de son administration dans les îles fait échouer son entreprise. Le mécontentement des Espagnols venus s'installer décourage de nouvelles arrivées et provoque celles de forçats. S'ajoutent des rébellions indigènes. On fonde malgré tout *Santo Domingo,* la doyenne des villes espagnoles d'Amérique.

A la suite du trop grand nombre de plaintes, les rois d'Espagne décident de remplacer Christophe Colomb dans son poste de gouverneur. Une fois revenu en Espagne, il perd alors son titre de vice-roi et de gouverneur, mais garde ses prérogatives de grand-amiral. Il effectuera un quatrième voyage pour chercher un passage à travers ces îles et atteindra l'Amérique centrale où il pensait être en Inde, à quelques jours de marche du Gange. Il se trouvait en fait à la hauteur du Panama et ce dont il entendait parler était un océan inconnu et immense qui le séparait encore du continent asiatique. Le nom donné aux indigènes d'Amérique provient de cette confusion.

Cortes et les Aztèques

Les Conquistadors et leurs troupes se recrutaient dans toutes les classes sociales sauf dans celles de la haute noblesse. Cortes en est le seul lettré. Après avoir interrompu ses études à l'université de Salamanque (la meilleure d'Espagne à l'époque), il s'embarqua pour les colonies : Haïti puis Cuba où il devint secrétaire et trésorier du gouverneur qui le chargea de préparer des embarcations afin d'établir des comptoirs commerciaux sur la côte de « ce pays alors habité par des Indiens de haute civilisation ».

En plus de son habileté politique et de ses talents militaires, Cortes bénéficia d'une coïncidence historique : les Aztèques attendaient le retour du dieu barbu Quetzalcoatl disparu depuis sa fuite de Tula, au nord de Mexico. L'apparition d'une comète et d'autres présages vinrent renforcer cette impression générale. Des bateaux encore jamais vus longeaient la côte Caraïbe. Quand Cortes débarqua près de Veracruz, Moctezuma alors roi des Aztèques, particulièrement superstitieux et à l'écoute des devins, envoya ses émissaires avec des cadeaux de prix comme la très célèbre coiffe en plumes de quetzal dont la copie se trouve au musée de Mexico. Cortes réalisa alors l'importance de cet empire. Il profita de l'arrivée des émissaires totonaques pour s'en faire des alliés et continuer sa marche vers la capitale aztèque. C'est ainsi que commença la destruction des premiers temples.

Il s'interdit alors toute possibilité de retour en détruisant sa flotte (onze navires). Pour s'émanciper de la tutelle de Velazquez qui avait financé cette expédition (Cortes était parti sans prévenir), il fonde et dirige avec ses hommes la *Villa Rica* de Veracruz. A la cour d'Espagne, il peut envoyer ainsi des représentants avec de riches présents et en toute légalité.

A *Tlaxcala,* ville ennemie des Aztèques aussi, il obtient après de rudes combats une seconde alliance. A *Cholula,* par contre, il ordonne le massacre d'une partie de la population après avoir cru à une embuscade. Il passe entre les deux volcans Popocatepetl et Ixtaccihuatl découvrant alors « la plus belle ville du monde » (beaucoup de ses soldats avaient participé à des campagnes tant en Europe qu'en Asie Mineure). Cortes atteint *Tenochtitlan* en novembre 1519 mais ce n'est qu'en août 1521 qu'il en prendra possession.

L'empereur *Moctezuma* reçoit ces Espagnols en grande pompe (on peut imaginer ce que cela dut être). Cortes découvre émerveillé la beauté de cette ville, puis avec la rapidité qui le caractérise, il usurpe le pouvoir en gouvernant à travers l'empereur. Mais une expédition punitive lancée par Velazquez l'obligera à quitter la capitale et à descendre sur la côte où il arrivera finalement à se concilier la troupe. Alvarado, le lieutenant à qui il avait laissé le commandement, détruisit en un rien de temps toute cette habile politique. Au cours d'une fête religieuse, ce dernier envoya la troupe massacrer les grands chefs alors tous rassemblés dans la ville sainte. On raconte qu'il voulut profiter de cette occasion pour voler tous les bijoux en or portés par les dignitaires aztèques.

En fait, devançant les plans de Cortes, il pensait ainsi en finir avec l'autorité locale. Il rata son coup. Quand celui-ci revint à Tenochtitlan, il fut assiégé par une population en révolte. Moctezuma tenta bien d'arranger les choses, mais il s'en sortit lapidé par les siens. *Cuitlahuac* lui succéda. Dans leur débâcle, les Espagnols se noyèrent sous le poids des produits de leurs pillages (les ponts avaient été coupés). Ils partirent en pleine nuit vers l'ouest, vers Tacuba. Actuellement, près de l'église *San Hipolito,* on remarque un petit monument dédié à cet épisode qui reste connu sous le nom de « La Noche Triste ». La moitié de la troupe espagnole resta sur le terrain.

C'est à Tlaxcala que Cortes refait ses forces. Les Indiens de la région participent à la construction de bateaux où des canons pourront être amarrés. Ainsi se prépare une armée cuirassée avec une artillerie qui s'affrontera à une autre formée de fantassins utilisant uniquement flèches et autres armes blanches, pas toujours moins efficaces d'ailleurs. C'est alors le siège de la ville. Des expéditions sont envoyées assez loin pour la couper du reste du pays. Plusieurs milliers d'auxiliaires indigènes participent au combat contre leurs vieux ennemis.

Cuauhtemoc remplace Cuitlahuac à la mort de ce dernier et organise la résistance. Les Espagnols commencent à combler la ville pour acheminer matériel lourd et cavalerie (de nos jours, il ne reste qu'une partie du lac de Texcoco, lieu privilégié pour les oiseaux migrateurs que les écologistes défendent contre un projet d'agrandissement de l'aéroport). Pendant la nuit les Aztèques comblent les digues détruites par les canons, mais finalement la ville tombera après trois mois. En piteux état. Cuauhtemoc repéré, alors qu'il s'éloignait en bateau, est fait prisonnier. Il est torturé pour avouer la cachette du trésor sacré, mais sans succès.

Cortes fait alors détruire les bâtiments qui avaient échappé aux bombardements, afin de faire peau neuve et de récupérer les matériaux pour la construction de la ville espagnole. Il construisait déjà la capitale de la Nouvelle Espagne à l'endroit de la ville sainte, centre de l'empire aztèque. Le roi d'Espagne le nomme capitaine général et gouverneur en lui demandant de poursuivre la conquête. (Héritier de Flandre, roi d'Espagne à 16 ans, empereur germanique à 19, Charles Quint n'a alors que 22 ans. Pratiquement douze heures de décalage couvrent alors son empire où, dira-t-on, le soleil ne se couche jamais.) Cortes marie ses soldats aux filles aztèques de haut rang faisant naître ainsi la nation mexicaine. Nation sans doute la plus originale et la plus métissée de l'Amérique latine (avec le Brésil).

Cortes démolit tous les temples et édifices aztèques pour reconstruire une cité selon le modèle européen. Il demande l'envoi de moines franciscains et de cultivateurs espagnols avec graines et plants européens. Le pouvoir, concentré entre ses mains, s'exerçait cependant par personnes interposées, tâchant de conserver le plus possible les caciques indiens à leur place. Mais il devra quitter Mexico, à la tête d'une expédition contre un ancien lieutenant parti faire sa propre conquête en Amérique centrale, sans oublier d'emmener Cuauhtemoc, le prince aztèque déchu mais encore auréolé de prestige. Cortes le fera pendre en cours de route pour un quelconque prétexte de rébellion. (En exécutant ce prince dans des régions lointaines que n'avait jamais atteint l'empire aztèque, le Conquistador évitait d'en faire un martyr. L'avoir laissé seul à Mexico n'aurait pas été prudent.) L'expédition, à travers jungle et marécages lui valut de sérieuses pertes en hommes et en matériel. Cette absence de deux ans fut finalement une erreur, car il eut du mal à rétablir son autorité qu'il perdit finalement en 1526. Charles Quint le remplaça alors par un vice-roi, tout en compensant par des titres honorifiques et des biens. Cortes fut chargé aussi de continuer les conquêtes, ce qu'il fera vers la Californie, alors qu'entre-temps, il aura envoyé ses officiers vers le sud : Oaxaca, Chiapas, Guatemala et Yucatan.

Organisation coloniale

Le régime de la colonisation est une suite de contradictions entre les ordres donnés par la couronne et l'attitude des occupants espagnols. Les Indiens, pacifiques, naïfs et superstitieux se trouvent confrontés avec une civilisation matérielle plus avancée et une mentalité du droit du plus fort, formant ainsi une population sans défense toute indiquée pour le travail forcé. Chaque colon reçoit en prime un certain nombre d'Indiens qui deviendront vite des esclaves. C'est le système de *Repartimiento*. Les îles des Antilles souffrent alors d'une telle brutalité qu'après vingt ans de présence espagnole il ne reste que 1 % de la population. Sans atteindre ces excès, l'Amérique latine connaîtra une chute démographique due à la fois aux travaux forcés et aux épidémies (comme celle de variole) apportées par les Espagnols. On importera des esclaves noirs d'Afrique plus robustes et plus adaptés aux climats chauds des Basses Terres, ce qui explique la population actuelle des Antilles et de certaines côtes du Mexique.

Deux ans après la découverte du Nouveau Monde, la reine Isabelle la Catholique réunit une commission de juristes et de théologiens pour statuer sur la véritable nature des Indiens : ils ont bien une âme, et le premier devoir de la couronne est de les convertir au christianisme. Une autre commission décide qu'ils doivent être traités en hommes libres en tant que sujets de cette couronne. Puis on conclut à la légitimité de la conquête pour la propagation de la foi. Progressivement s'instaure une charte des Indiens. Le système de *Repartimiento* est remplacé par celui de *Encomienda* qui les confie aux colons en tant que main-d'œuvre libre et salariée en échange de protection et d'évangélisation. On n'est plus distribué mais recommandé, un progrès utopique car partout où la surveillance se relâche — le pays est grand — le travail forcé renaîtra. C'est dans ce contexte que la lettre de la reine — épouse de Charles Quint — à l'évêque de Mexico prend toute sa valeur. C'est au sujet des Indiens, récemment convertis au christianisme, qui avaient été sévèrement punis pour continuer de vivre en concubinage : « Vous devez comprendre que cette habitude étant bien admise chez eux, il importe que nous agissions avec toute la modération qui s'impose concernant des habitudes séculaires, et je mande et j'ordonne que si vous avez éloigné d'eux quelques femmes pour ladite raison, vous les laissiez retourner librement vers leurs compagnons. »

L'organisation politique et sociale va durer trois siècles. Le vice-roi a tout pouvoir pour gouverner et décider selon son seul jugement. A la fin du mandat, il doit rendre compte au conseil des Indes. Son pouvoir est cependant limité par la présence des *Auditores,* qui relèvent aussi de la couronne et qui parcourent le pays pour vérifier la gestion et dénoncer les abus. Les régions éloignées comme l'Amérique centrale demeurent sous le mandat des officiers qui les ont conquises. Ce sont les Capitaineries. En Espagne et sous la seule autorité du roi, le Conseil des Indes est doté de pouvoirs illimités (affaires civiles, religieuses, militaires et commerciales).

Dans les campagnes, chacun s'était installé comme il l'entendait. Le roi étant le seul propriétaire en titre de tout le sol des Indes, il chercha à mettre de l'ordre en ordonnant, au pire, la confiscation, sinon, une contribution qui viendrait à point pour financer la flotte chargée de protéger le commerce maritime contre les pirates. Mais les intéressés estimaient que leur installation était une récompense des services rendus. Certains détenaient 25 000 ha, d'autres en Huastéca, 40 000. Les *péones* étaient regroupés autour de la maison du maître, les esclaves dans une maison avec une seule porte, et tout le monde se retrouvait à la chapelle pour les prières du soir et du matin. Des titres de noblesse furent distribués en échange de services. Il s'instaura une aristocratie de la terre et une classe économique dominante qui associa son nom à sa fortune, pour le bien et la défense du pays. Les postes administratifs n'étaient accordés qu'aux Espagnols de la métropole et non pas aux créoles (nés sur place).

A côté de ce préjugé social apparut un problème racial avec la naissance de métis. A travers les brutalités commises envers les Indiens, il n'y avait pas de préjugé raciste comme cela se passa avec la conquête des Etats-Unis par les Anglais : Cortes collaborait avec les chefs indiens alliés ; il s'affichait avec une maîtresse indigène ; les liaisons mixtes passaient pour normales. On doit ajouter que les Espagnols étaient arrivés sans leurs femmes. Ces métis posèrent alors un problème d'intégration. Ils ne jouissaient pas de la protection réservée aux Indiens. On les accusait de tous les vices. Ils n'arrivaient pas à s'intégrer dans une société qui ne les avait pas imaginés. Or, à la fin du XVIIIe siècle, ils seront aussi nombreux que les Indiens.

A cette époque, l'enseignement est à la charge des religieux qui ouvrent des écoles pour les indigènes, les jésuites s'occupant plus spécialement de l'enseignement supérieur. Cinquante ans après la découverte du Nouveau Monde, Mexico connaît sa première université et devient vite le grand centre intellectuel de l'Amérique. Dans l'Eglise du XVIe siècle, c'est l'esprit apostolique qui l'emporte. Les moines savent gagner la confiance des Indiens malgré les exactions des civils et obtiennent de nombreuses conversions. L'apparition de la Vierge de la Guadalupe arrive à point. De nombreux couvents s'établissent à travers tout le territoire. C'est ainsi que l'on peut admirer encore des couvents-forteresses des franciscains dans la région de Mexico, des couvents dominicains, souvent à l'abandon, dans la Sierra de Oaxaca, de grandes églises franciscaines au Yucatan (dont beaucoup eurent à souffrir de la guerre des Castes) et des couvents augustins majestueux comme au Guanajuato. Partout ailleurs, vous trouverez dans des villes comme Queretaro une cohabitation d'églises, de couvents des différents ordres et de demeures civiles tous aussi beaux les uns que les autres. Avec le temps, certains ordres se trouveront grâce à des dons, propriétaires de territoires immenses (exception faite des franciscains). Les jésuites reçoivent des legs pour l'entretien de leurs collèges. Les dominicains se trouvent à la tête de fermes importantes. En ville, la conduite se relâche et s'éloigne de l'idée première d'apostolat du XVIe siècle. Il faut dire aussi que les premiers arrivants avaient été triés sur le volet parmi une Eglise qui absorbait alors le quart de la population masculine espagnole, soit pratiquement un million de personnes (sans compter des millions de religieuses).

Le budget militaire passait essentiellement à la défense des convois qui transportaient tant sur mer que sur terre l'or et l'argent. Ceux qui venaient des mines de Zacatecas et de Guanajuato, dans le nord, devaient traverser des régions qui n'avaient pas encore été pacifiées. Dispersés dans ces régions semi-désertiques, les Chichimèques attaquaient nus, peinturlurés, excités par des heures de danses et dopés au *peyotl* (cactée hallucinogène), poussant des cris en faisant pleuvoir leurs flèches. Les fermes nouvellement installées par les colons étaient aussi l'objet de leurs attaques particulièrement redoutées. Ils apprirent vite à monter les chevaux capturés et devinrent d'excellents *vaqueros* pour les troupeaux pillés. Habitués à la consommation de viande crue et conscients des vertus du cannibalisme qu'ils pratiquaient depuis longtemps, ils surent apprécier cette source de viande facile, tout en préférant la viande de cheval pour ses vertus de célérité, alors que celle de bœuf les alourdissait. C'est finalement ce goût pour le butin et pour la viande que les Espagnols surent mettre à profit pour leur acheter la paix au prix d'une grande quantité de troupeaux. Les Chichimèques durent se sédentariser auprès d'autres Indiens qu'on avait fait venir du Sud. Le XVIIIe siècle commençait déjà.

Mais plus coûteux encore étaient les convois sur mer qui escortaient le transport des métaux précieux vers l'Espagne. L'importance de la piraterie avait rendu obligatoires les voyages groupés. Les galions chargés d'or et d'argent étaient attendus avec fièvre à Séville, le seul port assez à l'intérieur des terres pour être à l'abri des raids ennemis, et le seul habilité à recevoir toutes transactions avec l'Amérique. A la fin du XVIe siècle, on débarquait 100 tonnes de métaux précieux par an.

Cet afflux de richesse provoqua la hausse des prix que le pays ne sut compenser par des investissements productifs. La facilité de l'argent provoqua un effondrement de la vitalité économique du pays. Très vite, les marchands espagnols achetèrent à l'étranger. L'argent s'écoulait hors du royaume. Après le pillage des palais indiens, qui avait rapporté beaucoup d'or, c'est surtout l'argent qui allait être découvert puis extrait des mines dont les concessions étaient remises contre l'engagement de donner le cinquième des revenus à la couronne, le *Quinto*. Mais ces revenus se dilapidèrent dans des dettes anciennes ainsi que dans les dépenses de prestige et de politique. Paradoxalement, Charles Quint et Philippe II se montreront sans cesse à court d'argent.

Les principes de l'époque mettaient les colonies sous la seule dépendance économique de la métropole, leur interdisant tout achat à l'étranger, toute création d'industrie textile, toute plantation d'oliviers ou de vigne. Cette protection (tant décriée à notre époque) provoqua la montée des prix. Les colons devant alors payer des prix supérieurs aux cours mondiaux, la contrebande s'installa : Anglais, Français et Hollandais, pirates le jour, deviennent la nuit contrebandiers dans les ports américains. C'est au XVIIIe siècle que la vie économique, plus libérale, reprendra.

De Veracruz partaient les bateaux pour rejoindre l'Espagne, en passant par La Havane où ils en rejoignaient d'autres afin de circuler en convois pour plus de sécurité. Mais de l'autre côté du Mexique, un autre port connaissait une activité particulière : Acapulco. A cause des Philippines.

L'année de la conquête de la Nouvelle Espagne, Magellan accostait aux Philippines (ce nom fut donné en honneur de l'infant, le futur Philippe II) après avoir contourné l'Amérique du Sud. Navigant pour le compte du roi d'Espagne, il avait réussi à le convaincre que si l'on n'avait pas encore réussi à trouver la route des Indes, c'est qu'on n'était pas descendu assez bas le long du continent américain. Il mourut au cours d'un combat, laissant sa flotte terminer le tour du monde sans lui. Les Espagnols rencontrèrent des difficultés avec les tribus de confession musulmane des îles du Sud (problème encore actuel).

La conquête et la colonisation devaient se faire ensuite depuis la Nouvelle Espagne (chantiers navals à Tehuantepec) et les gouvernements en dépendre. En fait, les ordres venaient directement du Conseil des Indes et le pays était sous le contrôle d'une audience nommée par le roi. Cependant, tout le commerce se faisait avec la Nouvelle Espagne et était contrôlé pour protéger les monopoles de la métropole, les soyeux d'Andalousie, par exemple, voyant d'un mauvais œil l'arrivée des soieries de Chine. Les galions, armés et chargeant plus que les galères, étaient calibrés; leurs voyages limités à deux par an, Manille devenant le centre de commerce entre la Chine et le Nouveau Monde. 1567 : premier galion. De Chine, provenaient riz, mangues, tamarin, clous de girofle, poivre, safran, soieries et cotonnades. Quand le Nao de China était en vue, les chemins de Chilpancingo à Acapulco se couvraient de monde. Les marchands se disputaient la marchandise quand les plus puissants n'accaparaient pas tout. Tout cela montait à Mexico. Puis descendait vers Veracruz et suivait vers l'Espagne. Dans l'autre sens, les métaux précieux partaient vers les Philippines. Le commerce était réservé en Nouvelle Espagne aux Espagnols, à Manille aux Chinois. En 1821, accoste le dernier bateau. Ensuite, la Couronne autorise le commerce direct par le cap de Bonne-Espérance.

LE MEXIQUE

L'Indépendance

Deux sociétés parallèles continuaient d'exister depuis la conquête : les Indiens et les Espagnols ces derniers contrôlant tout, alors que par l'évolution démographique ils ne représentaient plus que 10 % de la population. On a vu que l'intégration des métis et des mulâtres posait des problèmes, mais c'est finalement le mécontentement des créoles (Espagnols nés sur place) qui provoquera l'indépendance du Mexique. Leurs responsabilités n'étaient que locales, ce qui leur donnait d'ailleurs les moyens de critique et d'action. Des influences extérieures entrèrent en jeu : la nouvelle indépendance américaine, l'influence des philosophes français, et l'occupation de l'Espagne par Napoléon Ier, mettant ainsi la monarchie à sa merci. Les créoles voulaient former avec le vice-roi le gouvernement de la Nouvelle Espagne. Les Espagnols (église des évêques, Audience) se méfiant de ces intentions, déclarèrent défendre l'autorité du roi déchu. Deux personnages apparaissent alors à la tête du mouvement pour l'indépendance : un prêtre et un officier. Deux personnalités différentes, mais chacune intéressante.

Hidalgo (on l'appelait Zorro à l'école) avait déjà montré de l'indiscipline dans sa jeunesse, ce qui ne l'empêcha pas d'effectuer de brillantes études (dont une partie chez les jésuites avant leur expulsion) et de sortir avec des diplômes en lettres, en arts et en théologie. Il dominait le français, l'italien et trois langues indigènes ; organisait des salons où il prêchait des idées révolutionnaires. Visage émacié, crâne à demi chauve, on le représente toujours avec ses cheveux demi-longs à la romantique. Lorsqu'il est nommé à la tête de la paroisse de Dolores, il entreprend avec des paysans des essais en agriculture, en apiculture, et en irrigation. A travers toutes ces activités il s'était mis au courant des nouvelles idées politiques qu'il développa, entretenant un contact plus serré avec Queretaro, Guanajuato et San Miguel, partout où se tenaient les réunions secrètes de gens favorables à l'indépendance.

Ignacio Allende : tout autre caractère. Fils de riche commerçant de la ville de San Miguel alors en pleine prospérité, officier du régiment royal, grand et bien fait, un sourire mitigé et une cassure au nez, il partageait, avec d'autres officiers comme lui en garnison, des sympathies pour le nouveau mouvement et assistait aux réunions de Queretaro et à celles qu'il organisait dans la maison de son frère pendant que les gens dansaient au premier étage. Allende était décidé, savait que c'était avec la discipline et les munitions que l'on gagnerait, mais un atout majeur manquait pour la réussite : l'image de l'Eglise qu'il fallait compromettre.

Miguel Hidalgo, de son côté, croyait au succès d'une troupe révolutionnaire (dans les haciendas, autour de Dolores, il constituait des dépôts d'armes blanches, tout en apprenant à fabriquer des bouches à feu), mais il était assez intelligent pour comprendre que sans l'appui d'une partie des militaires, il courrait vite à l'échec (il ne sera nommé chef des armées que dix jours après le début de l'insurrection). On prévoyait celle-ci pour un avenir proche, sans doute un jour de pèlerinage pour mieux haranguer la foule alors sous la main (les pèlerins sont détachés de leurs habitudes), mais le complot fut découvert et la date avancée (septembre 1810).

C'est là qu'intervient la *Corregidora* dans son rôle principal. Son mari, délégué du vice-roi à Queretaro, mettait son influence, ses relations et de l'argent dans le mouvement, mais c'est finalement elle que l'on connaît. Souvent représentée de profil comme pour accentuer son chignon bien serré et son petit nez bien européen, on pourrait imaginer cette vieille dame très digne servir le thé plutôt que de comploter. En fait, elle faisait les deux très bien. Et c'est elle qui fit alerter Allende de la découverte du complot, pendant que son mari, pour gagner du temps, accompagnait lui-même les forces de l'ordre chargées de commencer des arrestations. Josefa Ortiz vivait dans ce splendide édifice encore actuellement propriété du gouvernement et que l'on peut visiter.

Le 16 septembre est un dimanche. Il est probable que l'abbé attendit que les habitués arrivent pour la messe de 7 h pour les haranguer car la majorité des fidèles habitait dans les fermes des environs. Il lança alors son appel, le fameux cri, *El Grito*. L'événement est célébré tous les 15 septembre à 11 heures du soir très précises, ce qui est remarquable au Mexique, et sur tous les zócalos du territoire, le président municipal criant à son tour « Vive l'indépendance, Vive le Mexique ! » Dans la capitale, c'est le président du pays qui intervient. Les foules répondent avec beaucoup d'enthousiasme et de chaleur.

La troupe part de Dolores en direction de San Miguel, s'arrête au sanctuaire d'Atotonilco, lieu de pèlerinage déjà très couru, et où Hidalgo retire le tissu représentant la vierge de la Guadalupe pour en faire l'étendard de la révolte pour l'indépendance.

A San Miguel, c'est bien sûr Allende qui doit jouer le rôle principal, jouant de ses relations pour expliquer le mouvement, rassurer les fonctionnaires Espagnols sur leur sort (on les met en prison) et tenant à étouffer dans l'œuf une première tentative de pillage effectuée dans un magasin. Ce dernier point valut une violente discussion entre les deux leaders au cours de laquelle s'affrontent déjà les deux tendances : le prêtre demandant plus d'indulgence pour éviter de perdre des troupes, le militaire soutenant que sans discipline l'entreprise n'irait pas loin. A San Miguel, les premières troupes régulières retirées de la caserne sont préparées au combat, et le premier conseil municipal du nouveau pays est nommé.

On continue la route, en augmentant au fur et à mesure les effectifs : Celaya, où Hidalgo remporte finalement le titre de chef des armées et Salamanque, Irapuato et Guanajuato où les Espagnols se réfugient dans les grands silos nouvellement construits. Le siège dura peu de temps, les Espagnols furent tués à l'arme blanche, et les réserves pillées. On frappe monnaie et on fabrique des canons. L'avancée se poursuit jusqu'aux portes de la capitale où Hidalgo hésite et recule. Déroute des troupes et dégradation du chef par les éléments militaires de l'insurrection. Ils sont finalement tous arrêtés et fusillés. Leurs têtes, salées, sont alors exposées aux quatre coins des silos de Guanajuato.

Alors que les deux premiers leaders se faisaient battre un an après le déclenchement de l'insurrection, le mouvement continuait avec succès dans le sud du pays sous le commandement de Morelos. Bien que ce dernier ait trouvé la mort avant d'atteindre son objectif, l'organisation remarquable de ses troupes permit de continuer jusqu'à la victoire.

José Maria Morelos est né à Valladolid de parents espagnols. On trouve de nombreux portraits de lui, mais aucun n'est semblable. On le reconnaît à son fichu de corsaire caractéristique. Après ses études au collège Saint-Nicolas dont Hidalgo était le recteur, il se dirige vers la prêtrise et assume la responsabilité de paroisses dans le Michoacan. Quand il apprend le déclenchement de l'insurrection, il part à la rencontre de son ancien maître qui le charge de l'organisation de la lutte dans le sud du pays. Un mois après, 3 000 hommes le suivent déjà. Il domine vite la technique de la guérilla : rapides coups de main et coupure des communications entre les garnisons. Morelos avait certainement acquis une bonne connaissance du terrain montagneux de la région dès sa jeunesse. Orphelin de père très tôt, il avait dû travailler pour payer ses études en prêtant ses services dans des haciendas de bétail et en s'occupant de transport sur la route d'Acapulco.

Pendant des années ce ne seront que combats à travers toute la Sierra du Sud et le long de la côte Pacifique. Un congrès national constituant se réunit à Chilpancingo et nomme Morelos généralissime, avec titre d'altesse. Il le refuse, ne s'estimant qu'un simple serviteur de la nation. (Hidalgo s'était lui-même octroyé ce titre qu'il associait à son paraphe.) La troupe des insurgés se dirige vers Valladolid espérant y installer le gouvernement révolutionnaire, mais la résistance organisée par le général Iturbide les en empêche. La vie de maquis continue alors sous la persécution des troupes loyalistes. Des dossiers se perdent aux moments des départs de la caravane. Morelos est finalement fait prisonnier.

Confié aux juges de l'Inquisition, il est démis de ses fonctions ecclésiastiques et condamné à finir ses jours en Afrique. Remis ensuite aux autorités civiles, il sera condamné à mort, dos tourné au peloton d'exécution. Nous sommes en 1815.

Le combat continue alors sous les ordres de *Guerrero*. L'indépendance du Mexique sera effective en 1821.

Iturbide, également natif de Valladolid et de famille aisée, choisit la carrière militaire où il sent sa vocation, s'occupe beaucoup de ses soldats, bouscule les structures, n'hésitant pas à mettre de sa fortune personnelle pour y parvenir. Au cours des périodes de combats, il organise des comités de défense parmi les civils. On remarque chez lui un caractère plus indépendant, plus politique que chez son camarade Allende. Ils étaient du même régiment de Jalapa, où les idées nouvelles avaient trouvé un certain écho.

Iturbide sera sollicité dès le début par les insurgés, mais il choisit de continuer de les combattre. Plus tard, on lui offrira le commandement militaire d'un mouvement indépendantiste provisoire, mais il préfère penser à une indépendance définitive. Il accepte, par contre, le commandement des armées du Sud, région en pleine guerre où finalement il fait alliance avec son adversaire principal, Guerrero, pour proclamer le plan d'Iguala (1821) : religion, indépendance, union. Le vice-roi rejette ce plan et déclare Iturbide hors-la-loi, mais c'est trop tard. Tout le monde, lassé par dix années de guerre, ne peut que souscrire à une solution où chacun trouvait son compte. Le vice-roi finit par céder.

Iturbide entre triomphalement à Mexico, préside la junte provisoire, mais son parti rentre vite en conflit avec les loges maçonniques qui ne voulaient pas lui céder le bénéfice de la victoire. Malgré tout, il arrive à se faire nommer empereur (sa maison de la calle Madero prend là toute sa valeur). En perpétuel conflit avec le congrès, son règne ne durera que dix ans, avant qu'il ne soit chassé par Santa Anna et les loges. Il abandonne le pays. Crédule, il reviendra, ignorant qu'un décret l'avait condamné. Il finira fusillé. Comme les autres.

Agustin de Iturbide aura donc combattu le mouvement d'indépendance jusqu'au dernier moment afin de rentrer au-devant de la scène du Mexique indépendant en toute légalité.

La perte du territoire

Après Iturbide apparaîtra une longue période de troubles. Derrière les conservateurs et les libéraux qui leur servaient d'écran, l'Eglise et la franc-maçonnerie entraient en lutte, quand ce n'était pas la même chose au sein de cette dernière. Les conservateurs prêchaient pour le centralisme, les libéraux pour le fédéralisme. A chaque fois que l'on essayait de gouverner, cela se traduisait par un échec aussitôt récupéré par Santa Anna qui apparaissait comme le sauveur de la situation en n'hésitant pas à se mettre à la tête de l'une ou de l'autre tendance. Le bilan de vingt-deux ans de cette politique de girouette fut un désastre pour ce Mexique encore tout jeune : la perte de la moitié de son territoire.

Les colons du Texas, loin de cette administration qui ne représentait plus grand-chose, avaient profité de la situation pour déclarer leur indépendance. Le Yucatan, à l'opposé du pays, fut à deux doigts d'en faire autant. Assez rapidement la guerre fut déclarée entre le Mexique et les Etats-Unis à cause de ce mouvement indépendantiste qui gagnait le nord du pays. Les Américains gagnèrent la partie rapidement après avoir pénétré par le nord et débarqué à Veracruz pour atteindre Mexico. Le drapeau yankee flotta sur le palais présidentiel de la capitale mexicaine. La paix ne pouvait alors qu'être signée, mais en échange de la remise par le Mexique en 1848 des Etats (actuels) de Californie, Nevada, Nouveau Mexique et Texas.

La guerre des Castes

Elle est l'exemple typique de réaction imprévue dont est capable un peuple indien qui a su garder son calme pendant longtemps. C'est une insurrection partie de l'est et du sud du Yucatan (région de forêts et loin de toute administration), et qui atteint rapidement les portes de Merida et de Campeche.

Il faudra attendre cinquante ans pour voir se terminer cette guerre sans merci et dont les derniers soubresauts se faisaient sentir épisodiquement dans la forêt de Quintana Roo (elle dura de 1847 à 1902. La révolution mexicaine ne commencera qu'en 1910).

L'indépendance nouvelle du Mexique privait l'Indien du paternalisme de l'Eglise pour en faire la proie des abus du libéralisme. La péninsule du Yucatan songeait sérieusement à se joindre au mouvement indépendantiste du Texas. L'Angleterre, intéressée d'asseoir sa position déjà prise au Belize, approvisionna les rebelles en armes, en échange de la possibilité d'agrandir l'aire d'exploitation de bois précieux (il ne reste actuellement pratiquement plus rien de la forêt du Belize).

La répression fut de la même sauvagerie que les massacres perpétrés par les Mayas. Valladolid, par exemple, fut assiégée. La garnison décida dc protéger une fuite de la population vers Tizimin. Les rebelles parvenant à couper tout chemin de retranchement, cette marche nocturne se termina par un massacre.

On peut visiter des villages qui conservent les vestiges de cette guerre en prenant la route du Sud : Tixcacal Cupul, Tihosuco, églises et haciendas désaffectées au cœur de petits villages encore pleins de vie. Cette route rejoint Felipe Carrillo Puerto, ancienne Chan Santa Cruz, le lieu privilégié de la guerre. Une croix parlante envoyait de là les messages transmis par les devins. Cette rébellion trouva écho au Chiapas, près de San Cristobal. Peut-être s'en fallut-il de peu pour qu'apparaisse une république maya.

La guerre de la Réforme

Le calme revenu dans les affaires extérieures après l'hémorragie de la perte de la moitié du territoire, c'est le désordre et la guerre civile qui s'annonçaient à l'intérieur à la suite de la promulgation de la Constitution en 1857 qui instituait la séparation de l'Eglise et de l'Etat ainsi que la confiscation des biens des corporations civiles et religieuses. Leurs mises aux enchères n'aboutira d'ailleurs qu'à l'agrandissement des propriétés privées. On doit cependant reconnaître à cette époque une certaine amélioration dans les conditions de travail. Les Américains intervinrent à nouveau dans les affaires du Mexique, mais cette fois à la demande des Mexicains, les libéraux. (Les héros de la guerre de la Réforme sont représentés en ligne le long de l'avenue Reforma à Mexico : petites statues en bronze très expressives.)

L'empereur Maximilien

Napoléon III allait intervenir de son côté pour contrecarrer l'influence américaine, la guerre de Sécession empêchant alors toute réaction de la part de Washington. Le prétexte fut le non-remboursement de la dette par le gouvernement de Juarez. Il y eut accord de la France avec l'Angleterre et l'Espagne, mais finalement, ces deux derniers pays se rétractèrent (1862). Seule, l'armée française entre au Mexique, et subit un échec à Puebla. Les mauvaises langues disent que l'unique victoire militaire des Mexicains devait avoir lieu contre des Français.

Mais finalement, les circonstances permirent aux conservateurs de soutenir la venue de Maximilien d'Autriche envoyé par Napoléon III en 1864. C'est ainsi que le Mexique se trouva avec un empereur européen à sa tête. Ce dernier transforma le château de Chapultepec et fit percer l'avenue Reforma. L'impératrice Charlotte se plaignait des mœurs du pays quand elle voyait disparaître son argenterie et ses garnitures de rideaux à l'occasion des réceptions. Cette belle époque ne dura pas. Les idées libérales de Maximilien allaient à l'encontre de celles de ses supporters (s'il avait gagné la partie, les libéraux auraient pris le dessus de toute façon car il partageait leurs idées). La France, face au danger prussien, rembarqua ses troupes, le laissant à son sort alors que les Américains dégagés de leur guerre civile pouvaient soutenir les libéraux. L'empereur fut fusillé à Queretaro en 1867 malgré l'intervention de Victor Hugo.

On dit qu'il dut ordonner lui-même le peloton qui se refusait à tirer. Les Mexicains n'ont jamais un jugement sévère à son égard. Ils détournent le sujet. Un guide racontait une fois à des touristes français que si Juarez avait fait fusiller Maximilien, c'était seulement pour que cela lui serve de leçon !

Charlotte de Belgique, elle, rentra en Europe et devint folle, sans doute après tant de problèmes, mais aussi atteinte de syphilis. Une affaire de famille.

Juarez et Porfirio Diaz

Benito Juarez est aussi vénéré que la vierge de la Guadalupe, bien souvent par les mêmes fidèles. Le monument à sa mémoire sur l'Alameda de Mexico (du superbe néoclassique en marbre blanc) est le pendant de la basilique. Y ont lieu les minutes de silence officielles, les départs de manifestations, etc. L'acharnement de Juarez contre l'Eglise s'explique par ses liens avec la franc-maçonnerie qui pouvait enfin marquer des points après bien des luttes internes.

Originaire de la région de Oaxaca et orphelin très jeune, il fut recueilli et put entamer ses études au séminaire qu'il quittera pour étudier le droit, devenant rapidement avocat et magistrat. Membre du congrès fédéral, il participe au décret d'hypothèque des biens ecclésiastiques pour financer la guerre contre les Etats-Unis. Plus tard, il proposera ces mêmes biens en garantie de prêt demandé à ce même pays. Et c'est là-bas aussi qu'il se joindra à d'autres pour former la junte qui devait introduire les libéraux sur la scène politique et permettre la préparation de la Constitution. A la suite des remous provoqués par cette dernière, il prendra le commandement. Après la guerre de la Réforme, les problèmes à résoudre s'étaient accumulés et les caisses étaient vides. Juarez décide alors la suspension du paiement de la dette extérieure, ce qui provoquera l'intervention de la France. Pendant les quatre ans de l'empire, il poursuit ses pérégrinations pour terminer finalement à Mexico en triomphe, mais non sans avoir promulgué le décret sur la prorogation du temps à la présidence. Il licencie l'armée dont les effectifs avaient grossi. Plusieurs officiers regardent les dépôts d'armes au lieu de rentrer chez eux. Oaxaca, dont il fut plusieurs fois gouverneur, lui doit beaucoup d'innovations sur le plan éducation, agriculture, mines et travaux publics, mais cette région, loin de tous les secteurs productifs du pays, restera finalement en marge du progrès.

Porfirio Diaz, au contraire, est mis au ban de la société comme si ignorer les faits pouvait changer l'histoire. On le réduit au seul rôle de prélude à la révolution. Soixante ans de désordre ne pouvaient que mener à une longue période de stabilité, à quelque prix que ce fût. Cette période, de plus de trente ans, a un nom : le *porfirisme.* Elle permit de poser les bases d'une économie moderne basée sur le capitalisme libéral.

Diaz était originaire de Oaxaca mais de condition sociale différente de son prédécesseur. Il faisait très européen. Orphelin aussi, il doit effectuer différents métiers pour aider sa famille tout en étudiant. Il entre dans la guérilla des libéraux puis dans leur milice. Ses dons militaires sont vite remarqués par Juarez, le gouverneur en place. Il participe ensuite à la guerre de la Réforme. Sous le grade de général, il est envoyé sur le front contre le débarquement français où il perdra la bataille, organisant alors la résistance dans le sud du pays. Il refusera sa collaboration à Maximilien qui, paraissant l'avoir choisi comme dauphin, lui offrait la ville de Mexico au moment du déclin de l'Empire et attendra pour y rentrer seul. Ensuite, bien qu'il n'ait pas été sur la liste des officiers congédiés par Juarez, il choisira de quitter l'armée pour retrouver sa ferme de Oaxaca, lieu de retraite.

Porfirio Diaz se fera élire président après une campagne ayant pour thème la non-réélection, ce qui était déjà à l'affiche depuis longtemps (1877). Il pratique une politique de réconciliation avec l'Eglise : réouverture des monastères et des écoles libres. Vis-à-vis de l'armée il évite de répéter l'erreur de Juarez. Les effectifs sont diminués mais les officiers sont appelés à des fonctions civiles. Cette nouvelle armée, en perpétuel mouvement, est utilisée pour la répression contre des mouvements indiens du Nord comme du Sud, et contre les mouvements ouvriers. Les anciens guérilleros sont formés en police rurale pour la sécurité locale. Diaz mène une habile politique d'indépendance face aux Etats-Unis, mais fait rentrer les capitaux américains suivis de ceux des Français et des Anglais. Grâce à la construction du chemin de fer à travers tout le pays, sont introduites des fonderies de technique moderne. Il promulgue les lois de colonisation qui permettaient l'occupation des terres abandonnées et l'irrigation, donne aux compagnies chargées du cadastre le tiers des surfaces mesurées. Ainsi renaissait le régime des anciens domaines, prélude à la révolution. A l'intérieur il rationalise l'enseignement, institue l'impôt indirect, supprime des postes de fonctionnaires et bâillonne la presse.

A la fin du porfirisme, le Mexique est en tête de l'Amérique latine, avec ses 23 000 km de voies ferrées. La ville de Mexico avec ses tramways électriques, son grand canal d'égout, son opéra (Bellas Artes), sa grande poste et son ministère des Communications, rivalise avec les plus grandes villes d'Europe. Par contre, 97 % des terres sont entre les mains de 830 colons seulement. Le maïs manque alors que le sucre connaît une superproduction. Les ouvriers agricoles, avec le système de *tiendra de raya,* dette perpétuelle, connaissent l'esclavitude. C'est à nouveau la grande époque des haciendas comme celles du Yucatan où l'on cultive le sisal.

Porfirio Diaz prévoyait sa succession. Alors qu'il atteignait les 80 ans, il déclara qu'il aimerait une ouverture vers des partis politiques à l'occasion de prochaines élections. Seulement, ces partis, habitués à la figure du monarque, n'aspiraient qu'à la vice-présidence. C'est alors qu'apparaît sur la scène Francisco Madero, à la tête du parti de la Non-Réélection qui refuse de reconnaître la 7e élection du vieux lion. Madero part vers le nord déclencher la révolution (20 novembre 1910), cent ans après le déclenchement de la lutte pour l'indépendance. Porfirio s'embarque alors pour l'Europe, après 30 ans de pouvoir absolu. Il repose au cimetière du Père-Lachaise.

Les Barcelonnettes

Ils sont originaires de cette ville des Alpes de Haute-Provence, autrefois spécialisée dans la petite industrie de toiles. Au lieu d'un exode rural vers les villes, classique au XIXe siècle, c'est vers le Mexique que les habitants se dirigent. On pense que les départs se seraient faits d'abord vers le Canada, puis la Louisiane, alors limitrophe avec le Mexique. (Les Barcelonnettes, pour désigner le *peso,* disent toujours *piastre,* un mot québécois.) Au début du XIXe siècle, on enregistre trois départs annuels. Ces émigrés font de la politique, prenant parti pour les plus radicaux des réformateurs (ce soutien à Juarez devant leur éviter beaucoup d'ennuis par la suite).

Ils montent de petits commerces (joaillerie, chapellerie). Les nouveaux arrivants se voient prêter des fonds pour ouvrir des succursales. On compte alors 46 maisons de détail. Au moment de l'intervention française, ils se mettent du côté de la politique libérale de Maximilien, comme ils l'avaient fait pour Juarez. La guerre de Sécession ruine le commerce de draps en Louisiane à leur profit. Ils investissent alors dans le demi-gros et dans des comptoirs en Europe. La guerre de 1870, avec le boycott des grossistes allemands, les avantage. C'est aussi l'époque de Porfirio Diaz qui se tourne vers l'Europe et encourage l'investissement étranger. En cinquante ans, on passe de 32 établissements à plus de 200 (1910). Les Barcelonnettes construisent de grands magasins sur le modèle de ceux de Paris, Bon Marché, Belle Jardinière. Ce sont les immeubles les plus hauts de Mexico : *Palacio de Hierro, Puerto de Veracruz, Puerto de Liverpool.* C'est la première fois que l'on vend à prix fixés, ce qui est difficile à faire admettre à l'époque.

Les nouveaux émigrés passent par une structure d'accueil à Paris. Le prix du voyage est avancé, ainsi que les habits de citadin. Mais l'acclimatation est souvent difficile. Les salaires minimes obligent parfois à de nombreuses années d'engagement pour éponger la dette du départ. Cette société reste très fermée. On va jusqu'à faire passer un examen sur le patois qui reste une arme utile dans les transactions face aux Mexicains.

Les capitaux sont investis dans l'industrie textile qui avait été interdite sous la colonie espagnole. L'usine de Orizaba compte vite 14 000 ouvriers. C'est la première initiative de travail avec les ouvriers du pays. Grèves. Répression. Les idées libérales ont fait long feu. Les grandes banques s'ouvrent. Certaines avec une majorité de capitaux des Barcelonnettes. Les plus enrichis rentrent à la mère patrie, y construisent de véritables palais et des tombes de mêmes proportions, ce qui donne le caractère si curieux à cette petite ville des Alpes.

Après la révolution, les nouvelles lois sociales changent le cours des choses. Les Barcelonnettes jouent alors sur les deux nationalités. Certains laissent même leurs biens aux descendants et rentrent au pays. Puis le Mexique se tourne plus vers les Etats-Unis. C'est le déclin de la colonie qui repliée sur elle-même n'aura pas su s'adapter aux réalités modernes. Des disputes de famille obligent à brader le Palacio de Hierro et la brasserie Moctezuma, mais la renommée est sauve, car l'affaire continue florissante même si elle est aux mains d'étrangers.

Cependant, on aura compté en moyenne un retour sur dix arrivées. De tous ceux qui sont restés au Mexique, peu vivent en vase clos, les autres se sont intégrés, ou complètement assimilés. Il n'est pas rare encore aujourd'hui, lorsque l'on entend parler d'un Français au Mexique, de demander d'abord s'il est Barcelonnette.

La Révolution

Madero avait l'appui d'une classe moyenne bourgeoise issue du développement du pays et qui aspirait à une démocratie. Mais il fut vite dépassé par les événements et terminera assassiné par les partisans de l'Ancien Régime. C'est Huerta, un général de sinistre mémoire, qui prit alors le pouvoir. Partout, le pays était à feu et à sang.

Zapata est sans aucun doute la plus grande figure du Mexique. Il n'a jamais vacillé, jamais accepté de compromis, jamais perdu la foi dans son action. Son regard mystique jeté de sa haute taille devait persuader plus d'un hésitant. Mais avant tout, il connaissait la question plus que quiconque pour être né d'une famille paysanne. Il a montré du doigt ce que tout le monde finissait par oublier, le fond du problème : la terre.

En 1908, il s'incorpore à un régiment et devient ordonnance-palefrenier du chef d'état-major. L'année suivante, il est nommé président d'un comité de défense de terres dans une région du Morelos. Il part avec 72 paysans et devient vite le chef de la lutte armée du Sud qui continuera longtemps après la chute de Porfirio Diaz. Avec le libéral Madero qui essaie de l'acheter, il ne trouve aucun terrain d'entente. C'est le nouveau départ pour la guérilla. Il déclare le plan d'Ayutla, 25 novembre 1911 : *Tierra y Libertad*. Pas l'un sans l'autre. En 1914, il contrôle tout le Morelos. Les troupes de Carranza essaient de le couper de la capitale, mais après des contacts avec les révolutionnaires du Nord, Villa à leur tête, les deux fronts se rejoignent à Mexico. C'est à ce moment qu'ont été prises ces fameuses photos, révélatrices, de nos deux héros dans le palais de Porfirio Diaz : Pancho Villa satisfait, assis sur le trône, Zapata à côté, méfiant, pas si sûr que tout soit réglé pour autant.

Cependant toute la région du Morelos fonctionne déjà sous une organisation révolutionnaire locale (tracé des limites *ejidales* — terres en communautés —, juntes de représentants, surveillance des frontières par les milices populaires). Le Morelos libre, en un mot.

En 1916, Carranza utilise l'arme absolue : l'aviation nouvellement entrée dans le concert de la guerre. C'est alors la défaite des révolutionnaires : peloton d'exécution, camps de concentration, incendie des villages, mise à sac des machines et du bétail. Mais dès que l'armée se retire, les guérillas et les villages s'organisent à nouveau. Le 1er mai 1917, la Constitution approuvée, Carranza assume la présidence. Avec l'accord du congrès, il décide d'en finir avec ce mouvement avant de penser à s'y intéresser. Infiltrations, espionnage, trahisons : c'est la tête qu'il faut atteindre. Emiliano Zapata est assassiné. Pancho Villa, corrompu, se tient finalement tranquille (Pancho est le diminutif de Francisco).

Venustiano Carranza est particulièrement honoré : noms de rues, statues, portraits avec sa grande barbe et ses lunettes à la Trotsky. C'est lui en fait qui est arrivé à mettre de l'ordre après sept ans de troubles sanglants à travers tout le pays. Il joua toujours sur la légalité, ce qui ne lui portera pas plus de chance, car il finit assassiné lui aussi, mais il eut le temps de faire redémarrer la machine. Il prit la tête des *Constitucionalistas* (un mot qui est resté très à la mode) auxquels se ralliaient Zapata dans le sud et Villa dans le nord, ainsi que le gouvernement américain, détail à ne pas négliger. Mais une fois l'ennemi commun vaincu, Huerta, chef de l'armée fédérale, l'alliance éclata. Après bien des déboires, Carranza s'en tira grâce à la division des révolutionnaires, à l'appui des Américains et au talent du général Obregon. (Le bras de ce dernier, perdu au cours d'un combat, est conservé dans le formol à San Angel, Mexico.) En 1917, Carranza assura la présidence, élu après l'élaboration de la Constitution.

Il joua sur la légalité, menaça de partir quand il n'était pas d'accord. Il dut s'attaquer à tous les problèmes posés par dix-sept ans d'anarchie : les rapports avec les compagnies de pétrole américaines et une dette publique comme on peut l'imaginer. Il remit en cours la monnaie métallique pour en finir avec tous les abus causés par l'autorisation d'émettre localement le papier-monnaie (Pancho Villa par exemple en avait imprimé 15 fois plus que ce qui lui était autorisé). Il annula les legs faits aux compagnies étrangères, créa des commissions agraires, mit en route des projets d'irrigation, remit en marche les communications pratiquement détruites, annula les titres de propriété des mines et obligea leur exploitation en échange des concessions, fit perforer des puits de pétrole au nom de la nation, industrialisa le District fédéral.

A l'approche des élections, ce fut à nouveau l'agitation politique. Le président Carranza s'en fut avec tout le gouvernement en train pour Veracruz. Sabotage et attaques : une locomotive folle rentra dans un des trains. Embuscades dans les gares. Les fugitifs partirent alors à cheval dans la Sierra (Puebla). Trahi par la troupe chargée de le garder, il fut assassiné à son tour. Un an après avoir lui-même fait assassiner Zapata.

L'anarchie pendant tant d'années avait pratiquement institué le pillage qui devint alors un système : la corruption. Et depuis la disparition de Zapata, plus personne ne savait pourquoi il se battait.

La Constitution est encore en vigueur, elle laisse au président une grande marge de manœuvre, renforce le centralisme et l'étatisme, ce contre quoi la révolution de Madero avait lutté. Mais le vieux droit espagnol de la propriété du sol réservée à la nation réapparaît, ce qui sera important pour le pétrole, encore plus que pour les mines. Dans cette même Constitution, on remarque des articles anticléricaux et d'autres favorables aux ouvriers, peu nombreux somme toute par rapport aux paysans, mais c'était sans doute bien pensé.

Si Carranza remit de l'ordre et fit redémarrer l'économie en y introduisant des moyens modernes, l'essentiel n'était toujours pas atteint : le problème de la terre. 15 000 000 d'hectares avaient été récupérés aux étrangers, 1/100 seulement avait été redistribué.

Parti unique

La Constitution, encore en vigueur, est assez contradictoire et maniable pour permettre aux présidents une certaine marge de manœuvre. *Carranza* avait pu l'utiliser ainsi pour « pacifier » le pays avec l'aide d'officiers qui instituaient la corruption par le pillage. L'un d'eux, Obregon, qui avait forcé Carranza à fuir, se fit élire président de la République. Pendant son mandat, il continua la reconstruction du pays, mais comme il ne pouvait se faire réélire, il imagina un système nouveau en nommant son dauphin, système qui aura duré jusqu'à nos jours. Celui-ci, Calles, participa à son tour au développement du pays, stimulé par la création d'une banque centrale (1925), parvint à casser l'armée et voulut en faire autant avec l'Eglise, ce qui provoqua une révolte populaire gagnant rapidement presque tout le pays, la *Guerre des Cristeros* (1926-1929) pour ne terminer qu'avec la réouverture des églises au culte (un officier des plus durs, chargé de la répression, deviendra plus tard le bras droit du président Cardenas).

Obregon, jouant sur les mots avec les principes de non-réélection, se fit réélire successeur de son propre successeur, mais fut assassiné peu de temps après. Calles qui avait gardé toute son influence (il avait permis le retour d'Obregon et aurait même été responsable de sa mort qui provoqua une nouvelle insurrection) fit nommer les présidents suivants et institutionnalisa ce nouveau système en fondant un parti unique, le *Parti national révolutionnaire* (1929) qui demeure de nos jours l'instrument de contrôle politique.

Une nouvelle génération de politiciens mexicains, loin de la révolution passée, prenaient alors leurs positions en fonction de la révolution russe de 1917. C'est ainsi que se forma une aile gauche du parti dont sortit *Cardenas,* le grand président des années 30 qui ne se laissera dominer par personne et entamera une politique réaliste (il ne cessa de circuler à travers le pays pour forger sa propre opinion). On retient de son mandat la répartition des terres aux paysans suivant le système *ejidal* (objet de la révolution), et la nationalisation du pétrole. Cardenas, originaire du Michoacan, pays des Tarasques qui ne se laissent pas faire, montra une certaine indépendance de caractère face au parti unique auquel il appartenait cependant. Il demeure le modèle à imiter. Son fils Cuauhtemoc, ex-gouverneur de ce même Etat, fait preuve d'indépendance à son tour en se démarquant du parti qu'il voudrait ouvert à des options démocratiques modernes, loin du système et de la corruption, estimant que son pays en est désormais capable.

Le P.R.I. et les gouvernements actuels

Il ne s'agit que d'un changement de sigle appliqué à ce parti unique qui s'appelle à présent *Parti institutionnel révolutionnaire*. Il se fait présent dans toutes les administrations et jusque dans les moindres villages. Intelligemment organisé, il sait s'entourer de différentes tendances (on parle de l'aile gauche et de l'aile droite du P.R.I.), mais les différents doivent se régler à l'intérieur du parti. Il sait aussi récupérer les initiatives, les personnalités (un professeur d'université un peu trop encombrant sera nommé recteur) et va jusqu'à provoquer des manifestations lorsqu'il a déjà décidé telle ou telle mesure sociale à prendre. La corruption n'est plus un mal moral, mais un système. Il y a quelques années encore, le P.R.I. n'avait comme opposant que le P.A.N., de tendance conservatrice, qui présentait sans illusions un candidat aux élections présidentielles. Il fit depuis une ouverture à d'autres partis. L'histoire prochaine dira si le P.R.I. saura s'adapter aux conséquences ou s'il succombera.

La gauche, à cause de la diversité de ses partis ne représentait pas de danger électoral pour le P.R.I. jusqu'aux élections de 1988 (on élit le même jour le président de la République et les représentants des deux chambres) qui surprirent tout le monde : chute du P.R.I. de 72 à 51 %, et apparition sur la scène de Cuauhtemoc Cardenas, candidat à la présidence. Ce dernier à peine sorti de ce parti qu'il connut depuis sa plus tendre enfance, avait axé sa campagne sur la fraude électorale à laquelle les esprits s'étaient trop habitués. Alors qu'il continuait de la dénoncer après les élections (demandant par exemple la réouverture des urnes), le gouvernement en place tira bénéfice de son habile politique extérieure, comme cela avait été le cas pour la dette extérieure. Les chefs d'Etat envoyaient des messages de félicitations au candidat du P.R.I. avant même que les Mexicains ne connaissent les résultats officiels. « L'Etat, c'est lui », décidait le monde entier, alors qu'une délégation japonaise entourait déjà ce dernier.

La gauche mexicaine passait de 11 à 30 % des voix, mais complètement divisée, aucun de ces partis ne dépassant 10 % (même celui que Cardenas avait fondé avant les élections). On était à la recherche d'un leader.

En face, le P.A.N., vieux parti conservateur démontrait sa stabilité, progressant même de 16 à 18 %, et confirmait sa cohésion (son représentant à l'élection présidentielle atteignant le même pourcentage). On estimera que toute fraude éventuelle ne change pas les proportions entre les victimes.

Les candidats perdants continuèrent de dénoncer publiquement cette fraude. C. Cardenas, durement éprouvé par l'assassinat de ses deux proches collaborateurs à la veille des élections (comme toujours au Mexique, on ne saura jamais qui a fait le coup), entreprit une tâche de rassemblement, les résultats prouvant que cela était nécessaire. Se joignirent à lui les mécontents du parti gouvernemental, victimes des transformations dans le domaine économique (dissolution des entreprises mixtes dont on avait reconnu l'échec, par exemple), et d'autres sujets qui, n'étant pas très populaires, pourraient lui créer un handicap. Le P.R.I., de son côté, marqua le coup et entreprit les réformes nécessaires à sa rénovation. De son rôle dynamique, il était passé à celui de bouc émissaire (qu'il sut très bien jouer du reste). Dette extérieure, tremblements de terre, cyclones, tout était la faute du P.R.I.

C'est ensuite la course contre la montre. Pendant que Cuauhtemoc Cardenas poursuit sa tâche de rassemblement, Salinas de Gortari, le nouveau président, poursuit les options économiques dont il est chargé, sachant qu'il y a des points sur lesquels on ne pourra revenir.

En politique extérieure, le Mexique sait habilement jouer entre deux voisins gênants, les Etats-Unis et Cuba dont il reçoit les présidents régulièrement, mais sur le palier : l'un dans une ville frontière, l'autre sur l'île de Cozumel. Il ne craint pas de laisser pénétrer les idées de Cuba sur le territoire et de laisser les Mexicains s'y rendre. Il se montre sympathisant des révolutions actuelles comme celle du Nicaragua et reçoit (ou a reçu) les réfugiés des pays comme le Guatemala, l'Argentine et le Chili. Par contre, vu la situation de l'Amérique centrale en général, il tend à décourager les habitants de ces pays à venir s'installer sur son territoire. Enfin, dans sa politique d'adaptation au monde actuel, le Mexique a posé sa candidature à une adhésion au regroupement des riverains du Bassin Pacifique, considéré comme la grande zone du XXIe siècle.

La nation mexicaine est une fédération des « Etats-Unis du Mexique » composée d'un District fédéral (Mexico) et des Etats, chacun avec son gouverneur élu, sa Chambre de députés et son Sénat. Le mandat du président du Mexique est de six ans. Il doit présenter un rapport détaillé de sa gestion devant l'assemblée tous les 1er septembre. C'est l'*informe,* un discours de plusieurs heures et retransmis par toutes les stations de radio et les chaînes de télévision réquisitionnées à cet effet. Ce même président garde secret le successeur qu'il veut présenter aux élections avec les couleurs du P.R.I. On attend la surprise avec impatience. C'est le *destape* (le voile est levé). C'est même souvent une surprise pour beaucoup de responsables du parti qui doit entériner ce choix par un vote. Six mois séparent les élections de l'entrée en fonction de l'élu, cette période est utilisée au bénéfice de la continuité. Suivant la méthode du *fondu enchaîné,* le nouveau président apparaît dans la vie politique, alors que le précédent lui cède le devant de la scène.

La Chambre des députés fédérale est élue pour trois ans et commence en même temps que le mandat présidentiel. Le Sénat, composé de deux représentants par Etat est élu pour six ans. Son président devient président de la République en cas d'empêchement de ce dernier.

Le grand problème à résoudre pour le gouvernement actuel est la crise économique due au déséquilibre provoqué par une trop grande prospection du pétrole et agravée par la chute des cours au moment de rembourser les dettes engagées à cet effet. Il y eut différentes mesures comme la nationalisation des banques, les dévaluations successives, mais rien n'empêcha la sortie des capitaux évalués aux trois quarts de la dette extérieure. Après des années d'une politique qui fit passer le redressement économique avant toute autre chose, les capitaux semblent vouloir à présent regagner la mère patrie.

La dévaluation du peso qui atteignit 120 % dura quelques années jusqu'à ce que cette monnaie retrouve sa valeur réelle. Puis elle fut jugulée en l'espace de trois mois suivant une politique basée sur le *pacto,* un accord entre tous les secteurs sur la congélation des prix et des salaires. Cette politique ne pouvait se faire qu'après l'entrée du Mexique dans le G.A.T.T., afin d'éviter tout chantage de la part des fournisseurs à l'intérieur du pays (cette adhésion de son côté ne pouvait se faire qu'une fois le peso réévalué).

La discordance dans la politique actuelle a pour base les différentes options économiques. Celle du P.R.I. (en place) qui entreprend une ouverture sur le monde moderne avec les efforts d'adaptation que cela demande, comme le freinage d'une inflation pour atteindre celle de ses partenaires (à l'horizon, se dessine le marché commun de l'Amérique du Nord). Les Japonais sont prêts à aider les Mexicains dans cette entreprise, ces derniers leur vouant, en échange, une certaine admiration. En face, celle de l'opposition divisée, qui préférerait un retranchement sur l'« hexagone ». Elle représente les gros propriétaires ou industriels qui redeviendraient les fournisseurs exclusifs, les petits salariés qui reverraient leurs salaires augmenter au fur et à mesure de l'inflation.

Certains ont pu constater que le développement du Mexique est dû, en partie, à la permutation des présidents : un économe prenant la suite d'un dépensier (suivant les idées de chacun : gestionnaire ou réactionnaire pour le premier ; socialiste ou démagogue pour le second). Le président sortant, De La Madrid, hérita du passage de deux prédécesseurs dépensiers (dépenses qui ont permis le développement de nombreux secteurs), et eut à sa charge les conséquences du terrible tremblement de terre de 1985 et du cyclone de 1988. Pendant son mandat, les réserves monétaires purent cependant passer de 2 à 12 milliards de dollars (on ne doit pas oublier d'ajouter qu'entre chaque président, la population mexicaine augmente de 30 %).

Renseignements pratiques

Avant de partir

Plusieurs compagnies aériennes assurent des vols sur Mexico depuis Paris : *Air France* (tél. 43.20.12.55), *Continental* (tél. 42.25.31.81), *Iberia* (tél. 47.23.00.23), *Pan Am* (tél. 42.66.52.00) et *Aeromexico* qui reprendra en novembre 1988. En les mettant en concurrence avec les nombreux organismes de voyage, on obtiendra des prix avantageux. De l'Europe, d'autres vols sont assurés par *K.L.M.* et *Lufthansa.* De New York, *Continental* et *Pan Am.* Aeronaves de Mexico *(Aeromexico),* après une période d'interruption, devrait reprendre ses vols depuis l'Europe et New York (tél. 47.42.40.50).

Un visa est obligatoire pour les Français et ne peut être obtenu qu'au consulat mexicain à Paris, rue Notre-Dame-des-Victoires (tél. 42.61.51.80) contre la somme de 100 F. Il est préférable de s'y prendre quelques jours à l'avance et de téléphoner pour s'assurer de ce que l'on doit présenter pour l'obtenir. Il peut être prorogé sur place à Mexico jusqu'à la limite de 6 mois de séjour (v. « Mexico pratique-Immigration »).

Munissez-vous de dollars US que vous pourrez changer plus facilement que l'argent français, même si celui-ci a cours dans les bureaux de change et que l'on peut utiliser sa carte de crédit (on peut rencontrer des difficultés dans les banques de province).

A l'arrivée

Vous êtes à l'aéroport de Mexico. Après avoir passé les services de police *(migración),* gardez à la main votre passeport. Cela peut vous aider à passer plus vite la douane (en qualité d'étranger). Evitez d'utiliser d'emblée l'anglais, cela peut être mal pris ; ou du moins, attendez que votre interlocuteur fasse le premier pas. Conservez bien votre carte de tourisme qui accompagne votre visa, elle vous sera demandée à la sortie du territoire ainsi qu'en cas de demande de prorogation. A la sortie de la douane vous avez un bureau de change, officiel, et un autre à la lettre D. Une queue de quelques minutes, malgré la fatigue, vous laissera la journée du lendemain tranquille (dès l'aube, vous serez debout à cause du décalage horaire, et vous ne pourriez rien faire avant l'ouverture des bureaux de change). Demandez-leur déjà de la monnaie *(cambio),* de quoi avoir au moins quelques coupures correspondant à la valeur de 1 dollar.

Les taxis sont juste à côté du bureau de change. Le prix est fixé par quartier, *zona,* et l'on prend son ticket à un guichet spécial. Pour ce genre de courses réglementées, la coutume est de donner un pourboire (10 %) qui se justifie par les bagages.

Hôtel

Vous en trouverez une liste dans : « Mexico pratique ». Si vous préférez téléphoner pour vous assurer de la place, les téléphones publics se trouvent à 50 mètres à gauche en repartant vers le fond du hall. Ils sont souvent gratuits. Vous trouverez bien un voisin pour vous dépanner (on a rarement la pièce qui convient). Enfin, si vous vous perdez, c'est prévu : dirigez-vous au bureau de *relaciones publicas,* à la lettre C, derrière la galerie d'art.

Ne programmez rien pour votre soirée du lendemain. Il y a de grandes chances pour qu'en fin d'après-midi apparaisse la fatigue due au décalage horaire et à l'altitude. Si vous ne luttez pas, vous retrouverez un rythme normal le jour suivant.

Si vous arrivez au Mexique par un poste frontière routier, changez de l'argent. Ne pensez pas qu'on acceptera des dollars partout.

Quelle saison choisir ?

Il serait dommage en effet de ne pas en tenir compte. Les inconvénients dus au climat dépendent des régions, mais en général, il vaut mieux éviter la période comprise entre le 15 mars et le 15 juin.

La fin de la saison sèche, à partir du 15 mars, est une période désagréable : il fait très chaud avant que les pluies ne fassent baisser la température ; l'air est rempli de poussière, la végétation complètement grillée et les horizons rendus opaques par les brûlis. Au tout début de la saison des pluies (15 mai) la terre encore chaude dégage de la vapeur. Par ailleurs, dans les régions où les précipitations sont abondantes, les mois de juin et septembre sont particulièrement pluvieux. L'été au Yucatan nous promet chaleur et moustiques, l'hiver au Chiapas et dans la Sierra de Puebla, de fréquents crachins. Septembre est l'époque des cyclones.

Mais pour nous consoler : en mars-avril, les *jacarandas* mauves fleurissent à travers tout le pays. En mai-juin, les flamboyants rouge orangé tapissent les terres chaudes, et en septembre, vous vous promènerez sur les Hauts Plateaux ainsi qu'au Michoacan au milieu des champs de cosmos.

En pleine saison des pluies, juillet et août réservent de beaux paysages quotidiennement remis à neuf. La régularité des précipitations (en fin d'après-midi ou pendant la nuit) permet de bien programmer son voyage. Vous verrez rarement des gens en imperméable (on y transpire), mais le plus souvent avec des parapluies (on en trouve en vente à la sauvette), ou encore sans protection aucune. Vous verrez que s'il vous arrive de vous faire tremper, vous sécherez aussi vite car la pluie n'est pas froide sous les tropiques.

Pour conclure le chapitre vêtements, dans les Hautes Terres, prévoir un chandail quand on sait que l'on va revenir tard le soir. Dans les régions chaudes, on se sentira plus à l'aise en portant des sous-vêtements de coton. Pour la visite des sites et les marches à la campagne, prévoir des chaussures souples genre basket et éviter les chaussettes en synthétique. Ne pas tarder à acheter un chapeau.

En fin juillet et début août, période que l'on appelle *canicula,*, un arrêt temporaire des précipitations peut rendre cette saison des plus agréables.

Sur la côte Pacifique, la meilleure saison sera d'octobre à février avec des prix avantageux en octobre et novembre considérée comme une morte saison.

Enfin, il faudra éviter la Basse-Californie pendant les trois mois d'été. La chaleur y est difficilement supportable.

Autant de facteurs dont il faudra tenir compte. La longueur du bulletin de la météo à la télévision rend compte de la complexité du climat. Choisir son moment vaut la peine.

Budget, change

Un voyageur avec un budget limité peut vivre pour 10 dollars par jour (transports non compris). On continuera d'utiliser le dollar US comme unité de valeur (les deux monnaies sont liées) jusqu'à ce que l'arrêt de l'inflation se soit confirmé, mais tout se traite en peso (prononcez : *pésso*).

Le franc français n'étant pas changé partout, mieux vaut se munir de dollars. Cela nous garantit en même temps, de l'assurance des traveller chèques *(cheques de viajero)*. Eviter de les commander en petites coupures qui gênent et agacent commerçants et banquiers (ces derniers vous prendront une commission par chèque pour résoudre ce problème). Utilisez par exemple des chèques de 50 dollars, réservant les petites coupures (si nécessaires) aux billets. La carte de crédit a cours dans beaucoup d'endroits. Elle est importante pour une location de voiture. Avec la carte *Visa,* on peut tirer de l'argent dans les banques *Bancomer.*

Ne vous démunissez jamais de monnaie, les petits vendeurs ne possèdent pas de capital. N'oublions pas l'effet provoqué chez une Indienne quand on lui présente un billet qui pourrait nourrir sa famille pendant toute une semaine. Ayez des billets de la contrevaleur de 1 dollar.

On change son argent dans les bureaux de change *(casa de cambio)* et dans les banques. C'est sensiblement le même cours. A Mexico, vous irez plus vite en vous adressant aux bureaux de change (voir Mexico pratique). En province, ils sont plus difficiles à trouver, mais en insistant on peut en découvrir. Sinon, s'adresser aux guichets *(cambios)* des banques. Elles ne reconnaissent pas souvent les francs français, l'horaire de change est restreint, indéfini (en général entre 10 h et 12 h) ; il y a souvent des queues. La Banamex est à éviter pour ces inconvénients. Réservez 10 dollars (ou leur contrevaleur) pour la taxe de sortie internationale à l'aéroport.

Transports

On ne saurait trop recommander d'utiliser différents moyens de transport pour rendre le voyage plus varié : autocar, train, avion, voiture louée.

Pour faire un point de comparaison, voici les prix de revient en dollars au kilomètre. Bus : 0,02. Train en première classe : 0,02. Train en couchette : 0,04. Avion : 0,10. Voiture (VW, trois personnes) : 0,10 chacun.

Avion

Une étape en avion peut être bien plus édifiante que des heures passées dans un bus où l'on finira par s'endormir (c'est rare que l'on puisse voir tout le paysage que l'on espérait). En avion, on domine la topographie, on comprend la géographie physique et humaine (Sierras, dispersion des hameaux, etc.). Des sauts de puce aident à approfondir la connaissance sur place par le gain de temps. (La plus grande distance dans le pays correspond à celle de la Bretagne à l'Oural.)

Le Mexique comprend 59 aéroports : *Aeromexico* (Aerovias de Mexico) et *Mexicana de Aviacion* assurent la majorité des vols intérieurs. *Aerocalifornia* offre des vols sur l'ouest et le sud-ouest du pays. *Aeromar* vers certaines villes délaissées. *Mexicana de Aviacion* propose des voyages dans des régions touristiques, les *paquetes* qui sont bien organisés et avantageux. (Voir Mexico pratique-transport vers province.)

Bus

(On utilise le mot *bus* ou *camion.*) Ils circulent partout dans le pays. On conseillera ceux de 1re *(de primera)* pour leur rapidité et leur confort. Ceux de 2e *(de segunda)* s'arrêtent sur demande et sur un certain parcours. Ils sont donc plus lents, mais pourront être utiles pour la visite de certains villages et sites perdus.

Dans le chapitre sur Mexico, on trouvera la répartition des différentes lignes de bus à travers le territoire. Si l'on ne voyage pas les veilles de grands départs ou de ponts, on obtient facilement de la place. Il est cependant possible d'acheter son billet la veille ou quelques heures avant. En province, les gares routières *(terminales)* regroupent souvent les autobus des deux classes.

Autobus de *paso :* ceux qui sont de passage. Il ne faut pas trop s'inquiéter si ces autobus ont du retard, il y a toujours de la place. L'attente n'empêche pas d'aller voir aux guichets des compagnies voisines s'il n'y a pas un départ pour la même direction. En période de pointe, on vous inscrit sur une liste. Il faudra alors montrer une certaine indulgence pour les problèmes de copinage en comprenant que les étudiants pressés de rentrer dans leurs villages passent avant les étrangers qui, à leurs yeux, ont plus de temps dans ces moments critiques.

Au cours du voyage en bus, on bénéficie de petits arrêts annoncés, de 15 minutes ou plus. Pour être plus tranquille, on peut rester dans la ligne de visée du chauffeur à moins qu'il ne se cache chez la cuisinière.

L'usage du bus dans les villes de province n'est pas à recommander. Ils sont souvent vieux, bondés et on y gêne les passagers plus qu'autre chose. On obtient difficilement une information précise sur leurs parcours. En échange, les taxis y sont bon marché. Il faut compter de 1 dollar pour une course dans le centre jusqu'à 3 dollars pour l'aéroport.

Train

Il permet une certaine originalité dans les voyages et un contact direct avec les paysages. Aux abords des villes, on peut mieux juger de la misère qui y règne. Utilisés par les paysans sur de petits parcours, les trains courants sont lents à cause des arrêts fréquents.

Le Mexique fait actuellement un gros effort pour rénover son réseau ferroviaire et propose des trains plus rapides et confortables (wagons-lits et restaurant) : *servicio estrella.* C'est tout nouveau, et avant que cela ne devienne le T.G.V., ceux qui aiment le train devront en profiter. Les horaires de nuit nous permettent la traversée de déserts ou sierras en début de matinée. (Voir Mexico transport vers la province.)

Le voyage en train est rituel et comme tel s'entoure d'un certain *decorum* qui diminuera avec le temps et la fatigue. Un vocabulaire important à connaître : (les préposés arborent une casquette cylindrique qui indique la fonction de chacun). Dans l'ordre hiérarchique : le *conductor,* responsable de la bonne marche de l'ensemble. Il circule sans cesse entre les voyageurs et le *maquinista* qui lui, ne porte pas de casquette. L'*auditor* contrôle les billets. Le *garatero* (il porte un gant) est responsable du changement des aiguillages. La plupart du temps il n'y a qu'une seule voie, ce qui explique son importance. Enfin, l'*agente de publicaciones* (en blouse blanche) vend boissons et nourriture.

Dans « Mexico-transport vers la province », on trouvera les différentes possibilités de parcours en train à travers le pays.

Voiture

La location de voiture est relativement chère au Mexique, mais pas l'essence. On donnera quelques adresses dans la capitale et en province *(coche para rentar).* La plus économique est la Volkswagen, modèle coccinelle *(sedan),* un peu petite au-delà de trois personnes. On peut aussi louer des microbus de la même marque : *combis,* mais on trouvera bien d'autres modèles et marques. Le dépôt de garantie se fait soit avec une carte de crédit *(tarjeta de credito),* soit en traveller cheques. Le permis international n'est pas nécessaire, le courant suffit.

La conduite au Mexique peut paraître périlleuse mais il y a peu d'accidents, chacun se méfiant de l'autre. Si vous assistez à un dépassement dans une côte ou dans un virage sans visibilité, vous remarquerez qu'un véhicule pouvant déboucher aurait encore de la place sur le bas-côté lui correspondant. Si la voiture qui vous précède met son clignotant de gauche, c'est que vous pouvez la doubler.

Les « Anges Verts » portent bien leur nom. Ces personnages sympathiques et qui n'ont rien de mythologiques, parcourent les routes à la recherche de gens en panne. Prenez le temps d'attendre, cela vaut la peine. Ce sont d'excellents mécaniciens. Leur service est gratuit, sauf pour les dépannages d'essence. En général, les réparations qu'ils déclarent reconnaître provisoires sont celles qui tiennent le plus longtemps. On reconnaît les Anges Verts à la couleur de leur camionnette. En liaison radio avec leurs collègues éloignés, ils peuvent peut-être vous faire passer un message.

Dans les agglomérations, il n'y a pas de priorité à droite, mais des rues à priorité (signalées *preferencia* sur les murs). Les rues ordinaires sont signalées *transito ;* ces signaux indiquent en même temps le sens de la circulation. Les feux de signalisation sont placés en face des carrefours, ce qui les rend beaucoup plus visibles.

Si en revenant à sa voiture, il manque une plaque, c'est que vous avez mal stationné. Cherchez l'agent dans les parages. Avec un peu de diplomatie, il vous la rendra et la revissera. Cependant, dans le cadre de la lutte contre la corruption on voit apparaître de plus en plus d'agents mettant des « P.V. ».

Les plaques sont distribuées par Etats. En province, on y verra apparaître d'abord les lettres, puis les chiffres avec le nom de l'Etat et Mex. au-dessous. Les plaques qui commencent par des chiffres sont celles du centre de la capitale, le District fédéral. Celles portant Mex. Mex. se réfèrent à ses alentours.

Se ponchan llantas gratis (les pneus sont dégonflés gratis). Méfiez-vous. C'est que vous êtes stationné sur une sortie de garage privé. On ne perdra pas de temps à vous envoyer les autorités.

Il est important de connaître le nom des villages, car on leur a donné parfois un nom moderne officiel, alors que les gens des environs, chauffeurs compris, continuent de les appeler par les noms anciens.

Si vous vous rendez, par exemple, à Tlaquepaque et que le chauffeur vous dit qu'il ne passe pas par San Pedro, changez de bus. On parle toujours de Santa Clara alors que ce village est annoncé sur les cartes comme Villa Escalante. Chamula ? Lequel ? etc.

Hébergement

Pour les hôtels, la catégorie par étoiles ne correspond à rien au Mexique. Une plus grande dépense ne nous garantit pas un meilleur service. On trouvera des hôtels tape-à-l'œil et assez chers où apparaîtront petit à petit des tas de détails déplaisants. Ajoutons l'inégalité suivant les régions. Il est rare de trouver un hôtel bien mené dans les terres chaudes nouvellement colonisées, alors que dans les villes traditionnelles, notamment de montagnes, la moindre petite auberge sera impeccable. Pour établir une synthèse, nous avons éliminé les hôtels mal entretenus ou sans âme, et retenu ceux présentant des qualités d'entretien, d'atmosphère et de cadre (dans un lieu privilégié ou dans un endroit nous évitant trop de déplacements par exemple).

Nous ne donnons qu'une grille de prix :

( ) moins de 15 dollars
* entre 15 et 25 dollars
** entre 25 et 40 dollars
*** entre 40 et 80 dollars
**** plus de 80 dollars.

Ces prix sont pour une chambre à deux personnes *(cuarto doble).* Pour une seule personne *(cuarto sencillo),* compter 80 % de ce prix. Il y aura relativement peu de choix, mais toutes les catégories seront représentées afin de vous éviter des recherches inutiles ou des expériences désastreuses et que l'économie comme la dépense vaillent la peine. Le gouvernement surveille de près les prix et les fait afficher aux réceptions. Sur les bords de mer nous resterons très prudents, les hôtels ne respectant pas souvent ces contrôles.

Vous pouvez effectuer des réservations depuis le bureau de tourisme à Mexico, calle Hegel, au coin de l'avenue Mazaryk, colonia Polanco (ouvert du lundi au vendredi de 8 h à 20 h).

Dans les chambres, le verrouillage des portes est souvent permanent et ne s'annulera qu'en tournant la poignée de l'intérieur. Parfois, il se fait en appuyant sur un bouton central. En sortant, claquez la porte tout simplement, sinon cela se déverrouillera indéfiniment. Si vous trouvez des bouteilles d'eau dans votre chambre, le décapsuleur se trouvera vissé et caché quelque part. Une vraie devinette parfois. Eau chaude : n'hésitez pas à faire couler longtemps et des deux robinets avant de réclamer. Couvertures : s'il vous en manque, demandez-en. C'est prévu (les Mexicains n'ont jamais froid). En général, n'hésitez pas à demander car, si on oublie souvent les choses, on admet en échange d'y remédier.

La coutume est de payer sa première nuit à l'arrivée et de remettre sa clef à la réception en fin de séjour.

Les périodes de pointe sont importantes à connaître pour les réservations d'hôtels et les transports, les Mexicains se déplaçant beaucoup. Les plus grandes bousculades ont lieu surtout pendant la semaine sainte (du mercredi saint au dimanche de Pâques), puis à la Toussaint *(Todos Santos)* ainsi qu'aux départs et aux retours des vacances scolaires (du 17 décembre au 5 janvier environ ; une semaine avant et une semaine après Pâques, deux avant, si la fête tombe tard ; au départ et à la rentrée des grandes vacances : fin juin et fin août). Enfin, pendant les ponts coïncidant avec Noël, le 1er janvier, le 5 février (jour de la Constitution), le 21 mars (naissance de Juarez), le 1er mai, le 16 septembre (l'Indépendance), et le 20 novembre (la Révolution).

Gastronomie

Le Mexique, là aussi, possède de grandes richesses et nous réserve des surprises. La coutume veut que l'on prenne un petit déjeuner copieux, un déjeuner, et le soir, quelque chose de léger. (Comme les Français avec leur café du matin.) Si vous combinez les deux repas à la mexicaine avec un dîner copieux vous risquez vite l'overdose. A la campagne, les gens prennent juste un café au lever pour réserver le petit déjeuner à plus tard. On lui donne alors le nom du déjeuner, *almuerzo.* C'est en rentrant des champs que l'on prend le déjeuner. Ce rythme explique pourquoi on voit souvent les cantonniers cassant la croûte au bord des routes. En ville, les habitudes ont changé. On prend le petit déjeuner avant de partir (encore que beaucoup de bureaucrates emportent leur sandwich au bureau, ou vont manger au coin de la rue), un repas ensuite vers 14 h (en province), (à Mexico à 15 ou 16 h), et le soir, en général, on ne cuisine pas : café au lait ou chocolat avec petits pains, ou bien *atolé, tacos, gorditas* que l'on achète au coin de la rue ; sinon *camotes* ou *tamales.*

Le soir en province, on dîne vers 19 ou 20 h. A Mexico, ce sera plus tard à cause du décalage au cours de la journée. Il y existe un certain snobisme à dîner tard. Si vous êtes invité à dîner, prévoyez-le. Vous pourrez attendre quelques heures avant de passer à table, l'effet des apéritifs étant alors désastreux.

Où prendre ses repas ?

Nous n'avons pas été aussi précis que pour l'hôtellerie, les critères de jugement étant très subjectifs. La diversité permet aussi plus de découverte. Un astérisque placé près du nom d'un établissement ne marque qu'une différence de prix avec les autres.

Les établissements *Dennys, Sanborns* et *Vips,* que l'on trouvera surtout à Mexico, offrent une cuisine typique mais adaptée aux palais de tous. Ce n'est pas un exemple de grande cuisine mexicaine qui est restée très paysanne, mais ils sont pratiques pour leurs emplacements, alors que la tradition se cache dans de petits établissements connus des habitués.

Les petits déjeuners peuvent être pris dans les hôtels, cafétérias, *loncherias* et sur les marchés. Les déjeuners dans les hôtels, restaurants, *comedores* et sur les marchés. Les dîners : hôtels, restaurants encore ouverts, *taquerias, ostionerias,* et dans la rue. Préparez-vous à passer une heure pour prendre un repas, moins si vous prenez le menu, moins encore dans les *comedores*. Sur les marchés, c'est très rapide. Les plus lents des établissements sont ceux qui emploient beaucoup de serveurs *(meseros, meseras)*.

Si les serveurs n'ont ni la mémoire ni l'agilité de ceux de nos pays, on leur reconnaîtra, en échange, beaucoup de patience et d'amabilité. Si l'on se retrouve à plusieurs autour d'une même table, regrouper les commandes sur un papier facilite les choses et sera apprécié. En leur annonçant tout à la fois, ils s'embrouillent. Un pourboire de 10 % est de coutume, mais il est libre, ce qui fera la valeur de votre geste.

Le cadre des restaurants ne correspond pas toujours au résultat. Il faudra donc se méfier des salles à manger à meubles néo-coloniaux, où l'on ne voit curieusement jamais personne en train de prendre un repas. Par contre, on rencontrera de petits restaurants familiaux installés avec de petites tables métalliques et remplis de clients à longueur de journée. L'hygiène non plus ne correspond pas toujours au cadre. Il arrive que la plus grande propreté des cuisines se rencontre dans des marchés, parce que c'est la tradition et que les municipalités assurent plus de surveillance.

Petit déjeuner *(desayuno)*

On le présente souvent sous forme de programme, avec des numéros. Voici quelques expressions pour vous aider : Café noir : *café negro, con crema :* avec de la crème. Thé : *té negro*. Le mot *Té,* seul, signifie tisane. Camomille : *manzanilla.* Citronelle : *de limon.* Cannelle : *de canela,* etc. Beurre ou simili *mantequilla* (il est très rare d'obtenir vraiment du beurre dans les restaurants alors qu'on en trouve du très bon dans les supermarchés).

Par contre, les confitures *(marmeladas)* sont souvent excellentes. Les jus de fruits naturels : *jugo* (prononcez : *rougo*), de *papaya* ou bien de *naranja* (difficile à prononcer).

Le programme commence en général par un *desayuno continental* (à la française). Ensuite, apparaissent les *jugos* (ou *platos de frutas*). Les œufs : *huevos ; estrellados :* au plat ; *revueltos :* brouillés ; *con jamon :* au jambon ; *con tocino :* au lard (ou au bacon si on préfère) ; *tibios :* à la coque et que l'on consomme avec le citron vert qui les accompagne toujours.

On monte de catégorie. Apparaissent les *huevos rancheros :* au plat, présentés entre deux *tortillas* elles-mêmes revenues à la poêle, et le tout enrobé de sauce au piment. C'est énergétique. Excellent remède à 3 h du matin lorsque l'on craint la gueule de bois pour le lendemain. Plus on monte dans le nord du pays, plus relevés seront les *huevos rancheros.* Avec tous ces œufs on sert des haricots noirs qu'il ne faut pas négliger. Essayez, par exemple, la combinaison avec les œufs brouillés. Puis viennent les viandes ou autres plats de résistance qui composent les petits déjeuners paysans ou ceux que vous verrez prendre sur les marchés. Une parenthèse américaine : les *hot cakes* sont des galettes molles de farine vanillée, couvertes de beurre et de sirop d'érable, véritable ou non. Les *hot cakes* sont un excellent dérivatif des œufs.

Il est pratiquement impossible de prendre son petit déjeuner de bonne heure, sauf sur les marchés, aux terminus d'autocars où l'on trouvera toujours café, *atolé* et petits pains. Si vous voyez un restaurant en train d'ouvrir (même celui de votre hôtel), et que l'on vous promet un service rapide, méfiez-vous. On n'a pas l'habitude de prendre son petit déjeuner très tôt dans ce pays.

Déjeuner *(almuerzo)*

L'intérêt de prendre la *comida corrida* (menu du jour, sur les plats *a la carta),* en est la rapidité, l'économie souvent, et le caractère du repas. Les menus n'existant pas le soir, il sera toujours temps d'essayer les plats à la carte. Dans les menus, on nous présente un choix pour chaque plat : *sopa* ou *caldo* (potage, soupe ou bouillon). *Sopa de arroz* ou *espaguetti* (plat de riz ou pâtes). On notera que les *sopas* peuvent être sèches *(secas). Guisado* (plat de viande, en sauce généralement). *Frijoles* (haricots). *Postre o café* (dessert ou café) suivant la formule « fromage ou dessert ».

Aux *comedores* des marchés, on peut avoir une *comida corrida,* mais c'est plutôt le moment de goûter aux plats qui mijotent dans les grandes marmites, juste devant soi.

Dîner *(cena)*

Le plus courant, c'est le *café con leche,* servi dans un grand verre, ou bien le *chocolate.* Ils sont accompagnés de petits pains dont on admirera l'échantillonnage dans les *panaderias.* Cela vaut le déplacement, vers 18 h ou 19 h, quand les familles y remplissent de grands sacs en papier, pinces à la main. Ces boulangeries sont tenues en général par des Espagnols.

On peut manger *a la carta* dans les restaurants. Les *comedores,* eux, sont en général fermés, mais remplacés par les *taquerias* (repérables par leurs barbecues verticaux) où l'on mange les *tacos ;* les *ostionerias,* offrent les produits de la mer dont les huîtres *(ostiones).* Dans les entrées de certaines maisons, on vous servira *gordas* ou *empanadas,* préparées devant vous. Enfin, ce que vous entendrez siffler, ce sont des petites locomotives argentées qui annoncent des patates douces ou des bananes à la crème.

Les sandwichs sont faits de pain de mie américain, alors que les *tortas* sont des sandwichs fait de *bolillos (pan frances)*.

Plats traditionnels

Sopas : les soupes avec du riz *(arroz)* et des pâtes *(spaguettis),* alors que la *sopa de pasta* est un bouillon avec des pâtes. Le *pozolé,* soupe de maïs, viande et radis.

Caldos : bouillons, de poulet *(de pollo),* pot au feu *(de res).*

Carnes : viandes. *Bistec à la mexicana* (avec sauce piquante). *A la parilla* (grillée). *Chuleta* (côte de porc en général). *Hamburguesa* (viande hachée). *Higado encebollado* (foie cuit à l'oignon. Assez bien réussi en général).

La viande de porc n'est jamais très grasse. On comprendra pourquoi en regardant les animaux à la campagne. Ceux d'élevage sont réservés à la charcuterie. Les steacks sont souvent très cuits et servis en tranches fines. Pour obtenir les morceaux plus épais, on demandera *filete.*

Postre : dessert. *Flan. Queso napolitano* (un flan maison). *Frutas en almibar* (au sirop). *Cocktel* (mélange de...), ce n'est pas de l'alcool. *Pastel :* gâteau.

Fruits et jus

Les fruits ne sont pratiquement jamais servis au dessert, parfois en entrée dans des coupes *(cocktel),* mais le plus souvent ils sont consommés en dehors des repas. Ils poussent à longueur d'année et en grande quantité permettant une grande variété suivant les climats et sont consommés aussi bien en jus purs *(jugos),* que dilués *(licuados)* à l'eau *(con agua)* ou au lait *(con leche).* Citons des fruits tropicaux comme la goyave, et la *guanabana,* le plus subtil de tous ; le *mamey,* le plus grand des zapotés ; la *piña* (ananas) ; la *sandia* (pastèque) ; le *tamarindo.* On trouve aussi la *cerveza de zarzaparilla,* un extrait de racine propre au Yucatan et que les Américains nomment *root beer.* Ainsi que les boissons comme la *limonada* (citronnade) ; la *jamaïca* faite de pétales de fleurs roses séchées et la *leche malteada :* milk shake... en français.

Parmi les jus purs *(jugos) :* le pamplemousse *(toronja),* l'orange *(naranja),* toujours douce quand on la goûte sous les tropiques ; la papaye *(papaya)* et la carotte *(zanahoria),* très en vogue. On peut la demander mélangée à de la betterave *(betavel)* ou à du céleri *(apio)* avec un filet de citron.

Toutes ces richesses pourront être essayées soit dans des boutiques, soit aux coins des rues. Les marchands de jus d'orange sont surtout présents au petit matin.

Traditionnellement les fruits sont consommés saupoudrés de sel et de piment sec. On trouvera des marchands ambulants qui en préparent de toutes sortes. On peut les demander sans condiments, mais il est intéressant d'essayer avec. Des climats tempérés nous retiendrons les fruits de la passion *(granadillas)* qui ressemblent à des œufs. On les brise pour en savourer les graines visqueuses. Les figues de barbarie *(tunas)* dont on fait une pâte de fruit *(queso de tuna).* Des terres chaudes, différents zapotés aux écorces de bois *(chico zapote, mamey)* et le *zapote negro* à la peau fine et verte, l'intérieur paraissant du goudron, sans doute un des fruits tropicaux les plus savoureux et que l'on récolte à Noël.

Autres boissons

Bières : les bières mexicaines sont appréciées : les brunes *(oscuras)* et les blondes *(claras)*. Parmi toutes les marques que l'on pourra essayer, la Tecate en boîte *(en lata)* se consomme directement sans verre et après avoir mis du sel et un peu de citron vert sur le couvercle.

Vins : tinto (rouge) et *blanco* (blanc). Il y en a de bons qui proviennent de régions assez sèches du nord et du nord-ouest. Ils sont fort en degré et seront recommandés plutôt pour le soir. Des marques : *Calafia* et *Padre Kino*. D'autres plus chères mais de qualité plus constante : *Casa Martell* et *Merlot y Cabernet*. Le vin est toujours beaucoup plus cher que la bière.

Tequila. (Ne pas prononcer *tequilla*. Le mot est du masculin.) C'est un extrait de racine d'agave (plante originaire du Mexique), traité dans un village du même nom, près de Guadalajara. Un autre alcool du même genre, mais fumé est le *Mezcal,* de la région de Oaxaca. Là aussi, la coutume veut que l'on consomme le tequila avec du sel et du citron. (Il doit y avoir certainement des raisons digestives.) On met le sel dans un creux formé par le pouce et l'index recroquevillés, on lèche, puis on suce le citron avant de boire une gorgée. Ainsi, le tequila ne monte pas à la tête. Dans les bars, les étrangers retirent parfois le sel déposé sur les coupes devant les serveurs attérrés quand ils pensent au temps qu'ils viennent de passer pour arriver à le faire tenir en suspension sur le jus de citron.

La *Margarita* est un cocktail à base de tequila. Plus doux peut-être. On la trouve dans des bouteilles opales. Une idée de cadeau.

Le *Ponché,* comme on dit au Mexique. C'est un punch à base de rhum et de beaucoup de fruits. Il se prend chaud. On l'apprécie particulièrement les soirs de fête, par exemple dans les hauteurs du Chiapas, quand il fait particulièrement froid comme à San Cristobal.

Eau minérale (agua mineral). Elle est presque toujours gazeuse. Sinon : *sin gas.* Pour la rendre plate, il suffit de jeter trois grains de riz cru dans la bouteille et attendre trois minutes. Ainsi promenez-vous avec du riz dans la poche, sinon, en demander aux serveurs.

Refrescos (sodas). Soit fruités, soit Coca ou Pepsi. Ces derniers sont énergétiques et possèdent des vertus, quoi qu'on en dise.

Café. Dans les cafétérias. Rarement fort, il est surtout bu dans la journée ou le soir, *express, americano, normal* (pas trop fort). *Con crema, con leche :* au lait (se sert en général, dans un grand verre, accompagné de petits pains, *pan dulce*). *Capucino* (rarement une réussite). Dans les campagnes le café *de olla* (de la marmite) est mijoté comme chez les Stimis, et parfois parfumé à la cannelle.

Chocolat. Ce mot provient de la langue des Aztèques : *Chocolatl.* C'était la boisson des seigneurs qui le consommaient nature. Les Espagnols l'ont modifié et actuellement, il est servi avec des beignets en serpent, les *churros*. Le chocolat à la *española,* particulièrement épais, remplace facilement un repas et vous garde éveillé en cas de nécessité.

Glaces (helados) et *sorbets (nieve).* Il existe partout des établissements dont l'approvisionnement se fait depuis une usine centrale : *Danesa, Holanda, Michoacana.* C'est plus sûr qu'aux coins des rues. On peut imaginer les découvertes à faire dans le domaine des sorbets parfumés aux fruits tropicaux.

La tortilla et ses dérivés

Votre première *tortilla* sera déterminante. Si vous commencez mal, vous serez dégoûté pour longtemps de cette nourriture de base. Or, il est difficile d'en trouver de bonnes surtout dans les grandes villes où elles sont faites à la machine et servies trop froides. A la campagne, elles sont consommées au fur et à mesure que la mère de famille les fait cuire, ce qui l'oblige de rester au coin du feu. De bonnes tortillas doivent être gonflées, moelleuses et consommées très chaudes au point de ne presque pas pouvoir les toucher. (On ne pourra donner malheureusement que peu d'adresses où l'on vous proposera les tortillas cuites au fur et à mesure de votre repas.) Elles sont alors conservées dans un petit panier et entourées d'une serviette. On laisse souvent celles du dessus comme protection supplémentaire (n'allez pas croire que c'est votre voisin qui manque de manières). Elles ne sont jamais consommées seules. Nourriture de base depuis toujours (comme le haricot noir, la courgette et le piment), elles accompagnent bouillon, sauce, viande et œufs. Un Indien qui rentre des champs peut en consommer une quinzaine avec son bol de bouillon de poulet.

La tortilla sert aussi de couvert. C'est sur les marchés que vous observerez le mieux la technique, quand les plats seront servis sans couverts aux paysans. C'est là aussi que l'on observera des groupes de femmes assises qui proposent leurs tortillas faites maison. Les clients des petits *comedores* s'y approvisionnent au passage. Celles faites à la machine sont très minces, collent entre elles et partent en lambeaux. On reconnaîtra les *tortillerias* à la queue des gens du quartier à l'heure des repas.

Pour faire une tortilla, il faut, une fois que le maïs est égrainé, le cuire quelques minutes dans un récipient rempli d'eau dans laquelle on aura ajouté des blocs de chaux (on en vend sur les marchés). On laisse reposer toute la nuit et on jette l'eau devenue blanchâtre. Le grain alors se défait facilement. (Les Indiens trouvent là leur source de calcium, leur consommation de laitage étant très rare, inexistante avant l'arrivée des Espagnols.) Les grains sont broyés sur une pierre à moudre volcanique *(metaté)* à l'aide d'un broyeur *(mano)* de la même pierre. La pâte ainsi formée est pétrie à la main, mise en forme de galettes qui sont alors posées sur une plaque de terre cuite *(comal)* chauffée sur un feu de bois. Elles sont retournées plusieurs fois. (Suivant la taille du comal, on peut faire cuire 8 à 10 tortillas en même temps.) Ensuite, elles sont gardées au chaud dans une gourde sphérique creusée à cet effet avec seulement une ouverture étroite, et recouvertes d'une serviette.

La serviette, *servilleta,* fait partie des tissus indigènes brodés suivant une technique particulière à chaque village. Dans le cas où les habitants perdent l'usage du costume traditionnel, cette *servilleta,* que l'on continue de broder encore longtemps, sera le dernier témoin de la tradition.

Les tortillas débitées par les machines des coins de rues n'ont plus grand-chose à voir avec les traditionnelles. C'est sans doute pour cette raison que les étrangers, souvent, n'aiment pas les tortillas. Ceci dit, consommez-les toujours pour la sauce ou pour accompagner autre chose.

La tortilla est utilisée pour l'élaboration de différents plats : *tacos, enchiladas, tostadas, chilaquiles, quesadillas.*

Le *taco* est une tortilla sur laquelle on met de la viande dépiautée et qu'on enroule ensuite. *Tacos de carne* (à la viande), *de pollo* (au poulet), *de barbacoa,* ou *de carnita* (viande de porc). Les *tacos al pastor* sont les plus particuliers. Ils contiennent de la viande coupée très mince empilée sur une broche et humectée régulièrement de sauce de *achioté.* La sauce piquante est toujours présentée à part, et les tortillas utilisées pour leur élaboration sont parmi les meilleures que l'on puisse trouver : une occasion de retrouver la tradition. Parfois, ces mêmes *tacos* sont revenus dans de l'huile bouillante, ce qui les rend croustillants.

Les *enchiladas* sont des tacos revenus ou non dans l'huile et couverts de sauce piquante. *Enchiladas suizas :* avec une crème fraîche aigre. *Enchiladas verdes :* avec une sauce verte et piquante. Elles ne peuvent être consommées que sur une assiette, donc dans un restaurant.

La *tostada* est une tortilla croustillante revenue dans de l'huile. Une fois refroidie, on la couvre de poulet, de choux ou de tomate. Elle se mange froide. Pas facile du tout à consommer, car elle se brise en morceaux au moment de la croquer.

Les *chilaquiles* sont des morceaux de tortillas réparties dans différents plats.

Les *quesadillas* sont des tortillas fourrées au fromage. Elles se mangent chaudes, parfois à sec, parfois revenues dans l'huile. Dans le nord du pays, on les fait avec des tortillas de blé *(harina).*

On trouvera les *gorditas* (ou *tlacoyo*) aux coins des rues ou sur les marchés. Ce sont des tortillas épaisses, véritablement sculptées à la main, fourrées de fromage frais *(requeson),* de fleurs de courgettes *(flor de calabaza)* ou encore de viande de porc *(cerdo).* Elles sont élaborées au fur et à mesure de la demande et ne sont jamais grasses, étant cuites sur le *comal,* comme les tortillas. Vous en trouverez souvent à l'entrée des sites. Celles de Tule (Oaxaca) sont fameuses.

On vous servira parfois des tortillas ou *gorditas* bleutées. Cela vient des grains de maïs de cette même couleur qui peuvent apparaître sur les épis. Cela ne change en rien la saveur.

Le chile et ses dérivés

Prononcer *tchilé.* C'est le poivron

ou le piment, de quelque couleur qu'il soit. Il est d'origine locale, comme le maïs, le haricot noir et la courgette. Tout comme le pot de moutarde en France, vous en trouverez présenté en sauce sur toutes les tables. Il n'est pas besoin, pour autant, de s'emporter le palais pour apprécier la cuisine mexicaine, pas plus qu'il n'est besoin de couvrir de moutarde la cuisine française.

Il existe évidemment des plats plus relevés que d'autres, comme le *molé* et le *ceviché,* qui sont préparés déjà piquants.

On fait grand cas au Mexique du *chile,* plus que dans les pays limitrophes où il est de même consommé.

Les Mexicains croient volontiers que leur pays est le seul au monde à consommer du piment. Si on peut manger très piquant, on est un homme, un symbolisme simpliste en rapport avec le machisme et rendu plus évident avec les jeux de mots sur cette plante. Il est intéressant de constater que le palais mexicain ne peut supporter la moutarde forte de Dijon.

Le *chile* est une grande source de vitamines. Anti-infectieux, il a toujours fait partie de la nourriture de base de l'indigène. En abuser, quand on n'est pas habitué peut préluder à des ennuis de santé.

Chile jalapeño : ce sont des piments macérés avec carottes crues et oignons. On les mange entiers. On les trouve dans les sandwichs *(tortas).* On s'y habitue vite.

Chiles rellenos : poivrons farcis au fromage *(de queso);* à la viande hachée *(de carne).*

Certains condiments

Le citron vert : vous en trouverez présenté avec les soupes, bouillons, œufs à la coque. Il rehausse la saveur et dissout les graisses. Le *cilantro,* coriandre ou persil arabe. On en trouve souvent sur de petites assiettes, haché avec de l'oignon que l'on ajoute alors à certaines soupes. C'est lui qui donne cette saveur particulière au *guacamole.* L'*achioté* donne une couleur brique aux plats comme les *tacos al pastor.* C'est surtout au Yucatan qu'on l'utilise.

Quelques recettes

Le *guacamole* est souvent servi avant les repas accompagnés de *tostadas,* mais il peut aussi agrémenter différents plats. Pour 3 avocats : 1 tomate olivette, 1 petit piment vert, 2 branches de coriandre, 2 oignons frais moyens. Couper finement le tout pour ensuite le mélanger aux avocats écrasés. Trop de sel rend curieusement l'avocat trop doux. Laisser un noyau dans la préparation pour éviter qu'elle ne noircisse. On pourra goûter d'excellents *guacamoles* un peu partout au Mexique.

Le *ceviche* est un poisson cru mariné qui fera un excellent hors-d'œuvre. Pour 500 g de poisson cru sans arêtes : 1 tasse de jus de citron vert, 1 petit piment vert, 1 gousse d'ail, 1 oignon frais moyen, sel, poivre, laurier, coriandre et origan. Faire mariner toute une nuit le poisson coupé en petits morceaux dans le jus de citron en y ajoutant laurier, origan, sel et poivre. Oignon, ail et piment seront hachés finement et mis à tremper dans le vinaigre pendant 2 heures avant de les joindre, seuls, au reste. On peut ajouter un peu de tomate olivette. Le plus corsé des *ceviches* est le *levanta muertos*. On y repensera à Veracruz, ou à Bacalar dans le Quintana Roo. On le fait aussi avec des crevettes ou du crabe.

Le *molé poblano* n'est pas une sauce au chocolat comme on se plaît à le dire. Sa couleur provient de celle du *chile* séché que l'on trouve sur tous les marchés et qui sert de base à la confection de cette sauce très particulière, servie avec du poulet (traditionnellement avec du dindon).

On observera sur tous les marchés mexicains des montagnes de *chiles,* de taille moyenne entre le piment et le poivron, plus ou moins séchés, ce qui change leur couleur. Avec ceux relativement plus frais, on prépare le *molé rojo* (rouge) que l'on consomme partout, et avec les plus secs, les plus ratatinés, les plus foncés, le *molé poblano* (de Puebla). Sa recette est certainement très ancienne, vu le succès qu'il continue de connaître. On sert le molé les jours de fête. Sa préparation demande toute une nuit avec la collaboration de plusieurs femmes pour qui c'est le début des retrouvailles. On ne s'ennuie pas.

Un bon molé n'a pas besoin d'emporter la bouche pour être de qualité. On le sert avec des tortillas bien chaudes. C'est certainement la meilleure occasion de les apprécier.

Les ingrédients : *chiles pasilla* et *chiles mulato.* (*Mulato :* mulâtre ; on note l'adjectif de la couleur.) Cannelle, amandes, oignons, clous de girofle, cumin, raisins secs, sésame, cacahuètes, poivre, chocolat. Pour obtenir plus ou moins de piquant, on joue sur la proportion entre les deux *chiles,* le *mulato* étant plus doux que l'autre. Le chocolat n'est pas toujours utilisé. Il se limite à une barre, ou à quelques graines de cacao. (Dans la Sierra de Puebla, on fait encore couramment son propre chocolat.)

Pour préparer les *chiles,* on retire graines et veines. On les fait revenir, ainsi que tous les ingrédients, dans un grand plat contenant un peu d'huile. (Cela prend beaucoup de temps, car on n'en met que peu à la fois.) Le tout est moulu à la pierre à moudre ou à la moulinette. Pendant ce temps, le dindon aura cuit. On met alors un peu d'huile dans le fond d'une grande marmite, on y met la pâte formée par tous ces ingrédients moulus *(masa),* et on y ajoute petit à petit le bouillon de dindon *(caldo),* jusqu'à obtenir un bon mélange.

Le molé, une fois servi, sera saupoudré de graines de sésame grillées. On le sert en général accompagné de riz blanc. Malgré la révélation de sa recette, le molé, à chaque fois, vous cachera encore bien des mystères.

Le tamal et l'atolé

C'est sans doute la nourriture la plus anciennement connue dans le pays. Peut-être même avant la tortilla. Le *tamal* résulte de la même préparation, mais la pâte est alors fourrée, soit de haricots, soit de morceaux de viande en sauce, puis emballée dans des feuilles de plantes tropicales comme le bananier, pour être cuite à la vapeur. Les meilleurs tamales sont faits dans la région du Golfe et au Yucatan. Savourer un bon tamal, c'est déjà communiquer avec la sensualité de ces régions.

Dans certaines régions, les feuilles utilisées pour envelopper les tamales sont de maïs séché.

Pour les fêtes, on en prépare des centaines pour le village (ou les amis en ville). En dehors de cette occasion, les épis des premières récoltes sont réservés à la préparation de petits tamales. Ils sont alors un peu sucrés. On les offre aux amis, aux voisins : partage des premières richesses.

L'*atolé* est une crème de maïs, cuite nature, ou bien avec de la vanille ou du chocolat. C'est ce que l'on boit en attendant un autocar de bonne heure. Un bon atolé s'apprécie servi dans les petits pots de *patamban,* un soir sur le marché de *Patzcuaro,* protégé du froid du Michoacan dans son *sarapé,* en regardant les marmites qui fument.

Santé

Il faut bien penser qu'un pays qui vient de voir sa population doubler en vingt ans, n'attend pas le tourisme pour s'attaquer aux problèmes de santé. Le Mexique n'aurait pas évolué comme il l'a fait s'il ignorait des solutions à apporter à l'eau, à la consommation de la viande, aux moustiques. Il ne faut pas oublier que les marchés européens et américains sont couverts de fraises mexicaines en hiver.

On ne donnera pas d'adresse de médecins. Les hôtels pourront vous conseiller. Quant aux hôpitaux, c'est une erreur de penser que le Mexique est en retard. On trouvera partout des *casas de salud, clinicias, hospitales* de la Sécurité sociale. Pour nous rassurer enfin, sâchons que les hôpitaux *ABC* (anglo-américain ; tél. des urgences : 515.83.59), et *Español* (tél. des urgences : 531.33.00), les deux à Mexico, sont de très grande renommée.

On trouvera des herboristes sur les marchés. Pour l'homéopathie, de pratique courante, s'adresser dans des pharmacies spécialisées qui sont assez nombreuses. Les autres pharmacies (qui ne manquent pas dans ce pays) sont parfois annoncées *de segunda clase.* Il ne s'agit pas de la qualité des médicaments mais de celle de leurs propriétaires qui n'ont pas de titres. On y trouvera aussi des cigarettes et une foule d'autres choses !

La diarrhée *(turista)*

Statistiquement, vous avez huit chances sur dix de l'attraper. Elle n'est souvent due qu'à un changement de régime alimentaire ou d'horaire. Les Américains l'attrapent lorsqu'ils vont en Europe. Consommer régulièrement du Coca-Cola (en évitant qu'il soit trop froid ou trop gazeux) permet une bonne réhydratation avec un apport de sels minéraux, et d'attendre trois jours avant d'aller voir un médecin (ce qui n'empêche pas d'utiliser les médicaments recommandés par le sien). Une bonne *turista* peut provoquer de la fièvre.

A titre préventif, consommer régulièrement de la papaye. Si vous ne vous y habituez pas, arrosez-la de citron vert et de sucre. On en fait des médicaments, et les Indiens font de la tisane avec les graines séchées pour soigner leurs diarrhées. Remplacez le café par le *té de manzanilla* par exemple. Evitez quelque temps les plats épicés, le vin et l'alcool.

Les coups de soleil

S'en méfier. Nous sommes sous les

tropiques. Le chapeau mexicain a ses raisons. N'attendez pas d'être sur la plage pour vous enduire de crème. Un jour de plage à Acapulco, après un an de brume ailleurs peut vous jouer de mauvais tours : fièvre, malaises. Si vos pieds gonflent curieusement, allez rapidement chez le médecin.

L'altitude

Les personnes qui y sont sensibles doivent être prévenues qu'un voyage au Mexique oblige à des changements incessants d'altitude, depuis le niveau de la mer jusqu'à 3 000 m, et dans des délais parfois rapides. Par exemple, en revenant du Yucatan à Mexico en avion pour repartir à Oaxaca en voiture, on passe de 0 à 2 300 m puis à 3 200 m, puis à 1 500 m, tout cela en moins de 24 heures et sans compter les changements de température.

Le paludisme

Ce problème intéresse le Mexique au premier chef pour sa propre population. Des brigades sillonnent le pays, en détectent les foyers et font évacuer les hameaux pour un traitement intensif. Il faudrait un fâcheux hasard pour se faire contaminer en passant à 100 km à l'heure à 300 km d'un endroit infecté.

Les avis sont contradictoires sur la façon de prendre des médicaments comme la Nivaquine, et on n'a jamais pensé à dénombrer le nombre de touristes étrangers qui, sans eux, auraient attrapé le paludisme. Avant cet inventaire, toute discussion sera inutile.

En parlant de moustiques, on en rencontre dans les régions chaudes pendant les périodes de pluie et à certaines heures. Il existe des protections à la citronnelle ou autre *(repelente)* mais avant tout il suffit d'être relativement couvert.

La pollution

Elle n'aura pas le temps de nous affecter au cours d'un passage à Mexico, qui ne s'honore pas seulement d'être la plus grande ville du monde, mais aussi la plus polluée. C'est dû non seulement à son industrialisation, mais aussi à sa position dans une vallée très élevée et pratiquement fermée. La situation devient critique en hiver (décembre et janvier) quand proviennent des inversions thermiques aux heures les plus froides, jusqu'à la fin de la matinée (les gaz restent comprimés au sol). Les médias demandent alors d'éviter tout exercice physique avant midi, autrement dit de ne pas respirer.

La sieste

Elle est de tradition au Mexique. A part Mexico où les horaires sont confus, tout est pratiquement fermé entre 13 h 30 et 16 h 30. On trouvera moins de monde en ville, chacun étant chez soi à se reposer. Prendre cette habitude permet d'être en forme quand la vie reprend plus tard.

Le Mexique de A à Z

Architectes

Il y en a de très bons (c'est une profession qui répond bien à l'esprit créatif et imaginatif des Mexicains).

Artis : le centre culturel de l'université, au sud de celle-ci. Barragan : urbanisme du quartier du Pédregal. Le même, en collaboration avec Goeritz : les tours de la Ciudad Satélite. Avec Gorreta : l'hôtel Camino Real de Mexico. Candela : le palais des Sports couvert de cuivre, près de l'aéroport. Lazo : université et son centre culturel. Ramirez Vasquez : le stade Azteca, la basilique de la Guadalupe et le musée d'Anthropologie, le musée du Templo Mayor. Zabludowski : le musée Tamayo et le Colegio de Mexico.

Art colonial

(On donnera quelques exemples.) En ordre chronologique : influence arabe-mudejar (intérieurs de Queretaro, tours du couvent d'Actopan). La Renaissance dans le Plateresque (couvents augustins d'Actopan et Yuriria, Palacio Montejo à Merida). Le Herreriano (tours de la cathédrale de Puebla). Chapelles ouvertes (Acolman. Cathédrale de Cuernavaca). Baroque du XVIIe (églises d'Acatepec, Tonantzintla ; églises Santo Domingo de Puebla, Oaxaca, San Cristobal). Le Churrigueresque, un baroque à la mexicaine (cathédrale de Zacatecas, le Sagrario à Mexico). Le néoclassique (cathédrale de Guadalajara).

Artisanat

(Noter qu'on en retrouvera beaucoup dans les magasins de Mexico.) Ambre : San Christobal, Chiapas. Argent : Taxco. Cigares : Veracruz. Corail : Veracruz et Caraïbes. Cuir : San Cristobal ; Merida et Valladolid. Hamacs : Merida ; Veracruz et Yucatan. Laine : Valle de Bravo ; San Miguel de Allende. Laiton : San Miguel de Allende. Laque : Uruapan, Patzcuaro. Obsidienne : Teotihuacan. Or : Iguala, Morelos ; Oaxaca et Juchitan ; Mexico, arcades du zócalo. Panama (chapeaux) : Yucatan. Papier mâché (perroquets, etc.) : Tlaquepaque ; Tonala. Pierres précieuses : Queretaro et Oaxaca. Terre cuite : Tonala ; Michoacan ; Valle de Bravo ; Oaxaca ; Chiapas. Verre soufflé : Tlaquepaque et Mexico, calle Carretones.

Artisanat indien

Cotonnades : Oaxaca et Yucatan. Laine : Sierra Tarahumara ; Michoacan ; Chiapas, région de San Cristobal ; Oaxaca et Toluca. Papel de Amate (peintures sur écorces) : Cuernavaca et surtout Taxco. Rebozos : Michoacan. Sarapés (nommés ponchos par erreur) : Michoacan ; Toluca ; Oaxaca ; région de San Cristobal, Chiapas. Tissages brodés : Acaxochitlan, Sierra de Puebla ; région de San Cristobal, Chiapas ; Oaxaca ; Sierra Tarahumara et Yucatan.

Café

Il n'est en général pas de notre goût, sauf à Veracruz. On en verra des plantations (arbustes souvent sous de grands arbres) dans la région de Jalapa et de Palenque.

Chapelle ouverte

Construite à l'extérieur de l'église, elle servait aux offices réservés aux Indiens non encore baptisés. Il y en a de très grandes comme à Actopan et Cuernavaca, ou de minuscules comme à Acolman et Tlalehuilpa. Elles servaient aussi pour les offices à l'occasion de grands rassemblements, tout comme ceux célébrés par le pape en voyage de nos jours.

Charro. Charrisme

Le charrisme est une forme de sublimation de la condition de gardien de vaches. Jaloux de ses traditions, Jalisco, le Far-West mexicain, en est le fief. Bien qu'il se présente finalement comme un spectacle, c'est avant tout une attitude. Pour maîtriser les troupeaux sur les nouveaux territoires très étendus, il fallait savoir maîtriser son cheval. Le meilleur moyen de conserver cette prérogative était de l'interdire aux autres. L'Indien était tout simplement condamné à mort s'il était pris à en faire autant. Car le plus beau spectacle que l'on puisse offrir au cours d'une *charreria* est le maniement du lasso pour attraper un veau en vadrouille. On tient à en conserver le succès. Encore actuellement, vous ne verrez jamais un visage métissé participer à ces exhibitions. C'est le caractère espagnol conquérant qui renaîtra toujours sur cette équitation enjolivée de cuir rehaussé d'argent et, par-dessus tout, le grand chapeau circulaire avec jugulaire (il est intéressant de noter que l'on finit par croire que *sombrero* s'applique à ce seul chapeau). C'est le costume des Charros que porte les Mariachis. Sa version mondaine, comme la cravate, date de l'empire de Maximilien.

Codex

Recueil écrit, en écorce d'amate (un ficus), ou en peau de cerf, datant de l'époque préhispanique ou écrit quelquefois peu de temps après. Il porte le nom de l'endroit où il fut trouvé ou celui de la ville où il est gardé en bibliothèque. On en verra des exemples reproduits dans certains musées.

On retrouve l'idée du codex à travers les dessins contemporains représentant des scènes de village.

Colibri

Oiseau-mouche que l'on rencontre à travers tout le pays. Sa rapidité de déplacement s'explique par la cadence de son vol (80 battements d'aile à la seconde) et par sa faculté de se déplacer sur les côtés et en arrière. Il s'agirait d'un jeune homme à la recherche de la princesse belle comme une fleur qu'il surprit dans la forêt, dit la légende maya.

Combats de coqs

Une expression de l'agressivité. Ces animaux, importés des Etats-Unis, reçoivent une nourriture spéciale, sont éduqués progressivement à l'agilité, la défense et au combat, harnachés d'un rasoir à la patte, et mis à l'obscurité dans une boîte étroite juste avant l'épreuve. C'est alors le déchaînement des assistants, proportionnel aux paris qu'ils ont déposés. Si les animaux en sortent vivants, on les soignera avec beaucoup d'attention. La moindre fête de village dans le Jalisco est prétexte à un combat de coqs quotidien.

Corruption

Elle ne se situe pas au même niveau que dans nos pays, car elle rebondit jusqu'à la base. La population n'est donc pas éduquée à être choquée de la chose.

Il faudra éviter de l'utiliser quand on verra que les autorités font une faveur. Mais si vous prétendez que, de toute façon, vous êtes dans vos droits, vous risquez des ennuis imprévus, car vous aurez rompu le rythme de la relation et bafoué l'autorité. La légalité n'est pas payante. Ce que l'on doit payer se nomme *mordida*.

Courant électrique

110 v. Prises de courant de type américain. Il est parfois difficile de trouver les adaptateurs *(convertidor)*.

Courrier

Il marche assez bien malgré l'apparence de certains bureaux de poste (ouverts de 8 h à 19 h et le samedi jusqu'à 12 h). Compter 10 jours de délai avec l'Europe et les Etats-Unis. L'affranchissement est le même pour une carte et pour une lettre (prévoir de coller les timbres avant d'inscrire l'adresse à cause de leur dimension). Ces derniers ne sont vendus que dans les bureaux de poste *(correos)*, rarement dans les hôtels qui ont souvent des boîtes aux lettres *(buzón)*. Pour les recommandés *(certificados)*, il existe un guichet spécial où l'on vous enverra après être passé au guichet courant (*estampillas ou timbres*). Vous pouvez aussi envoyer des livres par courrier ordinaire dans la limite de 5 kg pour un prix modique et avec une certaine sécurité.

Ejido

Terres distribuées à une communauté avec interdiction de les vendre. Ils existaient déjà du temps de la colonie, sous forme de réserve aux municipalités, et disparurent avec la réforme. Ils réapparurent avec la réforme agraire (dislocation de grandes propriétés, mais aussi distribution de nouvelles terres dans celles nouvellement colonisées en Basses Terres).

Fêtes

(Elles durent souvent plusieurs jours avant et après la date.)

Dans tout le pays : l'Epiphanie (6-1), cadeaux pour les enfants. Dimanche des Rameaux et Semaine Sainte. Fête des Morts (2-11). Anniversaire de la révolution (20-11). Vierge de la Guadalupe (12-12). Posadas avant Noël (émouvantes processions nocturnes relatant la recherche d'un endroit pour la naissance du Christ).

Localement : (1-1) San Juan Chamula, Chiapas : Passation de pouvoirs ; (20-1) à Chiapa de Corzo, Chiapas : Parachicos ; à Zinacantan, Chiapas : San Sebastian ; (2-2) Tulé, Oaxaca, Chandeleur-Candelaria ; (25-3) Acatlan, Puebla : San Gabriel Archange. (15-5) Huistan, Chiapas : San Isidro. Troisième lundi de mai à Tlaxcala : Vierge d'Ocotlan. (24-6) San Juan Chamula, Chiapas : Saint-Jean. (29-6) Chenalho, Chiapas : Saint-Pierre, Saint-Paul. (14-7) Ciudad del Carmen, Campeche : commémoration historique. (25-7) Tenejapa et San Cristobal, Chiapas : Santiago. Troisième et dernier lundi de juillet à Oaxaca : réunion de groupes ethniques.

(10-8) Zinacantan, Chiapas : San Lorenzo. (15-8) Tulé, Oaxaca : fête de la Vierge. (30-8) San Juan Chamula, Chiapas : Santa Rosa. (31-8) Oaxaca : église de la Merced, bénédiction des animaux. (15-9) à 23 heures Mexico sur le zócalo : cri de l'Indépendance (ainsi que devant toutes les municipalités du pays). (29-9) Huistan, Chiapas : San Miguel. (24-10) Acatlan, Puebla : Saint-Rafaël archange. Deuxième dimanche d'octobre à Tlacolula, Oaxaca : foire locale. (Du 7 au 14-12) à Guanajuato : fête de la Vierge avec illuminations. (12-12) Mexico : la Guadalupe. (18-12) Oaxaca : Vierge de la Soledad. (21-12) Oxchuc, Chiapas : Saint-Thomas. (23-12) Oaxaca : fête des radis et destruction des assiettes. (24-12) Oaxaca et environ : Posadas.

A date mobile : mardi-gras de Carnaval : Huejotzingo (Puebla), San Juan Chamula (Chiapas). Vendredi Saint et Corpus Christi : Papantla (Veracruz) : danses et *voladores*.

France

Assez bien vue dans l'ensemble. Nombre important d'inscriptions dans les Alliances qui sont nombreuses tant à Mexico qu'en province. Institut d'Amérique latine (études de haut niveau). Centre d'études mexicaines et centraméricaines (recherches en archéologie, ethnologie, histoire, botanique, géographie, etc.). Il dépend des Affaires étrangères et du C.N.R.S., il est de caractère officiel et permanent et couvre le Mexique et l'Amérique centrale. Différentes régions ont été étudiées (Huasteca, Michoacan, Guerrero, Sierra de Puebla, Chiapas et Campeche). Le Centre scientifique et technique se charge de la coopération dans ce domaine, surtout au niveau de la recherche.

Réalisations françaises : le métro de Mexico. Le Club Méditerranée (5 au total) et les hôtels *Villas Arqueologicas*. Le béton précontraint comme le pont de Coatzacoalcos. Un complexe de type Port-Grimaud à Loreto. Une usine de radiateurs de voiture qui exporte aux Etats-Unis. Entreprises de travaux publics ; de grues à tour. Sinon, l'hôtellerie française est absente et Renault a dû fermer ses portes, n'ayant pas su s'intégrer au marché américain.

Gringo

Mot désignant l'Américain, ou tout simplement l'étranger. Les explications les plus fantaisistes circulent sur son origine. Il est employé différemment selon le jugement porté sur les Américains. A la campagne, ne vous montrez pas vexé d'être appelé ainsi. C'est le mot pratique pour désigner tout étranger, et cela peut être une simple façon de saluer. Prétendre que vous n'êtes pas gringo ne signifie rien pour ces gens-là.

Guadalupe

La vierge de la Guadalupe apparut sur la cape d'un Indien au début de l'occupation espagnole. Elle restera la patronne des métis et sera vénérée bien plus loin qu'au seul Mexique. Les Blancs continueront de vénérer les vierges espagnoles.

Hacienda

Le mot désigne avant tout un ensemble de biens (troupeaux, mine, etc.). Le ministère des Finances, d'ailleurs, se nomme *de hacienda.* Mais on la connaît surtout sous la forme d'une grande propriété rurale. Elles eurent leur grande époque sous la colonie espagnole, puis, après la guerre de l'Indépendance, sous la présidence de Porfirio Diaz, à la fin du XIXe siècle. Si le *rancho* (la ferme) fut toujours une unité de production agricole ou d'élevage, l'*hacienda,* en revanche, fut un instrument de colonisation et de peuplement, une défense contre l'extérieur hostile, une source de production pour une population isolée, un facteur de pouvoir politique, mais secondairement une affaire agricole.

Certaines sont encore habitées par les descendants de leurs anciens propriétaires, mais sans la jouissance des terres qui appartiennent aux paysans sous le système des *ejidos.* Beaucoup sont en ruine. Plus près des villes, d'autres ont été restaurées pour être occupées en résidence secondaire ou transformées en restaurants, hôtels, services culturels.

Heure locale

Sept heures de différence avec la France (huit en été). Au nord-ouest du pays : une heure plus tôt, et au nord de la Basse-Californie : une heure encore.

Journaux *(periodicos)*

Exelsior contient le plus d'informations, mais sa présentation confuse et vieillotte le rend impossible à lire. *El Financiero* et *La Jornada* ont de bons journalistes et savent séparer l'information de leurs éditoriaux. *Tiempo Libre* vous donnera toutes les informations sur les spectacles et expositions.

Jours fériés

Les principaux : Semaine Sainte, du mercredi au dimanche de Pâques. La Toussaint. Puis viennent : le 1er janvier ; 5-2 (jour de la Constitution) ; 24-2 (Jour du Drapeau) ; 21-3 (naissance de Juarez) ; 1-5 (jour du Travail) ; 16-9 (Indépendance) ; 12-10 (découverte de l'Amérique) ; 20-11 (la Révolution).

Machisme

Pour sublimer son complexe d'infériorité (il a du sang de l'Indien battu à la Conquête), le métis éprouve le besoin de tromper sa femme, de se vanter d'en entretenir deux, de montrer un certain sadisme envers le petit administré, et parmi les plus tendres, de s'afficher avec une blonde, parmi les plus sages et cultivés, de vivre avec.

Le machisme est l'extériorisation la plus marquante de cette complexité et peut signifier aussi un refoulement homosexuel. Vient le macho des images : monture à cheval, pistolet. Ce sont les régions de l'ouest et du nord, avec le bétail et les vachers, qui sont arrivées à imposer une image du Mexique, qu'il sera alors difficile d'effacer pour découvrir un monde plus subtil, plus intéressant et plus riche.

Pour que tout cela fonctionne, il faut bien sûr l'abnégation de la femme qui se vengera en idolâtrant son fils, lui-même se vengeant sur sa femme, etc., et aussi l'abnégation du paysan, de l'Indien à qui on interdisait de monter à cheval du temps de la colonie, l'abnégation de l'administré et de l'électeur étourdi de bonnes paroles.

Marchandage

Il est d'usage. Encore faut-il savoir le manier car c'est un véritable acte social, même si tous les arguments du vendeur sont permis, comme celui de vous flatter en ne vous confondant pas avec un gringo. Il est recommandé de s'informer des prix ailleurs avant de montrer que l'on s'intéresse à un article. On ne peut revenir en arrière lorsque le prix proposé est finalement accepté par le vendeur. Tenter le marchandage pour des articles de prix minimes passe pour de la muflerie.

Marchés

Des plus pittoresques, nous retiendrons :
Quotidiens : Guadalajara, Guanajuato, Mérida, Mexico-la-Merced, Oaxaca, Oxkutzcab (Yucatan), San Cristobal (Chiapas), San Miguel de Allende (Guanajuato), Taxco.
Le dimanche : Cuetzalán (Puebla), Oxchuc (Chiapas), Pátzcuaro (Michoacan), Tenejapa (Chiapas), Tlacolula (Oaxaca).
Le vendredi : Ocotlán (Oaxaca), Pátzcuaro.
Le samedi : Tlaxiaco (Oaxaca).

Mariachis

En rapport avec les *charros,* leur musique à base de trompettes et de voix tonitruantes couvrent toutes les autres au point de symboliser la musique mexicaine pour ceux qui ne connaissent pas encore le pays. Le thème de leurs chants est celui de l'homme trompé qui gémit et pleure sa condition, seul moment où le macho a le droit de s'abandonner à son état. Bien qu'originaires du Jalisco, on trouve les *mariachis* un peu partout au Mexique. On pense que le mot viendrait du temps de l'occupation française quand on louait ces musiciens pour les mariages.

Marimba

Instrument à percussion fait de lates de bois tropical très dur sur lesquelles on frappe avec des baguettes renforcées de caoutchouc. Les caisses de résonance sont traditionnellement des courges. Plusieurs exécutants peuvent jouer sur le même instrument à la fois, et les mélodies sont des plus harmonieuses. Son origine serait africaine. On en joue surtout au Chiapas et au Guatemala.

Monnaie

C'est le peso mexicain. Ne pas penser qu'on vous acceptera toujours les dollars (noter qu'au Mexique, on utilise le symbole $ pour le peso).

Muralistes

Ce mouvement a été lancé par le secrétaire de l'Education sous le gouvernement d'Obregon, Vasconcelos. C'était alors la grande époque du laïcisme institutionnalisé. Il offrit l'université à Rivera et l'ancien collège des Jésuites à Orozco, dans l'idée d'instruire le peuple estimé ignorant. Le résultat ne fut pas des plus heureux même si le scandale était atteint. Avec le temps, les peintres apprirent à dominer cette technique et à l'intégrer à une architecture qui lui convenait mieux. On en verra de bons exemples à Mexico (premier et deuxième étage de Bellas Artes ; musée Alameda et musée d'Histoire) ; à Guadalajara (Institut Cabañas et palais du Gouvernement). Parmi les peintres qui y participèrent (Camarena, Diego Rivera, O'Gormann, Orozco, Siqueiros), un Français : Jean Charlot. Tamayo a effectué des peintures murales, mais est resté indépendant du mouvement. Une généralisation un peu trop systématique de la peinture murale a fait de ce mode d'expression un catéchisme parfois ennuyeux. Sa technique reste cependant très originale.

Musées

Ceux de l'Institut d'anthropologie sont fermés le lundi (pas les sites). On doit laisser ses sacs aux vestiaires (pas de vols signalés). On peut prendre des photos, mais sans pied ni flash.

Musique

Elle est très variée. On aura une vision complète sur la musique de folklore aux Ballets folkloriques du Théâtre de la ville (Chiapas avec la *marimba,* Jalisco avec le chant, guitare et trompette *(mariachis) ;* le nord avec accordéon et guitare *(rancheras) ;* Oaxaca avec le chant nostalgique des *Tehuanas ;* Veracruz avec violon, guitare et mandoline *(huapangos de la Huasteca) ;* Yucatan avec les rythmes scandés.

Enfin, généralisée dans tout le pays, *tropical* (influence des Caraïbes) pour danser, *salsa* étant la plus entraînante.

Nature

Du nord au sud du Mexique, une liste d'endroits particulièrement beaux mais pas toujours facilement accessibles (se renseigner sur place). La plupart sont des parcs naturels.

Désert de cactus candélabre, rassemblement de baleines en hiver : Baja California. Parc du grand désert de Pinacate avec cactus candélabre et mesas : tout au nord du Sonora. Barranca del Cobre en Sierra Tarahumara. Les Cumbres de Monterrey (sommets) : près de cette ville. Puerto de los Angeles, col près du Salto : entre Durango et Mazatlan. Volcan de Colima, près de cette ville. Marmoles (les marbres) entre Ixmiquilpan et Tamazunchale. El chico : au-dessus de Pachuca. Mil Cumbres (sommets) : entre Zitacuaro et Morelia. Papillons migrateurs : Michoacan, au nord de Zitacuaro. Volcan de Toluca. Tepozteco au-dessus de Tepotztlan (Morelos). Volcans Popocatepetl et Ixtaccihuatl. Celui de la Malinche près de Puebla. Celui d'Orizaba. Cañon del Rio Blanco : sud d'Orizaba (forêt humide). Au Chiapas où ces endroits abondent : Selva del Ocote, au nord-ouest de Tuxtla. Cañon du Sumidero. El Triunfo (sommets humides, quetzales) : nord de Mapastepec. Lacs de Montebello, forêt de pins (sud-est de Comitan). Selva lacandona (jungle autour de Bonampak). Palenque (même type de forêt). Parc zoologique de Tuxtla (toute la faune du Chiapas).

Et pour terminer, le Yucatan. Réserve San Kan : nord-ouest de Chetumal avec son île aux Serpents. Parc de Cobá, Quintana Roo (toucans). Rio Lagarto, nord de Valladolid ; Celestum, ouest de Merida (flamants roses).

Niveau de vie

Il est difficile de donner des chiffres du fait de l'inflation qui atteignit 100 % par an. Le pays qui s'était régulièrement enrichi pour atteindre un sommet avec le boom du pétrole (fin des années 1970) doit payer ses dettes dues à une exagération de la prospection de cette denrée et de l'effondrement de son prix de vente. La classe moyenne, qui devenait importante, en subirait le plus les conséquences. Actuellement, une voiture Volkswagen (construite au Mexique) équivaut à 30 mois de salaire d'un instituteur, alors qu'il y a quelques années il ne s'agissait que de 15 mois. Elle équivaut à 12 mois de salaire d'un chercheur alors qu'il s'agissait de 8 mois. A côté de cela, dans les quartiers comme les Lomas ou Pedregal apparaissent 3 ou 4 voitures de gros calibres par jardin.

Papel d'Amate

Peinture sur écorce de ce même arbre et représentant des scènes de village. Ils sont exécutés par des Indiens nahuas de la Sierra de Guerrero et vendus à Cuernavaca, surtout à Taxco, mais aussi au Bazar del Sábado à Mexico. A la demande du tourisme, ils ont parfois changé les thèmes traditionnels pour de simples compositions de fleurs et oiseaux.

Peintres au Mexique

F. Bejar, L. Carrington, F. Corzas, M. Felguerez, G. Gerzo, Gironella, F. Kahlo, Palau, R. Varo, R. Von Günten, J. Soriano, Zalathiel V., Zuñiga. *Graveurs :* P. Asciencio, F. Bagot, J.L. Cuevas, E. Gonzalez, I. Guardado, J. Martinez, G. Monroy, F. Moreno C.

Photo

On trouve pratiquement les mêmes pellicules que partout ailleurs. Si l'on craint de passer les rayons X et que l'on n'a pas le sac protecteur convenable, le mieux est de les laisser dans le bagage qui sera enregistré. Pour l'appareil, les autorités locales vous laisseront volontiers le passer à la main, à condition que vous soyez prêt afin de ne pas interrompre la circulation.

Piñata

Grande figure en papier coloré représentant un animal ou un personnage, composée d'un récipient en terre cuite ainsi camouflé et que l'on a rempli de friandises. Elle est appelée à être détruite au cours de fêtes enfantines. Les yeux bandés et à tour de rôle, chacun tâchera de l'atteindre avec un bâton alors que d'autres la font balancer avec une corde. La fabrication des *piñatas* est l'objet de beaucoup d'imagination. On en verra suspendues dans les marchés. Leur origine serait italienne.

Pulque

Sève d'agave *(maguey)* fermentée. Sa saveur est différente suivant le degré de fermentation qui atteint celui de la bière, et son aspect n'est pas des plus ragoûtants. Il a fait cependant partie de la nourriture des peuplades du désert. On lui reconnaît une valeur nutritive certaine. C'est un remède efficace contre les ulcères. Après avoir été taillé, le cœur de la plante se remplit petit à petit de la sève que l'on recueille en aspirant avec une grande gourde. On pourra goûter du *pulque* dans les régions de Teotihuacan et de Guadalajara. Dans les régions particulièrement pauvres du Nord, les bars sont souvent des *pulquerias* specialisées dans sa consommation.

Quetzal

Petit oiseau vert vivant dans les forêts humides des hauteurs du Chiapas et du Guatemala. Le mâle porte une queue six fois plus longue que son corps. Ses plumes étaient recherchées pour les parures des seigneurs des temps précolombiens. On ne faisait qu'attraper l'animal pour lui arracher la qucue qui peut repousser.

Rebozo

Grand châle que portent Indiennes et métisses et dans lequel elles enveloppent leurs bébés en les portant sur le dos.

Réforme agraire

Organisée en 1917 elle n'intéressait que les terres exploitées. Il s'agissait de réduire les grands domaines et de constituer des communautés rurales *(ejidos)* dont les parcelles étaient confiées en usufruit. Comme ce n'était pas suffisant, il fallut ouvrir des zones pionnières aux gens des *ejidos* qui y prirent place aux côtés de colons propriétaires (1926). De cette date à 1970 les surfaces avaient déjà plus que doublé (cette cohabitation est la source des nombreux conflits locaux actuels).

Le rendement agricole est dû plutôt à 15 % des exploitants sur des terres laissées ou confiées par la réforme agraire et qui fournissent 85 % de la production agricole commercialisée. Les autres exploitants peuvent seulement se subvenir. Le Mexique a su adapter une exigence sociale aux besoins économiques de la nation.

Sarapé

Manteau de laine percé au milieu pour passer la tête et porté par les hommes dans les Terres Froides. En France, on l'appelle par erreur *poncho* (nom du même vêtement porté en Amérique du Sud). Un mot que les vendeuses indiennes utilisent de plus en plus sur les marchés mexicains.

Sombrero

Ce mot signifie « chapeau » tout simplement, et non pas le grand chapeau circulaire porté dans les villages de la région de Zacatecas. Ce dernier a servi de modèle aux chapeaux des charros, dans le Jalisco. Le chapeau courant est différent selon les régions du Mexique.

Téléphone

Il existe des cabines publiques *(caseta de larga distancia)* d'où l'on peut demander une communication avec la province ou l'étranger. Certains hôtels acceptent de le faire. Dans la mesure du possible, les demander en P.C.V. *(por cobrar)*, les communications pour l'étranger étant hors de prix. On paye alors une petite redevance d'appel. Penser au décalage horaire. Vous trouverez des cabines bleues qui se généralisent (aéroport Sanborn's, etc.) et permettent d'appeler les Etats-Unis et le Canada avec des pièces. On nous promet pour l'Europe plus tard.

Terminale

Terme employé pour désigner les gares routières.

Vocabulaire

Brûler ses vaisseaux : allusion au débarquement de Cortes, quand il rendit sa flotte inutilisable pour interdire toute idée de retour.

Du nahuatl (langue des Aztèques) : avocat ; cacahuète ; chayote ; chocolat (réservé aux nobles) ; coyote ; ocelot ; quetzal ; tomate ; yucca.

Du maya : cacao ; chiclé ; ouragan ; sisal.

(Toutes ces plantes ou autres sont évidemment originaires de ce pays, comme aussi le dalhia, l'œillet d'Inde et le dindon.)

Vol

Les vols semblent être assez ponctuels : sur les plages de Veracruz, dans le bus qui conduit au musée d'Anthropologie de Mexico, dans le tramway qui conduit à Xochimilco et dans les voitures stationnées dans la ville de Oaxaca.

Dans le bus ou le tramway, si vous sentez quelqu'un s'accrocher à votre bras droit en trébuchant, c'est votre poche gauche qui est visée. Sur les plages pourtant désertes de la région de Veracruz, les baigneurs ne retrouvent pas toujours leurs affaires déposées au moment de se jeter à l'eau. Mais ils seront finalement secourus par les passants qui les rhabillent pour les mener faire une déclaration à la police. Et puis, c'est dans la ville de Oaxaca que l'on connaît les vols assez systématiques dans les voitures même bien fermées.

On cite ces différents cas, vu la répétition des témoignages mais surtout pour mieux défendre la notoriété du Mexique en général. Se tenir sur ses gardes au Belice.

Zócalo

Nom donné communément à la grande place de Mexico, et par extension à celles de beaucoup d'autres villes ou villages. L'origine du mot proviendrait du socle qui supportait la statue de Charles IV d'Espagne ou du mot « souk » (le marché en arabe).

Les *zócalos* les plus animés le dimanche soir : Chetumal (Quintana Roo). Cuernavaca (Morelos). La Paz (Baja California). Merida (Yucatan). Oaxaca. Queretaro. San Miguel de Allende (Guanajuato). Veracruz. Taxco (Guerrero).

A la découverte du Mexique

Mexico pratique

Mexico (2 250 m). La plus grande ville du monde. Ses habitants en étaient fiers jusqu'à l'explosion d'un dépôt de gaz qui transforma les gens d'un quartier en torches vivantes, et jusqu'au tremblement de terre de 1985 qui rendit une grande partie du centre inutilisable. On s'est alors rendu compte que cette ville était devenue trop vulnérable. Elle est passée de 4 à 18 millions d'habitants en 20 ans. Un éternel faubourg difficile à définir, mais spectaculaire lorsqu'on arrive de nuit par avion. Malgré ses défauts, on a du mal à s'en détacher. Tout le centre, construit sur un lac, s'enfonce, les constructions les plus anciennes le montrant d'une façon spectaculaire : on descend dans certaines églises comme dans une crypte. La cathédrale et sa voisine se détachent et basculent, des magasins au moment des pluies doivent être vidés à l'aide de seaux comme des barques qui auraient pris l'eau, des rues et des édifices s'enfoncent par secteurs : les « bulles ». Une pollution qui bat tous les records car la couche de gaz refroidie pendant la nuit ne peut s'échapper avant que les rayons de soleil n'aient finalement raison d'elle : ce sont les inversions thermiques. Les oiseaux migrateurs meurent en traversant la ville.

Inévitable point de jonction entre le nord et le sud, c'était l'emplacement idéal pour l'ancienne capitale, Tenochtitlán fondée sur une île par la tribu des Mexica. Les Espagnols continuèrent de combler le lac et Mexico grandit au point que l'aéroport, les usines et les dépôts de carburant sont à présent en ville.

HOTELLERIE

Certains hôtels se sont écroulés au cours du tremblement de terre de 1985, d'autres sont restés hors d'usage, ce qui nous offre une garantie de sécurité pour les autres, vue la force exceptionnelle de ce séisme. Nous les indiquerons par secteurs en y joignant les restaurants proposés (pour la signification des astérisques, voir Renseignements pratiques-Hébergement). Etablissements notés sur le plan Mexico-Centre ville par H ou R.

Parc de Chapultepec

Accès par les autobus qui suivent la Reforma. *Polanco**, calle Edgard Poe (tél. 520.60.40) : tranquille, au bout du parc. *Presidente Chapultepec*****, face à l'auditorio (tél. 395.03.33) : belle architecture intérieure. *Nikko*****, à côté (tél. 203.40.20) : à la mode. *Camino Real*****, Mariano Escobedo 700 (tél. 573.00.44) : un exemple de la grande architecture moderne mexicaine.

Restaurants. Sur l'avenue Mazaryk. *Cafe Elba :* petit restaurant à menu fixe, calle Elba, coin Atoyac, à 10 minutes à pied du musée d'Anthropologie.

Zona Rosa

Accès par les bus qui suivent la Reforma et par le métro Insurgentes. *Vasco De Quiroga*⋆⋆, Londres (tél. 546.26.14) : un certain charme vieillot. *Calinda Genova*⋆⋆⋆⋆, Londres 130 (tél. 211.00.71) : une décoration intéressante. *Century*⋆⋆⋆⋆, Liverpool 152 (tél. 584.71.11). *Krystal*⋆⋆⋆⋆, Liverpool 155 (tél. 211.34.60).

Restaurants. Les drugstores *Dennys*⋆, *Sanborn's*⋆ et *Vips*⋆ proposent une cuisine locale qui s'adapte à tous les palais. On les trouve sur la Reforma et dans la Zona Rosa. Ouverts tard le soir. On trouvera beaucoup d'autres restaurants⋆.

Alentours Zona Rosa

Maria Cristina⋆⋆, Rio Lerma 31 (tél. 546.98.80) : bon marché dans cette catégorie ; très agréable. *Del Angel*⋆⋆, Lerma 154 (tél. 533.10.32) : chambres avec vue sur l'ange doré. *Emporio*⋆⋆⋆, Reforma 124 (tél. 566.77.66) : bon marché dans cette catégorie ; une certaine classe ; baignoires jacuzi. *Reforma*⋆⋆⋆, Reforma, coin de calle Paris (tél. 546.96.80) : sans âme, mais nombreuses chambres. *Sevilla Palace*⋆⋆⋆⋆, Reforma 105 (tél. 566.88.77) : on reste fasciné par les ascenseurs.

Restaurants. Voir Zona Rosa, mais aussi et surtout *Sureste,* Lucerna 12 : excellente cuisine du Yucatan.

Square San Carlos

Accès : métro *Hidalgo,* sortie Balderas/Rosales, ou autobus sur la Reforma. Ce quartier est plus pratique et loin de la bousculade de ceux de l'Alameda et du Zócalo qui ne fut le centre qu'à l'époque coloniale. On y trouvera restaurants, commerces d'alimentation, bureau de poste et laverie automatique.

Oxford, Ignacio Mariscal 67 (tél. 566.05.00) : le meilleur en qualité/prix repéré dans tout le Mexique. *Carlton,* Ignacio Mariscal 32 (tél. 566.29.11). *New York,* Edison 45 (tél. 566.97.00). *Edison*⋆, Edison au coin de Iglesias (tél. 566.09.33) ; garage ; chambres petites mais bien tenues. *Jena*⋆⋆, Ignacio Mariscal, coin de Teran (tél. 566.02.77).

Restaurants. *Carlton :* menu à midi, à la carte sinon ; prix hors concours. *Taberna,* Ignacio Mariscal, coin Arriaga. Pour les petits déjeuners : *Edelweiss,* sur Arriaga entre Edison et I. Mariscal ; *Cafe,* sur Guerrero entre Mariscal et Edison. Sinon, de nombreux petits restaurants et la *cafeteria de Jena*⋆. De 17 h à 23 h, *cafeteria* (pas d'alcool) *Hosteria,* sur Alvarado près église Hipolito ; très beau patio ; beaucoup de monde.

Alameda

Accès par les bus de la Reforma indiquant Alameda et métro *Juarez* ou *Bellas Artes* suivant le secteur. *Prince,* Luis Moya 12 (tél. 521.99.78) ; l'édifice penche pas mal mais tient le coup. *Toledo,* Lopez 22 (tél. 521.50.79) : pour dépannage. *Metropol*⋆, Luis Moya 39 (tél. 521.49.01) : cher pour ce que c'est. *Marlowe*⋆, Independencia 17 (tél. 521.95.40) : O.K. sans plus. *Hidalgo*⋆, Santa Veracruz 37 (tél. 521.87.71), côté nord du parc, dans une ruelle sans attrait, mais bien tenu et agréable ; garage. *Dos Naciones*⋆, calle Mina (tél. 526.58.67) : chambres petites mais bien tenues. *Cortes****, Hidalgo 85 (tél. 518.21.82) ; ancienne maison coloniale ; intérieur un peu surfait.

Restaurants. *Trevi,* au coin de l'Alameda et du Parc de la Solidarité : italien et toujours très animé. *Sanborn's de los Azulejos**, sur Madero, coin Eje central : restaurant dans le patio et cafeteria. *Cafe Tacuba**, métro Allende sur Tacuba : excellente cuisine traditionnelle ; très beau cadre. *Paris,* 5 de Mayo au coin de Mata. *Bar Opera,* 5 de Mayo, coin de Mata : pour prendre un verre le soir dans un intérieur Napoléon III. On trouvera d'autres restaurants mais ouverts seulement dans la journée. Voir aussi Zócalo et Vie nocturne-Plaza Garibaldi.

Zócalo

Lafayette, Motolinia 40, coin de 16 de Septiembre (tél. 521.96.40). *Rioja,* 5 de Mayo 45, coin de Isabel la Catolica (tél. 521.83.33). *Cañada**, 5 de Mayo 47 (tél. 518.21.06). *Ritz***, Madero 30 (tél. 518.13.40). *Majestic***, Madero, au coin du zócalo. *Gran Hotel****, 16 Septiembre, coin zócalo : l'art nouveau de la Samaritaine jalousement conservé.

Restaurants. *Cafe La Blanca,* 5 de Mayo entre Isabel la Catolica et Montolonia : toujours très animé et ouvert tard le soir ; bonnes spécialités. *Castillo** et *Danubio** (spécialisés en crustacés), sur Uruguay, entre Eje Central et Bolivar. *Portales* et autres, sur Bolivar, entre 16 de Septiembre et Salvador. Terrasse de l'hôtel *Majestic**. Le *Muralto**, au dernier étage de la tour latino-america, coin Eje Central et Madero : dîner aux chandelles au-dessus de la plus grande ville du monde. *Don Chon**, calle Regina, à trois rues derrière le palais présidentiel : excellente cuisine réellement mexicaine ; plats variés et copieux ; de ces restaurants qui n'ont pas besoin de *decorum* pour attirer la clientèle.

Sud de la ville

*Beverly***, calle Nueva York (tél. 523.60.65), près de Insurgentes et Eje 6 Sur. *Diplomatico****, Insurgentes à la hauteur de Eje 7.

Restaurants. Nombreux près du Parque Hundido.

Vie nocturne

Elle est concentrée sur la Zona Rosa, mais on n'oubliera pas : la *Fonda del Recuerdo,* calle Bahia Santa Barbara, au nord de Reforma : cuisine et ambiance de Veracruz ; très animé. *La Fonda,* c. Felix Cueva, près de Insurgentes Sur : chansonniers et musiciens, latino-américains. *Bar Leon,* calle Brasil, derrière la cathédrale : très populaire ; musique « tropical ». Enfin, *Garibaldi.*

Plaza Garibaldi. C'est l'antithèse de la Zona Rosa. Prévoyez d'y dîner. Depuis la poste et en remontant l'Eje central, vous verrez très vite des *Mariachis* se jeter littéralement sur les voitures. C'est en fait, l'endroit où l'on vient louer les musiciens pour les fêtes. Pour votre anniversaire, par exemple, vous viendrez négocier votre réveil à l'aube et aux trompettes : les *Mañanitas.* Avec une certaine oreille, on reconnaît vite les bons musiciens, la trompette étant un des instruments les plus difficiles à jouer. Orchestres de Veracruz (harpes) et de Norteños (accordéon). Une fois sur la place, on conseillera d'entrer dans *le marché* (à gauche et en retrait).

Allez jusqu'au fond en regardant toutes les sauces posées sur les tables rutilantes (peu de restaurants peuvent s'enorgueillir d'une telle propreté). Ne résistez pas aux *Pozolés* et viandes grillées, spécialités du Jalisco comme le sont les Mariachis et leur musique. Les enseignes nous rappellent l'humour mexicain : Yoli, Lupé, Trois Brunettes, Deux Blondinets, les Petites Anges, etc. Car ici on ne se prend pas au sérieux. On vient pour s'amuser. Après le dîner, on se doit d'aller prendre un verre dans un des bars qui entourent la place : un *tequila* avec *sangrita.* La Plaza Garibaldi reste animée assez tard, et on trouvera encore plus de monde en fin de semaine. Sur l'avenue qui y conduit, des commerces tant à l'intérieur que sur les trottoirs des deux côtés, dont des marchands de disques et cassettes et de chaussures (toujours ces chaussures). Des théâtres de « burlesque » (grosses farces). Tout un monde.

TRANSPORT URBAIN

Taxis

Ils ne sont pas chers, surtout pour une bourse étrangère. Pour une course en ville, il faut compter entre 2 et 3 dollars. Les prix varient selon l'importance de la voiture et s'ils sont de *sitio,* c'est-à-dire démarrant d'une station. Il est préférable de réserver ceux-là pour les demandes par téléphone ou depuis les hôtels, car les prendre en ville expose à des marchandages désagréables. De toutes façons, leur prix doit être fixé à l'avance. Leur avantage est d'être spacieux et de ne pas rechigner sur le nombre de passagers. On les reconnaît pour porter le mot *sitio* sur la porte.

Les autres porteront le mot « taxi » tout simplement. Avec ces derniers, le mieux est de demander : « *Cuanto me cobra para...,* Combien me prenez-vous pour... ? » Si l'on vous répond que l'on marche au compteur, pas de problème. Une liste de conversion des prix est affichée, l'inflation ayant toujours dépassé la mise à jour des compteurs. Si le résultat est un peu audessus, on évitera de pinailler, sachant que la situation dépasse la logique du commerce, que ces chauffeurs de petits taxis sont loin de rouler sur l'or, et que pour eux, notre seul billet d'avion coûterait plus de six mois de salaire. Si l'on décide de fixer le prix à l'avance, et que ce prix ne nous convient pas, éviter le marchandage, surtout sans avoir les données du problème. Un taxi suivant passera très rapidement. Se rappeler aussi que la Cité universitaire, par exemple, se trouve à plus de 20 km du centre.

Métro

Le réseau ne couvre pas encore entièrement la ville. Il s'utilise en correspondance avec les taxis collectifs et les autobus. Les stations sont parfois assez belles, les wagons de brevet français sont colorés à la mexicaine. Il y a souvent plus de place à l'extrémité du train et on gagne parfois à attendre la rame suivante. Aux heures d'affluence, normalement entre 17 h et 20 h — mais cela dépend aussi de la ligne — vous verrez apparaître des panneaux séparant les hommes des femmes accompagnées d'enfants. Il ne s'agit pas d'une discrimination de sexes, mais tout simplement d'une protection. Une femme seule peut très bien aller se faire écraser dans les wagons qui ne lui sont pas destinés si elle y trouve du plaisir. Il fait souvent chaud dans le métro à cause du système de roues à pneumatiques choisi pour la rapidité de son accélération, les stations étant plus espacées qu'en Europe. Les billets s'achètent au nombre désiré. Les tourniquets de compostage indiquant *abono* sont réservés à une carte hebdomadaire utilisée sur tous les moyens de transport. Le premier métro démarre à 5 h en semaine, 6 h le samedi, 7 h le dimanche. Le dernier respectivement, à minuit en semaine, 1 h du matin en fin de semaine. Eviter les trop grandes affluences, autant pour votre confort que pour éviter d'ajouter à la bousculade. Les gens n'aiment pas toujours être surpris dans leur misère. C'est là, en effet, que se remarque le plus la différence sociale. Beaucoup de gens de la capitale n'ont jamais pris le métro depuis les vingt ans de son existence, ni le bus d'ailleurs, et préfèrent l'attente dans les embouteillages. Votre présence pourra surprendre ainsi les gens les plus modestes. On découvrira des expositions intéressantes dans certaines stations.

Autobus

On y monte à l'avant, mettant le montant exact dans l'appareil placé près du chauffeur. Le prix est le même que pour le billet de métro, et quelle que soit la distance. Se placer au fond dès le début pour éviter d'avoir à se faufiler au moment de la sortie. Les lignes de numéro impair parcourent la ville du nord au sud, les pairs d'est en ouest, ce qui réduit déjà la moitié les chances de se tromper. On indiquera les lignes les plus courantes en ce qui nous concerne.

Les prix de ces transports en commun sont dérisoires. On les trouvera 5 à 10 fois plus chers en province. Cheval de bataille des étudiants, leur subvention coûte moins cher à l'Etat qu'une révolution.

Peseros

Ce sont des microbus de couleur vert et blanc. Ils suivent un parcours déterminé et s'arrêtent au désir de chaque passager. Pratiques et bon marché, il faudra cependant éviter de les prendre si on n'est pas sûr de sa destination, car le chauffeur n'est pas à la disposition de chacun. Le prix dépend de la longueur de la course. On paye en demandant l'arrêt, et quelques rues auparavant. Sur les grands axes, les *peseros* sont concurrents des autobus, et aux stations de métro importantes, ils partent vers des quartiers périphériques. Ils doivent leur nom à l'époque, pas si lointaine, de leur prix : un peso.

COMMUNICATIONS

Poste

La *Poste centrale* vaut la visite. La vente des timbres s'effectue aux guichets 30 et suivants. Les envois recommandés *(certificados)* le sont aux guichets voisins, mais on doit le signaler au moment de l'achat des timbres. Les boîtes à lettres se trouvent au centre du bâtiment, en bas des escaliers. La vente pour les philatélistes a lieu au premier (on trouvera aussi différents points de vente de timbres de collection dans la Zone Rosa et dans le Centre). Cette Poste centrale présente l'avantage d'être ouverte en semaine jusqu'à minuit, le samedi jusqu'à 20 h et le dimanche jusqu'à 16 h. Mais on trouvera d'*autres bureaux :* près du monument à la Révolution, calle Ariaga ; calle Mississipi près du monument des Cinq Fontaines ; dans la Zona Rosa, calle Londres, au coin de la calle Varsovia ; et calle Roma, au coin de la calle Bruselas. Ces autres bureaux ferment à 19 h en semaine et à midi le samedi.

Télégrammes

Pratiques pour envoyer des messages en province quand un téléphone est difficile à trouver. On gagne à utiliser la formule *urgente* (délai de 24 heures en général). Le bureau central est calle Tacuba, près de la Poste centrale et vaut la visite pour ses colonnes de marbre rose, ses plafonds peints Belle-Epoque et ses lampadaires. Un autre bureau, tout près du métro Chapultepec, avenue Chapultepec côté nord. Ouverts de 8 h à minuit, samedi jusqu'à 20 h.

Téléphone

Trouver une cabine *larga distancia* est beaucoup plus difficile à Mexico qu'en province. (Voir rubrique « A à Z ».) Service de telex, hôtel Chapultepec (métro Auditorio).

CHANGE

Les *casas de cambio* se situent le long de la Reforma et aux alentours, la Zona Rosa. Dans le centre, calle Madero et av. Juarez. Elles sont ouvertes toute la journée et les samedis jusqu'à midi ou plus tard.

Sont ouvertes le dimanche : sur Reforma, près de calle Genova (jusqu'à 17 h) et sur Reforma entre le carrefour Insurgentes et le palmier de Niza (jusqu'à 14 h 30).

IMMIGRATION

On peut faire proroger son visa dans la limite de 6 mois de séjour. Calle Albañiles 19.

Ouvert de 9 h à 14 h 30 (métro San Lazaro ; prendre à droite à la sortie, marcher dix minutes sur l'av. Molina, puis à droite encore, sur 100 mètres). Le service se trouve au premier étage, premier bureau. Présenter passeport, visa et 300 dollars par mois de prorogation ou une carte de crédit.

CONSULATS

France : calle Havre 15, Zona Rosa (tél. 553.13.60).

Belgique : calle Musset 41, Polanco (tél. 254.38.88).

Suisse : calle Hamburgo 66-5 Zona Rosa (tél. 514.17.27).

Canada : calle Schiller 529, Polanco (tél. 254.32.88).

Guatemala : calle Explanada 1025. Lomas de Chapultepec (tél. 520.92.49).

Belize : calle Thiers 152-B (tél. 203.59.60).

Etats-Unis : Reforma, près de l'Ange (tél. 553.33.33).

ACHATS

Secteur zócalo : sous les arcades, or et argent.

Secteur Alameda : deux Fonart sur l'avenue Juarez. L'un entre la Reforma et le début du parc, l'autre au milieu du parc, en face du monument à Juarez. Le Sanborn's en face de la tour Latino, au rez-de-chaussée et au premier étage.

Calle Madero : Calendriers style guerriers aztèques : calle Tacuba, sur le trottoir en face des bureaux des télégraphes, et calle Cinco de Mayo, à côté. Chaussures : calle Tacuba et Eje Central.

Au métro Balderas : marché Ciudadela. Pas toujours du meilleur goût, mais ouvert le dimanche.

Secteur Zona Rosa : tout le quartier. Grand choix. Le Londres-Market, entre autres.

A San Angel : le Sanborn's de l'avenue Insurgentes au coin de la calle de la Paz. Le Fonart, dans cette même petite rue et au-dessus. Le bazar du Sábabo, le samedi.

A Coyoacan, les antiquités.

A mi-chemin, Fonart *sur Insurgentes 1630* et sur *Patriotismo 691.* (Les Fonart sont des magasins d'Etat chargés de protéger l'artisanat traditionnel).

A l'aéroport, on trouvera un peu de tout. Et dans une modeste boutique cachée à l'arrivée des vols intérieurs *(domesticos)* des reproductions d'objets archéologiques, poteries, statuettes, bijoux, ainsi que des disques de musique indienne.

Cartes postales, cartes géographiques, magazines en français : aux Sanborn's et aux Vips ; librairie Misrachi, en face de Bellas Artes ; librairie du musée d'Anthropologie.

Disques, cassettes : dans beaucoup d'endroits. Les plus repérables : le trou du métro Insurgentes et au-dessus. Sur l'Eje central en montant sur la place Garibaldi. (Ces établissements sont ouverts tard le soir.)

Tequila : un peu partout dans les magasins d'alcool que l'on trouvera au hasard de nos parcours. A l'aéroport aussi.

Cigarettes : dans les épiceries, drugstores, et curieusement dans des pharmacies.

Photos sur la révolution : calle Praga, près du monument des Cinq Fontaines.

Timbres de collection : dans la Zona Rosa.

Grands magasins : ils sont construits sur le modèle des grands magasins français et par des émigrés de Barcelonnette. Les prix ne sont pas plus élevés qu'ailleurs. On citera, entre autres, le *Palacio de Hierro,* avenue Durango, au coin de Salamanca et à 15 minutes à pied de la Zona Rosa ; le *Puerto de Liverpool,* calle Mariano Escobedo, au coin de Homero (5 minutes en taxi de la Reforma) ; un autre du même nom, près du zócalo, calle 20 de Noviembre. Vers le sud, Puerto de Liverpool sur Insurgentes, au coin de Eje 7 Sur. Dans ce secteur et sur cette avenue, on trouvera de nombreux magasins de qualité. Enfin, un nouveau centre commercial dans le sud de la ville qui vaut autant pour son architecture que pour son contenu : *Perisur,* au croisement de Insurgentes et du boulevard Periferico, à 5 km au sud de la Cité universitaire.

La *Lagunilla* et la *Merced* sont deux grands marchés situés dans le centre de la ville. La Lagunilla comprenait un groupement de vente d'antiquités qui a beaucoup perdu d'intérêt. Cinq cent mètres plus loin, *Tepito* où l'on vend essentiellement des produits entrés en contrebande, la *fayuca.* Vous trouverez peut-être des chaussettes à 2 francs mais attention à votre portefeuille. Ce n'est pas un endroit considéré comme très touristique...

TRANSPORTS VERS LA PROVINCE

(Voir aussi : « Renseignements pratiques ».)

Avion

Aeromexico (tél. 553.15.17 et 553.48.88). Deux bureaux sur la Reforma : à la glorieta C. Colon et près de la Fontaine des Cinq-Continents. Un autre sur Insurgentes Sur, en face de l'hôtel Mexico.

Mexicana de Aviacion (tél. réservations : 660.44.44 ; horaires : 571.88.88). Bureaux : av. Juarez, coin Balderas ; Reforma, en face de l'ambassade des Etats-Unis. Ouverts de 9 h à 17 h 45, samedi inclus.

Aerocalifornia (tél. 514.66.78 et 207.13.78). Reforma, coin c. Berna, glorieta de l'ange. Ouvert de 9 h à 17 h 30 ; samedi jusqu'à 13 h.

Aeromar (tél. 574.92.11 et 784.11.39). Calle Leibnitz 34.

Compagnies internationales : *Air France* (tél. 571.32.06 et 511.39.90) sur la Reforma entre l'Ange et la Fontaine des Cinq-Continents. *Continental* (tél. 203.11.48 et 571.36.61). Reforma, contre l'ambassade americaine *American A.,* en face. *Pan Am.* (tél. 395.00.77 et 557.87.22), av. Camacho.

Autocars

Ils sont groupés en 4 gares *(terminales)* suivant les régions de destination. On peut s'y rendre en métro si on n'a pas trop de bagages. Quand on débarque à Mexico, le système de taxis est homologué à un guichet spécial : *con bolato por zona.*

Terminal del Norte. Le nord du pays. A gauche en entrant, ce sont les lignes de 2e classe pour les environs, dont Tula (Valle del Mesquital, toutes les 25 minutes) et pour Teotihuacan toutes les 30 minutes. A droite, les grands courriers, de 1re classe. Toutes destinations vers le nord proche ou lointain (correspondance avec les Etats-Unis), dans un arc de cercle qui irait de Guadalajara-Mazatlan à l'ouest, jusqu'à Pachuca-Papantla à l'est. Transportes Chihuahuenses (tél. 587.53.55). Omnibus de Mexico (tél. 567.76.98). Tres Estrellas de Oro. Norte de Sonora (tél. 587.56.33). Transporte del Norte (tél. 587.55.11). A.D.O. Norte (tél. 567.53.22).

Central Camionera del Poniente, au métro Observatorio. Pour l'ouest du pays. Autobus de Occidente (tél. 271.01.06), 24 h sur 24 pour le Michoacan. Autobus très fréquents pour Toluca et Valle de Bravo.

Central Camionera del Sur, au métro Taxqueña sortir directement, sans monter l'escalier, les indications portant à confusion. La gare est en face à gauche. Lineas Unidas del Sur et Flecha Roja pour Taxco et sa région.

Puis Estrellas de Oro pour Taxco, Acapulco et Zihuatanejo (7 heures et 12 heures respectivement pour ces deux dernières villes). Au fond de la gare, bus pour Tepoztlan et Cuernavaca.

La Tapo, au métro Lazaro Cardenas. Cette gare dessert les régions comprises dans un arc de cercle entre Jalapa et Oaxaca.

L'A.D.O. (prononcer les trois lettres) (tél. 542.71.92 à 98) dessert : Campeche, Cancun, Chetumal, Jalapa, Merida, Oaxaca, Palenque et Veracruz, pour ne citer que les villes principales de ces régions.

La compagnie Cristobal Colon (tél. 542.72.63 à 66) : le Chiapas jusqu'à la frontière du Guatemala et l'isthme de Tehuantepec ; dans le Oaxaca : Acatlan et Tlaxiaco.

Les compagnies A.D.O., Estrella Roja et Premier : la ville de Puebla toutes les dix minutes environ.

Pour Acapulco, la compagnie *Estrella de Oro* a une gare spéciale calzada de Tlalpan n° 2205 (tél. 549.85.22) avec des départs fréquents.

Trains

La gare : *ferrocarriles,* avenida Insurgentes Norte. Y passent bus et *peseros* se rendant à Indios Verdes. Dans cette gare, bureaux de poste, de télégraphe et de téléphone. Attention aux départs du vendredi soir ou débuts de ponts, il vaudra mieux alors réserver à l'avance. Passer au *modulo de asignaciones* avant d'aller payer aux guichets correspondants aux destinations.

Servicio Estrella, avec couchette *camarin,* wagon-lit *alcoba,* et wagon-restaurant :

Mexico-Queretaro-San Miguel Allende-Guanajuato, el Constitucionalista. Départ : 7 h 35 ; arrivée Queretaro : 10 h 45, San Miguel : 12 h, Guanajuato : 13 h 45. Retour : 14 h 30, San Miguel : 16 h 30, Queretaro : 18 h, Mexico : 21 h.

Mexico-Guadalajara, el Tapatio. Départ : 20 h 40 ; arrivée Guadalajara : 8 h 10. Retour : 20 h 55 ; arrivée Mexico : 8 h 08.

Mexico-Oaxaca, el Oaxaqueño. Départ : 19 h ; arrivée Oaxaca : 9 h 30. Retour : 19 h ; arrivée Mexico : 9 h 20.

Mexico-Morelia-Patzcuaro-Uruapan, el Purepecha. Départ : 22 h ; arrivée Morelia : 6 h 30, Patzcuaro : 8 h, Uruapan : 10 h 10. Retour : 19 h 15 ; arrivée Patzcuaro : 21 h 40, Morelia : 23 h 05, Mexico : 7 h 20.

Mexico-Zacatecas, el San Marqueño. Départ : 21 h 30 ; arrivée Zacatecas : 10 h 00. Retour : 18 h 30 ; arrivée Mexico : 7 h 20.

Mexico-Veracruz, el Jarocho. Départ : 21 h 15 ; arrivée Veracruz : 7 h 00. Retour : 21 h 30 ; arrivée Mexico : 7 h 40.

Mexico-San Luis Potosi-Monterrey-Laredo, el Regiomontano. Départ : 18 h ; arrivée S.L.P. : 0 h 11, Monterrey : 8 h 30, Laredo : 12 h 15. Retour : 15 h 15 ; arrivée Monterrey : 19 h 50, S.L.P. : 4 h, Mexico : 10 h.

Quelques circuits plus lents, mais particulièrement pittoresques (pas de couchettes) :

Chihuahua-Los Mochis, el Nuevo Chichuahua-Pacifico (v. « Basse-

Californie-Sierra Tarahumara »). Les canyons de la sierra Madre.

Zacatecas-Durango, el centauro del Norte. Départ : 10 h 10 ; arrivée Durango : 16 h 45. Départ Durango : 11 h ; arrivée Zacatecas : 17 h 35 (s'arrête à Fresnillo et Pescador). Traversée du désert.

Guadalajara-Colima-Manzanillo, el Colimense. Départ : 9 h ; arrivée Colima : 14 h 25, Manzanillo : 16 h. Départ Manzanillo : 13 h ; arrivée Colima : 14 h 45, Guadalajara : 20 h. Cette région inspira le grand peintre Jose Maria Velasco.

Saltillo-Piedras Negras, el Coahuilense. Départ : 7 h ; arrivée P. Negras : 14 h 30. Départ P. Negras : 13 h ; arrivée Saltillo : 20 h 30.

Chihuahua-Cd Juarez, el Rapido de la frontera. Départ : 7 h ; arrivée Cd Juarez : 11 h. Départ Cd Juarez : 18 h ; arrivée Chihuahua : 22 h.

D'autres circuits vont être ouverts dans le futur (se renseigner au 547.31.90 et au 547.41.14). Sont prévus : *Mexico-Merida, Mexico-Cd Juarez* et *Mexico-Guadalajara-Mazatlan-Nogales-Mexicali.*

Location de voitures

Avis, calle Dr. Velasco 138. (tél. 578.10.44 et, après 20 h 30 : 762.11.66). *Dolar,* avenida Chapultepec 322. (tél. 528.62.42 et 514.38.91). *Budget* (tél. 566.68.00).

Pour d'autres adresses (souvent moins chères), chercher dans les pages jaunes de l'annuaire *(directorio)* à *Automobiles* ou *Renta de.* La coccinelle Volkswagen (appelée ici « Sedan ») est la meilleure marché, les *combis* sont intéressants pour des groupes de 6 ou 7 personnes.

En kilométrage illimité, compter une moyenne de 70 dollars par jour. A partir de 5 jours, on peut bénéficier d'un tarif à la semaine. Il existe aussi un tarif week-end.

Mexico-visite

VISITE DE LA VILLE

Voici un ordre d'idée sur le temps à passer dans chaque secteur à visiter, ceci afin de permettre à chacun d'établir son programme.

De l'Alameda au zócalo : 3 heures 30.

Le zócalo lui-même : 3 heures 30.

Place des Trois-Cultures : 30 minutes.

La Reforma et le château (musée d'Histoire) : 2 heures 30.

Le parc de Chapultepec (musée d'Anthropologie : 2 heures 30 ; musée d'Histoire : 1 heure 30).

Xochimilco : 5 heures (déplacement et repas sur place compris).

San Angel et Coyoacan : 2 heures chacun.

Université et Centre culturel : 2 heures, déplacement non compris.

Basilique de la Guadalupe : 2 heures, déplacement compris.

Ballets folkloriques : 1 heure 30 (spectacle).

Diversifier son programme nous paraît primordial, éviter par exemple deux visites de musées consécutives même s'ils sont proches. En combinant marche à pied, achats, musée, arrêt-repas, on rendra la découverte de cette ville plus humaine.

De l'Alameda au zócalo

C'est là que l'on pénètre dans le quartier le plus ancien de la ville. L'*Alameda* est un parc agréable au cœur de la ville. Les gens qui travaillent dans le voisinage y passent leurs moments de repos, de solitude et de rendez-vous. Les pelouses ne sont pas interdites et les sculpteurs sont chargés de redonner vie aux troncs des arbres qui n'ont pu résister à la pollution. Il faut s'y rendre le soir du samedi et du dimanche précédant le 6 janvier, voir l'Epiphanie qui est la grande fête des enfants. Les parents de condition modeste les accompagnent pour qu'ils choisissent leur ballon et qu'ils se fassent photographier avec les Rois mages. C'est une des fêtes les plus sympathiques que l'on puisse voir à Mexico.

Le *musée de l'Alameda* (ouvert du mardi au dimanche, de 8 h à 18 h), côté nord du Parc de la Solidarité, a été spécialement créé pour y placer la peinture murale de Diego Rivera : *Songe d'une après-midi à l'Alameda Central* (1948). Elle fut déplacée de l'hôtel Prado (anciennement situé en face) endommagé par le tremblement de terre. C'est sans doute une des meilleures œuvres du peintre : une critique sans agressivité et avec beaucoup de poésie.

Au centre, la Mort tient la main du peintre encore enfant. Entre les deux, Frida Kahlo, peintre aussi, qui fut longtemps son épouse. Vers la gauche, le vieux à barbe blanche, endormi sur le banc, est un retraité de l'armée de l'empereur Maximilien, ce dernier, à barbe rousse, se trouve au-dessus, près des ballons. Sur le banc, toujours, la vieille rêve à cet enfant roux qu'elle eut d'un soldat américain que l'on devine habillé en vert ; le général Scott, à barbe blanche, étant derrière. Sur le banc, enfin, un vieux à chapeau haut de forme rêve au bal d'antan (époque de l'empereur Iturbide en tenue d'opérette avec couronne). Sous la montgolfière, le gendarme empêche les gens du peuple d'approcher ; un général medallé dont tout le monde se moque. Tout en haut à droite, la Révolution.

Le *Palacio de Bellas Artes* ouvert de 10 h 30 à 18 h 30), a été dessiné par un architecte italien au début du siècle et ne fut achevé qu'assez tard (Art Nouveau, marbres de couleurs différentes, luminaires, ferronnerie, lustres). A l'intérieur une grande salle de concert et de théâtre, deux galeries présentant des expositions temporaires et aux étages, une série de peintures murales.

Au premier étage, deux toiles de Tamayo : *Mexique d'aujourd'hui* et *Naissance de la nationalité,* qui s'intègrent particulièrement bien à l'architecture.

Au second étage, de Diego Rivera : *L'Homme contrôleur de l'univers* (au fond à gauche). D'abord prévue pour le centre Rockefeller à New York, le thème fut d'une telle provocation qu'elle en fut retirée. Sur les panneaux latéraux, des toiles de Siqueiros. D'un côté, les *Tourments du prince Cuauhtemoc* représente le souverain aztèque torturé, les pieds brûlés par les Espagnols qui cherchent à lui faire avouer l'emplacement du trésor national. Il renaît, à côté, avec une armure espagnole, la massue d'obsidienne à la main, terrassant l'ennemi : l'homme et son cheval. De l'autre côté, c'est la Liberté qui est symbolisée, alors que tombe le nazisme, représenté par les tanks et la flagellation. Plus loin, sur ce même côté, une autre toile de Rivera : le *Carnaval de la vie mexicaine,* et tout au bout, une autre montrant un combat contre les zouaves français à Puebla. Au centre du mur du fond, *Katharsis,* une toile d'Orozco, pleine d'humour. Y sont représentés pêle-mêle armes, cris et rires. L'homme nu traversant toute la diagonale du tableau poignarde son double, l'homme de la société, alors que le feu va laisser place à la purification spirituelle : une vision tragique du monde mécanique actuel, où l'homme a perdu son identité au point d'atteindre son autodestruction. Cette œuvre de 1934 est une des plus impressionnantes de celles des muralistes.

La *Poste centrale,* énorme bâtisse vénitienne, de l'autre côté de l'avenue est à visiter de l'intérieur : architecture métallique, lampadaires, rampe d'escalier. Un bel endroit pour acheter ses timbres.

Le *Sanborn's des azulejos* est situé dans le quartier le plus ancien de la ville. On y accède en passant derrière la poste et en longeant la Banque de Mexico. C'est un bel exemple de l'architecture espagnole du XVIe siècle, couvert un siècle plus tard de ces carreaux de faïence, les *azulejos.* A l'intérieur, on remarquera le sol de marbre et la pente propre aux édifices qui s'enfoncent. C'est dans la cafétéria que fut prise cette fameuse photo des révolutionnaires prenant un café (ou un chocolat ?). La salle à manger du patio central est à voir. Au premier, un magasin de souvenirs et des toilettes.

Sur la *calle Madero,* la tour *Latino Americana* (au coin de l'Eje central) avec un service d'ascenseur pour atteindre directement le 42e étage (prendre un billet au rez-de-chaussée). La vue est spectaculaire de nuit, et dans la journée quand le ciel est dégagé. Puis en continuant la même rue, l'église *San Francisco,* à visiter avant qu'elle ne soit engloutie. Un peu plus loin, une superbe maison construite au XVIIIe siècle et habitée par l'empereur mexicain Iturbide. Elle a été rachetée par la banque Banamex. Pour y entrer pendant les heures de fermeture, demander au gardien de vous autoriser à y jeter un coup d'œil rapide (il y a souvent des expositions).

Le zócalo

(C'est à l'*Alameda* que vous trouverez l'ambiance des zócalos de province.)

Au cours des temps, cette grande place subit des transformations que l'on peut voir exposées à l'intérieur de la station de métro : du temps des Aztèques, de la fin du XVIIIe siècle et du début du XXe, quand c'était un parc. Sur les plans placés sur les murs, on voit nettement les digues alors utilisées en *calzadas,* grands axes de l'époque et l'aqueduc amenant l'eau depuis Chapultepec. En descendant sur les quais, on verra toute une série de photos des différentes époques.

A présent, l'efficacité de son dépouillement exagéré se révèle les jours de manifestations organisées par les autorités (ou contre elles). La plus spectaculaire étant le *Grito,* le 15 septembre à 11 h du soir. Le président apparaît au balcon central et fait sonner la cloche historique pour rappeler le départ du mouvement de l'Indépendance. Depuis l'après-midi, les alentours ayant été interdits à la circulation, la place est alors noire de monde. On répond au « cri ». La *Ley Seca* (interdiction de vendre de l'alcool depuis 24 h) permet une ambiance des plus sympathiques, des plus populaires et des plus drôles. Le tout se termine par des *castilos de fuego,* des feux d'artifice qui semblent embraser tous les monuments. La foule repart couverte de confettis et de farine, et s'arrête au passage manger des beignets sur l'Alameda.

Du centre de la place on observera l'écartement de la *cathédrale* et de l'église *Sagrario* dû à leur enfoncement respectif ; la zone du *Templo Mayor* aztèque ; le *palais du Gouvernement;* les deux bâtiments jumeaux abritant les services de la ville (Distrito Federal) ; un coin avec le *Gran Hotel;* les arcades marchandes — or et argent — ; le *Mont de Piété,* ancien palais municipal.

Le Palais présidentiel

Il existe depuis Moctezuma. Remanié sous Cortes, il fut aussi la résidence des vice-rois d'Espagne et reste aujourd'hui le siège de la présidence. C'est là que sont reçus les ambassadeurs par le président qui réside à *Los Pinos,* à l'ouest de la ville. On peut entrer par la porte centrale, monter le premier escalier à gauche où commencent les fresques de Diego Rivera, et qui continuent sur la galerie du premier étage. En cas de foule, traverser la cour pour emprunter l'escalier du fond et commencer la visite de ces fresques en sens inverse. Ensuite, on recommandera de passer dans l'autre cour, voyant au passage les bureaux à décoration ancienne, et de regarder la verrière couvrant l'escalier intérieur. (Toilettes au fond de la cour suivante.)

Les fresques de Diego Rivera

Elles devaient couvrir tout l'étage mais le travail fut interrompu. En montant l'escalier vers la gauche, on voit, en face, le panneau sur le monde préhispanique : écrivains, sculpteurs, musiciens, combats (les têtes de guerriers dans celles d'animaux), la construction de pyramides, et Quetzalcoatl transporté vers l'est sur un nuage.

Le panneau central, que l'on voit mieux depuis l'étage, est un curieux mélange de l'histoire du pays depuis la conquête jusqu'à l'époque contemporaine. En bas et de droite à gauche : la conquête des Espagnols sur les Indiens, terminant sur le marquage au fer et les travaux forcés. Au milieu, de droite à gauche, les mines, l'or, le clergé, le baptême, l'Inquisition. Tout au centre, l'aigle, emblême du Mexique ; au-dessus, l'Indépendance avec Hidalgo, le crâne chauve, Allende en uniforme, Morelos qui tend le doigt, la Corregidora, l'empereur Iturbide. A droite, dans une autre arche, les lois de la Réforme avec Juarez. Encore plus à droite, l'invasion américaine. Dans la dernière arche à gauche, Maximilien avant d'être fusillé, Porfirio Diaz en uniforme face à Madero : la révolution qui se termine dans l'arche centrale avec Zapata et son chapeau et le slogan *Tierra y Libertad.* Le panneau de gauche en montant, les corrompus et les décadents encerclés par les ouvriers en grève. La répression. Marx qui montre la marche à suivre.

Sur la galerie, 1er panneau : Tenochtitlan-Mexico avec le marché et, au-dessus, les cavaux. 2e panneau : le Michoacan et le lac de Patzcuaro. Les écrits à la peinture, teinture de tissus et fabrication du charbon de bois. 3e panneau : la fonte des métaux, la terre tropicale. 4e panneau : el Tajin avec la danse des *voladores* par les chevaliers-aigles. Les visages totonaques aux traits prononcés. Les fruits tropicaux. 5e panneau : la culture sur les terres gagnées sur le lac. Le maïs et la tortilla. 6e panneau, au coin : le cacao dont les gousses poussent directement sur les branches ou sur le tronc. 7e panneau : les produits extraits de l'agave : la boisson du pulque, l'écorce pour le papier, les tissus. 8e panneau : la conquête avec ce qui s'en suit. C'est clair. Les animaux de l'Europe arrivent aussi. Parmi eux, les chiens montrent leurs dents face à leurs congénères mexicains. Le bébé a déjà les yeux verts.

Le Gran Hotel

Calle 16 de Septiembre, no 82. Angle du zócalo opposé à celui du Templo Mayor. Un bel exemple de décoration architecturale de l'école de Nancy parachuté au cœur du Mexique. Le lustre de l'escalier d'entrée incite déjà à la découverte de la suite. Intégration parfaite du toit de verre coloré avec les balustrades métalliques et les cages d'ascenseurs. Il fut le *Centro Mercantil,* un des grands magasins construits par les Français de Barcelonnette, inauguré en 1889 par le président Porfirio Diaz. Ces grands magasins étaient alors les bâtiments les plus importants de la ville. On remarquera la façade, côté rue.

Le temple Mayor

On comprend que sa découverte, récente, ait ému les archéologues et les historiens, car elle est importante. Mais les Espagnols, qui n'étaient pas venu faire de l'archéologie, l'ont utilisé à la construction de leur propre histoire. On ne manquera pas de visiter aussi le musée de ce Templo Mayor ou sont magistralement exposées les pièces trouvées lors des récentes fouilles.

La Cathédrale

Si on a pu déjà observer son écartement de l'église voisine, le *Sagrario,* on s'en rendra compte plus particulièrement en marchant à l'intérieur (sol penché et perspectives). Si on entre par le porche central, on a en face de soi un grand retable *churrigueresque* qui s'intègre aux balcons entourant l'extérieur du chœur. Depuis la grille du chœur on jouit d'une belle perspective sur le retable central (derrière le maître-autel en marbre) et dans l'alignement des colonnes. De la sacristie on retiendra les peintures du XVIIe siècle bien conservées ainsi que les meubles. Sur le pilier gauche fermant la chapelle du fond, des témoins métalliques ont été posés par les ingénieurs chargés d'étudier l'écartement de l'édifice dû à son enfoncement. Dans une chapelle à gauche au fond, une représentation de la crucifixion par les Japonais de San Felipe de Jesus, et la châsse où sont déposés les restes de l'empereur Iturbide. La première chapelle, à gauche en entrant dans la cathédrale, est d'un bel équilibre doré. Elle est dédiée aux anges et aux archanges.

Place des Trois-Cultures

(Métro Tlatelolco puis marche de 15 minutes. En voiture, remonter la Reforma, et au 3e carrefour après Juarez, prendre en Y à gauche, avenue Santa Maria la Redonda.) Elle fait partie d'un grand complexe de bâtiments type H.L.M. : Tlatelolco. Les architectes ont voulu intégrer aux nouvelles constructions un site archéologique et une église coloniale. C'est très particulier et le meilleur coup d'œil sera depuis l'avenue La Redonda qui surplombe la place. On peut y circuler à pied. L'intérieur de l'église de la fin du XVIe siècle est d'une élégante sobriété. Son cloître faisait partie d'un ancien collège franciscain.

Tlatelolco était le second centre religieux du temps de Tenochtitlan. On le remarque au musée d'Anthropologie, sur la peinture murale de la salle Aztèque : au centre, Tenochtitlan et un îlot, à gauche : Tlatelolco. C'était aussi l'emplacement du grand marché de cette époque dont la beauté et l'importance surprirent les Espagnols. Ce marché est très bien reproduit, toujours au musée, derrière le calendrier aztèque.

Tlatelolco est aussi connu pour la fusillade qui eut lieu contre le mouvement étudiant de l'été 1968, écho du Mai 68 français. Le mouvement s'organisait, les esplanades de cet ensemble permettaient de grands rassemblements (une centaine d'immeubles où s'entasse une population de classe moyenne), alors que les jeux Olympiques approchaient. Deux tendances, ceux qui voyaient le bénéfice publicitaire tiré des jeux, et ceux décidés à tout faire pour les empêcher. Le gouvernement trancha d'une manière brutale pour une 3e solution (fusillade et enlèvement des leaders). Inaugurés quelques jours après, les jeux Olympiques de Mexico, particulièrement bien organisés sous la responsabilité de l'architecte Pedro Ramirez Vasquez, montrèrent au monde une image nouvelle du Mexique que l'on mettait jusqu'alors au rang des pays en voie de développement.

La Reforma et le château

Cette avenue fut tracée par l'empereur Maximilien. Auparavant, l'axe de sortie vers l'ouest de la ville était soit l'actuelle avenue Puente de Alvarado, vers Tacuba (c'est par là que les troupes espagnoles avaient fui après leur échec de Tenochtitlan), soit l'actuelle avenue Chapultepec, plus au sud, où passait l'aqueduc dont on voit encore des vestiges. De sa première époque, la *Reforma* a gardé de vieux hôtels particuliers écrasés sous les immeubles modernes. Tout le long de l'avenue on aperçoit d'amusantes statues en bronze, toutes aussi expressives : ce sont les personnages importants de la Réforme. Les bancs en pierre se trouvaient autrefois sur le zócalo, entourant alors la statue équestre du roi d'Espagne, Charles IV, déplacée actuellement rue Tacuba. Chaque rond-point *(glorieta)* est un point de repère connu de tout le monde. En venant du centre, plus exactement depuis l'avenue Juarez, on verra la statue de Christophe Colomb entouré de quatre sages de son époque, sur socle de marbre rose. Puis la statue de Cuauhtemoc, défenseur acharné de Tenochtitlan contre les troupes espagnoles. (Nous sommes au carrefour avec l'axe Insurgentes.) Sur tout ce premier tronçon, la majorité des immeubles est appelée à être

démolie pour avoir souffert du tremblement de terre de 1985.

Le palmier de la calle Niza. A gauche, c'est la Zona Rosa. Pas loin, l'ambassade de France. Puis l'Ange doré de l'Indépendance, avec Hidalgo et son étendard (en marbre de Carrare). C'est le secteur des compagnies d'aviation étrangères, de l'ambassade des Etats-Unis (on entend son carillon nordique tous les jours à midi. Assez curieux sous ce soleil). Enfin, la fontaine des Cinq-Continents. Plus loin, l'avenue fait une courbe pour entrer dans le bois. Elle continuait tout droit pour parvenir en bas du château, résidence de l'empereur. On voit là un immense monument en marbre blanc qui ravit les enfants mexicains quand ils viennent le dimanche dans le bois de Chapultepec. C'est l'hommage aux Niños Heroes qui défendirent jusqu'au bout la garnison contre les troupes américaines.

La Reforma en enfilade : on a parfois de beaux points de vue, les soirs d'orage, pendant la saison des pluies.

Pour accéder au *château,* où se trouve le *musée d'Histoire* entrer dans le parc et compter un quart d'heure de marche. (L'ascenseur ne marche pratiquement jamais.) En bas, au passage, une galerie de glaces déformantes. Beaucoup de visiteurs le dimanche.

Musée d'histoire de la Nouvelle Espagne et du Mexique indépendant

A gauche, avant d'accéder au patio, on ne manquera pas d'entrer dans une grande salle couverte d'une peinture de Siqueiros qui dramatise par un jeu de perspectives le thème exposé : l'époque de Porfirio Diaz que l'on reconnaît assis et entouré de personnages de l'époque. Ses adversaires sont avec les penseurs historiques, comme Karl Marx. Surgissent les grèves contre les intérêts américains et ceux des Barcelonnettes. Ce tableau se termine par la disparition du dictateur dans le néant, sous la poussée des zapatistes.

On commence la visite du musée, en prenant à droite dans le patio.

Dans la première salle sont exposées les cartes de la Nouvelle Espagne quand les territoires du Nord englobaient le quart des Etats-Unis actuels et celles des conquêtes dirigées depuis Mexico. On peut voir aussi les portraits des vice-rois du XVIe siècle, austères comme l'était Philippe II. Au fond de la salle, les vice-rois évêques du XVIIe siècle.

Dans la salle suivante sont exposés des objets d'Extrême-Orient (la colonisation et le commerce avec les Philippines se faisaient depuis la Nouvelle Espagne). On en retiendra des statuettes de la *Vierge* et de *saint Joseph* assez étonnantes avec leurs traits asiatiques. Un peu plus loin, *Sor Juana Ines de la Cruz,* la grande intellectuelle du XVIIIe siècle.

Ensuite, en continuant tout droit, l'histoire des mines. Plus loin, les portraits stéréotypés des vice-rois du XVIIIe siècle. Au fond à droite, on remarquera un tableau des différents métissages. On retrouve ce tableau dans différents musées où il fascine toujours autant les Mexicains qui semblent s'y chercher.

La salle continue alors vers la gauche. Portraits des rois *Bourbons d'Espagne* et de Hidalgo, héros de l'Indépendance (il est rare de voir un bon portrait comme celui-ci). *Allende,* l'officier associé à Hidalgo dans le mouvement. *Morelos* qui continua la lutte dans le sud du pays.

Dans la salle suivante, on voit d'abord un portrait d'*Iturbide* dont on parlera plus tard et celui du dernier vice-roi, l'étendard de la Guadalupe, le confessional de l'abbé Hidalgo et surtout une peinture murale de *O'Gorman.* (Pour apprécier ces peintures qui sont une page d'histoire, il faut prendre le temps de s'asseoir et les aborder comme des devinettes.)

Au centre, c'est *Hidalgo* en deux personnes, avec le flambeau et l'étendard. Un peu à gauche, la *Corregidora* de profil (femme du haut fonctionnaire en poste à Queretaro ; c'est elle qui donna l'alarme quand le mouvement fut découvert). *Nicolas Bravo,* qui participa au mouvement. A droite, on reconnaît *Allende* à son uniforme.

Dans la partie gauche de la peinture murale et en avant, on voit la haute société espagnole, les Indiens et le *Capataz* chargé de les faire travailler. En arrière, les haciendas de traitement du minerai.

Plus loin, en contournant la peinture, c'est le XVIIIe siècle avec les scientifiques, les religieux libéraux et les philosophes : l'architecture néoclassique. Plus loin, Guanajuato, ville accrochée à la montagne, quand y arrivaient les troupes des insurgés par les ponts et les chemins. L'église de Dolores, paroisse de Hidalgo.

A droite de la peinture, c'est le mouvement pour l'Indépendance toujours, mais dans le Sud du pays, avec la baie d'Acapulco (à l'époque). Les derniers bastions de l'armée sont mis à feu par les troupes de Morelos représenté en deux personnages : en tenue de campagne et en général. Derrière, les haciendas de canne à sucre, faisant le pendant avec celles du traitement de minerai. La réunion, c'est le congrès d'Apatzingan avec l'annonce des décisions qui y furent prises. Tout à droite, enfin, le portrait de Guerrero, le dernier résistant de cette lutte après la mort de Morelos.

Tous les portraits des personnages représentés sont d'un réalisme étonnant. Cette peinture murale fait office de l'actuelle vidéo présentée couramment dans les musées de nos jours.

Dans la pièce suivante nous est présenté le Mexique indépendant qui commence avec un empire, celui de Iturbide, officier qui lutta toujours contre les mouvements de l'Indépendance pour ensuite « récupérer » la situation à son profit. On remarquera la vaisselle de pur cristal de Bohême. Deux tendances politiques apparaissent : le centralisme et le fédéralisme. La franc-maçonnerie augmente son influence avec en son sein les deux mêmes tendances : les conservateurs (centralistes) et les libéraux (fédéralistes).

Puis apparaissent les innombrables épisodes politiques de *Santa Anna* prenant tour à tour la tête des libéraux et des conservateurs. Le Texas se sépare de la mère patrie. Au fond de la salle, on nous présente l'intervention américaine. Après le rattachement du Texas aux Etats-Unis, ce pays propose différentes solutions, puis c'est la déclaration de guerre respective. Les Américains arrivent jusqu'à Mexico. Prise du château de Chapultepec alors école de guerre (où nous sommes) pourtant vaillamment défendu par les cadets *(Niños Heroes)*. En conclusion, c'est la perte de la moitié du territoire.

Ensuite, s'ouvre le chapitre de *Juarez* quand il devient ministre de la Justice et des Affaires ecclésiastiques et qu'il promulgue la loi sur la confiscation des biens de l'Eglise et de l'armée. La nouvelle Constitution (1857) déclenche alors le désordre et la guerre civile (guerre de la Réforme qui devait durer trois ans). Puis, c'est l'intervention française avec comme aboutissement l'accession de *Maximilien d'Autriche* au trône. Quand l'armée française se retire (problèmes avec la Prusse), Juarez reprend le dessus et fait fusiller l'empereur. Porfirio Diaz, officier sous le régime de Juarez accuse ce dernier de se faire réélire.

Dans la salle suivante, on voit le pays gouverné par les *Cientificos* appuyés par Diaz. Périodes d'investissement étranger, de reconnaissance du Mexique dans le monde, mais répression et exploitation. *Madero* entre en scène en dénonçant la réélection (thème qui interviendra toujours dans la politique mexicaine). On remarquera dans cette salle un miroir français du XIXe siècle, la France étant alors très à la mode. C'est aussi le début de la photographie. On nous présente les corps de métier. Les Indiens yaquis au nord, les Mayas au sud, se soulèvent alors qu'apparaît le téléphone, que se développe l'industrie et que les mines sont réouvertes à l'exploitation.

A l'étage suivant, deux salles à parcourir. La première est orientée sur l'organisation économique et les structures sociales. Dans la suivante, c'est l'apparition des grandes banques (de celles que l'on ne manque pas de remarquer au Mexique) et des robes de cette Belle Epoque (début XXe siècle) qui font rêver le public populaire du dimanche.

En sortant, on remarquera audessus de la cage de l'escalier, une impressionnante peinture murale sur le thème des Niños Heroes. En sortant de l'immeuble, prendre à gauche, vers l'extrémité du château, pour visiter les appartements de Maximilien qui donnaient sur la Reforma qu'il fit tracer. On y verra des meubles Boulle des plus raffinés, des pianos extravagants et des rideaux qui nous rappellent bien l'époque Napoléon III, avec portraits de l'empereur et de l'impératrice Eugénie.

Sur le chemin qui monte depuis le parc, on remarquera un autre petit musée sur l'histoire du Mexique présenté cette fois comme un musée Grévin.

Parc de Chapultepec

C'est avant tout l'évasion de la ville pour ceux qui n'ont pas de voiture. Le samedi, et encore plus le dimanche, les familles, les amoureux, les copains, les copines sortent du métro Chapultepec ou Auditorio pour y passer la journée.

Possibilité de faire de la barque ou de voir les animaux au parc zoologique dont le fameux panda né au Mexique. C'est le musée vivant de la ville. En saison des pluies, l'orage de la fin d'après-midi fera partir tout le monde en catastrophe.

Le musée d'Anthropologie

Il serait plus profitable de le visiter en fin de voyage, ayant ainsi des points de repère visuels. Sinon, on risque de se perdre dans la complexité de ces cultures si éloignées de la nôtre. Y passer une journée entière n'apporterait rien de plus, une saturation apparaissant après 2 h 30 de visite. Si l'on veut y passer plus de temps, le mieux sera de prévoir une deuxième visite. Nous donnons ici une idée de programme.

Accès : bus 76 sur la Reforma, indiquant Auditorio, ou Reforma Km 15, ou Palmas Km 15. C'est le deuxième arrêt après être entré dans le bois. A pied, compter 10 minutes depuis le cinéma Chapultepec, et 15 minutes depuis le métro Chapultepec. Pour le retour, tous les bus 76, sachant que ceux qui indiquent Villa n'entrent pas sur l'avenue Juarez, et ceux qui indiquent métro Chapultepec ne continuent pas sur Reforma. Les peseros indiquent et suivent les mêmes parcours. Comme dans les musées de l'Institut d'anthropologie, on doit laisser ses sacs au vestiaires.

Ce musée a été conçu pour être visité à la verticale et non à l'horizontale. Le premier étage est réservé aux Indiens vivants, et le rez-de-chaussée à leur civilisation passée. Voici une idée de visite de 2 h 30 environ, compte tenu d'un arrêt à la librairie de la sortie. Maya archéologie — Maya ethnographie — Teotihuacan — Art aztèque, salle Mexica — (avec au passage éventuellement) : quelques objets de la salle Oaxaca ; l'art olmèque dans la salle du Golfe et les origines. Enfin, si l'on peut se programmer une deuxième visite (1 h 30 environ) : l'art olmèque, si on l'a laissé de côté — Les origines — Ethnographie huichole, tarasque, otomie et totonaque de la Sierra de Puebla — L'art de l'Occident.

Comme dans toutes les constructions de Pedro Ramirez Vasquez (basilique de la Guadalupe par exemple), on entre avec l'impression d'y être attendu, et ce après l'aspect assez brutal des façades. Au travers de matériaux recherchés, un jeu de lumière qui inspire le mystère qui continuera sous le grand toit suspendu de la cour.

Après le contrôle, traverser la cour en diagonale pour entrer dans la *salle Maya (archéologie)*. Dans la première salle à droite, têtes en stuc de Palenque et de Comalcalco, linteaux de Yaxchilan dont le n° 26 représentant un souverain recevant de sa femme la coiffe de combat (tête de jaguar), disque-marqueur de Chinkultic ; des vitrines de figurines de Jaïna évoquant la façon de vivre de cette époque : musiciens, guerriers, dignitaires et dont certaines conservent des traces de peinture bleue appliquée au moment des funérailles, un joueur de balle avec ses ceintures de protection ; un modèle de Codex (livre maya en accordéon ; un badigeon de chaux appliqué sur une écorce d'Amate et servant de support pour l'écriture et le dessin).

La salle adjacente : stèles et reliefs monumentaux, linteaux où des scènes sont décrites. A l'extérieur, une reconstitution de temple de style Chen, avec sa porte qui n'est qu'une grande bouche du monstre terrestre (on se rappellera Chichen). Un peu plus loin à droite, une reconstitution des fresques de Bonampak. En revenant à l'intérieur et à droite, des sculptures de style Puuc (Kabah et Uxmal), la maquette du site de Tulum construit sur une falaise et protégé aussi par son mur d'enceinte, des objets de la dernière période (tolteco-maya) comme cette pierre sculptée représentant un jaguar dévorant un cœur humain.

Pour continuer vers la *salle Maya ethnographie,* prendre à droite en sortant, dépasser la salle Norte pour entrer par la salle Occidente, et monter l'escalier tout de suite à droite. Là-haut, dépasser les salles du Nord pour arriver aux salles Mayas. Les hauteurs du Chiapas avec les costumes (région de San Cristobal). On remarquera les sandales à haute talonnière des dignitaires et qui rappellent celles aperçues sur les stèles des salles du bas, de 1 000 ans auparavant. Les cannes à pommeau d'argent des dignitaires chamula, héritières des sceptres représentés sur ces mêmes sculptures.

Dans la salle suivante, le Yucatan. Un couple de jeunes mariés. Tressage du jonc utilisé pour la fabrication des chapeaux de Panama, particulier à une région du Campeche. Le travail du sisal. Sur la carte, le port d'exportation qui donna le nom de cette fibre en Europe. La maquette d'une cérémonie pour appeler la pluie dans la forêt, telles qu'elles existent encore dans les clairières où vivent les groupes traditionnels loin de la route. Enfin, les Lacandons dans la forêt du Chiapas (c'est eux qui viennent vendre leurs flèches à l'entrée de Palenque), et les Chontales dans les marais du Tabasco. Une grande carte écologique de la région maya incluant la péninsule du Yucatan, le Chiapas, le Guatemala et le Belize. On y remarque la brousse du Yucatan et le début de la forêt au nord-est s'épaississant vers le sud-ouest pour former la haute forêt du Peten (nord du Guatemala) et de l'Usumacinta.

On laissera les salles suivantes pour plus tard si l'on n'a pas visité la Sierra de Puebla. Au passage, regarder quand même des photos de visages d'enfants totonaques et la vanille, orchidée de leur région. Avant de descendre l'escalier au bout du couloir, on jettera un coup d'œil à droite : une vue plongeante sur la salle de l'art aztèque que l'architecte a voulu dans l'obscurité et tapissée de lave.

Laisser les salles Oaxaca, ethnographie en haut et archéologie en bas, si vous avez déjà visité le musée local. En bas, cependant, des pièces particulières. *Art mixtèque* (à gauche en entrant : l'oiseau bleu buvant dans une coupe), et en *art zapotèque :* un grand tigre en terre cuite peinte. Une carte montrant la relation de Oaxaca avec le centre du pays, ses sites dans les vallées encaissées et l'importance de Monte Alban dans ce contexte.

En bas, après les toilettes, laisser la salle du Golfe sur l'*art olmèque* si vous avec déjà vu le musée de Villahermosa ou celui de Jalapa. Ici, cependant, à l'entrée, l'homme-jaguar, et à droite un bas-relief représentant un poisson avec une tête féline. Une tête colossale avec son casque et ses yeux qui louchent, et à la séparation des salles, une grande stèle en bas relief où l'on distingue un joueur de balle avec son panache, sa ceinture de protection, un homme vaincu à ses pieds. Dans les vitrines, à droite et au-delà de cette stèle, de petits personnages en jade, jadéite et terre-cuite : hommes, jaguars, ou abstraction des deux. Crânes déformés. On observera quelques haches de pierre, l'outil par excellence que l'on vénère pour son utilité et pour sa beauté. Une fois gravé, l'outil devient sculpture. Dans une vitrine isolée : groupement de personnages avec les stèles. Plus loin, les statuettes aux visages de bébés, une belle hache en pierre vert foncé : l'homme-jaguar. Enfin, un personnage entier dans une hache et le masque circulaire d'une tête humaine.

En ressortant de cette salle sur l'art olmèque, traverser la cour pour se rendre à la *salle de Teotihuacan,* laissant la *salle preclasico.* A gauche en entrant : la maquette du site, des vitrines montrant l'évolution de la céramique pendant les longues époques de cette civilisation, avec ses caractéristiques du vase à trois pieds et de la peinture sur stuc. Après avoir passé une porte, ne pas manquer la reconstitution en couleur du *temple de Quetzalcoatl.* En se retournant, on aperçoit la peinture qui orne la porte : elle représente le paradis réservé à ceux qui mouraient noyés. Sous une vitrine, un encensoir, un vase à trois pieds et des pointes de flèches en obsidienne à l'effigie d'un personnage, une intéressante démonstration de l'évolution de l'outil à l'art symbolique. Après la salle où trône un impressionnant agrandissement photographique du temple du Soleil, une vitrine contenant une série de masques, de forme triangulaire propre à Teotihuacan, bien différents de ceux rencontrés dans la salle Maya. L'un d'eux est particulièrement connu avec ses incrustations de pierres précieuses. Rien à voir avec les supposés dieux de la Lune et du Soleil en obsidienne que nous proposent les vendeurs ambulants du site.

Sortir dans la cour pour entrer dans la *salle d'art aztèque,* Mexica. On doit à l'architecte du musée d'avoir su mettre en relief le côté morbide de cet art. La salle Mexica qui occupe deux niveaux d'un seul tenant, est la seule à être habillée de cette lave particulière à la vallée de Mexico, le *tezontle,* couleur sang coagulé. La lumière artificielle n'est dirigée que sur les monuments, rendant l'atmosphère encore plus sinistre. La mort est mise à nu. A droite en entrant et en se dirigeant vers le fond, la coiffe en plumes de quetzal de Moctezuma. On s'imaginera l'effet produit auprès des Espagnols quand ils furent reçus par l'empereur. L'original, envoyé par Cortes à Charles Quint, se trouve actuellement au musée de Vienne. La copie, présentée ici n'en est pas moins exacte. Un peu plus loin, la maquette du grand centre cérémoniel des Aztèques (on se souviendra du peu qu'il en reste près de la cathédrale), et sur le mur au-dessus, une peinture représentant ce centre dans le contexte géographique. (Le nord est à gauche et non au-dessus.) Au centre, on reconnaît Tenochtitlan (à présent le zócalo) ; un peu à gauche, Tlatelolco (à présent la place des Trois-Cultures) ; et à gauche, où commence la terre ferme, la colline de Tepeyac (actuellement la basilique de la Guadalupe).

Au fond de la salle, au centre (attention à la marche !) la reconstitution du marché de Tlatelolco qui impressionna tellement les Espagnols. Il faut imaginer que toutes ces richesses arrivaient par barques (il nous en reste un maigre exemple à Xochimilco).

Pour illustrer la morbidité des Aztèques ne manquez pas la colossale et monstrueuse Coatlicue dont l'enfant est sorti de son ventre déjà armé pour tuer ses aînés ; la même, en plus petit, avec ses yeux aveugles et toujours sa jupe de serpents ; les Cihuateteo, en ligne, femmes mortes en couches, ce qui leur donnait droit au même paradis que les guerriers. Enfin, le fameux et gigantesque calendrier de 3,60 m de diamètre et de poids estimé à 25 tonnes.

Au centre, le dieu Soleil autour duquel tournent les phénomènes de l'univers. Il porte un collier, des ornements d'oreilles et de nez ; de sa langue pend un couteau d'obsidienne. Autour de lui, 4 carrés comprenant la figuration des 4 mondes antérieurs qui ont mal terminé. Dans le sens inverse des aiguilles d'une montre : la fin du monde par les vents, la fin du monde par une pluie de feu, la fin du monde par les inondations et la fin du monde par les jaguars dévorant les êtres vivants. Ne nous croyons pas protégés pour autant : notre monde, le 5ᵉ soleil, périra sous les tremblements de terre. Ensuite, le cercle des 20 jours du mois. En prenant toujours dans le sens inverse des aiguilles d'une montre et depuis le haut : 6ᵉ : Mort. 7ᵉ : Chevreuil. 8ᵉ : Lapin. 14ᵉ : Jaguar. 15ᵉ : Aigle. Quant au cercle le plus extérieur, il se termine en bas par les deux têtes en vis-à-vis des serpents de feu. Dans la gueule de celui à droite, la tête du soleil diurne avec sa langue couteau d'obsidienne, s'affrontant au visage du soleil nocturne, à moitié voilé. On discerne les mâchoires ouvertes avec les crocs inférieurs et supérieurs enfermant les visages, le corps de ces serpents qui entourent la pierre, leurs deux queues se rejoignant.

A propos des couteaux d'obsidienne, on verra dans les vitrines placées derrière la Coatlicue les couteaux de sacrifice. Puis en continuant, des sculptures réalistes d'animaux dont un serpent à sonnette lové. Des instruments de musique. Enfin, placé seul et en contre-haut, le dieu des Fleurs, de l'Amour, de la Danse et autres belles choses : un personnage aussi charmant que ses compagnes.

En sortant, le superbe ocelot qui regarde la lumière, sentinelle de cette salle des ténèbres.

Pour compléter cet horizon rapide du musée d'Anthropologie, reprenons depuis l'accès à la cour.

Dans la première salle à droite, vous avez une introduction à l'anthropologie. On remarquera différents types de pyramides dont le Castillo de Chichen en coupe, montrant les superpositions. Dans la seconde salle, les origines du peuplement amèrindien avec dans le couloir qui les sépare, une grande peinture de la découverte de l'Amérique par les Asiatiques (par le détroit de Behring). Un peu plus loin, des cartes qui nous expliquent pourquoi les gardiens de ce musée peuvent ressembler à des Japonais. Puis l'âge de la pierre avec les produits de la région : calebasse, maïs, etc.

A l'étage au-dessus se trouvent les salles sur les Indiens *Coras* et *Huicholes* de la Sierra occidentale. Les Huicholes sont connus pour leur consommation (en rite sacré) de *peyotl,* une cactée hallucinogène. Plus loin, les Indiens du *Michoacan* avec leurs maisons en bois *(trojes)* et les barques du lac Patzcuaro. Puis au fond après l'escalier, les *Totonaques* de la Sierra de Puebla avec des visages d'enfants faits de sourire et d'humour au milieu d'un paysage mystérieux dans le brouillard ; photo d'une procession avec les participants tout en blanc, la fumée des encensoirs se confondant avec la brume ; danse du Quetzal et celle du Volador.

En bas, à gauche en entrant dans la cour, la salle *Occidente* dont le style (Colima, Nayarit) inspira le sculpteur Henry Moore. Une carte à l'entrée permet de se repérer. Dans une vitrine centrale, trois pièces maîtresses faites d'une terre particulièrement fine, d'une plastique et d'une finesse exceptionnelles et remontant à la période préclassique, plus de mille ans av. J.-C. Les voleurs ont bien voulu nous les laisser (140 des plus belles pièces de ce musée ont été volées en décembre 1985 alors que les gardiens fêtaient Noël au premier étage). Dans d'autres vitrines c'est la vie de tous les jours : la maison, les corvées d'eau, les jardins d'enfants, les réunions. Plus loin, le style classique de Colima avec ses récipients-personnages (ou animaux) : chiens dodus, chiens qui dorment ou qui râlent. Du Nayarit, les gens malades et les personnages pensifs.

Un message universel qui ne manquera pas de nous toucher particulièrement avant de quitter ce musée considéré comme le plus beau du monde.

Xochimilco

C'est l'ambiance populaire de fin de semaine, la joie de vivre de ceux qui échappent à la grande ville. On y va sans programme pour y louer sa propre barque ou se joindre à d'autres. Si l'on a faim ou soif, il suffit de tendre la main par-dessus bord vers des cuisines flottantes. De fières Indiennes avec leurs longues tresses préparent leurs plats sur leurs barques exiguës. D'autres arrangent de jolis bouquets de roses. Le photographe circule aussi, son trépied en équilibre. Pour s'offrir *una canción,* il suffit d'appeler les Mariachis qui amarreront leur barque à la vôtre.

On cultivait les fleurs à Xochimilco certainement depuis longtemps. (*Xochitl :* la fleur, en langue nahua). Actuellement encore, c'est la spécialité du village. Les barques à fond plat (arrangées pour l'ambiance de fête) servaient à récupérer la vase des fonds peu profonds pour agrandir ou enrichir les carrés de culture. Il en existe encore en service sur les petits canaux. (On en comprend le principe sur les peintures du palais du Gouvernement, au zócalo, ou au musée d'Anthropologie, salle Mexica.)

Pour se rendre à Xochimilco, prendre le métro jusqu'à la station Taxqueña et, de là, prendre un taxi collectif ou le tramway *(tren rápido),* mais pour ce dernier se renseigner sur sa destination. Le taxi vous laissera près d'un marché de fleurs et légumes. A l'intérieur, des stands de consommation de poissons et crustacés. Puis, beaucoup plus loin, des *comedores* très propres, ou l'on vous sert souvent de bonnes tortillas.

Le tour en barque peut être commencé de différents endroits. Se renseigner car il est possible de revenir au point de départ ou d'être débarqué plus loin pour revenir à pied et voir d'autres marchés.

Il est évident que le village ne peut

fournir en fleur et en légumes une ville de 18 millions d'habitants. Mais y aller chercher son plant de rosier donne une autre valeur à son balcon.

San Angel et Coyoacan

Deux quartiers coloniaux résidentiels dans le sud de la ville. Accès : San Angel par bus ou pesero le long de Insurgentes, ou bien pesero depuis le métro Chapultepec (on suit alors l'avenue Revolucion). Coyoacan, par le métro, station Viveros ou Miguel Quevedo. Les deux quartiers se rejoignent facilement par taxi ; à pied, il faudra compter 45 minutes par le boulevard Quevedo.

Coyoacan : depuis le métro Viveros, on suit à pied la rue Francisco Sosa pour atteindre le centre du village. On verra tout le long de belles demeures coloniales encore habitées, avant d'atteindre l'arche qui délimite la place avec, au fond, l'église Saint-Jean-Baptiste, et à gauche la municipalité, ancien palais de Cortes. Derrière cet édifice, un restaurant, le *Comal.* Un autre, végétarien, de l'autre côté de la place, à quelques rues, en face de l'hôpital. Vers l'est de la place, c'est-à-dire derrière l'église, on s'engage dans des ruelles pour atteindre une petite place ombragée, tranquille, l'oasis de Mexico : la *Conchita.*

San Angel est un village de l'époque coloniale. Sur l'avenue Revolucion, le couvent Del Carmen, du XVIIe siècle, avec une église et son beau retable restauré. Le cloître fleuri est un exemple de l'ambiance de l'époque. A droite en ressortant, sous une présentation des plus rustiques, un minuscule établissement qui débite un excellent chocolat fort apprécié par les gens du quartier. Chocolat à la française, à l'espagnole, avec des *burros* (beignets). Après avoir traversé l'avenue Revolucion, passer près de différentes maisons anciennes, plus ou moins bien entretenues pour arriver à une place suivie d'une autre plus petite. A droite, dans une ancienne hacienda, le *Bazar du Sábado* (du samedi) marché d'artisanat et de création artistique contemporaine. On peut manger là ou dans les alentours puis continuer dans les petites rues, en faisant un demi-cercle et regagner Insurgentes. Là, au carrefour avec la rue La Paz, magasins d'artisanat. Prendre tout transport n° 17 jusqu'au métro Insurgentes pour revenir au centre.

Université et Centre culturel

Université (métro Copilco, mais les bus et les peseros sur Insurgentes approchent plus de la partie à visiter). Le stade, d'un côté ; la bibliothèque avec sa façade aveugle et couverte de céramique, de l'autre, sont très près de l'avenue Insurgentes. Céramiques d'Ogorman décrivant l'histoire du Mexique à ses différentes époques. Deux kilomètres plus au sud, le *Centre culturel* de l'U.N.A.M. (Universidad Autónoma de México). Cette partie est de loin la plus intéressante à visiter. La Bibliothèque nationale, la salle de concert Netzahualcoyotl, que l'on cherchera à voir par tous les moyens, et l'Espacio Escultórico, étrange combinaison de béton pour faire ressortir les çoulées spectaculaires de lave en drapé propres au quartier. Si l'on dispose d'une voiture, on profitera d'être par là pour visiter le quartier résidentiel du Pedregal construit sur de la lave aussi, et mis en valeur par l'organisation de jardins de rocailles.

Basilique de la Guadalupe

Métro Basilica ou Villa. Autobus 17 ou peseros sur l'avenue Insurgentes. Prévoir 15 minutes de marche ensuite.

On y arrive soit par le côté de l'église moderne, soit sur la grande esplanade. Comme toutes les constructions de Pedro Ramirez Vazquez, l'extérieur est moins intéressant que l'intérieur. (On demande de ne pas entrer en short ni avec des ballons.) L'organisation de l'espace permet à chacun de déambuler sans gêner les fidèles. Derrière l'autel une image de la Vierge que l'on vénère en passant en contrebas, suivant un astucieux système de tapis roulant qui évite la cohue. On remarquera la qualité de l'acoustique, la beauté sobre des matériaux et l'emplacement prévu pour la décoration florale. Les drapeaux exposés sont ceux des nations américaines. En contre-haut se situent les chapelles pour les messes particulières, et loin des circuits de passage, les confessionnaux. L'ensemble architectural est aussi réussi qu'au musée d'Anthropologie.

Une fois sur l'esplanade, on verra la statue de Jean-Paul II et différents bâtiments d'époque coloniale. Certains sont penchés, certains droits. Ils étaient en fait tous dans une position critique et ont été remis à la verticale suivant une prouesse technique par un système de vérins hydrauliques et coulage de béton en consolidation de leurs fondations. Tout en haut de la colline, où l'apparition de la Vierge eut lieu, une chapelle à l'intérieur de laquelle des peintures racontent l'événement. (Une erreur d'interprétation, sans doute, nous présente l'Indien avec des traits curieusement européens alors que dix ans seulement s'étaient écoulés depuis l'arrivée des Espagnols.) La Vierge lui apparut plusieurs fois, et c'est en ouvrant devant les Pères son manteau dans lequel il avait rassemblé des roses que l'on découvrit l'image de la Vierge imprimée. Ce manteau était de fibre d'agave. Cette fois, la Vierge était de type physique brun, alors que les Vierges espagnoles, dont on peut voir des images dans beaucoup d'églises, ont un visage rose ou blanc.

Cette apparition aida bcaucoup à la conversion des Indiens. Cette colline de Tepeyac était un endroit de culte à Tonantzin, déesse de la Terre, très couru du temps des Aztèques. Au musée d'Anthropologie, sur la grande peinture murale de la salle Aztèque, on la voit avec son petit temple. C'est aussi l'endroit d'une source. Les pèlerins en recueillent toujours l'eau.

La grande fête de la Vierge de la Guadalupe a lieu le 12 décembre. Bien qu'elle soit aussi célébrée en province, c'est sur cette esplanade qu'a lieu la plus grande concentration de pèlerins qui sont venus souvent de très loin, à pied (on en rencontre parfois sur les bords des routes, étendard de la Vierge en tête). Sur place, on l'honore par groupes de villages ou de corporations. L'espace ne suffit pas toujours, et il est difficile de regarder cela sans éprouver une certaine émotion. Tout le long de l'année on rencontrera des pèlerins et des offices ont lieu.

Ballets folkloriques

Il faut profiter de son séjour à

Mexico pour avoir une idée du folklore particulièrement riche du pays. A *Bellas Artes,* les mercredi et dimanche à 21 h 30, ainsi que le dimanche matin à 9 h 30 : une chorégraphie assez originale et spectaculaire (billets de 3 prix ; les moins chers sont à déconseiller — un poulailler où l'on attrape le vertige — la catégorie moyenne étant très correcte. Guichets ouverts de 8 h 30 à 10 h 30 et de 18 h 30 à 21 h. Les billets pour la séance du mercredi peuvent être achetés dès le lundi ; ceux du dimanche à partir du jeudi. Un spectacle le matin, à la fraîche, est des plus agréables).

Au *Teatro de la Ciudad,* calle Donceles nº 36, tél. 510.21.97 (entre la poste et la place Garibaldi), un ballet, sans doute plus authentique, donnant un échantillonnage complet des danses du pays. Le groupe est de bonne qualité, l'ambiance, dans ce petit théâtre, sympathique, et les prix sont raisonnables. Séances le mardi soir à 20 h 30 et le dimanche matin à 9 h 30.

Les quartiers de Mexico (les Colonias)

Parmi les plus intéressants à connaître, le reste n'étant qu'un éternel faubourg, et en dehors de ceux proposés pour la visite de la ville évidemment, on retiendra du sud au nord de la ville, le *Pedregal* dont la construction sur lave permet l'élaboration de jardins de rocaille spectaculaires (quartier résidentiel près de l'université), et au sud-est, un nouveau quartier commercial, moderne et original, *Perisur,* qui draine toute une nouvelle classe moyenne venue s'installer dans cette région depuis que les jeux Olympiques l'ont ouverte au reste de la ville (ville olympique, épreuve de canotage à Xochimilco).

En remontant vers le centre, les *Colonias del Valle* et *Condesa-Hipodromo,* ancienne résidence de classe moyenne aussi, et plus près de la Reforma, l'ancienne *Colonia Roma* où les diplomates habitaient dans des hôtels particuliers au début de ce siècle est abandonnée et appelée à être démolie en raison de l'instabilité du sol particulière au quartier. Un bon exemple en est l'avenue *Alvaro Obregon.*

Tout cela formerait la « rive gauche » de la ville par rapport à la Reforma. Les gens qui y habitent, et particulièrement ceux de *San Angel* et de *Coyoacan* tiennent à y rester. C'est là que se trouvent l'université, son centre culturel et certaines galeries. Pour se démarquer des autres, on y parle du nez. De plus, l'extension de la ville rend l'accès d'une « rive » à l'autre de plus en plus difficile.

La « rive droite » serait alors la *Colonia Cuauhtemoc,* autrefois de même style que sa voisine d'en face, la Roma, mais beaucoup plus vite transformée. Puis, *Polanco* habitée par les Juifs, les Libanais et les Français qui y ont leur lycée. La synagogue est là aussi. De curieuses constructions, souvent prétentieuses, mais toujours amusantes, rappellent l'architecture coloniale de Beyrouth (énormes fioritures en pierre sculptée entourant portes et fenêtres, tours-pigeonniers). C'est l'insouciance et l'apparat. Vu le climat de Mexico, l'intérieur aux pièces trop profondes est toujours glacial. On en verra entre le *parc Polanco,* l'*avenue Mazaryk* et au début des *Lomas de Chapultepec,* sur la Reforma.

Ce dernier quartier ne retient pas

l'attention. Polanco se civilise et devient une nouvelle Zona, mais de quelle couleur cette fois ? S'y installent petit à petit les galeries d'art de la *Zona Rosa*. La construction de grands immeubles le long du parc n'empêche pas la conservation des maisons libanaises qu'on transforme en boutiques de luxe sur Mazaryk, ce quartier drainant toute une clientèle habitant l'ouest de la ville et ne pouvant pratiquement plus se rendre dans le centre. Le centre culturel *Televisa,* près de l'hôtel Presidente, présente de belles expositions.

Signe extérieur de richesse dans cette rive : on klaxone (à n'importe quelle heure du jour ou dc la nuit) jusqu'à ce que les domestiques viennent ouvrir le portail. L'insistance est proportionnelle au gabarit de la voiture. On fait promener ses chiens de race par les mêmes domestiques, ce qui permet à ces derniers un moment de liberté. Signe de puissance : on dégonfle les pneus des voitures stationnées sur votre domaine. L'efficacité est remarquable, d'ailleurs.

Une grande ville, *Netzahualcoyotl* qui a commencé par un bidonville. A présent, 4 millions d'habitants, à l'est de Mexico.

Le tremblement de terre du 19 septembre 1985

Tout a été dit sur ce tremblement de terre et parfois même un peu vite. L'émotion générale mêlait les commentaires imprégnés de panique et de politique. Chacun affirmait des choses comme si le problème avait été déjà discuté depuis longtemps. L'épicentre était assez loin, 600 km, dans le Pacifique ; les destructions ont été localisées dans deux petites villes de l'ouest du pays et dans le centre de la capitale. Force : 8,1, ce qui est un maximum. Durée particulièrement longue pour les habitués : plus de 2 minutes. Les dégâts se sont produits dans le centre construit sur l'ancien lac, à partir du milieu de la ville vers le nord, les ondes s'amplifiant sur des sols mous (au Guatemala, en 1976, des villages entièrement détruits conservaient intacts leurs hameaux construits sur le roc autour). Il est difficile de comptabiliser ce qui a été le plus touché. Non respect des normes antisismiques ? Mais les architectes du XVIe siècle ne s'en préoccupaient pas et aucun de leurs édifices n'est tombé. Qualité des édifices victimes de la corruption ? Sur deux bâtiments de ministères, l'un fut à moitié par terre, l'autre restait debout. Par contre, on pouvait suivre à la trace les failles le long des trottoirs, découvrir de petits immeubles enfoncés sur la hauteur d'un demi-étage, et avoir confirmation des « bulles », zones décidément plus vulnérables que d'autres et parfois assez visibles. On en perçoit une, par exemple, en regardant depuis le parc Alameda, le cinéma Variedades et la calle Luis Moya : il ne s'agit pas de l'enfoncement d'un seul immeuble, mais de toute une surface autour. (Dans cette rue, d'ailleurs, on avait pris soin d'évacuer un immeuble qui présentait des signes évidents de danger, et c'est son voisin qui s'écroula.) Peut-être s'agit-il tout simplement d'emplacements d'anciennes îles et d'anciennes cuvettes du lac. Tous les immeubles longeant l'avenue Juarez et sur la profondeur d'un pâté de maisons sont appelés à être démolis, à la main ou au plasticage calculé (5 secondes seulement, mais qui coûtent très cher). Une autre bulle, connue des habitués du centre est celle du cinéma Regis et de l'hôtel du même nom dans lesquels on devait véritablement descendre pour entrer. Ce fut un des secteurs les plus meurtriers, le feu ayant pris dans l'hôtel.

L'heure à laquelle a eu lieu le séisme a été favorable : 7 h 20 du matin. Les gens avaient quitté alors leur domicile et n'étaient pas encore dans les bureaux. Beaucoup étaient dans la rue ou dans le métro qui n'a pas souffert.

Le nombre des victimes se compta surtout dans les hôpitaux, les hôtels, les cafés, autant d'endroits occupés en permanence. Quinze nouveau-nés ont été sortis vivants après dix jours sous les décombres. Devenus un peu mascottes, la télévision vous les montrera les jours anniversaire.

A l'entrée de l'Alameda, un petit parc, celui de la Solidarité, pour effacer le drame de l'hôtel Régis et reconnaître la spontanéité et le courage de toute une population qui n'a pas attendu commentaires ou décisions pour agir.

Garder son sang-froid ? C'est difficile. En tout cas : éviter de courir dans les couloirs et les cages d'escalier. S'habiller chaudement, ouvrir le plus de portes possible et se placer sous une poutre maîtresse.

Autant de conseils qu'on a le temps de suivre. Un immeuble ne s'écroule pas d'un seul coup. Comme d'un seau que l'on transporte, il faut attendre quelque temps avant que l'eau se renverse.

Le Yucatan

Le Yucatan, est à part et différent. A commencer par les couleurs. Tout est nuancé sous ses ciels pastel. Les habitants sont bilingues sans aucune honte, depuis le paysan jusqu'au dentiste et au directeur d'école. Ils sont secrets, souriants, avec leurs visages élargis, leurs yeux en amande. Respectez leur délicatesse. Vous n'en serez que mieux reçus. Vous rencontrerez les hommes à bicyclette, avec leur casquette de base-ball et le fusil de chasse en bandoulière (ce sport remplace le foot si populaire partout ailleurs au Mexique). Les noms de village sont différents aussi.

Quand on parle de quelqu'un d'ailleurs, on dit qu'il n'est pas du pays, qu'il est Mexicain. Pendant très longtemps les familles aisées envoyaient leurs enfants faire leurs études en Europe. C'est aussi vers l'Europe que se faisait l'exportation du sisal et du bois de Campeche. On verra donc à *Merida* des immeubles de style parisien, et les calèches auront persisté plus longtemps que chez nous. La péninsule resta très longtemps coupée du reste du pays (si on s'y rend en voiture, on comprendra pourquoi). Mexico étant actuellement plus accessible, les mères de familles voient d'un mauvais œil leurs enfants y aller poursuivre leurs études. Les gens n'y ont point de manières, dit-on. Pour se préserver de la rapidité avec laquelle ces mêmes Mexicains conduisent sur les routes toutes droites de la péninsule, on a placé des *topes* (barres de béton) à la traversée de tous les villages. Il faudra en tenir compte pour ne pas surestimer sa moyenne.

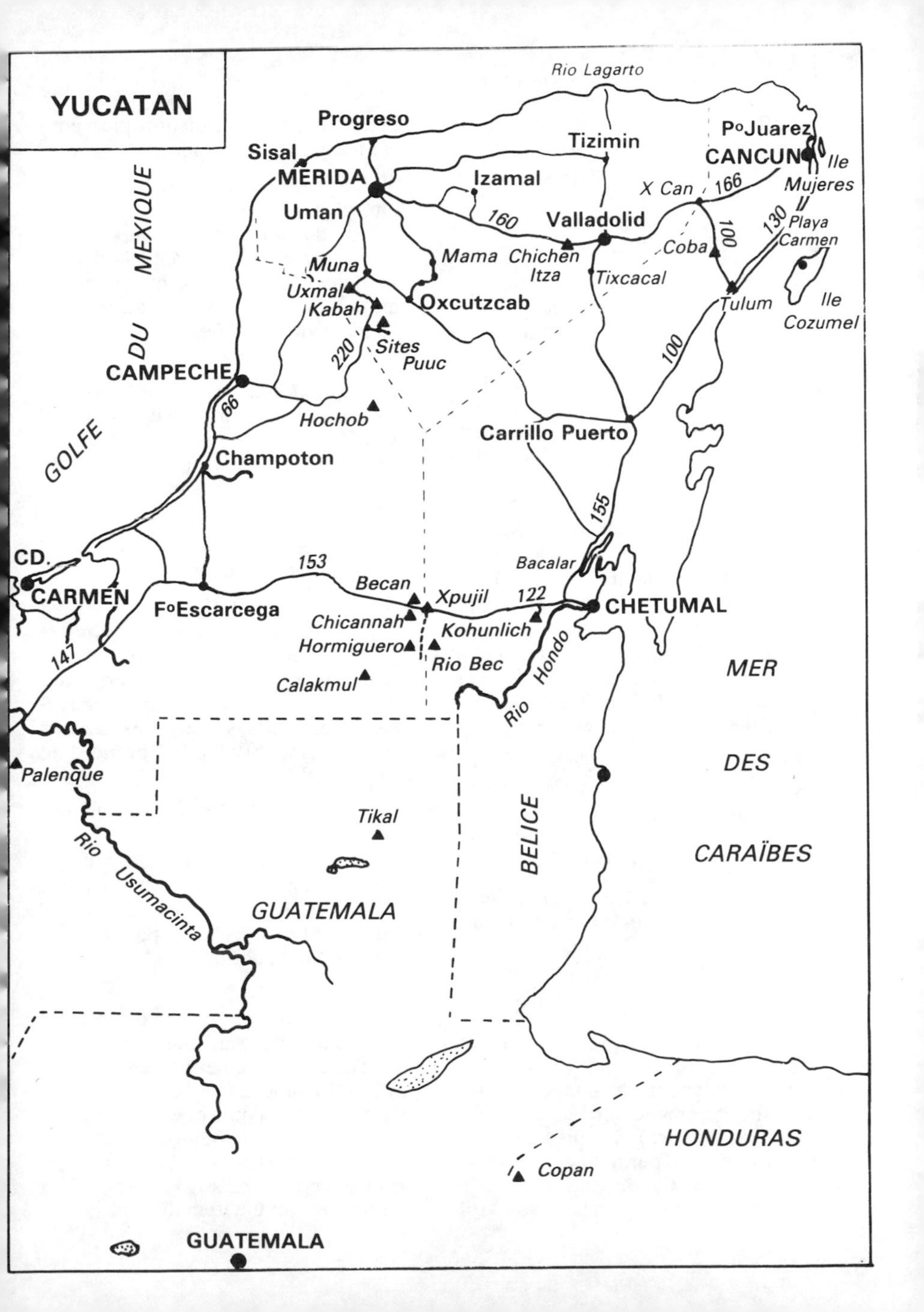
YUCATAN
Rio Lagarto
Progreso
Sisal
MERIDA
Tizimin
Po Juarez
CANCUN
Ile Mujeres
Izamal
X Can
166
Uman
160
Valladolid
100
130
Playa Carmen
Mama
Chichen Itza
Coba
Muna
Tixcacal
Uxmal
Kabah
Oxcutzcab
Tulum
Ile Cozumel
220
Sites Puuc
100
CAMPECHE
66
Hochob
Carrillo Puerto
Champoton
155
CD. CARMEN
153
Becan
Bacalar
Xpujil
122
CHETUMAL
Fo Escarcega
Chicannah
Kohunlich
Hormiguero
Rio Bec
147
Calakmul
Rio Hondo
MER DES CARAÏBES
Palenque
Tikal
BELICE
Rio Usumacinta
GUATEMALA
MEXIQUE DU GOLFE
HONDURAS
Copan
GUATEMALA

Enfin, si vous êtes pressé, oubliez le Yucatan. Vous trouverez qu'il y fait trop chaud. Il faut le temps de s'adapter pour le découvrir. Températures annuelles moyennes : Merida : 26° ; Cozumel : 25° ; Chetumal : 24°.

Le climat est troublé, au mois de septembre, par les cyclones qui viennent des Caraïbes pour se détruire au contact des côtes de ces régions. Le plus violent que l'on ait connu dans l'histoire de la météorologie, *Gilbert* qu'accompagnaient des rafales de vent de 320 kilomètres/heure et des vagues de 9 mètres de haut endommagea sérieusement l'île de Cozumel, Cancun et Valladolid (pour ne parler que des endroits les plus connus), détruisit 90 % de la récolte de maïs de cette région, 60 % de celle du Campeche, sans compter la destruction des maisons et de l'infrastructure. Le temps nécessaire à la réouverture de Cancun aura fait perdre le bénéfice de séjours de 175 000 touristes (septembre 1988).

Quand on parle du Yucatan, on a coutume de signaler toute la péninsule, ce qui peut prêter à confusion car elle comprend 3 Etats : le *Campeche,* le *Yucatan* et le *Quintana Roo.*

La géographie est très particulière. Pas un cours d'eau sur cet immense plateau calcaire. On dépend de la nappe souterraine lorsqu'on peut l'atteindre. Parfois, des effondrements laissent à découvert des puits naturels, les *cenotés,* mais le plus souvent des puits creusés profonds (*Chen* en maya) atteignent la nappe. Enfin, dans une certaine région, celle dite des Puuc (les collines), l'épaisseur de la dalle calcaire ne permet pas le creusement de puits. On dépend de citernes aménagées dans ce même sous-sol. (Cette région fut beaucoup plus peuplée à une certaine époque.)

Il faudra éviter de ne considérer que l'intérêt des sites archéologiques, qui y sont d'ailleurs très beaux. Pour aimer cette province, il faut la découvrir dans son ensemble et ne pas se limiter à courir d'un site à l'autre en se plaignant de la chaleur. On ne devra pas laisser de côté :

Les grandes haciendas de la colonie espagnole (qui s'orientaient d'abord sur l'élevage, puis sur la culture du sisal). Elles sont trop souvent délaissées au profit des sites archéologiques.

Les églises franciscaines imposantes. On les rencontre dans la plupart des villages.

Les villages mayas, avec leurs huttes en forme d'élipse, leur propreté légendaire et leur terre rouge. Au bord des puits, les femmes avec leurs robes à fleurs viennent discuter. Les enfants sont souriants. Il faudra prendre le temps de s'y arrêter.

Les côtes du Golfe qui ne sont pas touristiques. On y trouvera la solitude, les grandes cocoteraies, les villages de pêcheurs. Dans le nord du pays, certains paysages de palétuviers, et autres endroits cachés, paradis des oiseaux (voir rubrique « A à Z, nature »).

La côte Caraïbe, enfin, toute nouvelle (il n'y avait aucune route il y a 20 ans), avec la couleur turquoise que les Mayas aimaient utiliser dans leurs peintures et qu'on appelle encore le bleu maya ; la tranquillité, excepté à Cancun ; les îles et la forêt qui commence et s'épaissit vers le sud en s'enfonçant au Guatemala.

Accès

Le Yucatan n'est limitrophe qu'avec le Chiapas-Tabasco. Son éloignement obligerait à rejoindre les autres régions du Mexique par avion.

Merida et Cancun sont atteint par vols nationaux et internationaux. L'île de Cozumel de même. Chetumal, par vols nationaux seulement.

De Cancun, on rejoint Guatemala par avion, de Chetumal par autobus *via* le Belize (voir « Guatemala, accès »).

Sinon, par la route, transports de 1re classe par la compagnie A.D.O. (il faut compter 22 heures de Mexico à Merida ou Chetumal). D'autres compagnies locales sillonnent la péninsule avec, en général, des services de 2e classe.

En voiture particulière, prévoir : *Palenqué-Campeche :* 4 heures 30. *Cd. Carmen-Campeche :* 3 heures. *Campeche-Merida :* 4 heures 30 (*via* ruines). *Merida-Chichen :* 2 heures 30. *Chichen-Coba :* 2 heures 30. *Coba-Tulum :* 40 minutes. *Cancun-Tulum :* 1 heure 30. *Tulum-Felipe C. Puerto :* 1 heure. *Felipe C. Puerto-Chetumal :* 1 heure 45. *Chetumal-Xpujil :* 1 heure 15. *Xpujil-Francisco Escarcega :* 1 heure 45. *Francisco Escarcega-Palenque :* 2 heures 30. *Francisco Escarcega-Campeche :* 2 heures. *Villahermosa-Francisco Escarcega :* 4 heures.

Pour connaître le Yucatan (et en allant vite), il faut compter 5 nuits sur place. Pour connaître le nord seulement, 4 nuits (ceci sans compter un arrêt sur la plage des Caraïbes). Les parcours sont monotones, ce qui les fait paraître interminables. On appréciera mieux Merida en y restant plus d'une soirée. Il est donc difficile de proposer un circuit dans tel ou tel sens, mais pour simplifier les choses, nous effectuerons un cercle presque parfait.

CIUDAD DEL CARMEN

C'est là que les couleurs des maisons changent, après le Mexique central, elles sont plus douces. Cette petite ville a su garder son caractère et son charme malgré son évolution actuelle (s'y trouve le centre de l'exploitation du pétrole en mer). A l'un des coins du zócalo (qui comprend un très beau kiosque), une série de *comedores* ouverts tôt le matin. Bon café. Les rues alentour sont à parcourir. C'est aussi un centre de la pêche à la crevette.

CHAMPOTON

Petit, mais important port de pêche (crevette). Les barques se caractérisent par leurs marches supportant les filets. La mer, dans toute cette région, n'a pratiquement pas de fond, ce qui donne une impression curieuse de calme infini. Le village est construit à l'embouchure de l'unique fleuve de la péninsule. Les Espagnols, qui la contournaient, remontèrent ce fleuve à la recherche d'eau potable et furent pris en embuscade par des Indiens *Chontales* qui ajoutèrent leurs volées de flèches aux nuées de moustiques propres au pays. Champoton demeurera ensuite un point de départ pour la conquête du Yucatan.

Lorsque l'on vient du sud, avant de passer le pont et à gauche, un restaurant dont on recommandera le *cévit-*

ché et le cocktail de *camarones* (crevettes). On mange aussi très bien dans les cabanes, tout le long de la côte.

CAMPECHE

Il est connu pour le bois de la région, qui exporté vers l'Europe, servait à la fabrication d'une teinture gris violacé. Si on y arrive par autobus, on ne gagnera pas à rester dans les parages du terminal ou du marché (proches l'un de l'autre) mais choisir plutôt le centre colonial, assez petit du reste car il était fortifié. On trouvera la trace de mur, la plupart des fortins, et la porte d'accès à la mer. Si on arrive par le sud, suivre la route côtière pour mieux découvrir la ville jusqu'au centre (un détour nous conduira à un point de vue particulier depuis le *fort San Miguel*). On aura traversé le *village de Lerma,* grand centre de la pêche à la crevette avec ses maisons colorées le long de la rue principale, ses centres de réfrigération et puis une statue gigantesque dont le Mexique a le secret : c'est la force du travailleur qui surgit de la terre.

Pas de plage, mais une ville ancienne qui doit être parcourue à pied. Les rues et les façades ont été récemment retapées. On pourra apercevoir de beaux escaliers intérieurs comme sur la *calle 10,* entre la 53 et la 51, ou bien sur la *calle 57,* au coin du zócalo (demander tout simplement d'entrer). Le remblai sur la mer a permis la construction d'immeubles abritant les services du gouvernement de l'Etat, dont la Chambre des députés en forme de coquillage. Parmi les fortins qui demeurent *(Baluarte),* le plus central abrite un petit musée qui explique bien l'approche de ces côtes par les Espagnols, et au-delà de la cathédrale, un autre avec un petit jardin botanique dont on ne saurait trop recommander la visite. Sinon, dans le centre de la ville, le musée régional. Un étage sur les Mayas : les hommes, l'écriture et le calendrier. Belle présentation et clarté. A l'étage audessus : *Campeche* à travers son histoire (économie, bois, teinture, etc.).

Pour sortir de la ville vers le nord, et lorsque l'on est avec sa propre voiture, le mieux est de continuer sur le front de mer et de prendre à droite, le long du canal. On prendra ensuite vers la gauche (c'est bien indiqué).

Hôtellerie

Baluarte★★★ (tél. 28.94). *Presidente*★★★ (tél. 622.33), immeubles sur le remblai face à la mer. *Castelmar*★, sur le front de mer. *Lopez*★ (tél. 633.34), deux rues derrière. *Campeche,* sur le zócalo. Il ne faudra pas trop exiger de l'hôtellerie à Campeche. Il fait souvent très chaud, toujours très humide, ce qui rend l'entretien difficile.

Restaurants

Plusieurs petits restaurants sur le zócalo et sur le front de mer. D'autres dans les différents hôtels. Mais si l'on ne veut pas trop attendre : la *Parroquia,* à une rue de la cathédrale. Sans grande apparence, mais une bonne cuisine. La lenteur des gens de Campeche est proverbiale. A Merida, on ne cesse de conter des histoires belges sur leur compte (Campeche fut pendant très longtemps le seul débouché de la péninsule, et l'esprit commerçant est resté). Les maisons cossues sont sans jardin, les rez-de-chaussée étant occupés par des magasins.

En allant de *Campeche à Merida par la route des sites* on rencontre *Edzna,* au passage. Un site assez particulier et que l'on pourrait rattacher au style chen. Il est important, surtout historiquement, pour sa richesse agricole. La région fut le grenier des Mayas, dit-on. Elle a toujours été le centre de la culture de l'arachide (cacahuète est un mot mexicain). La terre noire et riche reste encore particulièrement fertile. Un plan de mise en valeur récent inclue l'installation volontaire de réfugiés de la guerre au Guatemala. L'éloignement de leur frontière (700 km) est compensé par la dignité d'un travail et l'assurance d'un futur plus épanoui (leurs enfants seront Mexicains). Dans toute cette région, on remarquera les noms de village se terminant par Chen (le puits).

LES SITES PUUC

Sayil, Xlapak, Labna

Trois sites archéologiques (prévoir 2 heures 30). Petite route asphaltée de 17 km, indiquée et tracée de façon à laisser ces sites à leur tranquillité. Autant que possible, on réservera *Sayil* pour la fin de l'après-midi.

Il s'agit de trois petits sites de pur style Puuc dont la caractéristique est la décoration de façades avec des colonnettes qui symbolisent les barres de bois des huttes, les masques du dieu de la Pluie, Chac avec son grand nez ; les colonnes galbées et les portes pas toujours très verticales (Puuc signifie colline, caractéristique de la topographie du pays).

Labna. Au sud du site, un groupe dont on remarquera surtout la proportion heureuse de l'arc qui faisait partie d'un bâtiment séparant deux cours. Au-delà, une pyramide avec un temple qui était surmonté d'une crête dont il reste peu de choses. Au nord, un groupe de bâtiments autour de différentes cours. On y découvre toute l'ornementation et le raffinement de l'art puuc (serpents, formes géométriques, colonnettes, masques de Chac).

A *Xlapak* il y a moins à visiter, mais on retrouve cette même décoration architecturale sous un autre angle.

Sayil. Il faut essayer de le découvrir sous le soleil de fin d'après-midi. On restera rêveur sur l'équilibre et les proportions du style puuc. Car, à ce moment, il s'agit vraiment de découvrir le palais de sa clairière : tout un jeu de portes, d'étages, d'accès et de décorations en contrepoint. Il s'en dégage beaucoup de calme. On verra le dieu descendant (comme plongeant entre deux gueules de serpent).

Ces trois sites, qui peuvent paraître se répéter au premier abord, nous offrent en fait, une information visuelle complète grâce à cette répétition dans des contextes différents (il faut imaginer le tout stuqué et peint). Enfin, c'est une excellente introduction à la visite de *Kabah* et d'*Uxmal.*

Kabah

(Prévoir 40 minutes pour la visite.) Le site est très étendu, mais la seule partie visitable se trouve sur le bord de la route, des deux côtés. A l'est se trouve une façade complètement couverte de masques du dieu Chac. Une stèle assez brute, en bas de l'escalier d'accès à la terrasse. Sur cette dernière, on remarque une surface de récupération d'eau. Le sous-sol est creusé là en forme de bouteille, puis recouvert d'une chape de stuc. Ces réserves d'eau de pluie, les *chultuns,* devaient être bien calculées, tant dans leur dimension que dans leur répartition, pour permettre aux habitants de tenir en fin de saison sèche. Elles sont, en effet, la seule ressource dans cette région où la hauteur relative ne permet pas le creusement de puits. Le mode d'utilisation de ces réserves est étudié actuellement par des archéologues français qui travaillent dans la région.

Quant à la façade de masques du dieu de la Pluie, et pour mieux observer leur figuration, on se mettra dans l'angle à droite, car peu d'entre eux demeurent entiers. Le nez part vers le bas et rebique. Au-dessous, apparaissent les mâchoires inférieures et supérieures avec leurs crocs. Sur les côtés, les ornements d'oreilles stylisés de forme carrée et au-dessus, les yeux. Par un jeu de chevauchements, l'oreille gauche de l'un devient la droite de l'autre. Même chose de bas en haut. Tout s'imbrique et forme une mosaïque (ces masques sont une réduction d'un motif plus ancien que l'on trouve dans le style chen, au sud du Yucatan et qui se combinait avec l'entrée d'une porte).

Pour accéder à l'intérieur des pièces, on doit marcher sur un masque aussi, cette fois enroulé comme une natte (d'où le nom de *Codz Pop* natte enroulée), celle-ci symbolisant la réception à un certain niveau. C'est notre tapis rouge. Encore de nos jours, des Indiens mayas retirés dans la montagne offrent le chocolat du jeudi saint sur une natte qu'ils déroulent à cet effet, alors que le reste du temps ils prennent leur repas sur une petite table.

Après avoir contourné ce grand édifice (à gauche en regardant la façade) on passe en contrebas près d'un autre dont on observe bien deux étapes de construction. Un peu plus loin, on arrive à une place dont n'a été restauré que le bâtiment le plus à l'est, le plus haut. Deux étages ou étapes de construction, l'accès de l'un passant au-dessus de l'autre. La place est pratiquement fermée et se situe sur une terrasse surplombant le terre-plein d'en bas. On ressent un effet d'isolation. Cette place est une initiation à ce qui nous attend à Uxmal.

De l'autre côté de la route, quelques minutes de marche nous conduisent à une grande arche située sur une terrasse artificielle qui se continue vers Uxmal. Il s'agit d'un *Sac Bé,* une voie absolument droite, et de celles qui rejoignaient les centres religieux. Les Mayas ne connaissant pas la roue, il faut éliminer l'hypothèse du véhicule, et quant à la marche à pied, le climat fait plutôt choisir les sentiers ombragés. Il est plus raisonnable de penser au défilé de processions ou de délégations d'ambassade. On imagine avec quel faste.

De Kabah à Uxmal prévoir 20 minutes. Possibilité de se restaurer et de coucher soit à l'entrée des ruines, aux *Villas Arqueologicas**** (tél. à Mexico 514.49.95) soit de l'autre côté de la route à l'*Hacienda Uxmal*** (tél. 487.22 et 488.92 à Merida), *Mision***, en haut de la côte. A l'entrée du site, on vend des oranges prêtes à être consommées suivant la coutume du pays, avec du sel mélangé à du piment. C'est à essayer. L'orange y gagne en saveur.

UXMAL (Prévoir 1 heure 30 de visite.)

On restera étonné de l'équilibre dans la répartition des places ou édifices et de la proportion de chacun. Vestiges de pierre rose, décorations souvent bien conservées ou bien restaurées, espaces enfin, font d'Uxmal le « Versailles » des Mayas.

Pyramide

A l'entrée, on se trouve derrière la *grande pyramide,* de curieuse forme elliptique. Pour ceux qui veulent monter, mieux vaut s'attendre aux effets de vertige au moment de se retourner (la chaîne est prévue à cet effet). C'est l'escalier le plus raide du Mexique. De l'autre côté, en bas, on a une vue sur le reste du site, comme sur l'autre façade de la pyramide, avec ses différentes périodes : la période chen, ancienne, avec le masque de Chac qui se répète le long de l'escalier et autour de la porte du temple du dessus. En bas, on remarquera que cet escalier chevauche un ancien bâtiment plus ancien. D'autres escaliers accèdent au temple le plus haut, plus tardif bien sûr, et de nette influence mexicaine (toltèque).

Cour des Nonnes

On continue pour pénétrer *place des Nonnes* (nom donné arbitrairement à cause de la succession des portes). On retrouve la même idée de fermeture que sur la place de Kabah, ainsi que les différentes positions en hauteur (trois plans différents). Cette hiérarchie, combinée aux motifs décoratifs de chaque bâtiment, permet d'admettre la fonction de chacun. Nous sommes dans le centre politique et administratif d'une grande cité.

En contrebas, le bâtiment du sud concerne la paysannerie. On remarquera la sobriété voulue de cet édifice, avec la représentation de huttes et de masques du dieu du Maïs. C'est par l'ouverture, en son centre, que l'on accède normalement à la place en découvrant, en face, le bâtiment le plus somptueux qui pouvait abriter la plus haute administration. Au niveau intermédiaire, on pourrait parler du bâtiment des Arts et des Lettres à l'ouest et de celui des Sciences pour celui situé à l'est.

En regardant le bâtiment ouest, on pourra observer le parcours des serpents en partant de leur tête. Chacun vient s'entrecroiser avec un autre venant de l'opposé, monte, s'en sépare pour terminer par les sonnettes couronnées d'un dais (on retrouve la même idée sur la façade du *temple de Quetzalcoatl* à *Teotihuacan* quand le serpent passe derrière les masques du dieu Tlaloc). Ici, il passe derrière le masque de Chac. On remarquera sur cette même façade un visage de Bacab, édenté, sur une carapace de tortue. C'est un des anciens qui portaient le monde.

Quant au bâtiment qui lui fait vis-à-vis, c'est tout différent. Les éléments de décoration sont essentiellement géométriques : de longues barres terminées par des têtes de serpents. Six fois huit barres, plus quatre têtes de serpents (aux extrémités du bâtiment), on retrouve ainsi le chiffre de 52. Autant d'années au bout desquelles le calendrier solaire rejoignait, à zéro, le calendrier lunaire.

Le grand bâtiment du haut est particulièrement décoré. Les huttes mayas ne sont plus seules, mais entourées de personnages et d'animaux. Les masques de Chac sortent à profusion. C'est la splendeur.

En sortant de la cour, par le passage en fausse voûte, on longe le jeu de balle, et l'on monte sur une immense terrasse aménagée. Du *palais des Tortues* (on comprendra son nom en observant la frise), au bord de la terrasse, on prendra le temps d'admirer la *cour des Nonnes.* C'est de là qu'on apprécie le mieux son espace.

Puis on longe la partie arrière du *palais du Gouverneur.* A droite, à travers les fourrés, des bâtiments plus anciens, de style chen, en partie recouverts. De là, on voit une frise de l'ensemble appelé le *Pigeonnier.* On contournera alors le palais.

Palais du Gouverneur

Pour apprécier ce chef-d'œuvre d'architecture, il faut s'en éloigner le plus possible, passer au-delà d'un petit autel (Chac Mool), et s'approcher du bord de la terrasse. On verra alors que l'équilibre est dû à ce que la plus grande importance fut donnée à la partie décorée, celle du dessus, au détriment de la partie utile. Le contraire aurait rendu la longueur de cet édifice exagérée. Même chose pour la cour des Nonnes. Pour le palais du Gouverneur non plus, pas un espace n'a été délaissé : personnages, chaumières, serpents, masques de Chac, ornements géométriques...

Le plus visible de ce site est du xe siècle, mais il fut occupé avant et après. C'est l'Américain Stephens qui en parle déjà au cours de ses randonnées au milieu du siècle dernier. Franz Blom y travailla dans les années 1930 et des travaux locaux de restauration furent exécutés dans les années 1940. Il existe un spectacle « son et lumière ». On aimerait savoir ce qu'en pensent les architectes mayas.

D'Uxmal à Merida on entre dans la zone de culture du sisal (hennequen) et qui se terminera au centre de la péninsule. A *Yaxcopil,* entre Uman et Muna, on remarquera une hacienda restaurée dont il ne faut pas manquer la visite, car la plupart de ces anciens bâtiments, nombreux au Yucatan, sont par ailleurs dans un état lamentable. On aura l'idée de l'importance d'une telle entreprise ; l'intégration de bâtiments de maîtres avec ceux abritant les machineries (on voit les cheminées), et les aires de traitement de la fibre. Le porche est de style mauresque souvent rencontré dans la région. Les salons sont d'une élégance naïve.

Uman et *Muna* sont les villages caractéristiques du Yucatan, étendus, avec leurs églises franciscaines, qui ressemblent à des forteresses.

MERIDA (niveau de la mer)

La mal-aimée. C'est parce qu'on y arrive en général en fin de voyage et fatigué. Il y fait très chaud (c'est la température moyenne la plus élevée, avec celle d'Acapulco). On se précipite au marché alors que partout ailleurs il en existe d'autres qui offrent le même artisanat. A *Valladolid,* par exemple, on trouvera le cuir. Du marché d'artisanat de Merida, on retiendra les sandales en peau de chevreuil *(venado),* et dans une boutique spécialisée, les hamacs (il vaut mieux

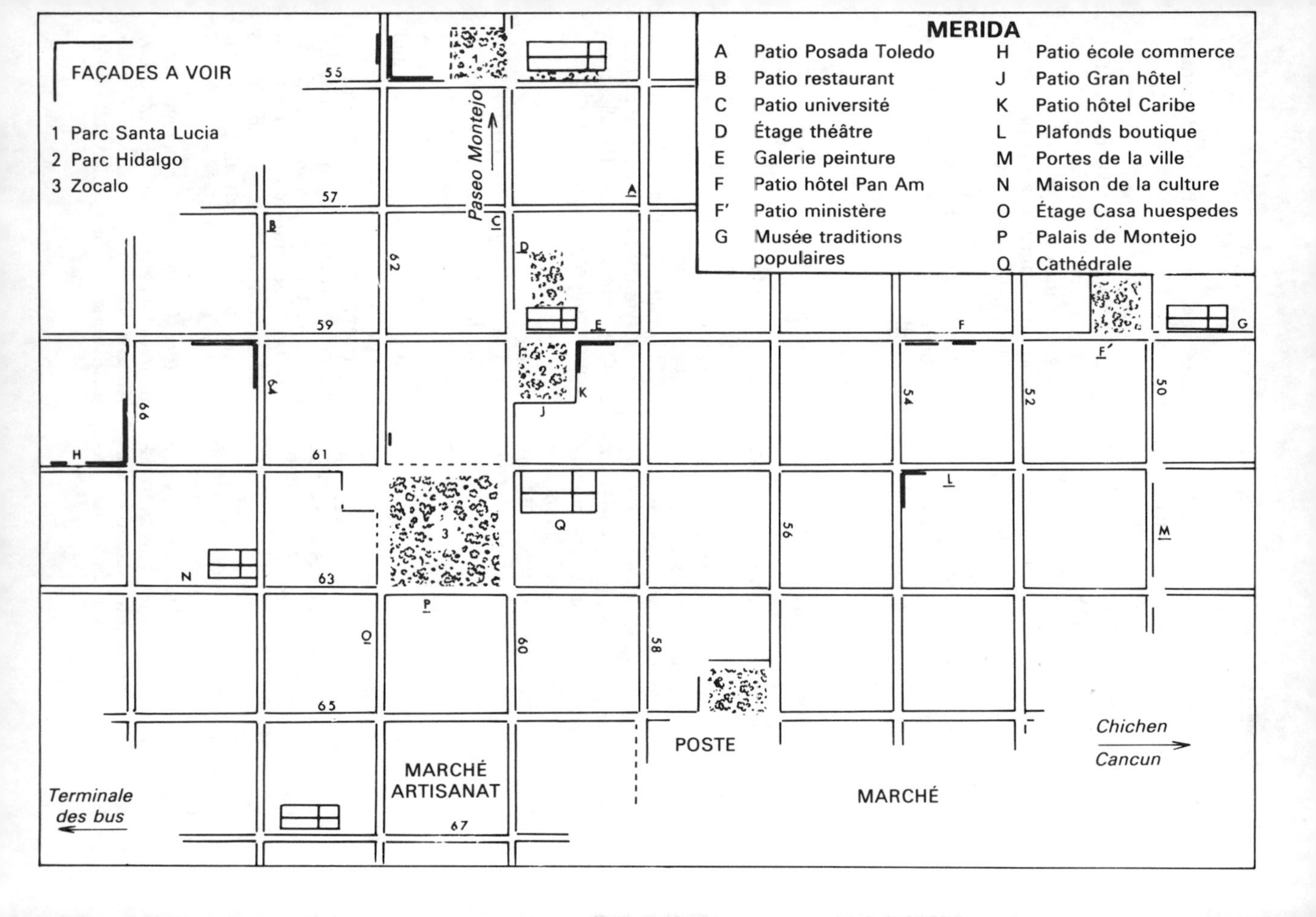
MERIDA
A Patio Posada Toledo
B Patio restaurant
C Patio université
D Étage théâtre
E Galerie peinture
F Patio hôtel Pan Am
F′ Patio ministère
G Musée traditions populaires
H Patio école commerce
J Patio Gran hôtel
K Patio hôtel Caribe
L Plafonds boutique
M Portes de la ville
N Maison de la culture
O Étage Casa huespedes
P Palais de Montejo
Q Cathédrale
FAÇADES A VOIR
1 Parc Santa Lucia
2 Parc Hidalgo
3 Zocalo
Paseo Montejo
55
57
59
61
63
65
67
50
52
54
56
58
60
62
64
66
POSTE
MARCHÉ
MARCHÉ ARTISANAT
Chichen
Cancun
Terminale des bus

les prendre le plus grand possible car pour bien dormir on doit coucher en travers ; ne pas oublier d'acheter les cordes). Mais dans ce secteur de la ville la chaleur dégagée par les véhicules s'ajoute au bruit et à la bousculade. Les commerçants y sont particulièrement tenaces.

Si l'on veut apprécier Merida, il faudra éviter le sud-est du zócalo. Voir l'intérieur du *palais du Gouvernement* avec ses fresques, et le *salon du premier étage.* A côté du palais municipal, ont lieu fréquemment les répétitions du ballet folklorique, un spectacle local et bon enfant. Un peu plus loin, la *Casa de la Cultura,* avec souvent des représentations. Les habitants de Merida s'y prêtent facilement, et pour eux-mêmes. Une cafétéria, bibliothèque, magasin d'artisanat. Le tout dans un couvent restauré. De l'autre côté du zócalo, le *parc Hidalgo* avec ses terrasses de café, les longues queues pour se rendre au cinéma (malgré la télévision, les habitants de Merida continuent de fréquenter le cinéma). Sur le *parc de Santa Lucia,* des danses folkloriques le soir (s'informer, car les jours changent). Et dans tout ce secteur, des boutiques ouvertes assez tard.

Pour le reste à visiter dans le courant de la journée, on trouvera un plan indiquant des vestiges de ce que dut être la ville à sa grande époque. Les voitures bruyantes et fumantes ont remplacé les calèches (on s'en apercevra car on vit portes et fenêtres ouvertes). Merida n'a pas su respecter son passé (comme Colima par exemple). Il faudra l'accepter dans sa transformation permanente, s'adapter aux horaires et rechercher ses valeurs cachées (ne pas hésiter à demander d'entrer).

Un quartier un peu excentrique, celui du *Paseo Montejo,* est intéressant à parcourir (en voiture, car il est assez loin du centre et étendu). Au départ, des immeubles à la parisienne dont un abrite le *musée d'Anthropologie,* et de vieilles demeures délabrées. Ailleurs, le *musée d'Art populaire* complètera une bonne connaissance de la ville.

Hôtellerie

*Montejo*** (tél. 116.41) et *Merida Mision*** (tél. 23.95.00), sur le Paseo Montejo. *Maria del Carmen** (tél. 111.27), calle 63, à trois rues du zócalo. *Cayre** (tél. 360.24), calle 70, à quatre rues du zócalo. *Caribe** (tél. 192.32), sur la place Hidalgo ; un endroit sympathique. *Gran Hôtel* (tél. 176-20), sur la place Hidalgo ; on recommandera de visiter le patio.

Cuisine

Ne pas manquer de goûter à la cuisine locale, comme le *pollo* ou la *cochinita pibil* (cuits à l'étuvée entre des feuilles de bananiers et rehaussés d'*achioté,* une épice qui donne une couleur brique). Le chevreuil *(venado)* relevé de citron et d'oignons. Le *poc-chuc :* émincé de porc à la braise et relevé. La *sopa de lima* (soupe de tortillas avec tranches de fruits au parfum de fleur d'oranger). Enfin, les *tamales,* qui sont particulièrement savoureux au Yucatan.

Hôtel Caribe, salle à manger intérieure et cafétéria sur le parc. *Los Almendros,* où l'on fait de bonnes tortillas (sur le parc entre calle 50 et

52/calle 59. Restaurant *libanais* au coin du parc Santa Lucia.

Les boissons. On notera des établissements de vente de jus de fruit (California). L'un d'eux par exemple, sur le zócalo, au coin opposé à la cathédrale (voir « Nourriture »).

A 10 km au sud de la ville, un village, *Kanasin* où l'on va le soir manger les plats typiques.

Transport. Le terminal des bus se trouve à l'angle des calles 70 et 67. Pour gagner la plage de Progreso : calles 62 et 67.

Autour de Merida

Voici un circuit circulaire proposé pour connaître le cœur de la région : *Acanceh, Tekit, Mama, Mani, Oxkutzcab, Ticul;* 200 km environ qui permettent de connaître une fabrique de sisal, de visiter d'anciens couvents et de voir au passage un marché très achalandé (prévoir de prendre un repas à Ticul).

Acanceh : un petit site archéologique sur la place même du village et un atelier de traitement de la fibre de sisal suivant la méthode ancienne et dans les installations d'une ancienne hacienda. Puis le long de la route, des *couvents franciscains* comme à *Tekit* et *Mama* (demander la clef au besoin). Une excellente occasion de se promener dans un village maya (dire que l'on est venu visiter le couvent). C'est à *Mani,* capitale indigène au moment de l'arrivée des Espagnols, que furent brûlés de nombreux livres mayas par l'évêque de l'époque. *Oxkutzcab,* au centre d'une région agricole, est le siège d'un marché important.

Ticul : artisanat de broderies, de poteries, sandales et le restaurant *Los Almendros* où l'on goûtera aux meilleures tortillas (cuites au fur et à mesure de leur consommation), et à toutes sortes de plats cuisinés à la manière paysanne.

Sur la route de Progreso, *Dzibilchaltun* est un site archéologique à visiter plus pour la nature et la beauté du cenoté que pour l'architecture. Y passer un moment permet de goûter la tranquillité de ce site qui connaît peu de visites.

La route de Mérida à Chichen Itza traverse de nombreux villages protégés par les *topes* qui obligent à ralentir. A l'entrée de *Hoctun* (la bifurcation pour Izamal), un cimetière. Si les cimetières sont l'expression la plus vraie du subconscient, celui-ci nous enseignera sur l'état d'âme du Yucatèque. A *Izamal,* resté très colonial, un immense monastère franciscain du XVIe siècle qui remplaça, à cette époque-là, les temples mayas encore en service. Depuis le site visitable, une vue saisissante sur le monastère et sur le village entourés de brousse. Fêtes le 15 août et le 8 décembre.

Dans les villages suivants, on peut s'arrêter pour visiter l'église ou la place, faire connaissance avec les gens dans les ruelles (le contact avec la population dépendra essentiellement de notre comportement. Il n'y a pas de recette).

CHICHEN ITZA

Sur le site même, *Mayaland**** (tél. 450.11 et 487.22 à Merida), le plus bel hôtel du Mexique dans un parc superbe. La grande hôtellerie des années 1930, adaptée au climat et sans air

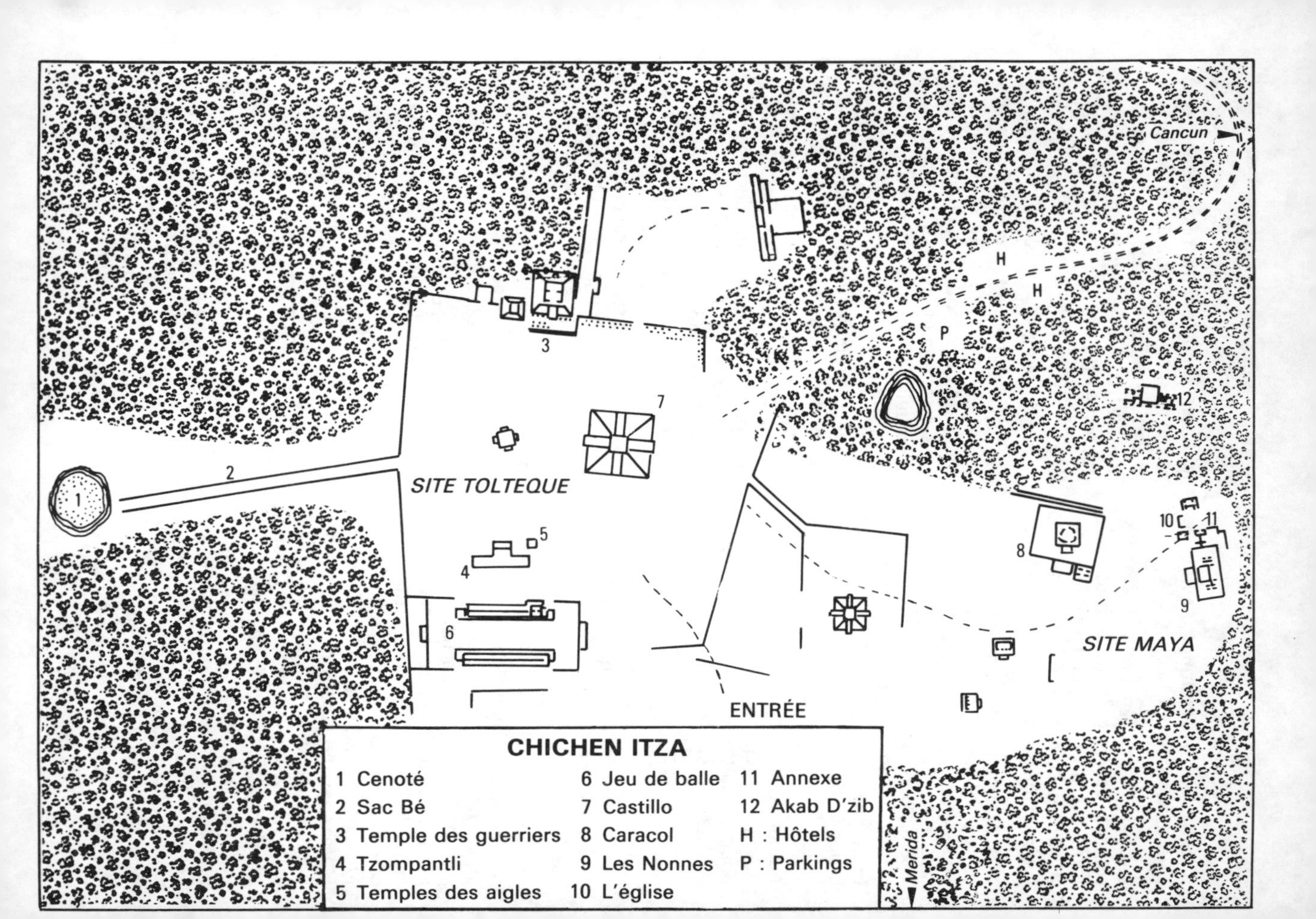
Cancun
H
H
P
3
7
12
2
1
SITE TOLTEQUE
5
4
6
8
10
11
9
SITE MAYA
ENTRÉE
Merida
CHICHEN ITZA
1 Cenoté
2 Sac Bé
3 Temple des guerriers
4 Tzompantli
5 Temples des aigles
6 Jeu de balle
7 Castillo
8 Caracol
9 Les Nonnes
10 L'église
11 Annexe
12 Akab D'zib
H : Hôtels
P : Parkings

conditionné. Un service de salle à manger des plus raffinés. On lui reprochera son deuxième étage qui se voit d'un peu trop loin. *Hacienda***, en face, très agréable (pour rêver au passé). *Villas Arqueologicas****.

A *Pisté,* sur la route et à 3 km à l'ouest du site, nombreux hôtels et restaurants.

Il y a, en fait, deux sites archéologiques à Chichen Itza. Quatre siècles les séparent. On devrait commencer par le plus ancien, le maya (du VIIe siècle environ). Sinon, en entrant directement sur le site toltèque (XIe), on ne manquera pas d'être saisi par son importance. On peut très bien contourner le site pour stationner de quelque côté que l'on veuille. Près du stationnement de l'est, par exemple, on pourra visiter les jardins des hôtels situés à l'intérieur du site.

Le site toltèque nous rappelle étrangement celui de Tula au nord de Mexico (on pense, en fait, que c'est bien le roi Quetzalcoatl, chassé de Tula, qui fonda le Chichen de cette époque). On y retrouvera le côté guerrier et le grand jeu de balle fermé (il y en a 8 autres), les serpents à plumes formant piliers, les jaguars et les aigles qui consomment les cœurs humains, les *chac mool* (autels constitués d'un personnage couché et redressant la tête qu'il tourne vers vous avec un regard d'aveugle), enfin les atlantes, mais en plus petits.

Le Castillo : 91 marches par escaliers, plus la marche d'accès au temple, nous donnent les 365 jours de l'année. Calcul sans doute aisé à faire, mais le plus surprenant est l'effet produit sur un des escaliers (celui du nord) aux équinoxes. En septembre par exemple, le soleil à son coucher éclaire la tête de serpent située en bas d'une des rampes de l'escalier nord. Puis en continuant sa course, il éclaire la rampe elle-même, alors qu'apparaissent des ombres projetées par les gradins de la pyramide. Le serpent à sonnettes, avec ses triangles caractéristiques, s'illumine pour finalement disparaître en quelques secondes (un coup de chapeau aux architectes et astronomes mayas, mais aussi aux archéologues mexicains et américains qui se sont chargés de la restauration de ce monument dans les années 1930). Il y a encore peu de temps, les scientifiques souriaient à l'idée de cette découverte qui attire maintenant beaucoup de curieux.

Si l'on ne souffre pas de claustrophobie, on peut pénétrer à l'intérieur par un tunnel laissé par les archéologues. On y découvrira une construction plus ancienne avec, au sommet, un trône rouge en forme de jaguar, aussi saisissant que le chac mool du premier plan (entrée en bas, au nord-ouest).

Le jeu de balle : imposant, sévère, grandiose comme le reste. A certaines heures de la journée se détachent les sculptures qui ornent les murs en talus. On y remarquera l'arrivée des joueurs. L'un d'eux est décapité et son sang jaillit en serpents (*cf.* le musée de Jalapa dans le Veracruz) et en guirlande de fleurs. Un autre joueur tient une tête et, de l'autre main, le couteau de sacrifice (les guides ont la fâcheuse habitude de troubler la visite de ce jeu de balle en claquant des mains pour faire remarquer l'effet d'écho — évident — comme si ce monument avait été construit à cet effet).

Le temple des Jaguars. Il se trouve sur un côté du jeu de balle ; est accessible par le côté extérieur. Les colonnes sont des serpents à plumes, et à l'intérieur, une peinture relate un combat entre Mayas et Toltèques.

Le tzompantli, au nord du jeu de balle caractéristique des constructions aztèques et toltèques, avec la frise de crânes, et à côté, un autel avec des reliefs représentant aigles et jaguars dévorant des cœurs humains. Puis l'autel dédié à la planète Vénus.

Le cenoté. On y accède par un *Sac Bé* (allée construite en surélévation pour les défilés cérémoniels). Le cenoté de Chichen est un exemple d'effondrements de la plaque calcaire du Yucatan. On y a découvert les squelettes de plusieurs hommes, femmes et enfants qui furent certainement sacrifiés au dieu de la Pluie (à chacun de déterminer qui des victimes était vierge, ce détail étant souvent mis en relief par les guides). Beaucoup de bijoux en pierres ou métaux précieux. Les recherches ont été menées au début du siècle par Edward Thomson, consul des Etats-Unis et pour le compte de Peabody Museum. D'autres explorations dans les années 1960 ont permis de trouver d'autres offrandes. Toutes celles exposées au musée de Mexico ont été volées dernièrement.

Le temple des Guerriers. En bas, les colonnes carrées et gravées de personnages au profil mexicain et non plus maya. En haut de l'escalier, des porte-étendards, expression artistique toltèque comme le chac mool qui nous attend à l'entrée, impressionnant dans son mutisme. Derrière lui, les deux colonnes formées par des serpents, tête en bas. Au fond, une salle, puis une autre plus secrète où l'on imagine une réunion : le personnage important assis sur la table du fond centrale, rendue confortable par des peaux de bêtes et des cotonnades. A l'extérieur de ce bâtiment, des motifs de Chac et des têtes de serpent. Mais les têtes humaines entre les mâchoires indiquent l'association des deux cultures : celle des Mayas et celle des Toltèques.

Vers le site maya. *Le Caracol,* monument appartenant au site toltèque (comme la pyramide qui se trouve en cours de chemin), est aménagé pour observer équinoxes et solstices, ce qui démontre sa fonction d'observatoire.

En continuant, on se trouve dans le site maya classique. *L'édifice des Nonnes.* Un Français, voulant sans doute illustrer son nom (M. Le Plongeon), utilisa comme méthode de recherche archéologique la dynamite. Il est ainsi l'auteur de ce trou béant qui mit à jour un corps antérieur de ce bâtiment. Sur l'annexe, qui le prolonge, on reconnaît la décoration de façade propre au style chen. Poursuivant toujours vers la gauche, on longe un édifice carré, *l'église,* intéressant à observer dans tous ses détails. Certains des masques de Chac portent encore la tige centrale de l'ornement d'oreille que certains voient phallique. Les quatre *Bacabs,* porteurs du ciel, inscrits dans deux cadres carrés et représentés sous forme de crabe, tatou, escargot et tortue. En continuant un peu plus loin, on atteint le centre d'une petite place. En se retournant alors, on verra la façade de l'extrémité de l'annexe des Nonnes, spécifiquement chen avec la bouche du dragon qui entoure la porte. Nombreuses décorations du masque Chac.

Balancanche

En prenant la route vers Valladolid, bonne piste de quelques kilomètres à partir du km 6. Visites guidées à chaque heure : 9 h, 10 h, 11 h, 13 h et 14 h. Une grotte assez impressionnante. C'est l'entrée de l'infra-monde par un *cenoté* dont on ne perçoit pas les limites. Un endroit caché et d'offrandes de l'époque toltèque. Tout est en place. On se trouve dans une sphère naturelle avec au centre, des stalactites et stalagmites. Dans la deuxième salle, une ligne de pierres à moudre de petites dimensions. C'est l'offrande à la Terre, à la Déesse-Mère. La visite est gênée par la chaleur des lampes et l'humidité environnante, mais c'est l'occasion de ressentir un côté secret de la religion maya.

VALLADOLID

Du temps de la colonie, ce fut la rivale de Merida dont elle était isolée. C'était le point final de la colonisation d'où partait une percée nord-sud (installation d'haciendas). La ville garde un certain caractère, mais elle ne sera jamais remise des blessures dues à la guerre des Castes. Deux kilomètres avant, bifurcation pour le cenoté de *X. Keken,* village de *Dzitnup*. Un détour qui vaut la peine.

Hôtellerie

*Meson del Marques*** (tél. 620.73). *San Clemente** (tél. 620.65). *Zaci* (tél. 621.67).

Sur la route de Valladolid à Tulum (par Puerto Juarez). Cancun présente l'avantage de cristalliser le tourisme au bénéfice de la tranquillité des plages des Caraïbes. Le coût de la vie y est particulièrement élevé, et si l'on tient compte de cet inconvénient, le mieux sera de se rendre à *Isla Mujeres* (bateaux depuis Puerto Juarez, à 4 km, et ferryboat depuis Punta Sam, à quelques km plus au nord encore). On n'a pas besoin de sa voiture sur l'île. Chercher un endroit pour la parquer en sécurité. L'avantage des bateaux sur le ferry est la plus grande souplesse dans leurs heures de départ.

ISLA MUJERES

Cette île sait rester l'endroit de pêcheurs, et les habitants, ne font pas toujours cas de vous. Hôtels de différentes catégories et rassemblés. Un particulièrement agréable, *Posada del Mar*** (tél. 201.98 ; tél. à Mexico 511.90.58). Des restaurants de prix très variés aussi. Un petit zócalo, une certaine vie intérieure, et un magasin de bijoux de grande classe (en face de la jetée). On vous proposera des excursions et l'on peut se rendre sur les plages rapidement en taxi. En général aucune sophistication touristique.

CANCUN

Toute information sur cette région ne pourra être sûre qu'après sa remise en état à la suite du terrible cyclone qui la détruisit en septembre 1988.

La construction de la ville est assez récente. Si l'on n'y reste pas, on recommandera la visite de la zone

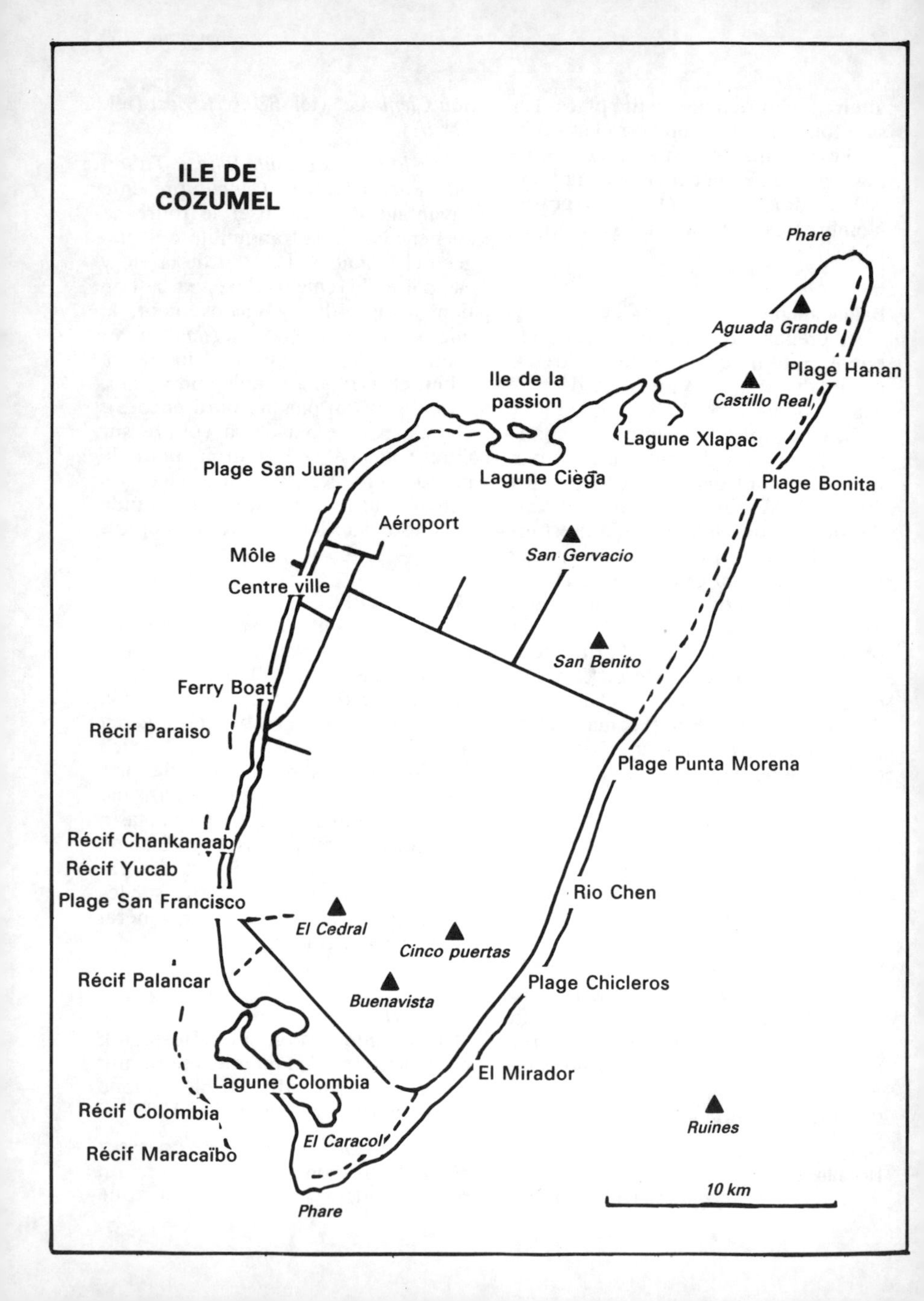
ILE DE COZUMEL
Phare
Aguada Grande
Plage Hanan
Ile de la passion
Castillo Real
Lagune Xlapac
Plage San Juan
Lagune Ciega
Plage Bonita
Aéroport
Môle
San Gervacio
Centre ville
San Benito
Ferry Boat
Récif Paraiso
Plage Punta Morena
Récif Chankanaab
Récif Yucab
Rio Chen
Plage San Francisco
El Cedral
Cinco puertas
Récif Palancar
Plage Chicleros
Buenavista
El Mirador
Lagune Colombia
Récif Colombia
Ruines
El Caracol
Récif Maracaïbo
10 km
Phare

hôtelière (possible en autobus urbain) où l'on a tâché de garder un certain caractère pour unir les différentes architectures à la beauté particulière du sable, de la mer et des lagunes.

Sur la route qui conduit à Tulum, différentes plages assez protégées du fait que la route passe à 2 ou 3 kilomètres de la côte. *Cabañas Laffitte****, avec un nombre de chambres réduit. Tranquillité. Ne reçoit que sur réservation (tél. de Merida 304.85 et 371.42). De petits hôtels dans les alentours. A *Playa del Carmen,* la plage, différents hôtels, arrêt d'autobus, ferryboat et avionnettes pour l'île de Cozumel. *Xel Ha* (prononcez *Tchel Ra*) est un site naturel classé. Un des rares endroits où l'on peut photographier les poissons de couleur sans avoir besoin de plonger (Xel Ha, comme Tulum, peuvent être envahis de touristes, car ce sont les endroits proches de Playa del Carmen où s'arrêtent parfois les bateaux de croisière). On notera le long de cette route des objets les plus hétéroclites (pneus, têtes de poupées, jerricans en plastique, etc.) apparaissant en bordure de forêt, accrochés à une branche. Ils signalent l'aboutissement d'une brèche qui relie à la civilisation moderne des villages-clairières, jaloux de la tradition cachée là depuis des siècles (sur cette route monotone ces objets sont les meilleurs points de repère à indiquer au chauffeur d'autobus).

Hôtellerie

Il est délicat de recommander un hôtel dans la ville de Cancun toujours en construction. De plus, les prix ne suivent pas les contrôles du gouvernement et ne présentent aucune comparaison avec le reste du pays. *Presidente***** (tél. 302.00). *Camino Real***** (tél. 301.00). *Club Méditerranée***** (tél. 429.00). *Aristos**** (tél. 300.11). *Dos Playas**** (305.00). *Playa Blanca**** (tél. 303.44). *Playa Caribe**** (tél. 307.00). *Canto** (tél. 412.67). *Colonial** (tél. 415.35).

COZUMEL

Cette île est l'opposée d'Isla Mujeres. On est pris dans une entreprise essentiellement touristique. On vous y parle en anglais, les prix sont affichés en dollars, mais les fonds clairs font de Cozumel le royaume de la plongée sous-marine.

La mer y est très belle. La promenade à bicyclette (on peut en louer) permet de traverser des paysages de forêt. Le site archéologique de *San Gervacio* à une vingtaine de kilomètres du village est un sujet de promenade. Il s'agit de vestiges de l'époque postclassique (celle de Tulum) quand les navigateurs putuns introduisaient la civilisation mexicaine chez les Mayas après avoir contourné la péninsule du Yucatan.

Hôtellerie

*Presidente***** (tél. 203.22). *Cabanas del Caribe***. Mayan Palace**** (tél. 204.11). *Mara**** (tél. 203.00). *San Miguel** (tél. 203.23).

TULUM

Pour aimer le site, il faut l'aborder avec son maillot de bain, oublier le contexte de l'entrée, éviter les guides qui vous retiendront des heures à l'entrée (en oubliant que la beauté du site s'apprécie depuis la falaise) et descendre sur la petite plage. En nageant, on se rappelera que c'est la première ville du continent que les Espagnols aperçurent depuis le large. Leur étonnement les incita à la comparer à Séville (c'est certainement exagéré. Mais ces marins en étaient partis depuis longtemps).

Tulum est un petit site. La mauvaise qualité de la pierre calcaire de l'endroit ajoute à son caractère décadent, amusant dans sa naïveté. On trouvera un vague rappel des colonnes-serpents sur le plus grand temple, ainsi que des dieux plongeants au centre de quelques façades (un peu comme à Sayil). Mais avant tout, c'est le site entre la mer et la forêt. Du haut du plus grand édifice, on aura un coup d'œil sur le bleu turquoise si particulier à la mer Caraïbe, ainsi que sur la forêt que l'on vient de traverser. Remparts de protection avec trois portes d'accès ; phares sur le haut de la falaise ; cenoté pour la réserve d'eau ; petite plage de débarquement : un ensemble de conditions qui explique le choix de cet endroit exceptionnel. En nageant un peu, on redécouvre Tulum depuis le large. Tulum est aussi le paradis des iguanes.

On recommandera les deux restaurants se trouvant au croisement de la grand-route. Pour passer quelques jours sur la plage et à bon marché, suivre la route côtière qui part vers le sud depuis le parking. Plusieurs endroits de pêcheurs qui vous loueront un hamac, dont *Santa Fe* et *Zabacil-ki*. La route continue assez loin.

COBA

On peut aller de Valladolid à Tulum par Coba. A Nuevo X Can, on bifurque sur la droite pour traverser la forêt où Coba nous surprendra dans sa clairière, auprès de lacs. Le site n'est pas très spectaculaire : peu de surface en est découvert, et la qualité du calcaire n'ajoute rien aux bâtiments et aux stèles, mais c'est une occasion de marcher en forêt en observant les toucans. Le long des lacs : grenouilles la nuit, oiseaux au petit matin.

Après l'entrée du parc (à 10 minutes à pied de l'hôtel), on atteint par la droite une pyramide du haut de laquelle on a vue sur un des lacs. On verra des traces de bougie au pied de la stèle se trouvant au bas du monument. Coba, qui fut occupé encore longtemps après sa grande période classique tardive, est encore utilisé discrètement par les paysans de la forêt pour leurs cérémonies.

En reprenant le sentier principal, on doit alors marcher une bonne demi-heure pour atteindre la pyramide la plus élevée, du haut de laquelle on domine la forêt sur 360 degrés. C'est le moment le plus saisissant que Coba nous offrira, et que l'on ne retrouvera nulle part ailleurs. Au passage, et en bifurquant un peu, un groupe de bâtiments avec des traces de peintures, puis avant d'arriver, une stèle des mieux conservées.

Le site est parsemé de nombreux *sac bé,* chaussées surelevées à fonction cérémonielle. Sa grande époque : 600-900 ap. J.-C.

Hôtel

*Villas Arqueologicas**** (tél. Mexico 514.49.95). Un assez beau cadre (prendre à droite en arrivant). Et 200 m avant d'atteindre la lagune, un petit établissement tenu par une famille maya des plus sympathiques, les Itza. Ils vous feront goûter de la meilleure cuisine locale. Petites chambres très correctes. *Bocaditos**.

Sur la route de Tulum à Chetumal, on traverse une petite ville, *Felipe Carrillo Puerto* (restaurants et hôtels). La lagune de *Bacalar,* ensuite, est un endroit exceptionnel avec l'immense *cenoté azul* qui se confond avec elle. On l'aperçoit depuis la route avant de descendre sur le village. Puis en descendant vers la berge, on trouvera plusieurs restaurants sur l'avenue (à recommander au détriment de ceux situés au bord de l'eau). Poissons, crevettes. Le *Ceviché Levanta Muertos* est un des meilleurs du Mexique.

Bacalar fut le premier fort construit par les Espagnols quand commença la piraterie contre leur navigation commerciale. Ils devaient en construire d'autres depuis Porto Rico jusqu'à Carthagène. La flotte était alors escortée par des bateaux de guerre, et à la riche époque du XVIIe siècle, deux convois annuels partaient d'Espagne. L'un pour Porto Rico, Saint-Domingue, La Havane et Veracruz. L'autre vers Carthagène, Porto Belo (l'actuel Panama). Les deux convois se retrouvaient à La Havane pour le retour.

On peut visiter l'intérieur du fort de Bacalar. Il fut occupé par les Mayas durant la guerre des Castes qui ne put prendre fin que quand la troupe les en délogea. Il fallut contourner la péninsule et pénétrer depuis le large pour y arriver. Il y a 20 ans à peine, on n'atteignait Tulum qu'en bateau.

LA COTE DU YUCATAN (histoire coloniale)

C'est depuis les premières installations espagnoles sur les îles Caraïbes que furent entreprises des reconnaissances sur le continent américain. En premier, le Yucatan car le plus proche (Cancun se trouve à la même distance de Cuba que de Merida). A la suite d'un naufrage, deux navigateurs échoués s'étaient établis parmi les Mayas. Aguilar sera récupéré par Cortes qui l'utilisera comme interprète maya-espagnol, l'autre choisissant de rester avec sa femme et ses enfants. Après avoir contourné la péninsule, le Conquistador embarquera une Indienne chontale du Tabasco, la Malinche qui parlait la langue des Aztèques et le maya (le rôle de cette dernière ira beaucoup plus loin que celui de seul interprète).

CHETUMAL

Il faut prendre cette ville telle qu'elle est : sans prétention mais dynamique. La rue centrale est commerçante, mais les autres ont un certain charme avec leurs petites maisons entourées d'arbres et de fleurs. Le front de mer est très animé en fin de semaine. Un parc zoologique avec animaux de la région : dindon sauvage, singe araignée et même une sirène (lamantin) qui vit dans les criques de la région, là où se mélangent eau douce et eau de mer (ouvert tous les jours sauf le lundi de 8 h à 17 h). Loin d'être aussi belle que ne prétend la légende, elle n'en est pas moins pacifique.

L'intérêt de Chetumal est sa position frontière vers le reste du monde maya. On y vend aussi toutes sortes de marchandises hors taxe. Accès pour le Guatemala *via* Belize (voir « Guatemala, accès »).

Hôtellerie

En haut de l'avenue principale (Avenida de los Heroes) et près du terminal des bus, *Continental**** (tél. 211.15). En descendant la même avenue. *Presidente**** (tél. 212.07). Puis en continuant de descendre vers le front de mer et sur les calles Blanco, Oregon (ou bien autour). *Caribe Princess** et *Dorado**. *Jacaranda* et *Doris*.

De Chetumal à Francisco Escarcega, il faut compter trois heures en voiture particulière et sans compter les arrêts. Une route toute droite et qui traverse une région d'élevage ou de forêt. Prévoir que seul *Xpujil* sera une étape possible (essence, *comedores*). (Prononcez *chpouril*). C'est aussi le seul arrêt des autobus de première classe. L'intérêt du parcours de cette route, en dehors de celui de pouvoir boucler le circuit Yucatan, est la découverte de sites archéologiques dans leur état sauvage et préservé par une heureuse restauration.

Depuis Chetumal, à 20 km : route secondaire asphaltée vers le sud conduisant à *Kohunlich* (prononcez *Korounlitch*) à 10 km, site très bien aménagé dans une nature parsemée de palmiers de la région. Nous sommes au tout début de l'époque classique avec la grande pyramide flanquée de grands masques stuqués d'influence olmèque. En contournant cet édifice, on découvre la situation dominante du site. Et depuis le haut du groupe le plus élevé, on aura une autre vue exceptionnelle.

LES SITES RIO BEC

A 120 km, *Xpujil*. On arrive dans la région des sites dits *Rio Bec* (un nom local donné à leur architecture caractéristique). L'idée de l'architecte maya, au début, avait été de faire émerger le temple de la forêt, comme à Coba et à Tikal (au Guatemala). On accède à ces temples par un escalier extérieur appliqué sur la base pyramidale.

Ici, à Rio Bec, cette idée a évolué. Les pyramides deviennent de véritables tours où l'escalier n'existe plus qu'en trompe l'œil. Nous sommes autour du xe siècle. Le style chen n'est pas très loin, plus au nord, et apparaît avec la bouche du monstre terrestre encerclant de ses crocs la porte du temple principal, accès au saint des saints.

Si on ne dispose pas de voiture pour visiter les sites proches, le mieux est de faire du stop (ils sont proches de la route). On gagnera du temps sur l'attente des passages de bus.

Becan et *Chicannah* sont respectivement à 6 et 9 km à l'ouest de Xpujil. Depuis ce village, une piste part droit vers le sud, et de cette même piste partent des brèches en forêt, qui permettent de gagner les sites de *Rio Bec* et *Hormiguero*. Ce dernier est particulièrement mystérieux. Eviter de s'aventurer seul mais demander la coopération du guide de Xpujil, ou mieux encore de celui de Becan (en évitant de les mettre ouvertement en concurrence). Chez ce dernier, possibilité de demander à louer un hamac et de partager la cuisine familiale. Une nuit sur le site de Becan prend une toute autre valeur que près de la station d'essence de Xpujil. Prévoir qu'il faudra marcher dans la forêt pour atteindre ces sites. Se renseigner pour la visite éventuelle de *Calakmul*.

Becan. Une certaine poésie à travers un site à moitié couvert de végétation et dont la façade principale domine la plaine.

Chicannah. Le temple surchargé du monstre terrestre entourant la porte est un exemple magnifique du style chen. Suivre le sentier pour atteindre un autre temple de style Rio Bec. L'arrangement du parc respecte le mystère du site.

A 220 km, *Francisco Escarcega.* Un carrefour. Hôtellerie et restaurants.

RESSOURCES DU YUCATAN

La fibre du sisal, le chiclé, le tourisme et le miel qui est le meilleur du Mexique (ce pays est le premier exportateur au monde de cette denrée). Les paysans sont inquiets de l'arrivée de l'abeille « africana », particulièrement agressive, et qui risque de faire changer toutes les données.

Le sisal. C'est une fibre servant à fabriquer cordes, sacs à pommes de terre, etc. Sa solidité légendaire était reconnue par nos grands-mères qui en avaient des tapis. Les produits synthétiques l'ont détrôné, mais le retour aux produits naturels pourraient lui redonner du prestige. Au Mexique on l'appelle « henequen ». Le nom de sisal est en fait celui du petit port qui fut construit près de Merida pour son exportation (auparavant, Campeche était le seul débouché de la péninsule).

Des plantations gigantesques furent entreprises sur les terrains alors utilisés au bétail et à l'agriculture. Ce fut une véritable entreprise industrielle avec cycle de plantation (il faut quelques années avant de produire) et le besoin de grande étendue pour un certain rendement (on verra, dans la campagne, de grandes haciendas souvent démolies au cours de la guerre des Castes, ou seulement abandonnées).

A Merida même, il reste de grandes demeures, appartenant à ces mêmes propriétaires et encore habitées comme sur la calle 59 (entre 52 et 54), ou plus souvent à l'abandon comme sur le Paseo Montejo.

A présent, et depuis que les terres ont été distribuées sous forme d'*ejido,* le paysan souscrit à une coopérative, mais une administration lourde, sinon corrompue, fait que sa condition ne s'est guère améliorée.

On pourra visiter une usine moderne de traitement de la fibre sur la route de Merida à Chichen (usine Cordemex), ou bien une installation fonctionnant suivant les anciennes techniques à Acanceh.

Le chiclé. C'est un mot maya qui désigne le latex du zapotillier et dont les anciens Mayas faisaient les balles pour les jeux cérémoniels. Une fois traité, il est mis en moule et envoyé aux Etats-Unis pour la confection du chewing-gum.

On reconnaîtra les arbres aux marques de taillade sur l'écorce (surtout au Quintana Roo). Les *chicleros* qui parcourent la forêt à la recherche de chiclé mènent une vie particulièrement dure. On leur doit souvent la découverte de sites archéologiques.

Sur le chemin de Hormiguero (sud de la péninsule), on croisera un petit centre de fabrication de chiclé encore en fonction.

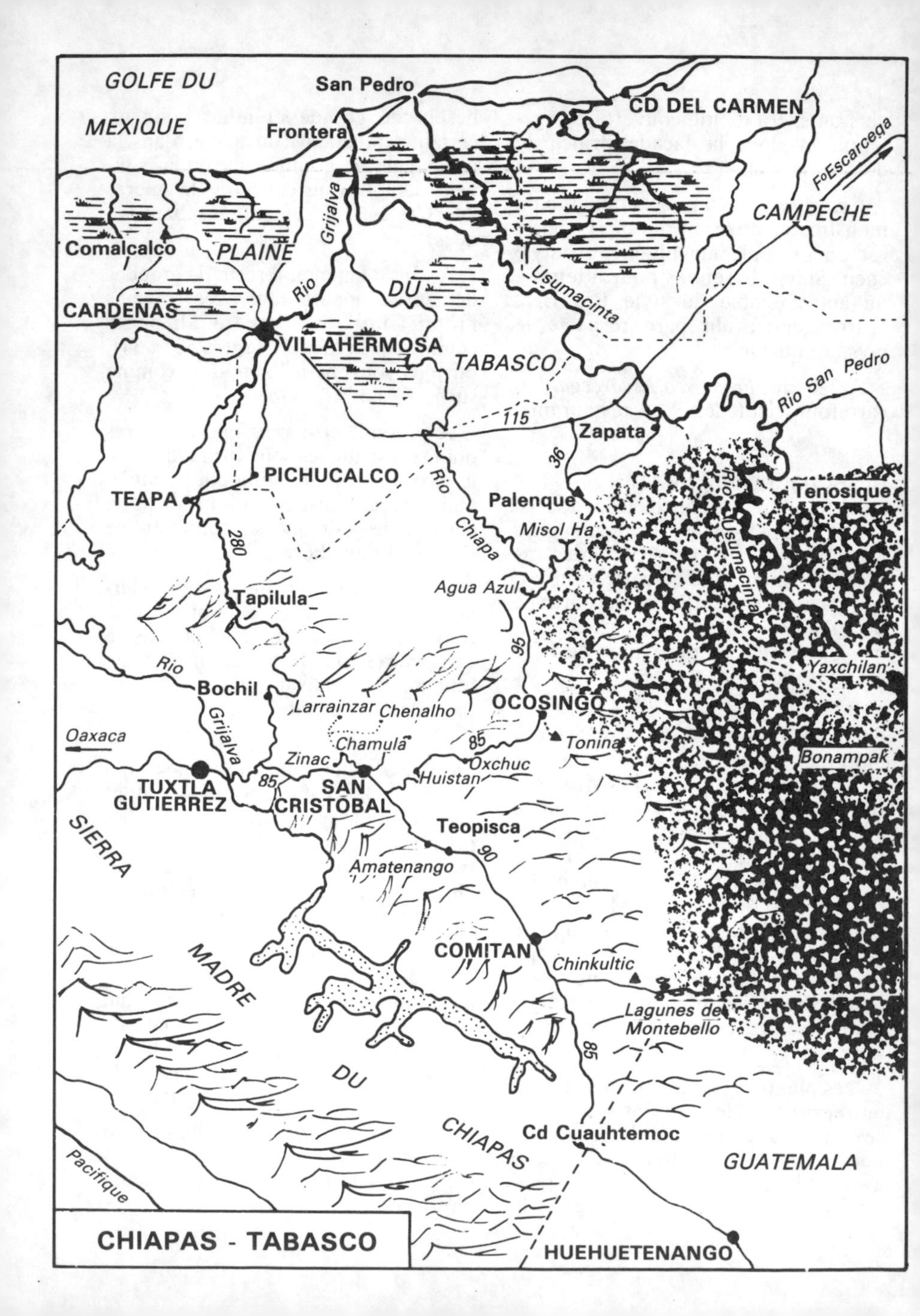
GOLFE DU
MEXIQUE
San Pedro
Frontera
CD DEL CARMEN
FoEscarcega
CAMPECHE
Comalcalco
PLAINE
Rio
Grijalva
DU
Usumacinta
CARDENAS
VILLAHERMOSA
TABASCO
Rio San Pedro
115
Zapata
36
PICHUCALCO
Rio
Chiapa
Rio
Usumacinta
TEAPA
Palenque
Tenosique
Misol Ha
280
Agua Azul
Tapilula
95
Rio
Yaxchilan
Bochil
Grijalva
Larrainzar
Chenalho
OCOSINGO
Oaxaca
Chamula
85
Tonina
Zinac
Oxchuc
Bonampak
TUXTLA
GUTIERREZ
85
SAN
CRISTOBAL
Huistan
Teopisca
SIERRA
90
Amatenango
COMITAN
MADRE
Chinkultic
Lagunes de
Montebello
85
DU
CHIAPAS
Cd Cuauhtemoc
GUATEMALA
Pacifique
CHIAPAS - TABASCO
HUEHUETENANGO

Chiapas-Tabasco

Il est difficile de parler de l'un sans l'autre, bien que ce soit le nom de deux Etats actuels. Ils sont complémentaires. Le Tabasco est une région enrichie par les alluvions des grands fleuves qui viennent de la forêt et ses habitants ont su être les intermédiaires entre les mondes maya et mexicain, les habiles commerçants de toujours et les heureux bénéficiaires de grands gisements de pétrole. Au Chiapas, se sont regroupées d'importantes communautés indiennes dans les Hautes Terres, alors que dans la forêt tropicale qui lui correspond, des vestiges mayas restent cachés. C'est l'Etat du Mexique avec la plus grande richesse de faune et de flore. En un jour, on passera de forêts de pins et chênes aux bois d'acajous ; de l'aigle des sommets à l'ocelot caché dans la jungle. La Sierra fait barrage contre les vents du Golfe, ce qui provoque la plus grande pluviosité du Mexique : 4 000 mm à *Pichucalco* (à la limite des deux Etats), cinq fois plus qu'à Mexico. Pour donner une idée de la diversité des climats qui seront traversés, quelques températures moyennes : *Villahermosa, Palenque* et *Tuxtla Gutierrez :* 25° ; *San Cristobal :* 15°. Pour connaître (rapidement) la région, il faudrait y consacrer cinq nuits : trois à San Cristobal, deux en Basses Terres (choisir entre Palenque, Villahermosa et Tuxtla suivant le sens du parcours).

Accès et transport

A Tuxtla Gutierrez : vols quotidiens pour Mexico, Oaxaca, Tapachula (frontière du Guatemala par la plaine côtière). Pour gagner l'aéroport qui est très éloigné, les taxis collectifs démarrent de l'hôtel *Humberto*.

Bus de 1re classe, compagnie Cristobal Colon pour Mexico par l'isthme (15 heures de route), Oaxaca (10 heures de route), Villahermosa (8 heures de route), San Cristobal (1 heure 30 de route), Comitan, Cuauhtemoc, la frontière du Guatemala par la montagne 5 heures de route.

Bus de 2e classe, compagnie Transportes Gutierrez (ponctuels) pour Villahermosa, San Cristobal, Comitan et Cuauhtemoc.

A Villahermosa : vols quotidiens pour Mexico, Oaxaca, Tuxtla G., Merida et Cancun.

Bus de 1re classe, compagnie A.D.O. pour Mexico, Veracruz, Campeche et Merida par l'intérieur (10 heures de route) ou par la côte ; Chetumal, Palenque. Compagnie Cristobal Colon pour Tuxtla G. et San Cristobal (8 heures de route). Bus de 2e classe, compagnie Transportes Gutierrez pour Tuxtla G. et San Cristobal.

A San Cristobal, en dehors de ce qui vient d'être mentionné : bus de 2e classe, compagnies Gutierrez ou Lacandonia pour Palenque.

A Palenque, bus de 1re et de 2e classe pour Francisco Escarcega, ville carrefour pour entrer au Yucatan. Train direct pour Merida de nuit (il n'y a pas de couchette).

Accès pour la forêt en avionnettes (Bonampak et Yaxchilán) depuis Palenque, Tenosique et San Cristobal. Accès par la piste depuis Palenque et Tenosique.

Accès pour le Guatemala par les

rios San Pedro ou Usumacinta, voir « Guatemala Accès ».

TUXTLA GUTIERREZ (400 m)

Elle est de ces villes neuves, au centre de riches plaines agricoles, qui s'arrangent avec le temps. Le zócalo est bordé de bâtiments modernes assez réussis. Du haut du clocher de l'église apparaît un défilé de saints quand sonnent les heures. La plupart des habitants sont d'origine *zoque,* Indiens des plaines environnantes et reconnaissables à la finesse de leurs traits. De cette ville, on retiendra le *musée d'Anthropologie* éloigné du centre et mal indiqué (il faudra demander les services d'un taxi ou s'assurer d'une bonne orientation), mais surtout le *parc zoologique* qui vaut le détour (il est sur le boulevard périphérique côté sud, à la hauteur du centre de la ville ; prévoir deux heures pour la visite, déplacement depuis le centre compris). Installé dans le dernier morceau de forêt rescapé des environs, il nous donne un aperçu assez complet de la faune du Chiapas replacée dans son contexte : jaguars, ocelots, pumas et tapirs ; faisans et perroquets de toutes sortes ; canards dont les *pijijis* originaires de la côte Pacifique et rendus gracieux tant par leurs hautes pattes fines que par leur cri léger qui témoigne bien de leur nom. Pour couronner la visite, une harpie. Un vivarium avec les serpents qui se cachent dans la forêt tropicale.

La visite du *cañon du Sumidero* par la route (qui ne vaut pas celle que l'on peut effectuer par le fleuve depuis Chiapa de Corzo) demande une heure et demie depuis le centre de Tuxtla (prendre vers le nord au coin de la calle 14 de Septiembre et 1ª calle Oriente Norte).

L'orientation dans Tuxtla est des plus compliquées à cause du système d'appellation des rues qui nécessiterait presque une boussole. Mais les gens vous orienteront aisément en fonction du zócalo. Savoir que le terminal de 1re se trouve au nord, de 2e au sud.

Hôtellerie

(Le climat de San Cristobal est plus agréable pour y dormir et on n'y est qu'à une heure et demie). Mais nous retiendrons ici : *Bonampak** (tél. 3.20.50), sur la grande avenue, sortie vers Oaxaca. *Gran Humberto** (tél. 2.20.80) sur l'avenue 14 de Septiembre et près du zócalo. *Esponda** (tél. 2.00.80) près du terminal de 1re. *Ofelia,* ainsi que d'autres de la même catégorie, près du terminal de 2e.

Pour se restaurer : nombreux stands de jus de fruits et petits restaurants sur la *calle 14 de Septiembre,* mais une recommandation pour les amateurs de grillades et de fondues au fromage : au coin de cette même rue et de 1ª calle Oriente Norte (celle que l'on prend pour monter au Sumidero), un établissement qui ne paie pas de mine (on dirait un garage), mais aussi propre que copieux. Le patron n'aime pas qu'on en laisse dans les assiettes.

CHIAPA DE CORZO (400 m)

On pourra visiter un petit *musée sur la laque,* un art que l'on ne trouvera ailleurs qu'au Michoacan. En continuant vers San Cristobal, on atteint le rio Grijalva (un de ces fleuves importants qui débouchent au Tabasco ; celui-ci atteint Villahermosa). En prenant à droite avant de le traverser, on peut embarquer pour découvrir les *cañons du Sumidero* et la végétation tropicale qui s'y cache.

La montée vers San Cristobal (2 000 mètres en une heure) peut paraître longue, mais elle vaut d'être effectuée avant la nuit comme on peut se l'imaginer. Dans les hauteurs, on fera connaissance avec les premiers Indiens en costume. C'est là que l'on comprendra l'organisation agricole avec le système de *milpas*.

SAN CRISTOBAL DE LAS CASAS (2 200 m)

L'accès de cette haute vallée (tenant compte des moyens actuels) illustre bien les difficultés que les Espagnols rencontrèrent pour conquérir la région. Ils durent s'y reprendre à trois fois. Il y a encore trente ans, la route n'existait pas ; on allait rejoindre le chemin de fer en descendant à cheval vers le nord. Les Indiens devaient quitter la ville avant 17 h. Petite ville rustique, aux maisons basses et colorées, on la découvrira au petit matin glacé quand la brume de la vallée cache encore les montagnes environnantes. Elle est le point de départ pour la marche à pied vers les villages indiens, les balades à cheval dans les bois, la connaissance d'un art de vivre que nous avons perdu.

C'est dans cette vallée que les Conquistadores s'établirent, prévenant les contre-coups de leur intrusion et instituant un système d'échange qui passerait par eux. Si les Indiens, de nos jours, peuvent rester comme bon leur semble, ils ne viennent en fait, que pour vendre le bois de chauffage, les fruits, légumes, haricots et maïs, la chaux pour la préparation des tortillas, les fleurs (les métis, *ladinos,* ornent richement les autels de leurs foyers et ceux des églises). Ils viennent aussi vendre des tissus brodés pour les touristes par le biais des boutiques tenues par ces mêmes ladinos à qui ils achètent, en échange, outils et autres produits de consommation moderne, objets en cuir (ceintures et sacs), le fil pour broder, et enfin, les pétards dont on fait une consommation surprenante dans la région (il existe même un quartier spécialisé dans leur fabrication).

Il s'agit de pétards fusées qui seront lancés au cours de cérémonies religieuses, quand la procession sort de l'église, s'arrête au coin d'une rue ou au passage d'un col (lieu planté de grandes croix). A San Cristobal, les ladinos les affectionnent de leur côté, au cours de leurs processions, mais aussi pour les baptêmes, premières communions et mariages : toute occasion est bonne. Cette coutume des pétards est commune à tout le Mexique (ils permettent de suivre la procession de loin et l'on dit que leur bruit éloigne les mauvais esprits), mais c'est ici que l'on s'en rendra le mieux compte. Et parfois à nos dépens.

L'esprit de quartiers est resté depuis le XVIe siècle. Chacun d'eux a sa paroisse et sa fonction. Le *Cerrillo* (colline à droite en atteignant le marché) est celui des artisans. Le *Mexicanos* (en contrebas de l'église Santo Domingo) est habité depuis toujours par des habitants de Tlaxcala, alliés des Espagnols.

Le marché a lieu chaque jour et bat son plein entre 9 h et 11 h (les Indiens

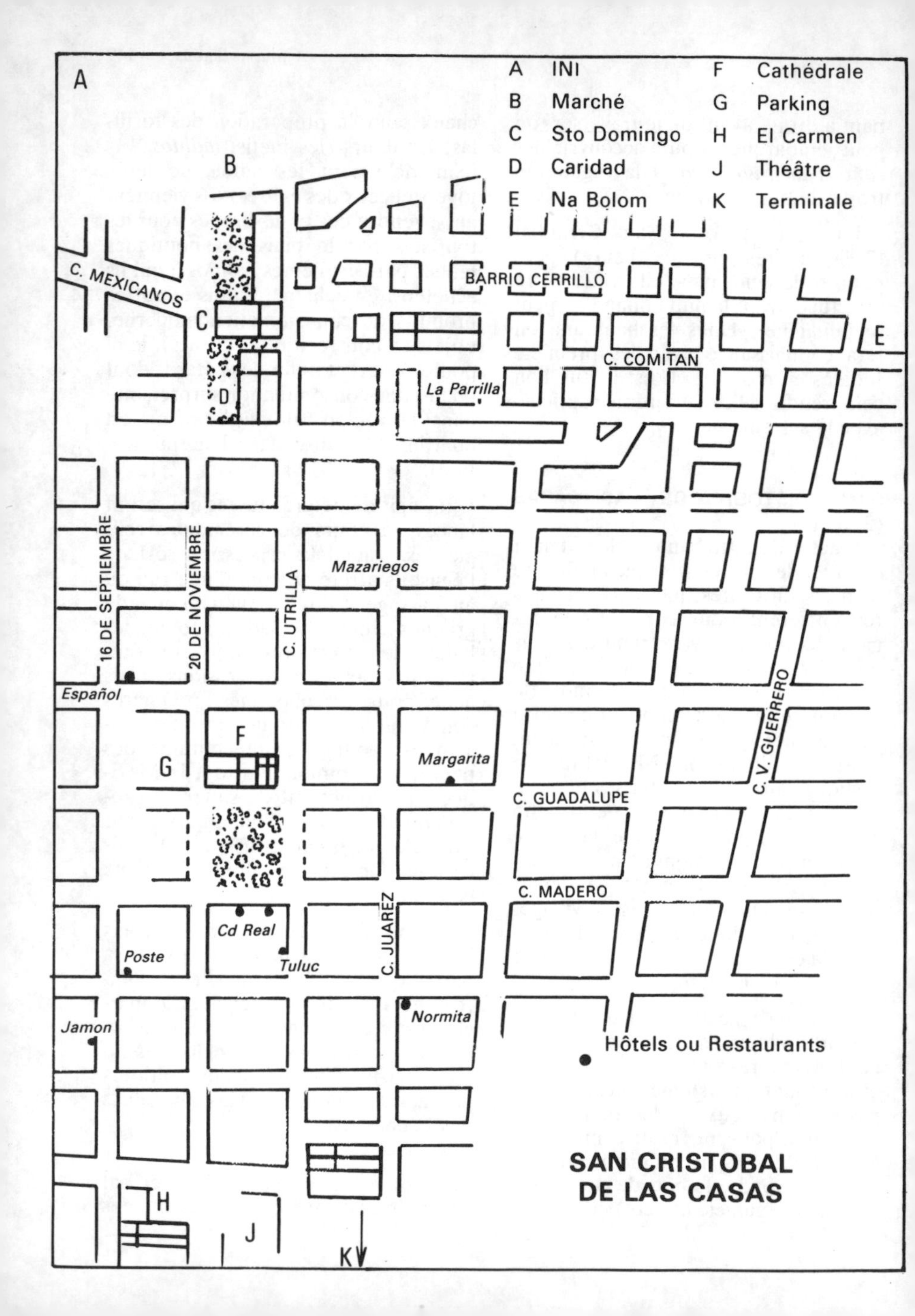

A INI
B Marché
C Sto Domingo
D Caridad
E Na Bolom
F Cathédrale
G Parking
H El Carmen
J Théâtre
K Terminale
A
B
C. MEXICANOS
C
D
E
BARRIO CERRILLO
C. COMITAN
La Parrilla
Mazariegos
16 DE SEPTIEMBRE
20 DE NOVIEMBRE
C. UTRILLA
Español
F
G
Margarita
C. GUADALUPE
C. V. GUERRERO
C. MADERO
Cd Real
Poste
Tuluc
C. JUAREZ
Normita
Jamon
Hôtels ou Restaurants
SAN CRISTOBAL
DE LAS CASAS
H
J
K

doivent venir de loin). Sur la chaussée, ce sont les Indiens et dans le sous-sol, les ladinos qui leur ont acheté la marchandise à l'entrée même de la ville, ou qui vendent les produits locaux : viande, laitages et poissons séchés de la côte.

Les costumes

Hommes en cape de laine blanche à deux pans, sac en cuir porté en bandoulière, chapeau courant ; femmes en jupe de grosse laine noire serrée à la taille avec une ceinture rouge, corsage blanc ou *huipil* de laine brune et orné de pompons rouges, châle de grosse laine noire, parfois plié en accordéon sur la tête (ce *rebozo* est de plus en plus remplacé par un autre en coton bleu) : San Juan Chamula où il fait encore plus froid qu'à San Cristobal (groupe tzotzil). Elles vendent souvent des légumes. On les reconnaît à leurs visages ronds et burinés et à leurs nez petits et arrondis. Les hommes sont d'habiles artisans spécialisés en maçonnerie, charpenterie et ébénisterie.

Hommes en toge rose, portant parfois un chapeau plat, circulaire et orné de rubans colorés ; femmes avec un grand châle rose (remplacé petit à petit par du bleu ciel ou jaune pâle), tresses ornées de rubans (une certaine coquetterie), jupe de toile bleu foncé : San Sebastien Zinacantan (groupe tzotzil). Les gens sont plus ouverts que ceux de Chumula, mais ne sont pas plus commodes pour autant. Ils sont commerçants dans l'âme, détenaient le sel (ils en vendent encore sur le marché) et pratiquent la culture des fleurs dont ils inondent le marché. C'est eux que l'on voit sur la route de Tuxtla, proposant fleurs naturelles ou arrangements artificiels en papier ou laines de couleur. Ils sont souvent propriétaires de petits bus qui conduisent les habitants de ces villages à San Cristobal, et peuvent avoir un compte bloqué à trois mois à la banque (comme certains Chamulas d'ailleurs).

Hommes en robe courte blanche avec plastron et manches brodés rouge ; femmes en longue robe blanche brodée de même : Oxchuc (groupe tzeltal).

Hommes en vêtement de laine brun-noire recouvrant un caleçon brodé de laine colorée ; femmes portant ces broderies sur un châle blanc de coton épais : Tenejapa (groupe tzeltal). Ces derniers vendent des cacahuètes aux coins des rues.

Il s'agit là des costumes le plus souvent rencontrés sur le marché. Dans les villages, les jours de fête, ils ont une toute autre allure, car pour transporter des marchandises on ne met jamais ses plus beaux habits. C'est une des multiples raisons pour lesquelles les Indiens n'aiment pas y être pris en photo. Avec le temps, ces costumes perdent de leur élégance car ils se réduisent à quelques éléments. Les toges de Zinacantan, par exemple, ne ressortent pas de la même façon sur les pantalons bleu pétrole actuels qui ont remplacé les caleçons blancs. Même chose pour le châle bleu en fibre synthétique qui remplace celui en laine noire chez les femmes chamulas. Il reste beaucoup d'autres costumes que l'on verra à la coopérative (dans le couvent attenant à l'église Santo Domingo ou parfois en face).

Sna Jolobil

« La maison du tissage » est une

organisation inter-indienne née sous l'impulsion d'un jeune Américain, Chip, qui séjourna chez ces gens sans l'idée préconçue de les étudier ou d'aller trouver une solution à ses propres problèmes. Conquis par la beauté de la nature et admiratif des valeurs anciennes qu'il découvrait, il se pencha sur la technique et le symbolisme du tissage et revalorisa cet artisanat qui se dépréciait à cause du tourisme. Il redonna aux Indiennes le goût des techniques anciennes (colorants naturels, etc.) qui font que chaque pièce est une création originale à valeur individuelle (elles savent reconnaître l'auteur de chaque *huipil,* blouse brodée, alors qu'ils nous paraissent semblables à l'intérieur de chaque village). Une Indienne travaille sur un *huipil* à ses heures perdues (le métier est toujours près d'elle) et n'en fera que très peu dans sa vie. Les motifs retracent l'époque précolombienne avec les animaux et les dieux, ainsi que la vision du cosmos de leurs ancêtres. A Sna Jolobil, ce sont de véritables pièces de musée que l'on découvrira, facilement reconnaissables face aux pièces de tissus proposées dans les boutiques de la ville.

Na Bolom

San Cristobal cache bon nombre d'étrangers (Mexicains ou pas) qui sont restés après leur passage : caractères déjà bien trempés qui se révèleront encore mieux sous ce climat excessif et sous la lumière la plus forte du Mexique (médecins de campagne, anthropologues pratiquant l'ethnographie ou la linguistique, religieux à la recherche du social ou de l'histoire, artistes se souciant peu de vendre leurs œuvres) : une communauté qui se connaît et s'enferme à double tour pour se protéger des gens de passage.

Tout commença par l'installation, il y a cinquante ans, de Franz Blom et Gertrude Duby qui achetèrent une grande bâtisse à l'abandon. S'étant connus dans la forêt habitée par les Indiens Lacandons, ils nommèrent cet établissement Na Bolom la « maison du Jaguar », animal sacré, montrant que ce serait aussi leur maison. Blom, d'origine danoise, contribua au succès de l'archéologie maya, fit le relevé topographique de l'immense forêt, la Selva Lacandona, et fonda la bibliothèque spécialisée dans la culture maya et le Chiapas. Na Bolom fut un lieu de rencontre et d'accueil pour les anthropologues, et les nouvelles générations continuent d'alimenter la bibliothèque de leurs parutions.

Après la mort de son mari, Gertrude continua ce qui avait été entrepris. Ecologiste avant l'heure, elle planta des arbres, dénonça les destructions de l'environnement et protégea le plus longtemps possible les Lacandons de la destruction physique et culturelle apportée par notre civilisation (une grippe peut les tuer en quelques jours). Entourée d'une véritable cour (qu'elle sait très bien mépriser), elle suscite admiration ou raillerie et se présente tour à tour en paysanne du Canton de Berne ou en princesse maya. Un de ses amis, italien, disait qu'il fallait être suisse pour supporter le Chiapas. Il fallait aussi avoir ce tempérament pour continuer seule, et bien au-delà de ses quatre-vingts ans. Elle reçut la nationalité mexicaine des mains du président, et à sa mort, tout ira au pays sous le contrôle d'un comité. Na Bolom continuera.

On peut y séjourner. La maison est très belle (un peu fermée), les chambres arrangées avec personnalité, de beaux bouquets un peu partout. La grande table d'hôtes est présidée par la maîtresse de maison qui aime que l'on arrive à l'heure et que l'on ne laisse rien dans son assiette. Vos voisins pourront être des Lacandons venus accompagner un parent à l'hôpital. On peut aussi tout simplement visiter (à partir de 16 h 30 ; droit d'entrée ; fermé le lundi ; c'est à 15 minutes à pied du centre, calle Guerrero). La bibliothèque est ouverte de 9 h à 13 h et de 14 h 30 à 18 h. On trouvera une salle sur les Lacandons, unc autrc sur l'archéologie locale (sans grand intérêt), une chapelle contenant des objets coloniaux récupérés en ville (la bâtisse fut construite pour être un séminaire), la grande salle à manger, les patios, le jardin caché derrière, la bibliothèque avec des objets de la région mais relativement anciens (chapeaux, poterie, argenterie) ainsi que de l'ambre. Sur les murs des couloirs, on remarquera des croix que la tradition voulait fixées sur les toits des maisons de la ville, et des photos en noir et blanc de Gertrude qui témoignent d'une grande sensibilité (certaines sont cachées dans l'obscurité).

Gertrude aura fait couler beaucoup d'encre. Mais sans elle et Franz, San Cristobal aurait-elle connu tant de renommée ? Loin de tout, cette petite ville est l'entrée du monde caché des Indiens que nous pouvons à présent explorer.

En ville

En ville même, l'art colonial religieux est dignement représenté. A commencer par l'*église Santo Domingo* dont on verra la façade l'après-midi. A l'intérieur, de beaux retables et la chapelle à droite où les Indiens viennent prier.

On remarquera la chaire et la statue du *Niño de Atocha.* L'église qui se trouve à côté, *la Caridad* est intéressante pour son retable central et une statue de saint Jacques avec son cheval blanc.

De l'autre côté du zócalo, à trois *cuadras,* le *temple du Carmen* avec le passage de la rue sous la tour carrée. A côté, le centre culturel de la ville. En revenant vers le centre, *l'église de San Francisco* avec son retable couvrant tout le mur du fond et des peintures représentant : en haut, la vie de saint François, au centre, la Vierge Purisima et en bas, le Santisimo.

On trouve des objets artisanaux à acheter en remontant la *calle Guadalupe* (sur la même rue, une librairie où l'on parle français : *Soluna ;* et plus haut encore, n° 36, une belle maison coloniale). D'autres boutiques en allant vers le marché et en descendant la *calle Mazariego* depuis le zócalo.

Las Casas

C'est le nom d'un prestigieux dominicain, *Fray Bartolome de Las Casas* qui, au XVIe siècle mit toute son énergie à défendre les Indiens. Cinquante ans après la conquête, leur situation était telle qu'il n'hésita pas à écrire un véritable réquisitoire où il annonça dans un proche avenir la disparition totale de la race indienne si la situation ne changeait pas.

Il s'était établi à Cuba sur des terres reçues en héritage. Ecœuré par ce qu'il voit autour de lui, il rentre dans les ordres et promet de se consacrer à la défense des Indiens. Il obtient un secteur (nord du Guatemala) où les militaires n'avaient pas encore pénétré et tente avec succès une expérience, se faisant devancer par des marchands prédicateurs qui parcouraient les marchés, véritables camelots de la bonne parole. Cette région s'appelle encore la Verapaz (la vraie paix). Ensuite, il sera nommé évêque de San Cristobal, ville importante rattachée alors au Guatemala. Il aura du fil à retordre avec les Espagnols de la région. Se joignant aux protestations des missionnaires en général, il traversera douze fois l'Atlantique (à l'époque !) pour intervenir directement auprès des souverains. Grâce à cela, les nouvelles lois sont promulguées : énorme document de 6 000 articles traitant de leur statut, de la conduite à tenir et jusqu'à des règles d'hygiène et d'enseignement. (Las Casas serait allé jusqu'à préconiser l'importation d'esclaves noirs.) Curieusement, l'évêque actuel de San Cristobal suit le même chemin apostolique que ce prédécesseur, n'ayant de cesse de dénoncer les abus et les coups fourrés contre les Mexicains démunis. A l'échelle du Mexique cette fois, un personnage qui ne craint pas non plus de s'engager.

Hôtellerie

*Na Bolom*** (tél. 81.418), calle Guerrero, à 15 minutes du zócalo. *Mazariegos** (tél. 81.825), calle Flores, à deux cuadras du zócalo. *Ciudad Real** (tél. 80.187), sur le zócalo ; le plus sympathique les soirs de grand froid. *Parador Ciudad Real** (tél. 81.886), même atmosphère que le précédent ; à 15 minutes de marche du centre, à l'entrée de la ville en venant de Tuxtla. *Español** (tél. 80.203), calle 1er de Marzo. *Real del Valle* (tél. 80.680), en bas de la calle Guadalupe. *Margarita,* deux cuadras plus haut, même rue. *Posada San Cristobal* calle Insurgentes, près du zócalo. Demander une chambre à l'étage.

Pour se restaurer : le *Tuluc,* calle Utrilla (notamment pour le déjeuner). *Normita,* au coin des calles Flores et Dominguez. *Galeria,* au premier étage (pour un chocolat et gâteaux, à l'heure du thé), calle Hidalgo. Le restaurant de l'hôtel *Ciudad Real. El Teatro,* à l'étage en face de l'hôtel español. *La Parrilla,* calle Navarro. Enfin, si l'on prévoit un pique-nique, du jambon fumé ou salé préparé dans des maisons particulières (elles annoncent *jamon y embutidos*). L'une d'elles : *calle Rosas,* près de la poste.

LES INDIENS

Si chaque village se distingue par le costume, les régions se distinguent par la langue. Au Chiapas, on parle encore quatre langues mayas : le *tzotzil* (Chamula, Zinacantan, Chenalho, Panthelo, Huistan) ; le *tzeltal* (Tenejapa, Cancuc, Oxchuc, région d'Ocosingo) ; le *chol* (région de Palenque) ; le *tojolabal* (région de Comitan). Même si ces langues sont de même racine, les Indiens ne peuvent pratiquement pas se comprendre d'un groupe à l'autre et devront utiliser l'espagnol pour communiquer. Les 300 Lacandons qui vivent dans la forêt près du fleuve Usumacinta, parlent le *maya-yucatèque,* une preuve, s'ajoutant à leur type physique, de leur ancienne migration depuis la péninsule.

Au Chiapas, nous trouverons surtout des villages « dispersés ». Suivant le schéma précolombien, c'est-à-dire que le paysan reste vivre près de son champ. La terre qu'il cultive appartient à la communauté à laquelle il s'identifie par le costume. Il la retrouvera au « centre cérémoniel » où ne vivent que les chefs élus pour un an, chargés de la gestion, de la justice et en même temps des fêtes. Ce sont les maisons de ces derniers que l'on aperçoit dans ce que nous appelons le « village », c'est-à-dire autour de l'église, de la municipalité et des petits commerces (le village le plus important, *San Juan Chamula* est aussi étendu que la région parisienne). Même s'ils cultivent un bout de terrain près de leur maison de « fonction » (ils ont quitté la leur le temps du service), la communauté doit subvenir à leurs besoins. Ces autorités sont responsables de zones s'étendant très loin dans la campagne mais qui commencent par des quartiers dans ce centre, chacun portant le nom d'un saint patron, qu'elles devront honorer soit le jour de sa fête, soit lorsqu'il est invité par les autres saints le jour de leur propre fête (l'importance de chacun peut dépendre de la situation économique de l'endroit). Les autorités sont alors organisées en confréries, *cofradias,* pour l'entretien des faits religieux. Ce système de « relations » entre les quartiers s'étend aux villages moins importants. Il est arrivé que sainte Madeleine n'ait pas été invitée par sainte Marthe à la suite d'un problème de terres. La beauté d'une fête dépendra donc de l'importance du saint qui invite et du nombre de ses invités.

Ce système avait été institué par les pères espagnols sur le schéma ancien des clans. Lorsqu'ils devaient s'absenter, ils laissaient la responsabilité à ces catéchistes qui se retrouvaient seuls, sans « recyclage », pendant parfois assez longtemps, si ce n'était pas pour toujours. Cela explique le côté fabuleux des fêtes religieuses indiennes inspirées d'un catholicisme espagnol du XVIe siècle et sujettes à des réminiscences préhispaniques.

L'organisation des villages suit une hiérarchie. Tout en haut, le chef et le juge. Puis les responsables confrères. Les anciens siègent en une assemblée que l'on consulte. (Le gouvernement mexicain cherche à introduire le parti officiel dans cette organisation en s'y faisant des alliés, ce qui peut provoquer de graves conflits dont les victimes ne comprennent pas toujours le sens.) En bas de l'échelle, les musiciens et, plus nombreux, les gardes en costume courant mais avec le bâton en bandoulière. Ils ont le pouvoir et le devoir d'arrêter ceux qui boivent trop au point de gêner l'ordre public et ceux qui font des photos malencontreuses. Ils ne sont pas méchants, mais se font respecter. Les contrevenants sont alors remis à la justice qui pourra les condamner, par exemple, à balayer la place après avoir cuvé leur alcool en prison.

Les fêtes coûtant assez cher, la communauté participe (ce qui explique le droit d'entrée). Mais les autorités s'arrangeront aussi pour donner un titre à un Indien qui aura économiquement mieux réussi que les autres. Les dépenses qu'il effectuera pendant l'année de son service seront tout à son honneur et l'obligeront surtout de retomber au niveau des autres, garantie d'équilibre pour la communauté.

Comme nous ne pourrons entrer dans les maisons des confrères, il nous reste l'église qu'on nous autorise de voir. Les Indiens de passage, jour de fête ou pas, viennent honorer les saints et les prier, souvent en se mettant en colère. Chacun est exposé là, parfois avec son nom. Les miroirs qu'ils portent sont de tradition très ancienne. A la grande époque maya, le miroir, souvent de pyrite, était porté par les seigneurs et symbolisait la réflexion du peuple à travers celui qui détenait la vérité. Les saints sont parfois lavés ou réhabillés à l'occasion de fêtes importantes. C'est pour cela qu'ils ont l'air parfois engoncés. Les jours de fête, apparaissent les confrères et les femmes dans leurs plus beaux habits, certains avec canne à pommeau d'argent, portant les sandales en cuir épais et à haute talonnière, copie de celles que l'on remarquera sur les sculptures de Yaxchilan au musée de Mexico (IXe siècle).

L'enfant est progressivement intégré à la communauté par son passage dans la famille. Le contact physique avec la mère qui le garde longtemps dans son *rebozo,* le châle, lui garantit un équilibre psychique. Déposé à terre, il participe aussitôt à la vie familiale par des corvées correspondant à ses possibilités. La petite fille aidera sa mère à la maison et à la corvée d'eau. Son frère accompagnera le père aux champs. On leur recommande de ne pas crier afin de ne pas provoquer la colère des dieux (on remarquera l'ambiance feutrée d'un groupe indien). Ils assistent à l'école indigéniste pendant deux ans, pour apprendre l'espagnol avant de continuer dans le cycle de l'enseignement primaire. Les Indiens se marient assez jeunes. On envoie un messager chez le père de l'élue. Le jeune couple vivra chez ce dernier afin que le gendre apprenne à bien travailler. Si la cohabitation se montre fructueuse, on célébrera dans certains endroits un mariage de confirmation. Le culte des morts est émouvant de sincérité. On célèbre leur retour : un bon repas à la maison (chocolat pour les enfants) et une petite fête sur la tombe fleurie d'œillets d'Inde.

Les *Tzotzils,* en bons montagnards, ne se laissent pas toujours faire. Ils ont eu des moments difficiles, mais ont su mener la vie dure parfois à leurs voisins métis. Actuellement, sous la poussée démographique, le problème des terres devient pressant. Ils parlent l'espagnol, connaissent mieux les rouages administratifs, s'adaptent au tourisme et sont défendus par l'Eglise. A ce sujet, les missionnaires protestants qui n'avaient pas droit au chapitre à cause des saints, ont cependant gagné des adeptes que la communauté chassera car ils ne peuvent plus prétendre à une société organisée sur le culte des saints. C'est ainsi que l'on voit apparaître des Chamulas s'installant à San Cristobal, ce qui était impensable il y a quinze ans. Un prêtre catholique, de son côté, doit prendre des gants s'il veut être accepté dans un village. S'il s'y prend mal, il sera renvoyé. Par contre, il pourra évangéliser en parallèle des confréries dans un respect mutuel digne de gens du monde, comme c'est le cas avec ce sympathique et courageux père normand perdu dans les montagnes et qui s'entoure d'un solide groupe de catéchistes (il ne cesse de se battre aussi pour toutes les ouailles de sa région). L'Institut indigéniste local a fait un effort sur l'agriculture, fournissant des plants adaptés au climat. C'est pour cela que l'on trouve de très belles pommes sur le marché de San Cristobal. Les noix qui étaient un luxe, deviennent monnaie courante.

L'agriculture répond à des impératifs géographiques. On sera étonné de voir jusqu'où le maïs peut pousser, tant en Terres Froides qu'en Terres Chaudes. En février (milieu de la saison sèche), le paysan débroussaille à la machette et coupe les arbres. En avril, il brûle le tout. Le terrain est prêt aux semailles, enrichi par la cendre. On sème au bâton à enfouir après avoir observé l'arrivée de la pluie (vers le 15 mai). En général, survient une averse ou deux un mois avant le début de la saison (« pluie des sauterelles » ou « pluie des mangues » suivant l'endroit). Semer trop tôt, c'est prendre le risque de voir la graine sécher ; trop tard, de la voir pourrir. On comprend l'importance du dieu de la Pluie dans les religions anciennes. Encore actuellement, on n'hésite pas à aller baigner la vierge au rio quand la saison sèche dure trop longtemps. Un mois après les semailles, on sarcle et on sème le haricot, la tige du maïs lui servira de tuteur ; on sème de même la courgette qui retient le sol. Voilà les composantes de la nourriture mexicaine et un bel exemple de connaissance écologique. Après quelques années de culture sur le même terrain, on doit le laisser reposer, en général le double de temps. (Sur la route de San Cristobal à Palenque, on notera les différentes périodes de friches d'un terrain à l'autre. Le problème est la quantité suffisante de terres pour qu'elles puissent « tourner », et qu'elles ne s'érodent pas.)

Ceux qui se désolent de voir les feux dans la campagne mexicaine en avril, n'ont jamais été agriculteurs sous les tropiques. Dans un pays où tout pousse (parfois même les poteaux télégraphiques), on verrait mal le maïs voir le jour dans une jungle seulement coupée. Les brûlis, *quemas,* sont devenus l'objet d'une lutte paysanne dans toutes ces régions tropicales jusqu'en Amérique centrale. Ils ont certes besoin d'être surveillés et dans certaines régions où la tradition l'emporte, les municipalités organisent des tours, ce qui permet aux voisins de surveiller l'éventuelle propagation du feu. A présent, l'écologie moderne confondant la lettre et l'esprit, veut empêcher tout brûlis. Les paysans en sont réduits parfois à mettre le feu « par accident », avec les conséquences que l'on imagine. Par contre, on omet de citer les désastres provoqués par les compagnies d'exploitation de bois solidement implantées grâce aux arrangements en haut lieu, car elles préparent le terrain pour les éleveurs de bétail, une corporation des plus puissantes.

En septembre, quand l'épi est mûr, on en casse la base tout en le laissant sur la tige afin qu'il ne pourrisse pas en attendant la récolte qui aura lieu après les pluies (octobre). On entrepose le maïs dans la hutte ou dans des greniers suspendus suivant le danger des animaux. On l'égrainera au fur et à mesure des besoins.

Les touristes et les Indiens

Si l'on fait honneur à leur culture en achetant des costumes, il n'est pas toujours recommandé de les porter dans leurs régions, car on peut commettre des impairs (habits de chef, habits d'homme portés par des femmes, etc.) et les Indiens savent très bien que nous n'en connaissons pas le symbole.

On verra dans des villages des enfants mendier. C'est nouveau et vient à la suite de distribution (sans échanges) d'argent et de bonbons par des touristes, parfois même sous la recommandation de guides. Pourquoi plaindre plus un Indien qu'un métis, et comment estimer le niveau de vie de chacun d'eux ? (Ceux qui vendent des flèches à l'entrée des ruines de Palenque sont les heureux propriétaires de camions, de jeeps, chaînes hi-fi, et voyagent en avionnette.) Les parents, d'ailleurs, n'aiment pas trop que l'on s'occupe de l'éducation de leurs enfants, car c'est de cela qu'il s'agit lorsque l'on intervient. Or, il y a mille moyens de compenser notre ingérence : payer le droit municipal sans trouver à redire, acheter toutes sortes de petites choses qui seront autant de souvenirs faciles à emporter ; bref, les considérer comme des gens normaux.

Le sujet des photos a été maintes fois traité, jusqu'à dire que les « Indiens n'aiment pas qu'on les prenne en photo ! », comme s'ils devaient assumer cette originalité en plus de celle de leur culture. « Ils pensent qu'on vole leur âme ! » Pour les comprendre, il faut imaginer qu'une femme chamula a pu être prise 45 000 fois pour peu qu'elle soit jolie et qu'elle se rende au marché chaque jour, depuis le début du grand tourisme dans la région. Certaines répugnent d'y aller pour cela, ce qui désorganise leur ménage. En plus, il s'agit de conditions spéciales, comme si nous étions pris en photo en train de faire nos courses (marché de San Cristobal), ou de faire le ménage (campagne environnante). Par contre, les jours de fête, chacun dans son plus bel habit accepte les photos (beaucoup d'Indiens possèdent des Instamatic). Seulement, il faudra faire attention de ne pas prendre le sacré. Car, en se rendant à San Juan Chamula ou à Zinacantan un jour de fête, c'est au centre cérémoniel que l'on se trouve. Les confrères sont dehors, dans leurs fonctions religieuses. On n'a pas le droit de prendre les responsables ni l'intérieur de l'église. Comment les reconnaître ? Ils sont souvent splendides et c'est bien pour cela que la tentation de l'appareil nous démange. Leurs costumes sortent du commun et ils restent souvent groupés. On pourra très bien se renseigner auprès d'Indiens de la foule.

De notre côté, on tâchera de faire honneur à cette élégance par un minimum de la nôtre. Ce sera apprécié et cela pourra arranger les choses. Trouver un moyen de porter son appareil d'une façon discrète et surtout beaucoup de jugeote. Une anecdote pour illustrer ces propos : cela se passait il y a quelques années à Zinacantan quand on pouvait encore y prendre des photos.

Une jeune infirmière hollandaise profita d'un séjour de quelques mois à San Cristobal pour donner régulièrement de son temps au dispensaire du village. Avant son départ, les Indiens lui firent une fête (la *despedida,* traditionnelle au Mexique) et lui remirent en cadeau tous les rouleaux qu'ils avaient confisqués aux touristes. Une histoire émouvante qui nous éclaire sur le fond du problème.

LES ALENTOURS

San Juan Chamula et **San Lorenzo Zinacantan** : deux villages dispersés dont le centre se trouve à 10 kilomètres de San Cristobal.

Accès : bonne route goudronnée vers le nord-ouest (on vous renseignera facilement). Des microbus démarrent depuis le marché. La bifurcation pour Zinacantan se trouve à mi-chemin de Chamula. Dans ce dernier village, on doit se présenter à la municipalité et payer un droit (minime) pour pouvoir entrer dans l'église. On peut demander aussi un garde personnel, ceci pour avoir un témoin en cas de discussion avec quelqu'un du village. A Zinacantan, vous verrez apparaître des gosses envoyés par la municipalité et qui vous diront que faire.

La visite de *Chamula* est une excellente occasion de marche à pied. Il faut compter trois heures (maximum) depuis le centre de la ville, compte tenu du temps que l'on prendra pour monter la première côte, car on est en altitude. Calculer d'arriver avant midi permettra de ne pas rater une éventuelle petite cérémonie, de celles qui ont lieu à longueur d'année et qui sortent de l'église à cette heure-là (les pétards fusées les signalent, leurs fumées en indiquent l'endroit). Pour l'aller, il est préférable de passer par la montagne au nord de la vallée, et si l'on choisit de marcher au retour, on peut prendre ce même chemin bien sûr, mais aussi un autre plus direct, près de la grand-route.

Pour passer par la montagne : prendre la calle Mexicanos, en face de l'église Santo Domingo. En bas, on prend à droite, calle Tlaxcala, une piste qui traverse la vallée. Puis prendre le boulevard périphérique à gauche pour le quitter ensuite avant un grand virage. On s'engage alors sur la piste empierrée. On ne doit pas se désespérer en montant cette côte, c'est le moment le plus difficile de la marche.

On se doit de saluer à chaque rencontre, en tâchant que ces salutations se fassent par sexes : hommes entre eux, femmes entre elles. Les choses évoluent, mais il arrive encore qu'un homme rencontrant une femme seule, pour peu qu'ils aient beaucoup de choses à se raconter, papotent tout en se tournant le dos. Une certaine tenue vestimentaire, même si le soleil commence à taper pendant la marche, sera appréciée. N'oublions pas que nous sommes sur leur territoire dès l'apparition des premières huttes isolées. Les Indiens, amusés de vous voir sur ce chemin se montreront plus ouverts. Le centre cérémoniel est annoncé par de grandes croix qui le dominent sur un col. Découvrir Chamula depuis le haut, et après cet effort, est sans doute la plus belle introduction. On descend alors en longeant des huttes, plus nombreuses cette fois. N'allons pas gâcher un tel moment en sortant notre appareil : ce sont les femmes des responsables que vous y apercevez.

Si l'on veut effectuer le retour à pied, plus direct, prendre la grande route qui conduit à San Cristobal et la quitter, comme font les Indiens, pour couper à travers champs en suivant leurs sentiers bien tracés. L'arrivée sur San Cristobal en en dominant la vallée est spectaculaire.

Tenejapa

C'est un village où l'on parle tzeltal. Le climat y est plus doux que dans les villages précédemment cités, et son accès fait traverser des régions de Hauts Plateaux érodés, habités par des Tzotzils de Chamula (les immenses croix regroupées indiquent un cimetière), puis des régions de forêt. Ce village, où habitent quelques commerçants métis et les chefs indiens ne présente d'intérêt que le jour du marché, le dimanche. La rue principale se remplit alors de monde. On accède à Tenejapa par la route (dont une partie en piste). Compter une heure et démarrer de la place de la Guadalupe d'où partent aussi les autobus (le matin de bonne heure).

A cheval

La promenade à cheval est aussi un excellent moyen de connaître la région. On en trouve facilement (petites annonces un peu partout). On paye à l'heure. On vous emmènera dans des bois de pins, des grottes, ou à l'ancienne résidence des évêques : autant de coins charmants. Le caractère des chevaux est choisi suivant vos connaissances équestres. Il n'y a donc pas grand-chose à craindre.

Comitan et Montebello

C'est sur la route du Sud qui conduit à la frontière du Guatemala, Ciudad Cuauhtemoc qui est à 2 heures 30 de San Cristobal. On traverse d'abord des forêts de pins, puis des vallées cultivées par des métis, Teopisca, bourgade où l'on mange bien (petits restaurants sur le zócalo).

Amatenango (village tzeltal), regroupé cette fois, ce qui est rare au Chiapas. Les femmes fabriquent des poteries utilitaires qui s'exportent encore très loin. La cuisson se fait a feu ouvert, suivant la technique précolombienne : les poteries sont empilées, calées et recouvertes du bois à brûler. On verra des traces de cendres dans les rues. Les petites filles ont toujours fait de petits animaux en argile destinés à être déposés sur les tombes de leurs frères ou sœurs. Elles vous repèreront vite pour vous en vendre. La qualité dépend beaucoup de l'artiste. Les gamins sont chargés d'aller chercher le bois (de plus en plus loin, vue la consommation). On les rencontrera dévalant les pentes sur la route goudronnée en maniant leurs petits chariots avec dextérité.

Comitan (à 1 heure 30 de San Cristobal) est une petite ville avec un certain charme provincial. Son patron, saint Caralampio, que l'on célèbre en février, est le seul connu de ce nom (il intervint pour faire cesser une épidémie). Son culte fut dénoncé en chaire par un prêtre nouveau venu. Mal lui en a pris, car le soir même, la lampe à pétrole posée sur sa table de nuit lui sauta à la figure. Une preuve de l'authenticité de saint Caralampio.

Hôtellerie

Sur la route, *Lagos de Montebello,* ventilé, agréable. Restaurant. Dans le centre, *Internacional** (tél. 201.10). Pour se restaurer : autour du zócalo.

Comitan peut être le point de départ d'une excursion vers les *lacs de Montebello* (45 minutes de route). Prendre la route du Guatemala que l'on quittera pour continuer à gauche (c'est indiqué). Les lacs sont toujours beaux même s'ils sont différents sous le brouillard. Leur charme mystérieux alimente l'imagination populaire : ils seraient 6, 60 ou 360 suivant les avis. Sans aller jusqu'à les connaître tous, on peut les contourner, trouver un endroit pour pique-niquer. On peut même camper. Un endroit est aménagé à côté de celui de *Tsiscao*. A mi-chemin entre les lacs et l'embranchement de la route du Guatemala, une piste part vers le nord et conduit au site archéologique de *Chinkultic* (2 kilomètres). Site maya d'époque classique, son architecture n'est pas des plus intéressantes, mais on y trouvera un paysage assez plaisant. Belle vue du haut du site qui domine un lac, privé pourrait-on penser.

Pour gagner *Montebello*, on trouvera des autobus de 2e classe à Comitan. Prendre son passeport avec soi, car on circule près de la frontière et les services de migration peuvent vous le demander.

ROUTE VERS LES BASSES TERRES

L'intérêt de ces deux routes (vers *Villahermosa* et vers *Palenque*) est dû à la dénivellation de 2000 mètres en peu de kilomètres.

Celle de Villahermosa par *Pichucalco* est considérée comme une des plus belles du Mexique (prévoir 8 heures). Les points forts en sont le col d'où l'on aperçoit les horizons lointains des Hautes Terres du Chiapas, et la Selva Negra avec ses fougères arborescentes et ses bégonias aux feuilles de deux mètres de diamètre. Cette végétation est due aux précipitations (les plus grandes du Mexique) provoquées par les alizés qui viennent frapper les sommets de la Sierra. On traverse de grandes plaines à bétail avec des arbres tropicaux comme l'arbre à pain dans la région de Pichucalco (jaquier, de la famille des figuiers dont les fruits, comestibles, atteignent 15 kilos). Pour se restaurer en cours de route, on recommandera un petit restaurant rustique en haut du village de *Bochil* (hôtel *Juarez* sur le bord de la route et près de l'arrêt des autobus). On y sert généralement un excellent molé et toujours des tortillas chaudes.

La route de *San Cristobal* à *Palenque* se fait en 4 heures mais la journée sera nécessaire si l'on veut visiter au passage *Tonina* et *Agua Azul*. De cette route on retiendra la vallée de *Huistan,* village tzotzil dont les hommes portaient le plus beau costume de la région (en voie de disparition, il réapparaît cependant les jours de la Saint-Isidore, le 15 mai). Ensuite, *Oxchuc,* un village tzeltal avec un marché coloré le dimanche. Plus loin, alors que l'on descend vers des climats plus doux, la *Cañada del bosque,* un petit restaurant avec des hamacs, caché sous les bananiers (au km 72). Enfin, dans la vallée, *Ocosingo,* un gros bourg où l'on pourra trouver où loger (deux hôtels*) et où se restaurer (choisir le *comedor,* sous les arcades, en bas de la place à gauche en regardant l'église).

Tonina

C'est un site archéologique maya a 45 minutes de piste d'Ocosingo (prendre à droite la rue qui passe devant l'église). Tonina est construit sur tout un versant de colline, d'où l'on domine l'immense vallée d'Ocosingo, terre de pâturages parsemée de grands arbres. On peut voir toute la Sierra du Chiapas qui se détache sur l'horizon en fin d'après-midi, au moment de la plus belle lumière. Là-haut se trouvent les villages indiens tzotzils et la ville de San Cristobal. Ce site a un charme tout particulier, que sa tranquillité vous permettra d'apprécier. Vous pourrez y rester pique-niquer à l'ombre, près du jeu de balle où sont restés les « marqueurs » circulaires entourés de glyphes, ou même camper en vous arrangeant avec les gardiens qui vous parleront avec sympathie des archéologues français qui ont travaillé là dans les années 1970 (ils vous en montreront aussi les publications qu'ils protègent jalousement). Vous ne serez ennuyés par personne. Le site vous sera comme réservé.

La grande période de Tonina est la fin de l'époque classique. La restauration entreprise nous donne une idée de la splendeur de cette ville que l'on devait remarquer de très loin. Sous le hangar placé à l'entrée du site et dans le petit musée construit un peu plus loin (il faut marcher 10 minutes pour atteindre les premiers vestiges), on verra des exemples de la sculpture très originale de Tonina : statues de dignitaires avec leur manteau et leur coiffure composée de masques superposés ; captifs à genoux, mains liées derrière le dos avec pour tout vêtement un pagne, mais aussi un collier en parure. Ces personnages étaient représentés ensemble, le dignitaire sur un piédestal avec un prisonnier de chaque côté. On retrouve cette idée sur des stèles et des linteaux mayas où sont représentés, en bas relief, des prisonniers, suivant une disproportion pour avantager le dignitaire vainqueur (Coba, Palenque, Yaxchilan et le musée de Mexico où l'on verra d'autres sculptures de Tonina).

Entre Ocosingo et Palenque, *Agua Azul*. Ce sont des jeux d'eau plus qu'une cascade, un des plus beaux spectacles que la nature puisse nous offrir. (Bifurcation d'une piste de 3 kilomètres ; possibilité de pique-niquer ; vente de bananes ou *tamales* par les petites Indiennes tzeltales ; on peut s'asseoir sous les toits en consommant ; on peut aussi camper.) Il est recommandé de remonter le cours d'eau par la berge pour y découvrir des coins cachés. Plus loin, et près de Palenque, *Misol Ha* (prononcer *misolra*), une grande cascade dans un cirque naturel, endroit moins connu. Le long de la route dans cette région, on remarquera les plantations de café, arbustes aux feuilles vernissées et à l'ombre de plus grands arbres.

PALENQUE (prononcer : *palenqué*)

Que l'on arrive par le nord (route de Villahermosa) ou par le sud (route de San Cristobal) on n'atteint pas directement le village. Il est bien indiqué mais avant d'y arriver, on vérifiera si l'hôtel choisi ne se présente pas sur le parcours, car tout est assez dispersé. La gare de chemin de fer se trouve à 10 kilomètres du village (sur la route de Villarhermosa), et les ruines à 10 kilomètres aussi (route vers l'ouest). Il fait souvent une chaleur moite dans toute cette région. Le village a pris de l'importance grâce à la découverte des ruines, mais ne présente pas grand intérêt. On y verra des femmes *Maya-Chols* faire leurs achats. De petite taille et de visage très fin, elles portent des tresses et un corsage orné de dentelles. Un autobus urbain fait la navette entre le village et les ruines. Bien s'informer de l'heure du dernier retour.

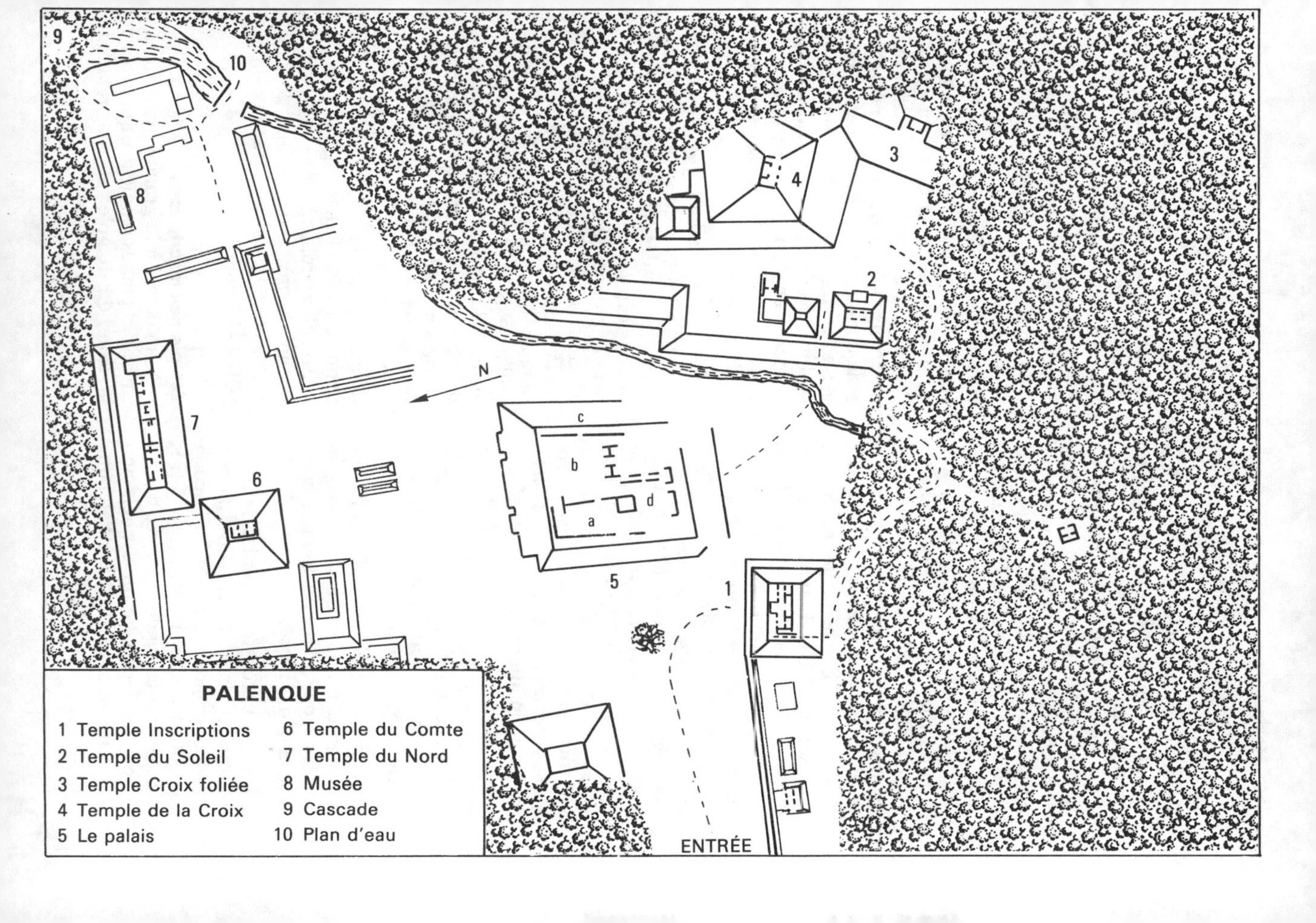
PALENQUE
1 Temple Inscriptions
2 Temple du Soleil
3 Temple Croix foliée
4 Temple de la Croix
5 Le palais
6 Temple du Comte
7 Temple du Nord
8 Musée
9 Cascade
10 Plan d'eau
N
ENTRÉE
a
b
c
d

Le site

Parmi les sites mayas, celui de Palenque est celui qui a le plus intrigué les fonctionnaires de la fin de la colonie espagnole, et les voyageurs du XIXe siècle. Sa découverte fut le début de l'intérêt que le monde occidental porta à la civilisation maya. Le *comte de Waldeck* y séjourna pratiquement deux ans (1825), *Stephen,* consul des Etats-Unis et journaliste de formation, décrivit le site dans ses carnets de route (1840). *Catherwood,* son compagnon de route, architecte, en fit des dessins. *Désiré Charnay,* qui apporta beaucoup à l'archéologie mexicaine s'y installa en 1860. L'archéologie moderne y commença avec *Franz Blom* en 1925, pour aboutir à la découverte de la tombe par *Alberto Ruiz* en 1950. Actuellement, les plus grands spécialistes des Mayas se réunissent à Palenque tous les deux ans pour y échanger le résultat de leurs recherches. Si tous ces gens ont contribué à la renommée de Palenque et à la connaissance de l'histoire des Mayas, d'autres furent impressionnés par le site qui ne laisse personne indifférent. On a pensé que son fondateur venait de Carthage et à notre époque de satellites, certains voient une origine extra-terrestre chez le personnage représenté sur le couvercle du sarcophage.

Ce que l'on visite de Palenque ne représente que 15 % du site, d'innombrables monticules non fouillés étant encore dans la forêt.

La cité fut construite sur les derniers contreforts de la Sierra du Chiapas face à la grande plaine du Tabasco et pouvait être ainsi remarquée de très loin. Sa plus grande époque fut les VIIe et VIIIe siècles durant lesquels cinq souverains se sont succédés. Palenque présente des traits particuliers. En architecture : la construction de salles en deux parties séparées par un mur de refend qui soutient la crête faîtière (celle-ci était décorée de motifs en stuc), les petites fenêtres en forme de T pour la ventilation, et la tour du palais qui n'était probablement pas un observatoire vu la forme de sa construction et le ciel qui est souvent couvert dans cette région au moment des deux solstices et de l'équinoxe de septembre. En sculpture, on trouve à Palenque des panneaux en bas relief indiquant des faits historiques et religieux et un très grand nombre de sculptures en stuc qui ornent les monuments en beaucoup d'endroits. Il reste par ailleurs des traces de peinture décorative.

On recommandera une visite suivant un sens pratique : *grande pyramide* (temple des Inscriptions) - *groupe des petits temples* de Chan Balam - *palais - groupe nord - musée - cascade.* Mais suivant l'affluence (Palenque est très visité), on peut prendre cet itinéraire à rebours pour préserver sa tranquillité plus longtemps. A noter que la visite de la crypte est sujette aux aléas de son éclairage, ce qui peut faire repousser à plus tard la visite de la grande pyramide dans laquelle elle se trouve. On ne peut recommander d'heure pour la visite du site. Le temps est très changeant : brume du matin, pluie tropicale, rayons de soleil en fin d'après-midi, autant de moments qui donnent un caractère différent à l'ambiance.

Temple des Inscriptions

Nom donné à la grande pyramide à cause des grands panneaux qui ornent la salle du temple et qui relatent

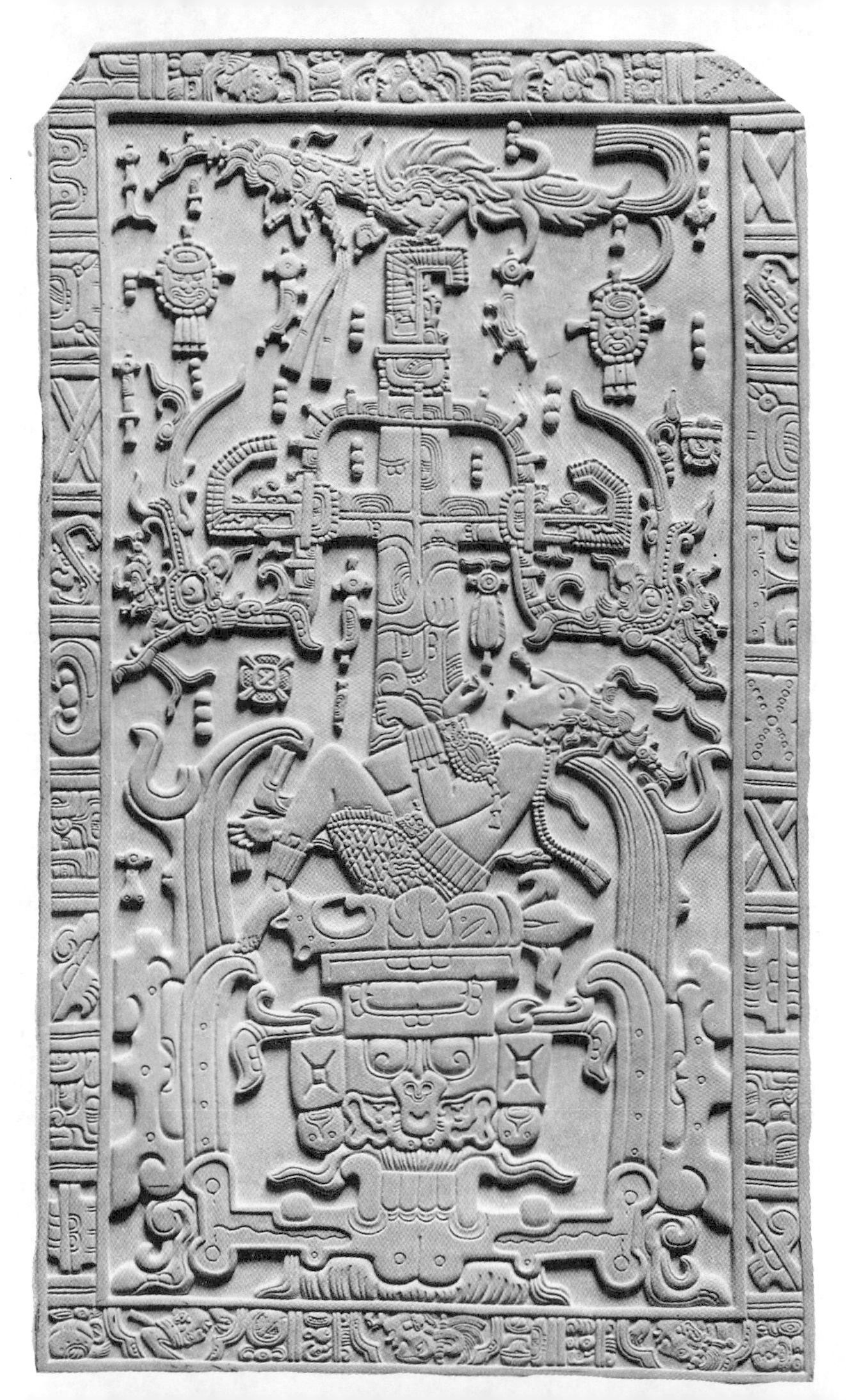

l'histoire dynastique depuis le VIe siècle jusqu'au roi *Pacal* qui fit construire ce monument avec l'idée de s'y faire enterrer. Le trou par lequel on pénètre pour descendre à l'intérieur de la pyramide était hermétiquement fermé par une dalle percée d'orifices aux quatre coins. L'archéologue *Ruiz Lhuillier* fut intrigué par ces orifices, souleva cette dalle et dégagea l'escalier du remblai qui le comblait, ce qui lui demanda trois saisons de fouilles. Un canal en terre cuite qui suit l'escalier sur toute sa longueur permettait au défunt de rester en contact avec le temple des Dieux. Certains ont donné à ce canal le nom original et imagé de *psychoduc.* En bas de l'escalier, où plusieurs enfants avaient été enterrés, une dalle triangulaire obstruait le passage. Sur les côtés de la crypte, neuf personnages étaient sculptés. Leurs traits réalistes, leurs habits et parures, leurs sceptres font penser à des ancêtres de Pacal alors que leur nombre, celui des dieux gardiens de l'inframonde leur donne un statut divin dont le défunt bénéficie.

La sculpture de la dalle qui recouvre le sarcophage figure l'ascension de Pacal au ciel. Les enfers, la terre et le ciel qui sont représentés communiquent par un arbre, la *Ceïba* (le plus grand de la forêt et pouvant atteindre 60 mètres de haut). Au centre, le défunt tombe dans les machoires du monstre terrestre. En dessous, et présenté de face, le monstre du Soleil nocturne dans lequel plongent les racines de la Ceïba qui remonte en passant derrière le personnage jusqu'en haut de la dalle. Le tronc dessine une croix dont les trois extrémités figurent une tête de serpent stylisée et rectiligne. Sur le haut de cet arbre est posé un grand oiseau. Un serpent à deux têtes descend en ondulant du tronc de l'arbre, son corps formant avec lui une autre croix, alors que chaque extrémité figure la gueule grande ouverte d'où sort un petit dieu (ces derniers motifs touchent presque l'encadrement de la dalle). C'est le sceptre de commandement de Pacal.

Temples de Chan Balam

Pour gagner le groupe des petits temples, on peut redescendre la pyramide et prendre à droite ou bien passer derrière elle, ce qui évitera un grand nombre de marches, la pyramide étant construite à flanc de colline. On suivra ensuite un sentier en forêt, avant d'atteindre ce groupe qui fut construit par *Chan Balam,* le successeur de Pacal. Le temple sans toiture, *temple XVI,* ne fait pas partie du groupe. Pour chacun de ces trois temples, la pièce du fond était un sanctuaire orné d'un toit. Au fond de ce sanctuaire, un grand panneau sculpté.

Temple de la Croix

Sur le panneau du temple, on retrouve l'arbre en croix avec les deux têtes de serpent stylisées à chaque extrémité, ainsi que l'oiseau au sommet. Le personnage de droite, le plus grand, est *Chan Balam* à la date de son accession au trône (glyphes inscrits devant lui). Celui de gauche est *Pacal,* assis sur un masque et le chiffre 9. Depuis les enfers, il présente l'emblème de la charge suprême à son fils. On retrouve Chan Balam (petit jaguar) sur le pilier gauche du sanctuaire, alors que sur le pilier de droite est sculpté un dieu des Enfers vêtu d'une peau de jaguar et fumant le cigare (au solstice d'hiver, le soleil en se couchant vient éclairer le personnage en passant au-dessus du *temple des Inscriptions,* c'est-à-dire de la tombe).

Temple de la Croix-Feuillue

Sur le panneau du temple (coupé en deux), les deux personnages apparaissent dans la même position et dans le même contexte, Pacal présentant à son fils la lancette utilisée pour l'autosacrifice.

Temple du Soleil

Sur le panneau, les deux mêmes personnages se présentent mutuellement l'image d'un dieu. L'arbre est remplacé par une barre cérémonielle avec des représentations du jaguar. Au-dessus, le jaguar solaire apparaît sur un bouclier avec deux lances croisées.

Le palais

Il est composé de différents patios et surmonté de la tour. Malgré le nom qui lui a été donné, on n'est pas certain qu'il servait de résidence aux souverains. On peut y entrer par différents côtés, et même par les souterrains. Depuis la cour sud-ouest (*d* sur le plan p. 161), on remarquera des traces de peintures sur les murs du bâtiment où se trouve la pierre ovale figurant le roi Pacal. Il est assis sur un trône en forme de jaguar à deux têtes et reçoit la couronne des mains de sa mère. On ne manquera pas d'observer chaque recoin de ce palais, car on peut y découvrir des vestiges de sculptures en stuc ou de peintures.

Dans la cour nord-est, bien fermée, (*b* sur le plan) on observera l'escalier ouest avec une inscription qui cite un roi d'une cité voisine fait prisonnier par Pacal. Sur les rampes sont sculptés des personnages agenouillés et sur leurs côtés respectifs apparaissent d'autres personnages plus petits, mais tous présentent les signes correspondants aux prisonniers. De l'autre côté de la cour, d'autres personnages avec les caractéristiques des prisonniers aussi, importants comme l'indiquent leurs bijoux, couvrent de grandes dalles. Un texte gravé indique que leur capture fut le fait d'un personnage de Palenque. Il semble que ces sculptures qui n'avaient pas été prévues pour cet endroit (certaines ont été rabotées) n'aient pas été exécutées par un artiste de cette ville. Leur style est grossier.

En montant l'escalier qui leur correspond, on traverse une galerie avec de nombreux médaillons dont il manque malheureusement les figures (on peut imaginer une galerie de tableaux des ancêtres). Au-delà et à l'extérieur des piliers soutenant cet édifice, (*c* sur le plan) sont modelés des personnages en stuc (il faudra s'en éloigner en allant au bout de la terrasse pour mieux les voir) : un souverain debout avec un homme et une femme assis à ses pieds ; un autre personnage qui s'apprête à décapiter sa victime. C'est dans ce bâtiment que Charnay avait établi son campement, au milieu du siècle dernier. Il y laissa son graffiti.

Groupe du nord ; musée ; cascade

Au nord du palais, un ensemble de constructions ferme la perspective. En continuant vers l'est, on atteint le musée où l'on verra de fort belles sculptures, et au-delà encore, se cache dans les bois une cascade près de laquelle on peut s'asseoir, car le charme de Palenque c'est aussi tout l'environnement. Si vous pensez entendre des tigres, ne vous affolez pas trop : ce sont en fait des singes hurleurs.

Hôtellerie

Il faudra être indulgent sur la qualité de l'hôtellerie sous ce climat, les employés n'ayant certainement pas la même motivation que les artistes ou architectes du roi Pacal.

*Mision-Palenque*** (tél. 502.41), Rancho San Martin de Porres. *Nututum**, sur la route d'Ocosingo. *Cañada** (tél. 501.02), dans les bois au carrefour de l'entrée en venant de Villahermosa (repère : la sculpture d'une tête d'Indien sortant de la chaussée). Ambiance sympathique, très bonne cuisine. *Tulipanes**, à côté du précédent. *Lacroix**, dans le centre du village, derrière l'église.

Pour les repas, en dehors du restaurant de *Cañada, El Paraiso,* sur la route des ruines. Sur une colline ventée, ce qui est appréciable. Excellente viande de zébu, poissons. Sur la place du village, le restaurant *Maya.*

USUMACINTA

Partir dans la région où court le rio Usumacinta permettra de connaître la forêt tropicale, qui malheureusement a été détruite dans beaucoup d'endroits. Les sites archéologiques mayas de *Yaxchilan* et *Bonampak* sont ses meilleurs garants car elle y est protégée. Ce sont des endroits de recueillement. On rencontrera des Indiens *Lacandons* qui, en quelques décades, ont perdu une culture pourtant conservée pendant des siècles, à l'abri de la colonisation espagnole et de la civilisation moderne. Ils sont originaires du Yucatan d'où ils auraient fui pour se réfugier finalement dans cette forêt. De cette lointaine province, ils ont gardé la langue, le maya-yucatèque et les traits physiques. Ils furent « découverts » il y a une quarantaine d'années.

Pour gagner cette région, on peut louer une avionnette à Palenque ou a Tenosique (parfois à San Cristobal), mais plus simplement prendre la piste qui commence à Palenque. Il sera prudent de se renseigner sur le temps de parcours et l'état de la route auprès des Ponts et Chaussées de Palenque *(Obras publicas)* ou bien auprès de la réception de l'*hôtel Cañada.* A 150 kilomètres de Palenque environ, une bretelle conduit à Bonampak qui est à 15 kilomètres. A l'embranchement se trouve un hameau habité par les Indiens Lacandons chez qui, suivant l'ambiance, vous pourrez accrocher votre hamac. *Chan Kin* (« petit soleil »), grand seigneur, vit un peu à l'écart et vous recevra s'il n'est pas en voyage, comme il en a l'habitude.

Les peintures de Bonampak furent découvertes en 1946 et couvrent trois pièces d'un édifice. On trouvera aussi des stèles à l'extérieur. La *stèle n° 1* figure le souverain *Chan Muan* avec une lance et un bouclier. La *n° 2,* la pratique d'un autosacrifice. Sur la *stèle n° 13,* le même personnage reçoit la soumission d'un captif. Les linteaux des trois portes qui donnent accès aux peintures sont sculptés, commémorant les victoires de *Chan Muan* qui fit construire cet édifice.

Les peintures de la première pièce nous montrent la préparation d'une expédition guerrière. En haut, le souverain est assis sur un trône entouré de dignitaires et d'assistants. En bas, des danseurs revêtus de plumes de quetzal, des musiciens et des personnages masqués représentant les divinités terrestres. A l'intérieur de la deuxième salle, est représentée une scène de guerre. Les vainqueurs portent de grandes coiffures, certains sont revêtus de peaux de jaguar. Le souverain est au centre. En contrebas, on reconnaît les vaincus sans ornements. Dans la troisième salle, apparaissent des danseurs coiffés de plumes de quetzal et des musiciens : tous accompagnant le sacrifice d'un personnage.

Ces peintures nouvellement restaurées ont été reproduites par *Rina Lazo* pour le musée de Mexico. La salle n° 1 a été reconstituée avec beaucoup de précision et de talent par *F. Davalos* et *K. Grootenboer* au musée de Gainesville en Floride.

Après l'embranchement de Bonampak, la route principale continue jusqu'à la rive du fleuve Usumacinta, au village d'*Etcheverria.* On doit justifier de son identité auprès du service d'immigration qui pourra nous renseigner sur les possibilités de louer une pirogue ou une barque *(lancha)* afin de gagner Yaxchilan où l'on pourra bivouaquer. On peut de là se rendre au Peten (voir « Guatemala, Accès »).

Yaxchilan est le site de l'architecture et de la sculpture. Celle-ci s'est mieux conservée sur les linteaux, protégée par les portes qui donnent accès aux temples. Y figurent des scènes de capture et d'autosacrifice. Les meilleures pièces se trouvent dans différents musées dont celui de Mexico, mais Yaxchilan vous réservera son charme loin du monde. Vous pourrez partir à la découverte des grands édifices sur de hautes terrasses et imaginer la splendeur de ce site immense.

VILLAHERMOSA

Villahermosa a subi les conséquences d'un progrès rapide dû à la richesse agricole de la région et à l'exploitation de gisements de pétrole dont elle est le centre. Le quartier *Tabasco 2 000* est le meilleur témoin de ce progrès avec son architecture futuriste (bâtiments municipaux et de l'Etat, grands magasins, planétarium). Le musée *Cicom* fait partie d'un autre ensemble, culturel mais très moderne aussi. On pourra passer la soirée dans un quartier calme fait de rues piétonnes *(centro peaton)* près duquel on pourra choisir un hôtel. De ce quartier, on remarquera la *Casa de los Azulejos* (avenida 27 de febrero) qui abrite un petit musée local, ainsi que les façades coloniales dans les ruelles près de la poste. Le soir, on pourra profiter des terrasses de café en regardant des milliers d'oiseaux noirs s'installer pour la nuit sur les fils électriques, ou bien se promener le long du fleuve Grijalva. Les vitrines de magasins de chaussures battent tous les records du Mexique.

Au *parc de la Venta* ont été rassemblées les sculptures trouvées sur le site olmèque du même nom. L'arrangement de ce parc en rend la visite agréable et donne à chaque sculpture sa meilleure dimension. On trouvera des autels, des stèles, des tombes et des têtes monumentales.

Le musée *Cicom* se trouve sur le bord du Grijalva et fait partie d'un ensemble culturel agréable. On trouvera des magasins et un restaurant-café. Le musée est climatisé. Le sens

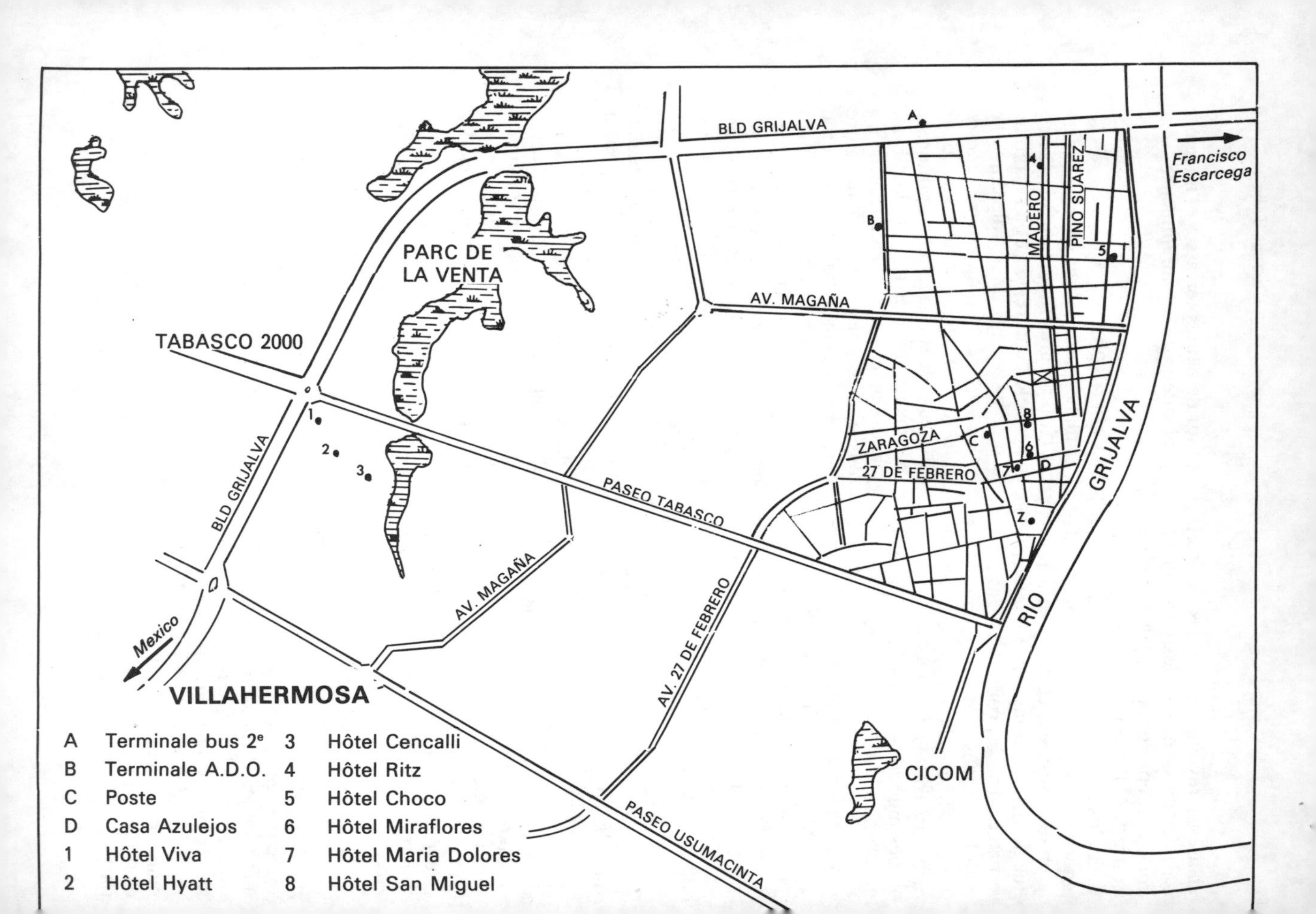
BLD GRIJALVA
Francisco Escarcega
MADERO
PINO SUAREZ
PARC DE LA VENTA
AV. MAGAÑA
TABASCO 2000
ZARAGOZA
27 DE FEBRERO
GRIJALVA
BLD GRIJALVA
PASEO TABASCO
AV. MAGAÑA
AV. 27 DE FEBRERO
RIO
Mexico
VILLAHERMOSA
CICOM
PASEO USUMACINTA
A Terminale bus 2e
B Terminale A.D.O.
C Poste
D Casa Azulejos
1 Hôtel Viva
2 Hôtel Hyatt
3 Hôtel Cencalli
4 Hôtel Ritz
5 Hôtel Choco
6 Hôtel Miraflores
7 Hôtel Maria Dolores
8 Hôtel San Miguel

logique de la visite demande de commencer par le deuxième étage (ascenseur) où les salles sont orientées sur l'anthropologie mexicaine. Au premier étage, c'est l'étude sur l'art olmèque et maya. Au rez-de-chaussée, un ensemble de sculptures monumentales olmèques et mayas. Puis, après avoir suivi la rampe, on entrera dans le « saint des saints », une salle protégée où sont exposées les plus belles pièces de ces deux civilisations. On remarquera l'encensoir de style flamboyant de Teapa. Si l'on ne disposait d'assez de temps pour visiter tout ce musée, on ne saurait trop recommander d'aller passer un moment à son rez-de-chaussée, du moins dans cette salle, et surtout de venir voir cette pièce unique.

Ce musée, comme le parc de la Venta, est ouvert tous les jours de la semaine.

Hôtellerie

*Viva*** (tél. 255.55) sur le boulevard Grijalva, près du parc de la Venta. *Choco**, avenida Constitucion, près du fleuve. *Maria Dolores** (tél. 222.11) dans le centre piéton, calle Aldama. *Ritz** (tél. 216.11), calle Madero, près du boulevard Grijalva. *Pension Miguel,* calle Tejada dans le quartier piéton.

Parking au coin de la place d'Armes et du boulevard qui longe le fleuve.

En prenant la route de Villahermosa vers la côte, on traverse une zone de marécages où vivent les Indiens chontales descendant des Putuns qui eurent un rôle important à la fin de la période classique des Mayas.

Oaxaca

(Prononcer *oaraca.* On emploie ce mot pour désigner la région, l'Etat et sa capitale.) La vallée de Oaxaca doit son entité géographique et culturelle à son isolement en pleine Sierra du Sud. A 1 500 mètres d'altitude, le climat y est agréable, avec une température moyenne annuelle de 20°. Le barrage formé par la Sierra tout autour de cette vallée l'abrite des précipitations. Les ciels sont limpides et la lumière convient particulièrement aux bougainvillées et aux tulipiers. On verra souvent des cactus candélabre et des agaves bleutés dont on tire le *mezcal.* Dès que l'on veut ressortir de cette vallée, on doit traverser les montagnes aux horizons très différents et parsemées de villages indiens. L'artisanat de la région est très varié et l'on en aura un bon échantillonnage dans la seule ville de Oaxaca. Pour connaître la région proche, il faudra compter trois nuits sur place, sachant que l'on peut rayonner aisément depuis la ville. Cela sans compter la découverte de la Sierra par les routes qui la traversent ou un séjour sur le Pacifique.

Accès : vols réguliers par *Aeromexico* et *Mexicana* pour Mexico, Tuxtla Gutierrez, Villahermosa et la baie de Huatulco.

Autobus de 1re classe par *A.D.O.* (le terminal se trouve en haut du centre-ville, près du garage Volkswagen) pour : Mexico (compter 9 heures de route), Tehuantepec et Villahermosa (compter 5 heures et 12 heures pour chacune de ces villes). Par *Cristobal Colon* (même terminal) pour

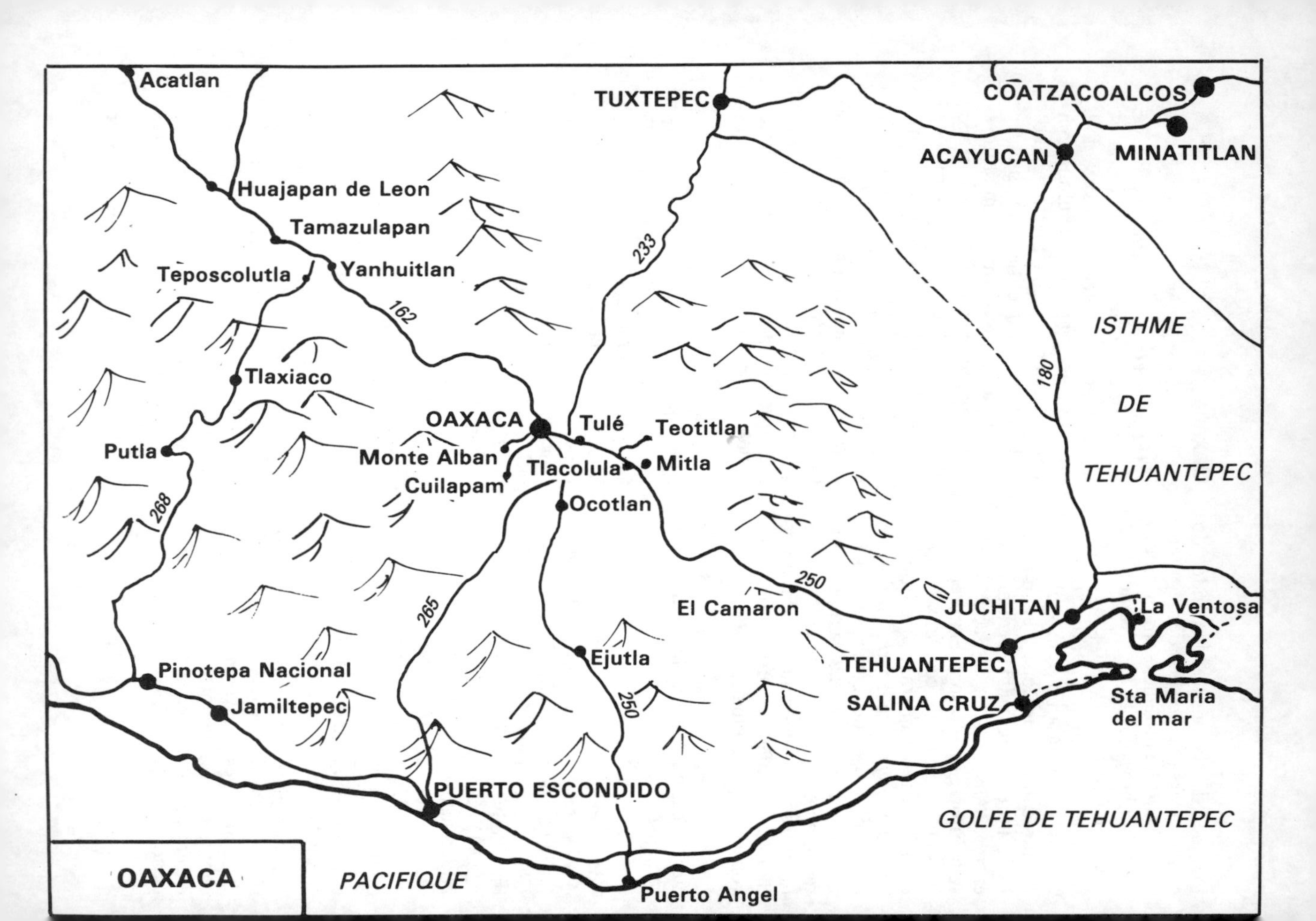
Acatlan
TUXTEPEC
COATZACOALCOS
ACAYUCAN
MINATITLAN
Huajapan de Leon
Tamazulapan
Teposcolutla
Yanhuitlan
233
162
ISTHME
DE
TEHUANTEPEC
180
Tlaxiaco
OAXACA
Tulé
Teotitlan
Putla
Monte Alban
Tlacolula
Mitla
Cuilapam
268
Ocotlan
250
265
El Camaron
JUCHITAN
La Ventosa
Ejutla
TEHUANTEPEC
Pinotepa Nacional
Jamiltepec
250
SALINA CRUZ
Sta Maria
del mar
PUERTO ESCONDIDO
GOLFE DE TEHUANTEPEC
OAXACA
PACIFIQUE
Puerto Angel

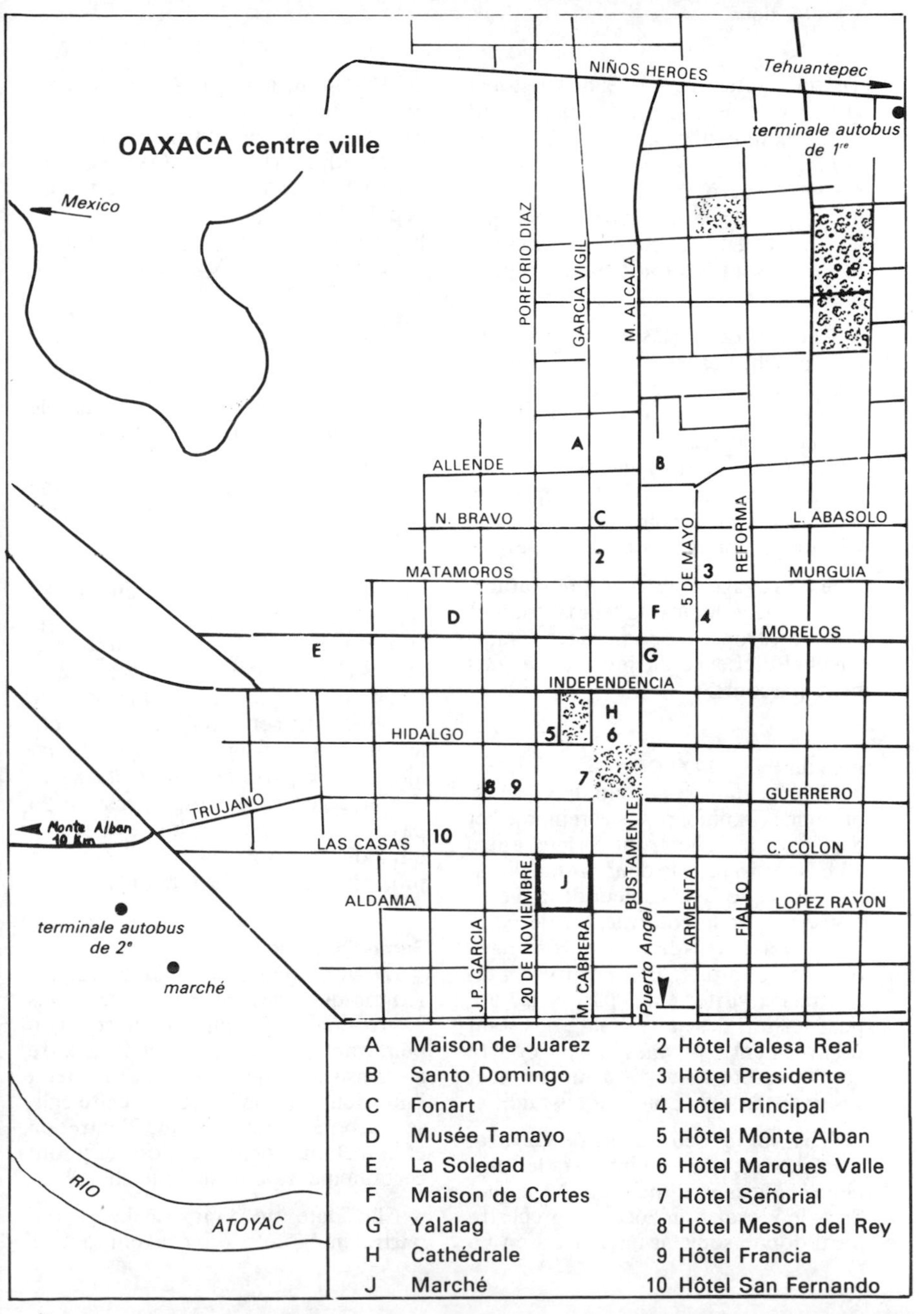

OAXACA centre ville
Mexico
NIÑOS HEROES
Tehuantepec
terminale autobus de 1re
PORFORIO DIAZ
GARCIA VIGIL
M. ALCALA
ALLENDE
N. BRAVO
MATAMOROS
5 DE MAYO
REFORMA
L. ABASOLO
MURGUIA
MORELOS
INDEPENDENCIA
HIDALGO
TRUJANO
Monte Alban 10 km
LAS CASAS
GUERRERO
C. COLON
ALDAMA
LOPEZ RAYON
J.P. GARCIA
20 DE NOVIEMBRE
M. CABRERA
BUSTAMENTE
Puerto Angel
ARMENTA
FIALLO
terminale autobus de 2e
marché
RIO
ATOYAC
A Maison de Juarez
B Santo Domingo
C Fonart
D Musée Tamayo
E La Soledad
F Maison de Cortes
G Yalalag
H Cathédrale
J Marché
2 Hôtel Calesa Real
3 Hôtel Presidente
4 Hôtel Principal
5 Hôtel Monte Alban
6 Hôtel Marques Valle
7 Hôtel Señorial
8 Hôtel Meson del Rey
9 Hôtel Francia
10 Hôtel San Fernando

M

Tuxtla Gutierrez et San Cristobal (12 heures de route). On ne saurait trop recommander de prendre l'avion pour ces longs parcours quand on le peut. Le survol de la Sierra est aussi une façon de la découvrir, alors que les trajets en bus sur des routes en lacets ne sont pas toujours très agréables.

Autobus de 2e classe pour les environs proches et les routes qui conduisent au Pacifique (le terminal se trouve près du nouveau marché en bas de la ville) : Puerto Escondido (compter 10 heures), Puerto Angel (7 heures). Tuxtepec (7 heures). Pinotepa par Yanhuitlan et Tlaxiaco et Putla (une très longue mais très belle aventure).

Si on voyage avec sa propre voiture, on comptera moins de temps, tout en évitant trop d'optimisme. Train-couchette. Lever du jour sur le plus beau parcours.

LA VILLE DE OAXACA

Comme dans beaucoup de villes de province, la plupart des commerces et des lieux à visiter sont fermés entre 13 h 30 et 16 h. A la douceur du climat s'ajoute celle de la couleur de la pierre utilisée pour la construction de cette ville : verte dans le centre, rose dans d'autres endroits. Les environs intéressants à visiter étant parfois à l'opposé les uns des autres tout en restant relativement proches, on pourra combiner leur visite par demi-journée, réservant la ville pour l'après-midi.

C'est sur les deux places de Oaxaca, juxtaposées, que l'on trouvera les plus beaux *lauriers d'Inde* du Mexique. Sous le kiosque du zócalo, l'orchestre local donne souvent un concert en fin d'après-midi, mais la place adjacente est parfois l'objet de manifestations à caractère politique devant le portail de la cathédrale (l'Etat de Oaxaca, dont on connaît le caractère contestataire depuis Juarez qui y naquit, ressent à juste titre son retard par rapport au progrès du pays). Autour de ce zócalo, de nombreuses terrasses de café permettent de jouir des fins d'après-midi qui, en saison, ne sont pas aussi pluvieuses que dans le reste du pays.

L'*ancien marché* se trouve dans le centre-ville, à deux rues du zócalo. Il est ouvert tous les jours. Le nouveau, plus grand, se trouve plus loin, à une dizaine de rues, sur la route de Monte Alban. Le samedi est son grand jour, particulièrement pour l'artisanat. Il est d'usage chez les Mexicains qui se rendent à Oaxaca de rapporter à leurs amis du chocolat (à cuire). On trouvera des échoppes où l'on vous préparera du chocolat moulu, parfois avec de l'amande. Le cérémonial qu'entourent le choix du mélange ainsi que l'achat ajoute aux parfums qui se dégagent des étalages. Une autre spécialité du pays : le fromage en boule torsadée qui doit sa forme au fait d'avoir été précipité dans de l'eau bouillante.

Santo Domingo

L'église Santo Domingo (Saint-Dominique) devrait être visitée dans l'après-midi car la lumière du soleil en pénétrant par le portail et la fenêtre au-dessus, donne un éclat particulier à l'intérieur déjà splendide de cette église baroque (ajoutons que l'entretien et la restauration de ses dorures y sont certainement pour quelque chose).

Elle date du XVIIe siècle et fait partie intégrante du couvent qui se trouve à côté. La décoration du plafond sous lequel on passe en entrant représente l'arbre généalogique de la famille de saint Dominique, citoyen espagnol du XIIe siècle. En se dirigeant vers le maître-autel, on se retournera pour ne pas manquer de voir la tribune qui se trouve au-dessus de l'entrée. La chapelle latérale, du *Rosaire,* date du XVIIIe siècle. On en remarquera le retable, la statue de la Vierge et la décoration sur stuc de la coupole.

Musée d'Anthropologie

Ce musée est installé dans le couvent adjacent à l'église (fermé entre 13 h et 16 h ainsi que le lundi toute la journée ; laisser les sacs au vestiaire comme il est de règle dans les musées de cet institut ; point de vols signalés). Ce couvent n'est pas le seul de la région construit par les Pères dominicains qui se chargeaient de l'évangélisation de cette région jusqu'au Guatemala. Dans les montagnes environnantes, on en rencontre d'autres très beaux, parfois à l'abandon. On remarquera dans le cloître les peintures murales qui ont pu être décapées. En montant l'escalier, on regardera vers le plafond pour avoir une idée de l'ensemble architectural grandiose qui compose cet endroit.

Au premier étage, les salles sur l'*ethnographie* locale nous donnent une idée de la richesse de la vie indienne dans cette région.

Les *Zapotèques* vivent dans la vallée de Oaxaca, mais on les retrouve jusqu'à l'isthme de Tehuantepec. Les femmes de cette ville portent curieusement une longue robe en velours alors que le climat est le plus chaud du Mexique. On remarquera les laques sur courges. Un autre groupe très important : les *Mixtèques.*

Les *Mixtèques,* à la période postclassique, avaient occupé les villes zapotèques, utilisant même les tombeaux. Depuis, ils sont retournés dans leurs montagnes. Les Mixtèques se répartissent géographiquement ainsi : dans la *Mixteca baja,* au nord de Oaxaca, région calcaire pauvre, avec peu de points d'eau. Ils y travaillent le jonc pour en faire des paniers ou des chapeaux que l'on trouve sur le marché de Tlaxiaco (le samedi), s'expatrient vers la ville de Mexico. La *Mixteca alta,* est la région des hautes montagnes à l'ouest de Oaxaca, la région des nuages. La *Mixteca costera* comprend la région côtière au sud-ouest de Oaxaca. Vivent là les *Mixtèques-Amusgos.* Les hommes de la région de Zacatepec portent un caleçon brodé de petits motifs représentant des scorpions et autres petits animaux. Les femmes (souvent torse nu) portent une longue jupe à rayures bleues, rouges et violettes qui fait plusieurs fois le tour de leur taille.

La beauté particulière de ce vêtement provient de la qualité des teintures naturelles qui sont encore employées. Le rouge provient de la cochenille qui vit sur les figuiers de barbarie. L'élevage de ce puceron se pratiquait depuis toujours chez les anciens Mixtèques et fut développé par les Espagnols qui exportaient le colorant en Europe. On tue l'insecte en étuve ou dans l'eau bouillante pour provoquer la coagulation du principe colorant situé dans l'abdomen. Quant au rouge violacé, il est obtenu d'un mollusque marin. Les hommes descendent sur la côte à certaines périodes de l'année avec le fil à teindre et recherchent les criques favorables à la présence du coquillage. Ils teignent alors sur place en versant le liquide sur des écheveaux posés sur la plage. Une meilleure couleur est obtenue à la pleine lune. Le mollusque remplit sa coquille de ce colorant en se rétractant lorsqu'on souffle dessus. Il est alors remis à sa place et pourra être réutilisé à la lune suivante. L'habit de cérémonie d'une jeune mariée comprend des rayures de cette couleur, plus larges qu'à l'ordinaire à cause du pouvoir que ce coquillage possède sur la fécondité.

Les *Mixes* vivent dans les montagnes à l'est de Oaxaca. Les femmes portent une blouse blanche unie faite d'un tissage épais et décorée d'un seul pompon. Les *Mazatèques* enfin. Les femmes portent des longues toges particulièrement colorées.

L'*art mixtèque* avec les céramiques zoomorphes, les encensoirs et les petits personnages burlesques. Dans une autre salle, l'art des *Zapotèques,* qui ne peut être comparé. On remarquera la statuette du scribe de *Cuilapam* et une grande vitrine dédiée aux urnes funéraires. Il faut la regarder de droite à gauche pour voir leur évolution. Tout à droite, un encensoir avec un visage de style olmèque. Les urnes ensuite sont des vases décorés d'une figure humaine dans lesquels on déposait des offrandes. Les dieux qui y sont figurés sont de plus en plus ornés pour devenir des statuettes proprement dites, le creux de l'urne ayant pratiquement disparu. On remarquera la disproportion entre la tête et le reste du corps. Un morceau de *masque* d'un réalisme étonnant met en évidence le trait physique caractéristique de la région qui se retrouve sur les gens d'aujourd'hui.

Une salle spéciale est dédiée au trésor de la *tombe n° 7* de *Monte Alban,* une tombe zapotèque utilisée pour l'enterrement d'un grand personnage mixtèque. L'arrangement de cette salle obscure avec pour tout éclairage celui des vitrines rend hommage à la qualité des bijoux trouvés dans cette tombe par des archéologues mexicains il y a une cinquantaine d'années. Après avoir admiré le collier exposé à l'entrée et en marchant dans le sens inverse des aiguilles d'une montre, on remarquera un *crâne incrusté* de turquoises suivant une technique particulière de cette époque postclassique, des *bijoux de jade* parmi lesquels des ornements d'oreilles (ils devaient pénétrer dans le lobe déformé à cet effet), d'autres plus petits mais combinés à de l'or et que l'on portait sous la lèvre inférieure ou en bas du nez, et enfin un vase en cristal de roche. Dans la vitrine du fond sont exposés des *os gravés* de motifs animaliers et mythologiques avec une grande précision (on remarquera la tête d'un petit fémur utilisé pour figurer un visage). Puis viennent différentes vitrines dont celle présentant les *bijoux en or* que l'on voit souvent reproduits, comme le dieu *Xipe Totec,* l'écorché. Enfin, tous les objets que les archéologues n'ont pu reconstituer mais que l'on garde religieusement dans cette même salle.

Au même étage, on peut visiter aussi des salles sur l'archéologie plus générale et sur l'art colonial.

Musée Tamayo

Ce n'est pas une présentation des œuvres de ce célèbre peintre contemporain, mais celle d'une collection de très beaux objets précolombiens qu'il donna à l'Etat de Oaxaca, son pays natal. Elle est présentée d'une façon un peu ostentatoire.

La Soledad

En continuant vers l'ouest, l'église de la *Soledad,* patronne de la ville, est intéressante pour son atrium surplombant la rue pour son retable et pour la très belle statue de la Vierge revêtue de son manteau de velours noir. A l'occasion de fêtes religieuses, on ne manquera pas d'aller voir ce qui se passe éventuellement sur le parvis de cette église, le dimanche des Rameaux en particulier. Sa façade, baroque, est éclairée le matin. Cette église est du XVIIe siècle.

Maison de la Culture

Sur la rue Alcala qui conduit à Santo Domingo depuis le centre, l'ancienne demeure de Cortes judicieusement restaurée. Enfin, l'hôtel *Presidente* dans lequel on peut jeter un coup d'œil (calle Cinco de Mayo). Il est établi dans un ancien couvent.

Achats

Bien que vous soyez sollicités dans la rue, il est bon que vous ayez une idée plus globale de ce qui se fait dans la région. *Fonart,* au coin des rues calle Vigil et Bravo, ainsi que *Yalalag,* calle Valdivieso derrière la cathédrale, sont de beaux magasins pour la céramique. Un autre faisant le coin et contre Yalalag est spécialisé en pierres précieuses. Sur la place *Santo Domingo,* on découvrira un petit magasin avec de bonnes reproductions de bijoux mixtèques en or. Dans d'autres encore et sur les marchés, vous pourrez trouver cotonnades, sandales, cuir, *sarapés* en laine qui peuvent vous servir de couvre-lits ou tapis. C'est la qualité qui détermine, normalement, la différence de prix. Un sarapé très serré, donc plus lourd vaudra plus cher. Les Indiennes ont pris l'habitude au contact des touristes, de dire *poncho* (qui est un mot d'Amérique du Sud) au lieu de sarapé.

Hôtellerie

*Presidente**** (tél. 606.11) dans l'ancien couvent de Santa Catalina. *Victoria**** (tél. 626.33), très belle vue sur la ville, mais éloigné du centre (calle Cerro del fortin ; attention à l'accès qui se trouve dans un virage sans visibilité). *Motel Margaritas* (tél. 640.85), Madero 1254, à l'entrée de la ville en venant de Mexico. *Mission San Felipe****, à la campagne, assez loin au nord de la ville, à 15 minutes du centre en voiture. *Calesa Real** (tél. 655.44), calle Vigil, à deux rues du zócalo. Sans prétention, mais très bien tenu. *Marques del Valle** (tél. 631.98), sur le zócalo où ne circulent pas les voitures. *Francia** (tél. 648.11), calle 20 de noviembre, une rue à l'ouest du zócalo. *Meson del Rey** (tél. 600.33), calle Trujano et près du Francia. *Principal** (tél. 625.35), calle cinco de Mayo. *Colon,* calle Colon, angle calle Lopez. *Viena,* calle Lopez, angle calle Rayon.

Dans cette ville, il est recommandé de mettre sa voiture dans un parking. Possibilité de camper au *Trailer-park,* calle Violeta et Escuela naval. Autobus fréquents pour rejoindre le centre (20 minutes de trajet). Si l'on se trouve en panne de logement, on pourra recourir au petit hôtel champê-

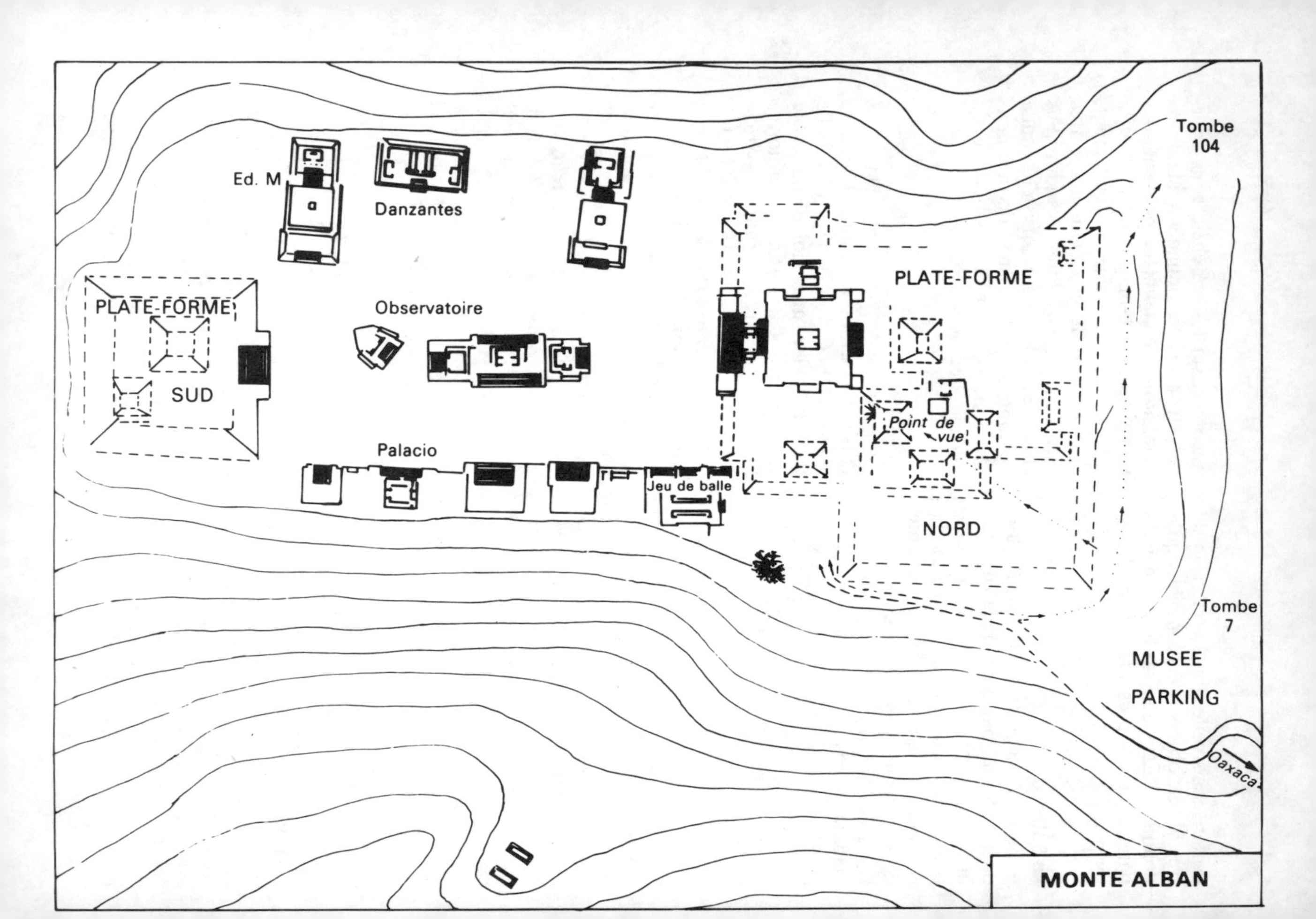
Tombe 104
Ed. M
Danzantes
PLATE-FORME
PLATE-FORME
SUD
Observatoire
Point de vue
Palacio
Jeu de balle
NORD
Tombe 7
MUSEE
PARKING
Oaxaca
MONTE ALBAN

tre de *Mitla (museo Frissel)*. La nourriture rustique est très bonne. Vous devrez allumer votre chauffe-bain à bois vous-même.

Ballets folkloriques tous les soirs à l'hôtel *Monte Alban,* en face de la cathédrale. On consomme en même temps. Le dîner, qui n'est pas obligatoire, n'a vraiment rien de bien particulier.

MONTE ALBAN

(Prévoir crème solaire et chapeau.)

Entre le ciel et la terre, c'est le lieu du Sacré, quand l'homme a su dépasser sa propre mesure. Sa découverte est un moment important qui mérite le choix de l'heure et de l'endroit. La meilleure heure sera tôt le matin ou dans le courant de l'après-midi. Le meilleur endroit, en arrivant depuis les tombes que l'on rejoint en prenant à droite après les guichets d'entrée. Sinon, prendre le chemin prévu pour l'accès habituel et grimper sur la colline à droite à la hauteur du grand arbre, un laurier d'Inde qu'on laissera sur sa gauche. Nous sommes alors sur la plate-forme nord du site. Si l'on observe l'horizon en effectuant cette marche, on apercevra des *tumuli* sur les crêtes. Ce sont des petits sites, qui se répartissent sur une surface cinquante fois supérieure à celle de Monte Alban.

Ce site, le plus beau vestige de la civilisation zapotèque, en a été le témoin de l'évolution. Pour clarifier les choses, les archéologues ont donné des numéros.

Monte Alban I : construction de la plate-forme générale sur le haut de la montagne. C'est l'époque préclassique avec influence des Olmèques. Il demeure une série de dalles placées en ligne comme dans une galerie de tableaux. Elles sont dans le secteur sud-ouest du site. Ces dalles, gravées, représentent des personnages aux traits physiques olmèques, chacun avec une tare ou un défaut amenant à l'hypothèse d'une vénération de gens anormaux (ce cas se présente sur des céramiques de l'Occident). On remarquera sur certaines de ces dalles des hiéroglyphes de nombres et du début de l'écriture. Elles continuent sous un monument qui fut construit postérieurement, mais les archéologues ont laissé un passage pour que l'on puisse entrer et voir toute la rangée. On appelle ces figures les *danzantes.* On verra une stèle de même époque en bas et à droite de la plate-forme qui ferme la place au sud. D'autres dalles du même style sont intégrées à la construction en oblique qui se trouve au milieu du site. Elles ont été réutilisées.

Monte Alban II : transition entre le préclassique et le classique avec une influence maya.

Monte Alban III : époque classique avec apogée de la civilisation zapotèque. Influence notoire de Teotihuacan. Les façades des monuments sont en *talud-tablero* (combinaison de forme verticale et en talus).

Monte Alban IV : pas d'influence nette et début de décadence pour atteindre la période V, pendant laquelle les Mixtèques occupent les grands centres zapotèques comme Monte Alban et utilisent leurs tombes, comme la *tombe n° 7* dont le trésor se trouve au musée de Oaxaca. Cette tombe, comme la *tombe 104,* se trouve au nord de la plate-forme nord. Elles font partie de toute une série dispersée sur le flanc de la montagne. Elles avaient leur endroit réservé et délimité. Dans la *tombe 104,* on observera des peintures ainsi que la niche réservée à l'urne funéraire.

Si là plupart des monuments de ce site avait une fonction religieuse, un bâtiment dans la ligne de ceux placés sur le côté est de la place, servit de résidence (le troisième depuis le sud). Le dernier monument au nord de cette même ligne est un jeu de balle. Ce terrain est fermé, caractéristique de ceux du Mexique. Les pierres en saillie sur les murs en pente ne sont là que pour amarrer le stuc qui a disparu et qui recouvrait toutes les constructions. Les niches aux angles pouvaient servir pour le dépôt des offrandes. La dureté de la balle (en caoutchouc plein) que l'on ne pouvait toucher ni avec les mains ni avec les pieds obligeait les joueurs à se protéger ceinture, bras et genoux, ce qui les faisait ressembler aux joueurs de football américain. La balle devait être en perpétuel mouvement, comme dans notre volley-ball, les murs en pente servant à son rebondissement.

LES ALENTOURS DE OAXACA

Nous donnons une liste de villages ou sites qui sont à moins d'une heure de la ville et qui sont intéressants à visiter. Sur la route qui conduit à Tehuantepec, la panaméricaine :

Tulé, à 15 kilomètres de Oaxaca, avec ses arbres de 2 000 ans et dont la circonférence atteint 40 mètres. Ne pas manquer de visiter la petite église qui est à côté et de goûter aux *empanadas* (ou *gordas*) fourrées au fromage ou aux fleurs de courgette. On les prépare devant vous.

Tlacochahuaya, à 20 kilomètres et à 2 kilomètres de la route : église avec des peintures murales dans un cadre enchanteur. La clef doit être demandée dans le village. Le responsable est souvent absent.

Teotitlan del Valle, à 21 kilomètres et à 5 kilomètres de la grand-route : village de tisserands. On y fait des *sarapés.* Les couleurs les plus traditionnelles sont dans les mauves et gris bleuté. Le serrage de la laine compte beaucoup. Un sarapé de bonne qualité doit être lourd. Les motifs traditionnels sont abstraits ou avec des oiseaux à peine insinués. Voir l'atrium de l'église, son intérieur avec les saints et le petit cloître.

Daintzu, à la même hauteur sur la grand-route, mais de l'autre côté de Teotitlan : site archéologique à un kilomètre. La vue sur la vallée en est splendide. Une série de dalles gravées présente des joueurs de balle. C'est en dessinant tous les personnages que l'on a pu reconstituer les vêtements de protection dont ils devaient se munir pour le jeu.

Tlacolula, à 33 kilomètres (la route traverse le village). Centre de fabrication du *mezcal,* alcool tiré de racines d'agave fumées. On en trouvera un centre de distribution sur la rue qui conduit à la place. La poudre rosée que l'on vend dans un sachet en même temps que la bouteille est un mélange de sel et de vers séchés. Marché important le dimanche.

Yagul, à 36 kilomètres, et à 2 kilomètres de la route : un site zapotèque de la fin de l'époque classique.

Mitla, à 45 kilomètres, et 2 kilomètres de la route principale (station d'essence au carrefour), village que l'on traverse pour atteindre le site archéologique. C'est le raffinement mixtèque appliqué à l'architecture. Encore en service à l'arrivée des Espagnols, il fut éclipsé par la construction de l'église (dont on recommandera la visite pour les statues des saints).

On comprendra l'organisation de l'espace occupé par les bâtiments autour de chaque cour malgré la destruction de beaucoup d'entre eux. La cour était protégée des regards extérieurs. Ensuite (en montant les marches conduisant au patio des colonnes), on atteint un lieu encore plus caché. On passe alors dans un couloir étroit (attention à la tête en entrant) pour atteindre une cour encore plus fermée que les précédentes. On se trouve ainsi dans le sanctuaire (ou lieu de réunion) le plus secret. Les toits en terrasse s'expliquent par le climat assez sec de la région.

En ressortant, et après avoir traversé la première grande cour, on en atteint une suivante où ont été mises au jour des tombes dans lesquelles on peut pénétrer (tombes de style zapotèque, en croix).

Le site de Mitla est très petit et l'on sera touché par son charme ainsi que par celui du village et des habitants. Vente d'artisanat.

Sur la route qui conduit à Puerto Angel :

San Bartolo Coyotepec (la colline du coyote), village à 16 kilomètres. On y fait de la céramique noire à partir d'une argile grise. Le résultat est plus ou moins brillant ou sombre suivant le degré de cuisson et suivant le ponçage. Les fours sont d'origine européenne. On peut visiter les ateliers particuliers.

Ocotlan, sur la même route : marché très important le vendredi.

Cuilapam est un village sur une autre route (vers le sud), à 15 kilomètres. Grand monastère désaffecté. Le pape Jean-Paul II y célébra une messe au cours d'un voyage au Mexique.

Pour gagner tous ces villages, on peut prendre un bus de deuxième classe au terminal qui se trouve près du grand marché.

ROUTES A TRAVERS LA SIERRA

Vers le nord, celle qui conduit à *Tuxtepec* est considérée comme une des plus belles du Mexique. Elle traverse une région habitée par les Indiens *Mazatèques*.

La route vers le sud-est conduit à *Tehuantepec,* au sud de l'isthme en traversant de très beaux paysages. Il fait très chaud dans cette ville. Les femmes y sont habillées curieusement de velours. On observera les taxis-bicyclettes. Pour se rendre en bord de mer, on atteindra *Salina Cruz* pour continuer sur la *Ventosa,* une plage pas très belle, mais sympathique. Petits hôtels et location de hamacs.

Route vers le sud, *Puerto Angel.* Elle traverse une partie de la Sierra très sèche et descend rapidement sur

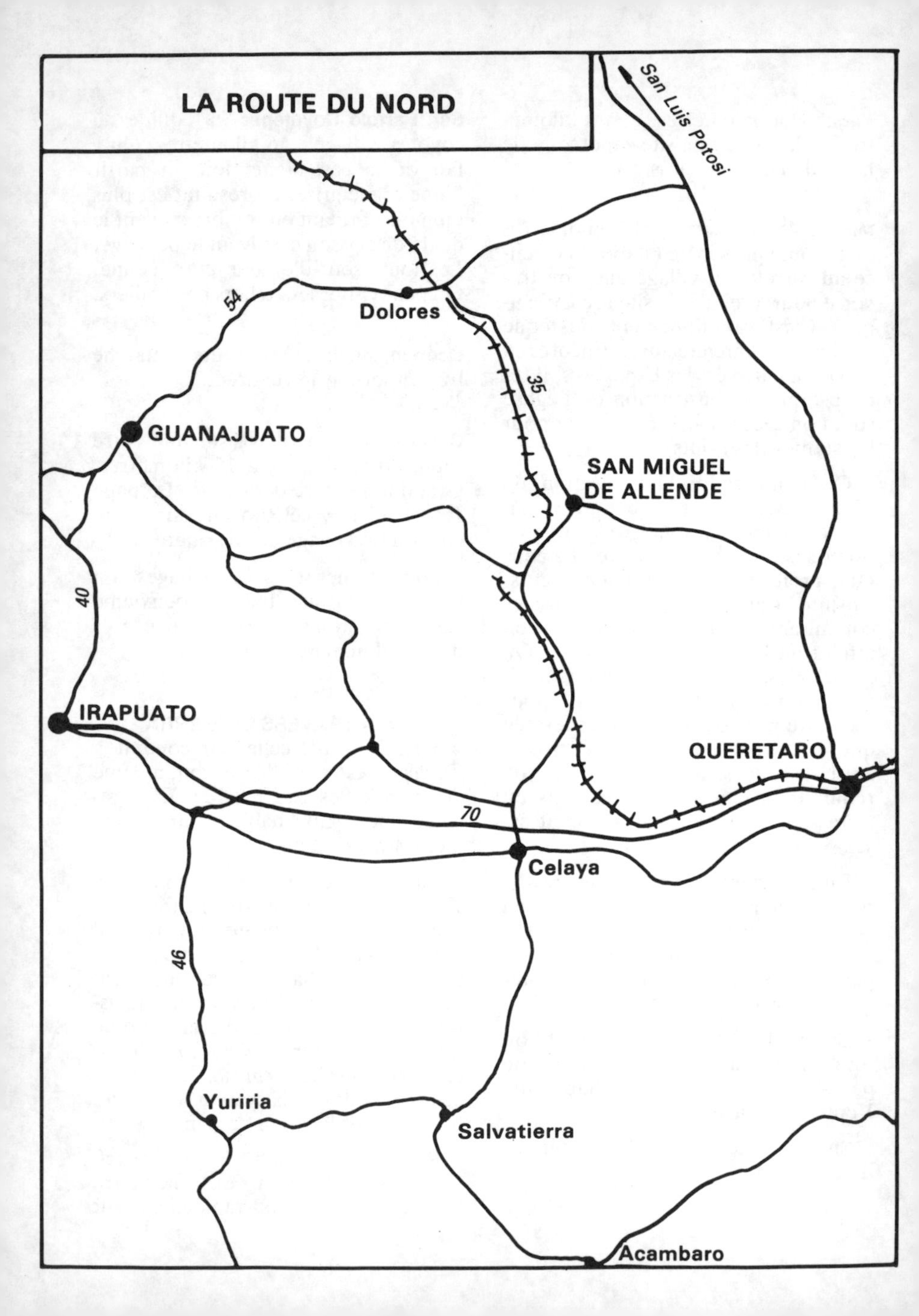
LA ROUTE DU NORD
San Luis Potosi
Dolores
54
35
GUANAJUATO
SAN MIGUEL
DE ALLENDE
40
IRAPUATO
QUERETARO
70
Celaya
46
Yuriria
Salvatierra
Acambaro

la côte. Beaux paysages. Ce petit port ne va sans doute pas résister à la transformation de la baie de *Huatulco* qui lui est proche. On y prévoit l'aménagement de la plus grande station balnéaire du Mexique. Il y fait beau presque toute l'année, c'est-à-dire qu'il y fait chaud et la côte à cet endroit est une succession de baies particulièrement belles.

Hôtellerie

A Puerto Angel : *Angel del Mar*★★, sur la colline. *Posada Canon Devata*★. *Guindi y Tomas*★.

A Puerto Escondido (que l'on peut rejoindre depuis Oaxaca par bus — 8 heures de piste — ou par avion de compagnie locale, ce qui permet un beau survol de la Sierra). *Viva*★★ (tél. 201.33) *Santa Fe*★★ (tél. 201.70) *Buanbilas*★★ (tél. 203.94) *Rincon del Pacifico*★★ (tél. 200.56) *Nayar*★ (tél. 201.13) *Crotos*★ (tél. 200.25).

Route vers *Pinotepa Nacional* par Tlaxiaco et Putla : on doit la prendre depuis Yanhuitlan, à 130 kilomètres au nord de Oaxaca sur la route panaméricaine (couvent dominicain de style plateresque dans un paysage érodé assez impressionnant ; on peut visiter l'église et le couvent transformé en musée).

Teposcolula avec son couvent dominicain du XVIe siècle de style plateresque. *Tlaxiaco,* centre de la Mixteca Baja où l'on trouve des paniers et chapeaux fabriqués par les Mixtèques, ainsi que du cuir travaillé par les métis *(marché le samedi).* Puis, on traverse la Sierra où vivent un autre groupe mixtèque, les Triquis. Les femmes portent une longue robe rouge rayée. A Pinotepa, les femmes portent encore souvent une jupe dont les rayures sont de fil teint au caracol et à la cochenille.

La route du Nord

C'est un circuit de 4 jours dont une nuit à *San Miguel de Allende* et deux à *Guanajuato.* Arriver dans le courant de la matinée à *Queretaro* (2 heures 30 en voiture, 3 heures en bus ou en train) pour visiter la ville jusqu'en fin d'après-midi et gagner ensuite San Miguel de Allende. Ce dernier trajet (45 minutes en voiture, 1 heure en bus) peut nous réserver un beau coucher de soleil sur le désert. Une soirée à San Miguel (réserver, surtout si c'est en fin de semaine) nous fera connaître le zócalo et profiter des restaurants et magasins. En continuant sur Guanajuato par Dolores, on peut s'arrêter à *Atotonilco* (bains de sources chaudes recommandés) et découvrir la cité minière dans ses paysages de montagne. Au passage, un arrêt pour voir le fameux *clocher de Dolores.* Deux soirées à Guanajuato, une journée entière pour la visiter ainsi qu'une partie de la suivante avant de regagner Mexico le soir. (4 heures 30 en voiture ; 5 heures 30 en bus). Il est préférable de découvrir ces villes dans l'ordre proposé, pour une meilleure progression. Entre Mexico et Queretaro, s'arrêter à San Juan del Rio, bien fournie en pierres précieuses.

Autobus directs pour chaque ville depuis le terminal del Norte à Mexico (métro), et entre chaque ville. Train rapide de jour, passant par Queretaro, San Miguel et Guanajuato.

Ce circuit permet de connaître la

GARE
CH. DE FER
OCAMPO
GUERRERO
ALLENDE
JUAREZ
PERALTA
MADERO
PINO SUAREZ
CALZ
ZARAGOZA
ALAMEDA
Sn Luis P.
Celaya
Mexico
QUERETARO
1 Centrale des bus
2 Santa Rosa
3 Santo Domingo
4 Bureaux
5 Cathédrale
6 Archives
7 Santa Clara
8 Covento Agustino
9 Casa la Marquesa
10 Zócalo
11 Parc Corregidora
12 Musée régional
13 Casa-Ecala
14 Palais Corregidora
15 Temple Congregation
16 Collèges
17 Templo de la Cruz
18 Cerro las Campanas

splendeur de l'époque coloniale espagnole, tout en traversant des paysages semi-désertiques couverts de cactées. Les habitants, conscients de la valeur artistique et historique de leurs villes, ont su en garder les vestiges, les restaurer, tout en continuant d'y vivre. Le climat sec est un des plus agréables du pays à une altitude d'un peu moins de 2 000 m. Ciels étoilés pour les campeurs. C'est le début du grand nord mexicain, celui qui a fait la légende du pays. Quelques températures moyennes annuelles : *Guanajuato :* 19°, *San Miguel* et *Queretaro :* 20°.

Un peu au sud de cette région et parallèlement à ce parcours, le bassin du *rio Lerma,* riche région agricole d'où proviennent entre autres les fraises que la France importe en hiver. C'est le *Bajio,* balisant la limite géographique entre le nord et le reste du pays. Limite géographique, limite culturelle. Au nord, ce sont les grandes steppes limitées à l'est et à l'ouest par les deux *Sierras Madre,* et habitées autrefois par des nomades.

Ce n'est qu'au milieu du XVIe siècle que furent établies les villes de *Queretaro, San Miguel* et *Guanajuato.* Les deux premières par des *pères franciscains* et des groupes indiens *otomis* et *tarasques* chargés d'établir des *pueblos,* alors que Guanajuato fut vite convoité pour la découverte de minerais précieux. Cette dernière se développa sous la ruée en désordre vers les mines d'argent, alors que Queretaro et San Miguel se sont structurées civilement et religieusement.

QUERETARO

Attention aux horaires pour la visite de la ville, les églises étant en général fermées entre 13 h 30 et 16 h, alors que les bureaux du gouvernement pratiquent la journée continue. Or, la plupart des édifices à visiter dépendent des deux. A Queretaro, on réalisera l'importance du rôle de l'Eglise au temps de la colonie et l'on pourra voir proches les uns des autres les différents styles ; plateresque sobre, splendeur du baroque churrigueresque et retour à la sobriété avec le néoclassique.

Santa Rosa (milieu du XVIIIe siècle) : de quelque angle que l'on se place à l'intérieur, on pourra apprécier la parfaite intégration de chaque élément dans son contexte, le plus bel exemple étant celle des tableaux dans les retables dorés. Un baroque exubérant mais équilibré, sans cette lourdeur que l'on ressent par exemple à *Santa Clara.* L'exemple est majestueux. On remarquera sur les côtés de la grande grille séparant le chœur des religieuses du reste de l'église les petites portes par lesquelles elles recevaient la communion. Dans la sacristie, on découvrira une belle peinture couvrant tout un mur et au centre de la pièce, les douze apôtres assis, grandeur nature.

Santo Domingo (fin du XVIIe siècle). De style Renaissance plateresque. Il existe peu d'exemples de ce type, dont on remarquera la sobriété de la façade. A l'intérieur, un grand christ, épuisé sous le poids de sa croix, d'autant plus impressionnant qu'il est vêtu d'une rare tunique blanche. Son regard saisissant (pour bien le capter, il faut carrément utiliser le prie-dieu) expliquerait cette attitude des fidèles que l'on surprend si souvent lorsqu'ils sont en communication avec leurs saints.

Cathédrale (fin du XVIIIe siècle). Très bel exemple de néo-classique avec réminiscence de baroque. A l'intérieur, une sobriété parfaitement étudiée est en contraste avec l'extérieur. En face, des deux côtés de la cathédrale, deux bâtiments (l'un : bureaux du gouvernement, l'autre : archives), différents, mais intéressants à visiter.

Santa Clara (XVIIe siècle). C'est du baroque churrigueresque à la puissance 10, dans un édifice trop étroit, comme si cela avait été prévu pour rendre l'ensemble plus écrasant. En contraste avec la sobriété de l'extérieur.

Convento Agustino : exemple de style plateresque propre aux augustins. Une curieuse sensation de paganisme à l'italienne après tout ce que l'on vient de voir ailleurs.

Casa de la Marquesa (XVIIIe siècle). Actuellement occupée par la maison de la culture, ce qui permet de la visiter. Un mélange inextricable d'influences. Remarquer la porte d'entrée, les portes et fenêtres en général, et, au premier, les vitrages Art nouveau, ainsi que l'entrée de la bibliothèque en palais des mille et une nuits.

Casa de la Corregidora, ou plutôt du gouvernement de l'époque, où le mari de la Corregidora devait avoir son logement de fonction. Voir le patio.

Casa de Ecala. Voir le patio.

Templo de la Congregación (fin du XVIIe siècle). Remarquer la qualité du parquet et des bancs, les orgues et la tribune, le cloître.

Le museo regional (fin du XVIIe siècle). C'est l'ancien cloître des franciscains. Au rez-de-chaussée : salle sur la Corregidora où l'on a rassemblé différents objets jusqu'à la serrure par le trou de laquelle elle déclencha l'alerte. Au fond de la salle, deux miroirs (français, vraisemblablement de l'époque de Maximilien. Un style Napoléon III exubérant). Au premier étage, grande collection de peintures des XVIIe et XVIIIe siècles, dont certaines vraiment très belles. L'espace qui les entoure, l'éclairage parfois, et leur restauration, permettent de les voir enfin, ce qui est en général impossible dans les églises. Peintures des XIXe et XXe siècles, intéressantes si on les compare avec celles des époques précédentes. On terminera par la grande salle contenant quelques meubles baroques absolument étonnants.

Templo de la Cruz et *couvent.* Premier établissement franciscain sur l'emplacement du combat entre les Chichimèques et les Indiens venus avec les Espagnols. L'apparition d'une croix aurait accéléré l'issue de la bataille et la conversion des vaincus. Les pères vous font visiter. Il est intéressant de noter que ce fut un centre de la Propagation de la Foi, véritable centre d'entraînement avant le départ dans les steppes du grand Nord. De là, partirent des missions qui s'établirent jusqu'à San Antonio, Texas. On visite la cellule où fut emprisonné l'empereur Maximilien.

Dans les rues, on remarquera les anciens noms dont la *rue des Tarasques,* indiquant les quartiers où s'installèrent ces groupes indiens venus avec les Espagnols. Sur le *Cerro de las Campanas* qui domine un peu la ville, fut exécuté Maximilien en 1867, après ses quatre ans de règne.

Hôtellerie

*Meson Santa Rosa**** (tél. 457.81), calle Pasteur n° 17. *Senorial** (tél. 437.00), calle Guerrero norte n° 10. *Plaza* (tél. 211.38), sur le zócalo. Près du terminal d'autobus, on trouvera plusieurs hôtels* et sur l'autoroute, plusieurs motels**.

Pour les repas, on proposera particulièrement la petite place triangulaire près du zócalo avec ses terrasses. Pour les amateurs de fruits confits (un beau cadeau) : *calle Paralta n° 7.*

SAN MIGUEL DE ALLENDE

Si on a su recréer l'unité du centre de Queretaro en peignant les façades de différents ocre jaune, les ocre rouge de San Miguel ajoutent au charme de cette petite ville tout en faisant ressortir l'encadrement en pierre des fenêtres. Les guirlandes du bas leur donnent aussi plus de fantaisie. Protégée du désert par sa cuvette, faite de passé, de présent, d'erreurs parfois comme cette énorme bâtisse gothique au centre, mais de pierre rose comme le reste, elle semble tenir au respect des fantaisies. Commerçants locaux, paysans des alentours, estivants de fin de semaine, artistes, écrivains et étrangers y cohabitent. Du respect pour le passé, mais avec une certaine nonchalance. Des ruelles pour se tordre les pieds, mais des trottoirs briqués tous les matins. Des films de karaté, mais des poèmes symphoniques de Richard Strauss. Et pour les Mexicains quelque chose de sentimental à se rendre à San Miguel de Allende.

Le zócalo le dimanche soir vers 20 h est l'un des plus sympathiques du Mexique. *Le marché* est quotidien, plus important en fin de semaine avec ses profusions de fruits, de légumes et de fleurs. De l'*artisanat local* fait de laiton : luminaires, vitrines, coffrets, rehaussés de verre gravé qui rappellerait la vieille Autriche (on retrouve ce genre de décorations sur certaines fenêtres des trois villes de la route du Nord). Fait de laine aussi, et teintés couleurs naturelles : couvertures et dessus-de-lit. Et puis on trouve un rassemblement d'artisanat d'autres régions, assez bien choisi, et même des antiquités. Une ville sans programme où la recherche d'un restaurant vous fera découvrir des ruelles, des patios, une fontaine, jusqu'au parc de Juarez, le cœur de l'oasis.

Maisons historiques. On remarquera sur la place, des arcades plus rustiques que d'autres. Ce sont les constructions les plus anciennes. L'église principale n'avait évidemment pas cet aspect à l'époque. La maison où naquit *Ignacio Allende* est transformée en musée avec des expositions temporaires (on la reconnaît par la petite statue blanche et l'inachèvement des enduits, ce qui la rend curieuse). La famille déménagea depuis dans celle située au coin opposé de la place. On remarquera l'ornementation raffinée des encadrements des fenêtres du premier étage. C'est le frère qui l'occupa ensuite. Il aimait donner de grandes fêtes. La porte cochère se trouvait du côté de la rue, ce qui explique la présence de l'entresol, premier salon de réception dont on voit très bien les deux fenêtres isolées du reste. C'est là que l'on complotait pendant que tout le monde dansait au premier étage.

Toujours sur la place, même trot-

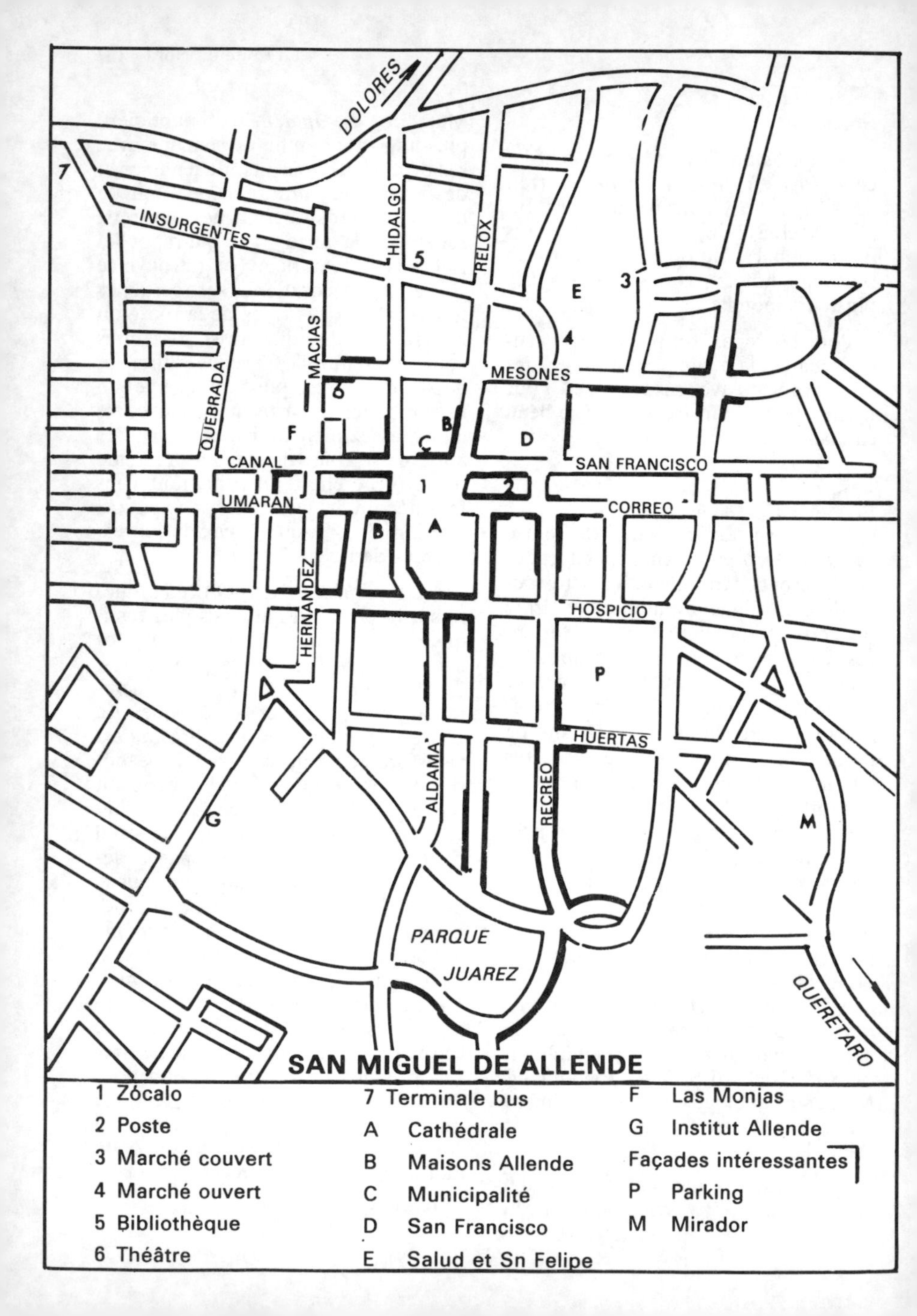
DOLORES
7
INSURGENTES
HIDALGO
5
RELOX
E
3
4
MACIAS
QUEBRADA
MESONES
6
F
B
C
D
CANAL
SAN FRANCISCO
1
2
UMARAN
CORREO
B
A
HERNANDEZ
HOSPICIO
P
HUERTAS
ALDAMA
RECREO
G
M
PARQUE
JUAREZ
QUERETARO
SAN MIGUEL DE ALLENDE
1 Zócalo
2 Poste
3 Marché couvert
4 Marché ouvert
5 Bibliothèque
6 Théâtre
7 Terminale bus
A Cathédrale
B Maisons Allende
C Municipalité
D San Francisco
E Salud et Sn Felipe
F Las Monjas
G Institut Allende
Façades intéressantes
P Parking
M Mirador

toir, le *palais municipal,* et au coin, la superbe maison de *La Canal,* occupée actuellement par la *Banamex* dont on peut apprécier la qualité du travail de restauration en visitant le patio et, le soir, en regardant par les fenêtres donnant sur la rue.

Rue San Francisco trois beaux patios que l'on peut visiter quand les banques sont ouvertes. Sinon, un peu partout dans la ville, la présence de magasins, restaurants ou cafés permet l'entrée facilement. On ne saurait trop recommander la visite de l'*institut Allende,* en bas de la ville, bel exemple d'une riche hacienda du XVIIIe siècle, et au passage, la *maison de l'Inquisiteur.* Il n'avait pas trop à parcourir pour se rendre à son lieu de travail, la prison étant juste en face, au coin de la rue Macias. Sur cette même rue, un peu plus haut, un avocat. Il vend des pièces de monnaie anciennes et autres souvenirs particuliers.

Art religieux. Moins spectaculaire qu'à Queretaro, on retiendra cependant : *Las Monjas :* maître-autel néoclassique avec ses colonnes en pierre rose, rehaussées de dorures, l'atrium surélevé et ses cyprès, le grand cloître qui abrite à présent les services culturels de la ville. *San Francisco :* une façade churrigueresque caractéristique. *Nuestra Señora de la Salud :* beau portail également churrigueresque. A côté, la longue façade de l'ancien collège Saint-François-de-Sales. A l'intérieur, une Vierge à l'Enfant avec leurs longs cheveux blonds et leurs couronnes en or. *San Felipe Neri :* une façade baroque. L'intérieur est un véritable dortoir : christs, vierges, saints, couchés, parfois emmaillotés et l'un d'eux le visage déjà verdâtre. *Santa Ana :* un christ en passion, visage penché d'un réalisme étonnant, et accompagné de la Vierge. Un autre petit christ à genoux, bras écartés, sa jupe garnie d'ex-votos.

A San Miguel, un très bel exemple d'un *marché des Hauts Plateaux* offrant des produits des climats différents ainsi que du *Bajio fertile* qui est très proche. Un petit marché, ouvert, entre les églises San Felipe de Neri et Nuestra Señora. Un plus grand, couvert celui-ci, avec notamment une grande profusion de fleurs. Autour, on trouvera de l'artisanat utilitaire dont des objets traditionnels ainsi qu'une porcelaine provenant d'une fabrique de Guanajuato.

Hôtellerie

Dans le centre : *Vista Hermosa* (tél. 2.00.78). *Carmina* (tél. 2.04.58), comme chez soi. *Huespedes Feliz* (tél. 2.08.54), près de l'institut Allende. *San Antonio* (tél. 2.05.80). *Sautto* (tél. 2.00.52), un paradis sauvage. *Las Monjas** (tél. 2.01.71). *San Francisco** (tél. 2.00.72). *Aristos*** (tél. 2.01.49), près de l'institut Allende. *Sierra Nevada***** (tél. 2.04.15 ou bien à New York 696.13.23). Relais et Châteaux, cravate pour le dîner ; à prévoir, car on n'en a pas vu en vitrine ici.

Autour de la ville : *San Ramon* à 3 km sur la route de Dolores *(Trailer park). Motel la Siesta** (tél. 2.02.07), au carrefour de la route de Celaya et du boulevard périphérique. *Atascadero*** (tél. 2.02.07), entrée de la route de Queretaro ; un certain charme. *Taboada**** (tél. 2.08.50), à 8 km sur la sortie vers Dolores (eaux thermales).

Pour les repas, on trouvera toutes sortes de restaurants et de cafétérias

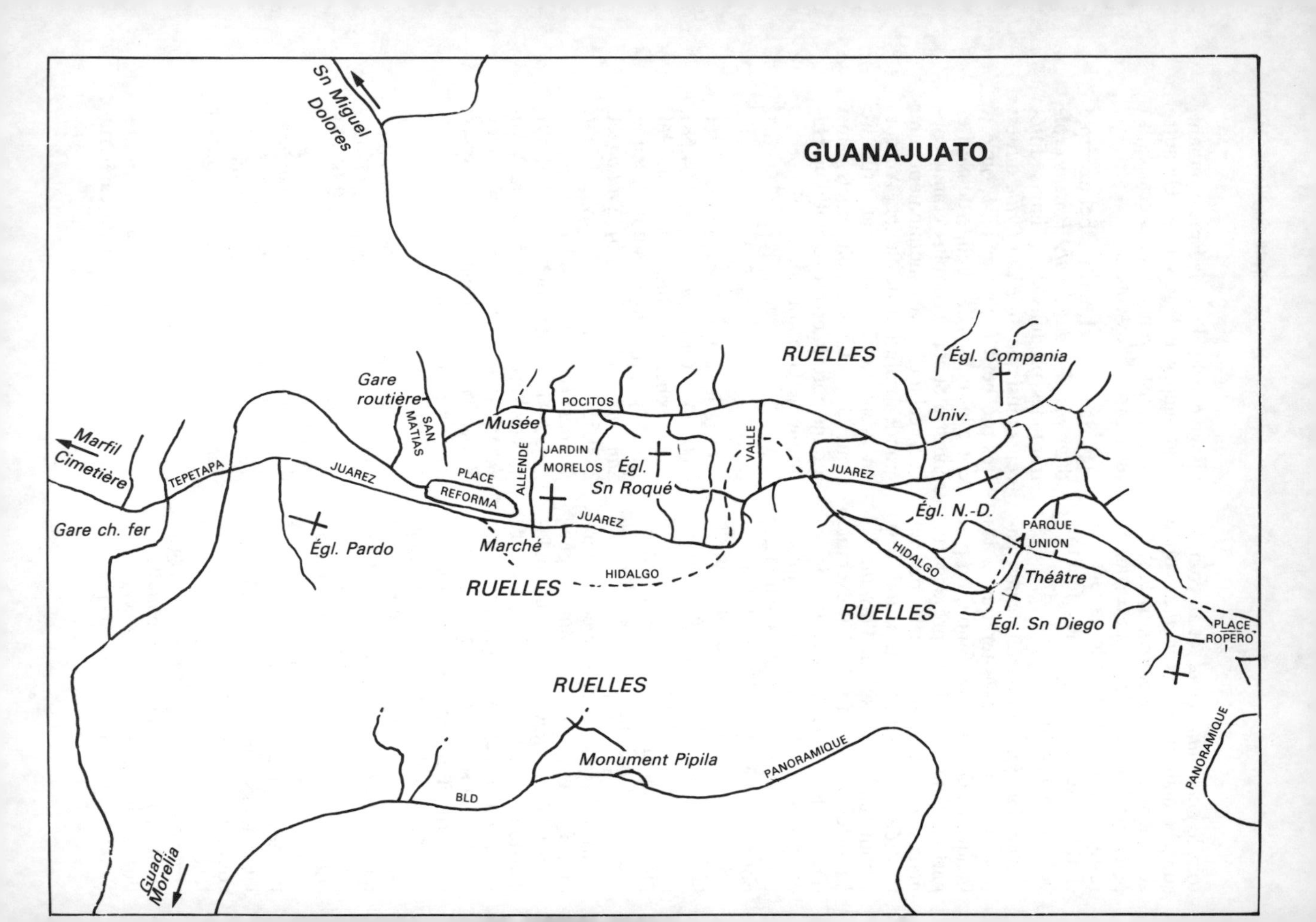
GUANAJUATO
Sn Miguel
Dolores
Marfil
Cimetière
Gare ch. fer
TEPETAPA
JUAREZ
Gare
routière
SAN
MATIAS
Musée
POCITOS
PLACE
REFORMA
ALLENDE
JARDIN
MORELOS
Égl.
Sn Roqué
JUAREZ
VALLE
Égl. Pardo
Marché
HIDALGO
RUELLES
RUELLES
Égl. Compania
Univ.
JUAREZ
Égl. N.-D.
PARQUE
UNION
HIDALGO
Théâtre
RUELLES
Égl. Sn Diego
PLACE
ROPERO
RUELLES
Monument Pipila
PANORAMIQUE
BLD
PANORAMIQUE
Guad.
Morelia

jusqu'aux *comedores* du marché ouvert. On peut prendre son petit déjeuner chez *Carmina* même sans y loger. Il fait bon dans la salle à manger et son omelette au fromage est une réussite. Ailleurs, *calle Relox nº 34,* des yaourts aux fruits à consommer sur place.

ATOTONILCO

A quelques kilomètres de San Miguel, sur la route de Dolores (bus réguliers démarrant en face de l'église San Felipe). Un nom qui intrigue. Caché dans une cuvette boisée un village désolé dans le sable. On entend seulement murmurer les pèlerins dans le cloître : paysans venant parfois de très loin, ou seulement du désert proche. C'est une des retraites de huit jours qui ont lieu durant toute l'année. L'intérieur de l'église est absolument couvert de peintures, murs, plafonds et portes. Le meilleur exemple se trouve derrière le maître-autel, sous la coupole. Les autres peintures semblent être celles des élèves imitant le maître. Mais le plus impressionnant est à l'entrée, chacun des panneaux de porte racontant une histoire : anges, religieux, saints, scènes de l'évangile. Au fond, à droite, une chapelle de la *Vierge du Rosaire,* elle-même dans une châsse et entourée de miroirs peints aussi. Cette église date du milieu du XVIIIe siècle.

En fait, Atotonilco est une source d'eaux thermales. On y vient encore de partout. Eaux chaudes de 38° réputées bonnes pour la circulation. On peut se rendre à pied en 10 minutes vers les bains qui sont très agréables.

GUANAJUATO

Bien que plus proche de la capitale que ne l'était Zacatecas, l'autre grande cité minière du Nord, l'exploitation du minerai d'ici ne commencera que dix ans plus tard, en 1557. (Installation des Espagnols à Mexico : 1521.) On y trouve différents minerais, mais surtout de l'argent. Un militaire qui en connaissait l'existence, sut garder le secret plusieurs années, mais c'est finalement un colon qui avisa les autorités de San Miguel. (La présence espagnole dans la région se réduisait à des fortins chargés de protéger les convois provenant de Zacatecas et à quelques colons élevant du bétail.) Ce fut vite la ruée. La croissance de la ville ne se fit pas sans incidents. Elle connut de fréquents soulèvements populaires. Cinquante ans après la découverte, on comptait 4000 habitants, un siècle plus tard 14000, un siècle encore plus tard, 78000. Au début du XVIIe siècle, ce fut l'installation des premières Casas Reales, et l'arrivée des premiers religieux. Guanajuato reçut le titre de *Ciudad* en 1741. 1760 : *la Valenciana.*

Si l'on arrive de San Miguel de Allende, la route la plus rapide est celle qui contourne le barrage *(la presa) :* une heure. Mais le gain de temps ne vaut pas l'arrivée à Guanajuato par le nord, par Dolores Hidalgo. On découvre alors la ville par ses débuts, les anciennes installations de mines avec les églises qui leur correspondaient, accrochées sur le flanc des montagnes qui encerclent la ville profondément encaissée. San Miguel-Guanajuato par Dolores : 1 heure 30 en voiture, 2 heures en autobus.

La Valenciana est une église du XVIIIe siècle construite près d'un carreau de mine. Elle est un exemple du pur baroque churrigueresque. On admirera sa façade et ses retables. Pas très loin de l'église, un énorme puits de 600 m de profondeur, conduisait aux galeries de la mine d'argent qui passe pour avoir été la plus importante du monde à l'époque.

A gauche, c'est le début de la route panoramique. On passe alors près de l'église *San Javier,* celle de *Cata* et celle de *Rayas y Medallo,* toutes construites par des propriétaires des mines. La route fait de nombreux contours pour atteindre l'autre côté de la ville, au monument de *Pipila* d'où l'on jouit d'une vue remarquable sur la ville et les mines qui l'entourent. En continuant toujours on aperçoit sur la gauche deux hôtels dont celui qu'occupait l'équipe française de football pendant la Coupe du monde, et l'on descend ensuite, pour entrer dans la ville par le parc de la Reforma que longe l'avenue centrale, Avenida Juarez (au total, 25 km de route panoramique). Avant d'abandonner sa voiture pour être plus libre de ses mouvements dans des rues si tortueuses, on peut s'engager, à la hauteur du marché, dans le tunnel qui conduit à l'avenue souterraine traversant toute la ville. On remarquera les maisons anciennes surplombant ce qui était autrefois le lit d'un torrent. On débouche sur le zócalo *(jardin de la Union).* Cette pittoresque avenue souterraine sert d'artère principale dans un sens, l'avenue Juarez jouant ce rôle dans l'autre sens.

Visite de la ville

(On comprendra comment elle put être inondée plusieurs fois.) L'avenida Juarez et la rue Pocitos qui lui est parallèle nous serviront de repères. En les parcourant à pied chacune dans un sens, on peut effectuer un circuit se complétant par la découverte de ruelles dont le *Callejon del Beso* vous fournira un bon exemple. A certaines époques de l'année, les étudiants en costumes de l'époque ancienne espagnole, chantent sur les petites places le soir ou donnent des spectacles. Les *Cervantinos.*

Alhóndiga de Granaditas (musée). Ce sont les anciens silos de la ville construits à la fin du XVIIIe siècle, utilisés alors comme place forte par les Espagnols à l'arrivée des insurgés de l'Indépendance (l'assaut fut donné après qu'un mineur, Pipila, put mettre le feu à la porte en y laissant sa vie). Après la défaite des insurgés, les têtes de ces derniers furent salées et exposées, chacune dans une cage placée aux quatre coins de l'édifice. Cet édifice ensuite utilisé comme prison, est à présent transformé en musée et vaut qu'on lui consacre une heure et demie de visite.

Les salles les plus importantes correspondent à l'histoire des mines, celle de l'Indépendance et de l'époque porfirienne. Monter par l'escalier à droite de l'entrée (peinture murale sur Hidalgo). Quatre salles sur l'archéologie. Dans la première, une collection assez particulière : des sceaux couramment utilisés à l'époque pour le maquillage du visage, la décoration sur toiles et sur papiers d'écorce. Puis deux salles avec des pièces archéologiques dont certaines de Veracruz, remarquables. Enfin, une salle sur l'archéologie de la région, avec de belles pièces communément appelées de style Chupicuaro.

Dans l'escalier que l'on dépasse, des peintures assez crues sur le sort réservé à Hidalgo. Puis, au coin, commence la visite des salles sur les époques coloniales et les suivantes.

Une carte de la route de l'Argent avec les fortins militaires chargés de la protection contre les Chichimèques. Un atelier de transformation du minerai. Une statue de N.-D. de Guanajuato. L'étendard de la Vierge de la Guadalupe qu'utilisèrent les insurgés. Une carte de leur grande marche. Iturbide, d'abord militaire combattant ces derniers, et finalement empereur du Mexique. Salle sur la période de la Réforme avec Juarez et la lutte contre l'invasion française (la peinture d'un zouave qui fume la pipe en faisant réchauffer sa gamelle), et à la sortie de cette dernière salle, l'affichage du programme des festivités données en l'honneur de la visite de l'empereur Maximilien et de l'impératrice Charlotte.

Sur le quatrième côté de l'édifice, la reprise de l'exploitation des mines. La technique du traitement du minerai au cyanure qui permit d'obtenir dix fois plus de rendement. Un groupe de mineurs pose pour la photo. On arrive à l'époque des premières photographies, avec l'arrivée du premier train. Portraits en studio de toute la société à l'époque de Porfirio Diaz, où l'on reconnaît que l'élégance peut dépasser le concept des classes sociales. Et enfin, la haute société au théâtre Juarez.

Maison de Diego Rivera. Suivant la calle Pozos, sur la gauche, la maison natale du peintre. Puis une petite maison d'une grande famille du XVIIIe siècle, aménagée en musée de la Peinture : au rez-de-chaussée, époque coloniale et au premier, époque contemporaine dont quelques gravures et lithographies de *Leonora Carrington* et de *Laetitia Tarago*. L'apparition assez monstrueuse du bâtiment de l'université n'empêchera pas d'admirer, au coin, l'extérieur de la maison dont nous venons de voir l'intérieur.

Eglise de la Compagnie de Jésus. Sa façade intéressante n'est cependant pas un des exemples les plus remarquables du style churrigueresque. De l'intérieur assez gigantesque, on retiendra un christ couché, un autre en Passion.

Jardin de la Union (le zócalo) : *l'église San Diego* est un très bel exemple du style churrigueresque, et le *théâtre Juarez* de l'époque porfirienne. De l'autre côté de la place, on débouche sur un ensemble de ruelles et de places à découvrir. Au-delà du théâtre, on atteint un quartier plus dégagé.

N.-D. de la Guadalupe. Lorsque l'on repart dans l'autre sens en suivant la rue Juarez, on continue la visite de la ville par cette basilique. L'image de la vierge offerte par le roi d'Espagne et posée sur un socle d'argent massif trône dans cette grande église d'un style néoclassique des plus purs. Cette statue qui était restée cachée à Grenade sous l'occupation arabe a été apportée ici par le premier superintendant des mines. L'ensemble harmonieux de ce grand temple s'appréciera depuis le maître-autel : enfilade des lustres vers l'orgue sur un fond de plafond peint. Autour, plusieurs résidences dont la *Casa Rul y Valenciana* de la fin du XVIIIe siècle.

Callejon del Beso. Entre le marché

et le monument à Pipila, on se promène dans un quartier de ruelles colorées et de petites places. Vous trouverez toujours un enfant pour vous raconter cette belle histoire d'un amour secret qui termina tragiquement. De là, on atteint le mirador de la statue de Pipila en 15 minutes à pied.

Les momies. Par un phénomène propre à la qualité du sol du cimetière, les corps enterrés se momifient. Ceux que l'on voit exposés correspondent à des occupants n'ayant pas joui de concession à perpétuité, et qui ont donc été déplacés. Ils sont tout simplement exposés, parfois tout habillés, leur attitude étant commentée par les guides locaux. Certaines de ces momies sont celles de personnes mortes récemment dont deux médecins français. On accède à ce cimetière par l'avenue Tepetapa. Prendre l'autobus indiquant « momias » sur le parc de la Reforma.

A trois kilomètres, un petit village, *Marfil,* ancien centre minier joliment restauré (églises, maisons, jardins, une hacienda), un coin tout trouvé pour y prendre un café. Au départ de l'avenue Tepetapa, mais encore en ville, une église, le *Templo de Pardo* avec une belle façade baroque churrigueresque.

Hôtellerie

Près du marché, place Reforma : *El Frayle** (tél. 211.79). Près du théâtre Juarez : *Embajadora** (tél. 200.81). Sur le zócalo : *San Diego*** (tél. 213.00) et *Santa Fe*** (tél. 202.07).

Sortie vers Dolores : *El Carruaje*** (tél. 221.40) ; *Santa Cecilia*** (tél. 204.77) ; *Valenciana*** (tél. 207.99) ; *Villa de la plata*** (tél. 211.73).

Au sud de la ville, près de la route panoramique : *Paseo de la Presa**** (tél. 237.61). Platini y occupait la chambre 313 lors de la Coupe du monde de 1986.

Plusieurs restaurants sur le zócalo et dans ses environs.

Le retour de Guanajuato à Mexico s'effectue en 5 heures 30 d'autobus (terminal del Norte, Mexico), 5 heures en voiture. Au passage, *Salamanque* n'a pas que sa raffinerie de pétrole, mais surtout une église augustine du XVIIe siècle avec ses retables, son couvent, ses cloîtres : une architecture élégante.

On peut rejoindre le circuit Michoacan par Yuriria dont le monastère augustin, imposant, se détache sur l'horizon de la lagune et se remarque de très loin. Il vaut la visite.

La route du Sud

C'est un parcours qui peut être rapide si l'on dispose de peu de temps, mais il vaut mieux se réserver une certaine souplesse au cas où l'on s'attache à un endroit. Les endroits visités sont très différents. 3 jours (4 nuits) depuis Mexico. On peut effectuer transport en avion et en autobus, ou bien faire tout en bus. *Acapulco* est alors à 7 heures de la capitale, *Taxco* à 3 heures et à 4 heures d'Acapulco. *Cuernavaca* à 1 h 30 de Mexico. Les bus partent du terminal Taxqueña. Pour Acapulco, une gare spéciale en plus (voir « Mexico »). Vols fréquents par *Aeromexico* et *Mexicana.*

On peut faire directement Acapulco-Oaxaca en avion, sinon, suivre la côte pour remonter depuis *Pinotepa Nacional* ou *Puerto Angel.* On peut faire l'aller et retour de Taxco en une journée depuis Mexico, mais on ne saurait trop recommander d'y passer une nuit.

Voici quelques températures moyennes annuelles ; *Cuernavaca :* 22°, *Taxco :* 20°, *Acapulco :* 27°.

CUERNAVACA (1 500 m)

En y arrivant, on a du mal à comprendre pourquoi cette ville fut un lieu de villégiature depuis l'époque des Aztèques. Elle grandit en remontant la montagne et si on y arrive depuis le haut, il faut traverser d'interminables quartiers pour atteindre le centre. Sinon, il y a la solution de contourner la ville vers le sud pour y rentrer depuis la vallée. On apercevra de belles propriétés avec des jardins exubérants que le climat permet. Moctezuma, Cortes et Maximilien aimaient s'y réfugier. Pour ceux qui verront pour la première fois une ville de province, ce sera le baptême du feu. Il y a beaucoup de monde avec une forte proportion de jeunes et de nombreux magasins de chaussures.

Cathédrale

En se rendant à la cathédrale, on remarquera à droite en entrant dans le parc, l'église de la *Tercer Orden* avec une belle façade dont les statues sont encore en place. A l'intérieur, un retable se détachant sur des murs nus et blanchis. La *cathédrale* elle-même est un exemple d'aménagement moderne voulant respecter le caractère extrêmement sobre d'une construction franciscaine du XVIe siècle. Un sérieux travail de décapage a mis au jour des peintures de l'époque représentant des scènes inattendues.

Autour de la porte latérale, c'est le monde sous-marin. Au-dessus, dans les barques, ce sont les bons pères ligotés et escortés par des Japonais armés de lances (ces derniers n'ont pas d'auréole). Emmenés sur la côte, ils seront sacrifiés. De l'autre côté de la nef est inscrit le nom de l'empereur japonais auteur du méfait. On voit les charrettes. Il s'agit de l'histoire du premier martyr mexicain, *San Felipe de Jesus,* qui détourné par les vents sur les côtes japonaises fut condamné avec ses acolytes. Il faut se resituer à l'époque de la colonisation des Philippines qui se faisait par Acapulco (route : Mexico, Cuernavaca). Au retour, les courants obligeaient de faire le tour par le nord, en passant le long de la côte du Japon. Notons que les Jésuites avaient déjà tenté l'évangélisation du Japon à la même époque que celle de l'Inde.

Dans toute cette cathédrale, on apprécie la lumière filtrée par les vitraux modernes discrets comme celui qui se trouve au-dessus du portail central. Les petites niches sont des confessionnaux, le prêtre, à l'époque restant à l'extérieur, côté *cloître* que l'on atteint par une ouverture latérale. On y verra les portraits alignés des moines et des nonnes. En sortant de l'église par le portail central, une grande chapelle ouverte. De telles chapelles étaient attenantes aux églises et réservées à l'instruction religieuse, ne pouvant pénétrer dans les églises que les Indiens baptisés.

Palais de Cortes

En descendant la rue qui longe le

parc de la cathédrale, c'est lui qu'on aperçoit construit en pierre de lave. Cortes s'était installé là lorsque le roi l'avait remercié de ses services (la Nouvelle Espagne ne pouvait dépendre que d'un seul gouverneur). Son esprit d'entreprise le dirigea vers la plantation de la canne à sucre qui provenait des îles Canaries. On importa aussi des esclaves noirs pour le travail dans les régions chaudes. (C'est à Acapulco que ressortira le plus leur métissage avec les Indiens.)

Le musée : à droite, en rentrant, une *section d'archéologie,* ce qui n'est pas le plus important à visiter. A gauche de l'entrée : *des armures* et *une salle d'expositions temporaires.* (Les toilettes sont à l'extérieur, au sous-sol.) Au *premier,* on arrive à une galerie avec vue sur le centre-ville. On remarquera le caractère de forteresse propre aux églises franciscaines du début de la conquête, puis le zócalo classique d'une ville de province avec le palais du gouvernement de l'Etat (ici Morelos). Dans le couloir qui sépare les deux galeries, à gauche on entre dans les salles exposant l'*histoire de l'Indépendance* avec des images sur les haciendas de canne à sucre, l'outillage (dont celui introduit par les esclaves noirs). Les haciendas vivaient en autarcie. Dans la grande salle suivante, un *historique de la révolution :* à l'aube du téléphone et des chemins de fer, les terres étaient entre les mains de quelques propriétaires seulement, dont les compagnies chargées d'établir le cadastre et auxquelles Porfirio Diaz en avait donné une grande partie. Des photos montrent ensuite *Francisco Madero,* de petite taille, entouré de la haute société libérale favorable à une démocratisation du système. Puis, sur le mur suivant, c'est *Emiliano Zapata,* natif de la région de Cuernavaca, avec son regard mystique et convaincant, sa haute taille. L'ambiance de la révolution apparaît à travers ces photos : la rencontre des deux grands leaders à Mexico, Villa à la tête de la rébellion du Nord, Zapata à la tête de celle du Sud. Au palais présidentiel, *Pancho Villa,* satisfait, occupe le trône du dictateur ; Zapata est assis à côté, mais à la même enseigne que ses camarades de combat, le regard inquiet (il finira fusillé, alors que Villa sera corrompu par les autorités). Beaucoup de ces photos vous seront déjà connues, mais il est intéressant de les voir ensemble. Le café où les révolutionnaires sont en train de consommer est le *Sanborn's* de la calle Madero. C'est la découverte de la grande vie de la capitale de l'époque par des paysans de coins les plus reculés. On réalise aussi le rôle de la femme, avec une des plus belles photos : la femme accrochée au wagon du train qui démarre. On doit ces documents exceptionnels au photographe *Casasola* qui a suivi la révolution pas à pas. Un accord passé entre la famille et l'Etat permet la divulgation d'une partie des photos dont on trouvera un point de vente à Mexico (voir « Achats »).

La salle se termine par l'exposition de quelques costumes encore utilisés au moment du carnaval ou pour la danse de Moros y Cristianos instituée par les pères espagnols du XVIe siècle. On venait tout juste de se débarrasser des Arabes. Même si elle n'a plus beaucoup de rapport avec l'actualité, cette danse est restée très populaire dans les montagnes parmi les Indiens.

Sur la *galerie extérieure,* une peinture murale de *Diego Rivera* représentant la guerre entre les Indiens vêtus de peaux de bêtes et les Espagnols cuirassés, le marquage des Indiens au fer rouge et l'arrivée des Espagnols dans un village : conversion, travail de la canne à sucre sous le contrôle du patron dans son hamac et de son majordome à cheval ; baptême et cadeaux aux religieux ; l'Inquisition, puis Zapata arrivant à la tête des paysans.

A l'extérieur, en contrebas, un grenier de la région avec sa poterie servant de tuile faîtière. Le maïs égrainé est versé par l'ouverture où l'on accède par une échelle. Le grain sort par un trou en contrebas. La forme du grenier permet au maïs de sortir en pression et interdit aux animaux de pouvoir grimper. On voit au loin les montagnes de Tepotztlan et par temps très clair, le sommet du Popocatepetl, très haut dans le ciel.

Maison de Maximilien

Quartier d'Acapatzingo, calle Matamoros n° 200, à 30 minutes à pied du centre. On y a installé un centre de recherches sur la médecine traditionnelle.

Cette maison s'appelle encore *L'oubli,* ou *La maison de la belle Indienne.* Deux histoires romantiques sur cet endroit. L'empereur et Charlotte avaient déjà une résidence secondaire à Cuernavaca, dans l'actuel jardin Borda, près de la cathédrale. Mais au cours de ses promenades à cheval, Maximilien découvre cet endroit et se le réserve. Il y installe une jolie métisse, la India Bonita, qu'il avait remarquée au cours d'une fête. Mais on parle aussi d'une deuxième, la fille du jardinier de la résidence Borda. Pour terminer avec cette belle histoire, la deuxième lui aurait donné un fils qui se montra en France au moment de la Première Guerre mondiale et à son grand malheur. Il terminera comme son père, fusillé, accusé d'espionnage en faveur des Allemands.

Les Mexicains, pointilleux sur le sujet, doutent de la paternité du malheureux qui est né huit mois après l'arrivée de l'empereur à Cuernavaca. Or, sa mère ne fut que la deuxième conquête. Toujours est-il que Maximilien avait déjà pris parmi les habitudes mexicaines la plus populaire, celle de la *casa chica.*

Restauration, hôtellerie

Le Palacio (tél. 12.05.53), un hôtel vieillot en plein centre avec des lits en cuivre. De nombreux cafés, restaurants et stands de jus de fruits en face du palais de Cortes, et autour des deux places. *Mañanitas**, très beau et bon restaurant.

Lorsque l'on va de Cuernavaca à Taxco, on traverse de grandes plaines d'horticulture, de rizières, d'arbres fruitiers comme les manguiers, et de canne à sucre. Pour Taxco, on doit s'écarter de la route principale, qui continue vers Acapulco, pour entrer dans la Sierra. La région est pauvre, dénudée. On y mange l'iguane et le *jomol.* Et quand on n'y croit plus, la ville apparaît, accrochée sur la montagne. Route tortueuse.

TAXCO (1 700 m)

Malgré son côté particulièrement touristique, on ne peut s'empêcher d'aimer Taxco, la capitale du démar-

rage en côte. Si vous n'êtes pas un as en la matière, laissez votre voiture en bas de la ville. Pneus lisses et talons-aiguilles n'atteignent pas le zócalo. A pied, on raccourcit les distances, mais il existe aussi tout un réseau de taxis et microbus collectifs qui vous permettent de parcourir la ville. On ne s'y perd pas car on revient toujours au même endroit. C'est le règne de la Volkswagen.

Cette petite ville change complètement en fin de semaine avec l'arrivée des visiteurs du District fédéral qui encombrent les ruelles de leurs énormes voitures, mais le dimanche soir tout redevient tranquille pour que l'on puisse profiter du zócalo avec les gens du pays qui réapparaissent. Ils ont un léger accent méridional qui ajoute au charme de cette ville. En semaine, c'est entre 12 h et 17 h qu'arrivent les groupes de touristes. C'est pour cela que l'on préconisera d'y passer une nuit et si possible d'y venir en semaine. Les matinées et soirées sont tranquilles. On peut monter à travers les ruelles vers l'église de la Guadalupe pour avoir un point de vue sur la ville. On peut prendre aussi les microbus qui passent fréquemment. A cause des sens uniques, ils parcourent la ville en méandres. On se fait arrêter en route, quand apparaît un point de vue exceptionnel, et le temps de faire la photo, un autre microbus vous prendra au passage. C'est le mouvement perpétuel.

Le marché est riche en produits tropicaux qui ne poussent pas si loin alors que le climat de la ville est très agréable. Les enfants indiens, que vous entendrez parler *nahuatl* entre eux, vous vendent les plus jolis *papel de amate* (peintures faites sur l'écorce d'un arbre suivant une technique précolombienne utilisée pour les livres de l'époque). Les plus traditionnels représentent des scènes villageoises (on verra des artistes travailler sur les marches du marché). Ces gens sont originaires d'un village dans les montagnes du Guerrero. On vous proposera de beaux paniers-bagages qui ont beaucoup de succès lorsque l'on panique à l'idée des cadeaux que l'on ne sait déjà plus où mettre.

Tous les magasins d'argent vendent évidemment moins cher que le voisin, et les guides vous prouveront qu'avec eux vous ferez des affaires en or. Il y a assez de choix pour en juger par soi-même. La recherche des boutiques est un excellent prétexte pour déambuler dans les ruelles.

Eglise de Santa Prisca. Un bel exemple d'unité architecturale. Elle est devenue l'objet de légendes qui émeuvent le nombreux public qui vient l'admirer. Ainsi, le terrain sur lequel elle fut bâtie (vers 1750) aurait été donné par les Indiens en échange de la construction d'une chapelle qui devait leur être réservée. En fait, ils vivaient à 12 kilomètres de là, et ceux que les Espagnols avaient fait venir pour l'exploitation des mines avaient leurs quartiers en haut de la ville autour de l'*église de la Guadalupe,* ou en bas, autour de celle de *San Miguel.* On ne pouvait d'ailleurs pas leur refuser l'entrée s'ils étaient baptisés. Par contre, une chapelle pouvait très bien leur être réservée. De nos jours, l'Indien (nahua) se marie au maître-autel (vous aurez l'occasion d'assister à des cérémonies touchantes si vous vous trouvez en fin de semaine à Taxco).

L'endroit choisi pour la construction de cette église, est, en toute logique, au bord du plus grand plat de la ville (ils sont rares). On aura un beau point de vue depuis la ruelle des banques. On réservera, si possible, l'observation de *la façade* pour l'après-midi, lorsqu'elle reçoit son plus bel éclairage. Les 12 apôtres y sont disséminés jusqu'en haut des tours. Au centre (de la façade toujours), une grande tiare avec les *clefs de saint Pierre*. Au-dessus, le *baptême du Christ*. Au-dessus encore, les statues de *sainte Prisca* et de *saint Sébastien*.

Façade latérale (bonne lumière le matin). Au-dessus de la porte centrale, l'*Ascension de la Vierge*. De chaque côté, *saint Joseph* et *saint Christophe*. Côté porte, à droite en regardant, deux médaillons représentant l'*Annonciation de la Vierge* et la *Crucifixion*. Au-dessus, *Notre-Dame du Rosaire*. De l'autre côté, à l'entrée du baptistère, la *Foi* avec les yeux bandés et l'*Espérance* ainsi que la *Charité* avec deux enfants.

A l'intérieur, la sculpture sur pierre forme une suite où s'intègrent le bois et l'or. Les petites ouvertures ne permettent que des éclairages ponctuels suivant l'heure. En regardant en diagonale, on découvrira les trois dimensions de chaque retable et de chacun des saints qui sont tous nommés.

Les retables, de même style, doivent être vus l'un en face de l'autre, comme ils ont été placés. A l'entrée, à droite et à gauche, des autels dédiés à *sainte Cécile* et *saint Isidro Labrador;* à *San Juan Nepomuceno* et à *Nuestra Señora del Pilar*. Puis, à la croisée, deux tableaux de *Cabrera* (natif de Oaxaca) : *Le martyr de Santa Prisca,* condamnée à être décapitée, car les lions du cirque la laissaient tranquille ; en face, *Le Martyr de saint Sébastien*.

A gauche, *la chapelle des Indiens*. Peinture du purgatoire au-dessus de l'*autel des Ames*. A droite, *l'autel à Notre-Dame*. A gauche, celui de *Jesus de Nazareth*. Les retables sont curieusement identiques. Puis, en revenant dans la nef, les *autels de saint Joseph* et *de Notre-Dame des Douleurs,* symétriques, toujours. Enfin, à droite et à gauche du maître-autel, ceux de *Notre-Dame de la Guadalupe* et de *l'Immaculée Conception,* objets des deux grandes dévotions à la *Vierge* au Mexique. Sur le retable du maître-autel, l'image de la *Vierge Immaculée Conception,* et de chaque côté, *Santa Prisca* et *saint Sébastien*. Tout en haut, *saint Pierre,* et au-dessus encore, *Dieu le Père* couronnant le tout. De là, on pourra apprécier encore mieux un *orgue* du plus beau style baroque de Bavière d'où il provient.

Si la lumière naturelle (particulièrement forte dans la région) fait vraiment défaut à l'intérieur de cette église, c'est certainement voulu par l'architecte. Mais si l'or qui s'y amoncelle manque d'éclat, c'est dû à un manque d'entretien, voire de restauration. L'atmosphère d'une église baroque en dépend beaucoup.

On parle beaucoup d'un *ostensoir en or massif* que De la Borda aurait commandé et payé pour cette église. Il était couvert, dit-on, de plus de 5000 diamants, de milliers d'émeraudes, sans compter de nombreuses autres pierres précieuses. Le donateur l'aurait repris et vendu (pour arrondir sa retraite) à la cathédrale de Mexico.

Au moment de la confiscation des biens de l'Eglise par la Réforme, cet objet aurait été dépouillé d'une partie de ses pierres et aurait été finalement racheté par une bienfaitrice qui l'aurait remis à Notre-Dame de Paris pour son trésor (à la grande consternation du public mexicain qui entend cela). Vérification faite, les autorités de ladite cathédrale n'ont jamais eu connaissance de cet ostensoir, objet fabuleux sans doute. Une autre légende sur Santa Prisca, qui ne manque pas de faire rêver.

Musée d'Anthropologie

Ce musée, derrière l'église, présente une collection exceptionnelle d'objets précolombiens ayant appartenu à Spartling. Selon son désir, ils sont remarquablement présentés, mais sans explication. Au sous-sol, une vitrine sur l'exploitation minière ; de vieilles photographies sur la ville ; un hommage au donateur.

Casa Figueroa

Face à l'église, dans les ruelles, une maison un peu folle, ayant appartenu à un peintre très en vogue. Les commentaires des guides sont aussi hors du commun.

Depuis les années 1980, les archéologues de l'université de Montréal travaillent dans la chaude vallée du Balsas où il y a encore beaucoup à découvrir. Il existe actuellement des échanges culturels sérieux entre le Canada et le Mexique.

L'argent

C'est la recherche d'étain pour son artillerie qui amena Cortes à découvrir les richesses minières de Taxco. Ce fut le premier centre minier de la colonie, et sa grande époque se situe au XVIIIe siècle. *Don José de la Borda,* le personnage légendaire de l'endroit est un exemple typique des exploitants de mine qui amassèrent une fortune fabuleuse, le système de royalties institué par la couronne d'Espagne le stimulant. On ne sait pas s'il était natif d'Espagne ou bien d'Oloron Sainte-Marie. En tout cas, il vint d'Europe pour rejoindre son frère déjà installé à Taxco, dont il hérita ensuite des mines. Finalement, il découvrit un des filons les plus riches du continent et l'exploita pendant neuf ans. Ensuite, il partit faire des affaires dans des mines du Nord et passa sa retraite à Cuernavaca, dans la maison avec jardin près de la cathédrale. C'est lui qui fit construire la fabuleuse église de *Santa Prisca.*

Taxco connaissait le déclin réservé aux villes minières quand un Américain venu donner des cours d'architecture à Mexico, s'attacha au pays, acheta une maison à Taxco et enseigna le design à des jeunes de l'endroit. C'est ainsi que cette ville minière vit actuellement de son produit (il est à penser même qu'elle doit importer de l'argent). La qualité de l'artisanat est surveillée, la loi autorisant l'alliage de 925 millièmes dit Sterling (il faut du cuivre pour rendre l'argent maléable). Chaque pièce fabriquée doit porter le sceau de garantie. Les magasins sont tenus de séparer les objets en argent massif de ceux seulement argentés *(alpaca).* On verra s'y effectuer des achats en gros pour l'exportation.

On peut visiter des ateliers derrière les magasins, et même s'amuser à se faire argenter par électrolise de ses propres pièces.

Le niveau de vie est surprenant pour une petite ville comme Taxco. Dans les banques d'aspect primitif, on verra des gens déposer des piles de billets de 100 dollars en y inscrivant leur numéro de compte comme si c'était des chèques. On verra aussi des familles indigènes déguster des pizzas. Un aspect de la vie peu commun au Mexique.

Hôtellerie

En bas de la ville, avec l'avantage de la vue sur la ville ou sur les paysages environnants ; avec l'inconvénient de devoir monter à pied ou en taxi (fréquents) dans le centre : *Borda*** (tél. 200.25), près de la rue circulaire. *Hacienda Chorrillo*** (à l'entrée de la ville. *Mision***, sur la rue circulaire. *Loma Linda** (tél. 202.06) sur la rue circulaire.

*Dans le centre : Agua Escondida** (tél. 207.26), sur le zócalo ; piscine dont l'eau n'est pas froide. *Los Arcos* (tél. 218.36). *Palmas** (tél. 231.77), une oasis où se cachent des écrivains.

Si l'on veut rester dans le centre, un seul parking : derrière le marché. (Prendre la rue en face de l'église qu'on appelle la rue des banques, jusqu'à une fontaine, puis continuer sur la gauche en descendant, c'est tout près.)

Restaurants

Alors que les prix des hôtels restent raisonnables, ceux des restaurants sont beaucoup plus élevés que dans le reste du pays.

Calle San Nicolas, rue du parking : quelques restaurants dont *Santa Fé. Zócalo :* pizzeria où les pizzas sont bonnes, le *Bora Bora.*

Hôtel Agua Escondida : très bon cuisinier. Ses marmelades maison sont à essayer au petit déjeuner (fresa, piña, tecojote). Viandes en sauce. Goûtez la *salsa de jomol* (très riche en iode ; il vous en donnera la recette).

Marché : on y mange bien. Le *Taxqueñita* offre de la bonne viande, foie de bœuf à l'oignon par exemple.

Alentours

Si vous aimez Taxco et que vous désirez y rester plus longtemps voici quelques idées d'excursions : *la cascade de Cacalotenango,* à 10 km ; *les grottes de Cacahuamilpa* à 40 minutes ; vers Toluca ; *Ixtapan de la Sal,* des eaux médicinales, à 60 km. Enfin, *Xochicalco* (avant d'atteindre Ixtapa), un site archéologique qui domine les montagnes alentour et présente différentes influences (Teotihuacan, Maya et Toltèque). Les bas-reliefs et l'organisation des monuments sur plusieurs terrasses forment un ensemble spectaculaire.

Le trajet Taxco-Acapulco demande 4 heures en bus. On descend de la montagne par une route en lacets pour atteindre les Basses Terres avec leurs paysages de petite forêt propre à la côte du Pacifique. Des endroits couverts de cactus de la légende. Petit à petit apparaissent les manguiers, puis les cocotiers qui entourent les villages. Il peut faire chaud sur ce trajet.

ACAPULCO

En arrivant par la route de Mexico, on traverse un long quartier très pauvre et densément peuplé. Puis appa-

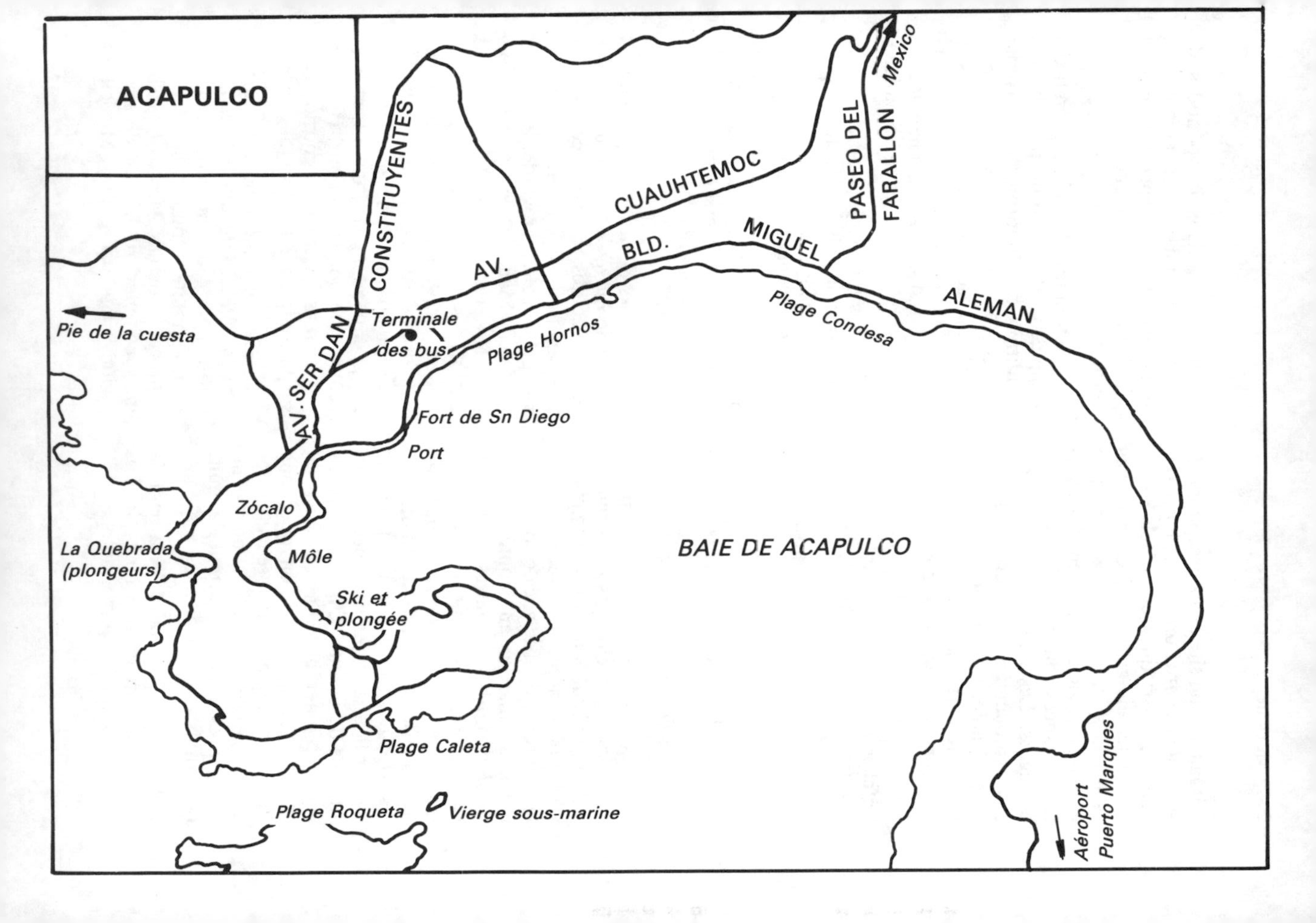
ACAPULCO
CONSTITUYENTES
CUAUHTEMOC
AV.
PASEO DEL
FARALLON
Mexico
MIGUEL
BLD.
ALEMAN
Pie de la cuesta
AV. SER DAN
Terminale
des bus
Plage Hornos
Plage Condesa
Fort de Sn Diego
Port
Zócalo
La Quebrada
(plongeurs)
Môle
BAIE DE ACAPULCO
Ski et
plongée
Plage Caleta
Plage Roqueta
Vierge sous-marine
Aéroport
Puerto Marques

raît la baie, un site assez exceptionnel. Acapulco a gardé une certaine personnalité. A part quelques hôtels exclusifs, assez éloignés, et quelques villas cachées, la station est très mexicaine et populaire sauf au moment des courtes vacances où se retrouvent les étrangers. Les habitants de l'endroit sont typiquement de Guerrero (métissage d'Indiens et de Noirs), avec un caractère particulier. Il suffit de ne pas les prendre à rebrousse-poil.

Hôtellerie

Assez loin, sur la route de Puerto Marquez : *Las Brisas***** (tél. 415.80). Tout est payé à l'avance.

Sur la plage de la Condesa (centre de vie nocturne ; beaucoup de mouvement en journée ; nombreux restaurants sympathiques sur la plage) : *Condesa del Mar**** (tél. 423.55).

Autour du zócalo (repérable par la cathédrale aux clochers en forme de salière) : *Casablanca**. Il surplombe la ville. Pour y accéder, navettes de l'hôtel qui rejoignent le zócalo, ou 15 minutes de marche en montée. *Santa Cecilia**, en bas. D'autres hôtels bon marché dans le secteur. Petits restaurants avec de délicieuses soupes de poisson, des cévichés, etc. En face de l'*hôtel Casablanca* se trouve la crique où ont lieu les fameux plongeons des athlètes de la ville. On peut consommer ou dîner à l'*hôtel Mirador* en assistant au spectacle, ou pour une somme modique on peut se cantonner à une terrasse en bas. C'est un spectacle impressionnant, surtout la nuit. Les horaires sont facilement obtenus.

A noter qu'au cours de la période creuse (octobre et novembre), les hôtels proposent des prix avantageux.

Par contre, dans les périodes de pointe, c'est un peu l'anarchie à ce sujet, car ils ne respectent souvent plus les tarifs homologués par le gouvernement.

On a tout intérêt à circuler en taxi à Acapulco. Ils ne sont pas chers à condition de s'informer du prix par avance. Dans le centre de la ville, près du zócalo, se trouvent rassemblés la poste, les banques et bureaux de change, les drugstores. Le terminal des bus se trouve plus haut et assez éloigné.

Aux alentours : la *baie de Puerto Marqués,* pour aller déguster le poisson sur la plage. De l'autre côté de la ville, en revenant au-delà du zócalo sur la pointe : la Caleta, très populaire avec souvent beaucoup de monde. Bateaux pour traverser sur l'île de la Roqueta. Un sujet pour passer une journée.

En dehors de la ville, à 40 minutes en bus, le *Pié de la Cuesta,* une longue plage avec des rouleaux (ce qui peut être amusant si on sait nager). On vient là en général regarder le coucher de soleil. Mais on peut y rester dormir. Différents petits hôtels louent parfois des chambres avec cuisine. Un *trailer park,* et de nombreux petits restaurants sur la plage, comme la *Casa Alberto,* une ambiance familiale. On peut combiner Pié de la Cuesta et centre ville pour un séjour. (Pour les bus, se renseigner vers le zócalo), c'est sur la route de Zihuatanejo.

A 250 km d'Acapulco, en remontant la côte, *Zihuatanejo-Ixtapa,* une station pour ceux qui recherchent plus de tranquillité. Route côtière et nouvelle route depuis Mexico (très belle mais compter 10 heures de trajet). Avions réguliers depuis Mexico. A

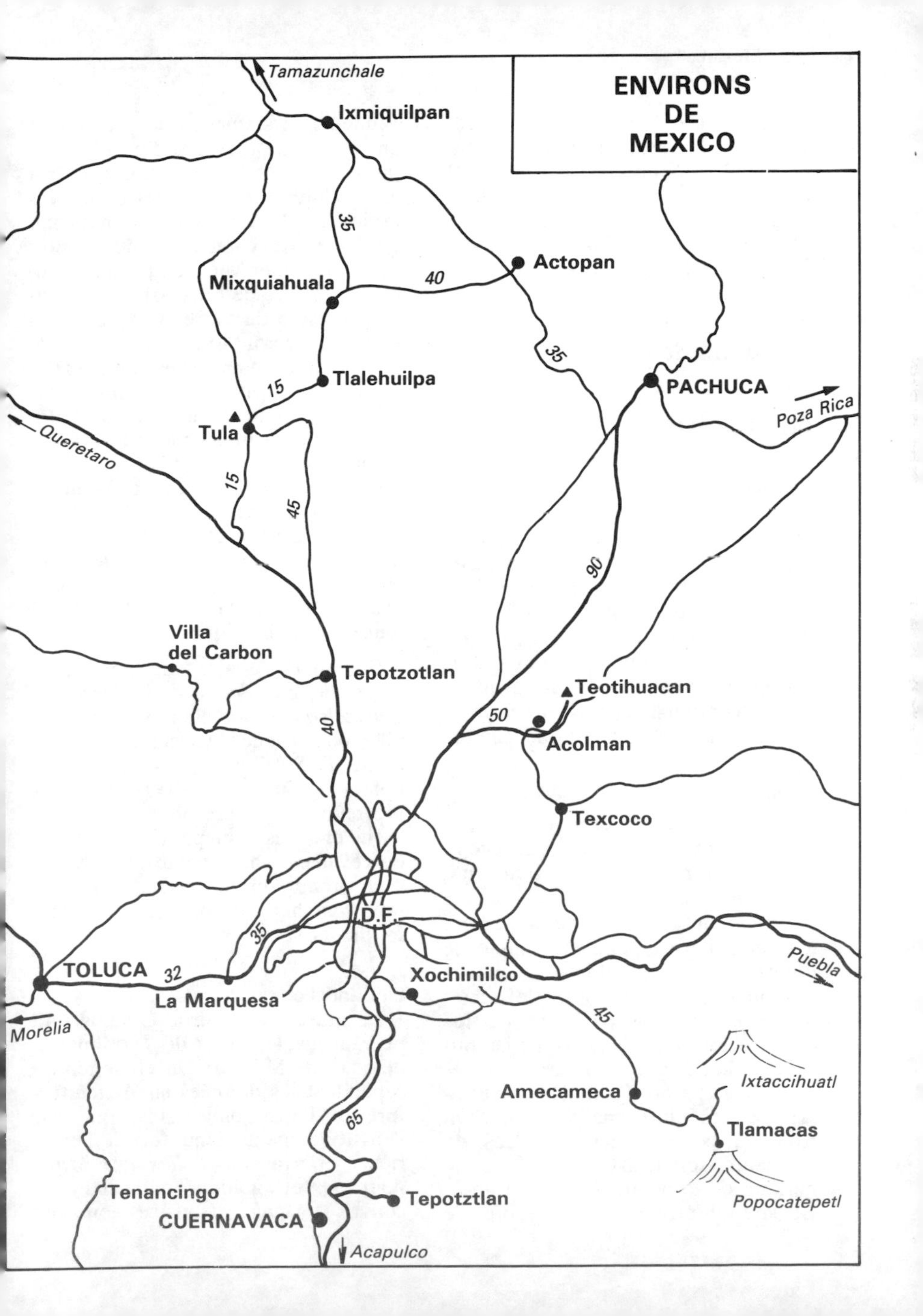
ENVIRONS
DE
MEXICO
Tamazunchale
Ixmiquilpan
35
Actopan
40
Mixquiahuala
35
Tlalehuilpa
15
PACHUCA
Poza Rica
Tula
Queretaro
15
45
90
Villa
del Carbon
Tepotzotlan
Teotihuacan
50
Acolman
40
Texcoco
D.F.
35
TOLUCA
32
Xochimilco
Puebla
La Marquesa
Morelia
45
Ixtaccihuatl
Amecameca
65
Tlamacas
Tenancingo
Tepotztlan
CUERNAVACA
Popocatepetl
Acapulco

Zihuat (comme disent les habitués), ambiance bon enfant, hôtels à prix raisonnables *Sotavento** (tél. 420.32), *Caracol** (420.36). A Ixtapa, en face, beaucoup plus sélect avec le *Club Med***** (tél. 43.440), *Camino Real***** (tél. 43.400).

Alentours de Mexico

TEOTIHUACAN

Accès

Si l'on ne dispose pas de voiture prendre le métro jusqu'à la station Indios Verdes (à la sortie, marcher 5 minutes dans la direction de l'arrivée pour atteindre le terminal d'autobus). Il faut compter 1 h 30 en bus. En voiture : 45 minutes. Prendre alors Insurgentes vers le nord, cette même avenue continuant dans la direction de Pachuca. Le site est indiqué comme *Pyramides.*

Trois heures sont suffisantes pour parcourir ce site. Attention aux coups de soleil ! Tant à l'entrée Quetzalcoatl que sur la route qui le contourne, possibilités de restaurants. Quatre parkings autour. On arrive en général à celui qui correspond au temple de Quetzalcoatl. C'est donc depuis cet endroit que l'on proposera le circuit qui se terminera avec la visite de très belles peintures. On trouvera les bureaux administratifs où l'on doit demander un permis (gratuit) pour utiliser une caméra. Formalité rapide. On trouvera là aussi des magasins de souvenirs, toilettes (même chose au parking de la pyramide de la Lune). Le site lui-même est encombré de vendeurs de statuettes dont certaines en obsidienne (matière d'un noir très pur ou avec des traces brunes qui est le produit d'une lave refroidie très rapidement). Autrefois, on en sortait des lames, des couteaux et des pointes de flèche (on en verra de beaux exemples au musée de Mexico). Elles coupent comme du verre. Ces vendeurs vous proposeront tout un panthéon de divinités imaginaires sans compter des objets en argent de Taxco, etc. Parfois, à cette entrée, des Indiens Totonaques, en costume, viennent exécuter la danse du volador, en se jetant, attachés, du haut d'un mât. Même si c'est pour gagner quelques sous auprès de touristes, et si cela ne correspond pas à une fête particulière, comme cela se passe dans leur pays (Sierra de Puebla), l'exécution de la danse est authentique.

Si l'on est à pied, on peut alors visiter la *Ciudadela* avec le *temple de Quetzalcoatl* et marcher sur la grande allée pour gagner le secteur des *pyramides du Soleil* et *de la Lune.* Sinon, après la Ciudadela, il vaut mieux reprendre sa voiture pour contourner le site et la laisser au parking P 3. C'est de ce même endroit que l'on ressort pour prendre un bus pour Mexico. (Il faut marcher 10 minutes. Passages fréquents.)

La Citadelle

Le musée de l'entrée Quetzalcoatl ne vaut pas les salles de Teotihuacan de celui de Mexico. On en retiendra cependant les données sur l'architecture et l'astronomie ainsi que sur l'environnement. Une fois à l'extérieur, on traverse l'*allée des Morts* pour monter quelques marches et découvrir la *Citadelle* (tous ces noms ont

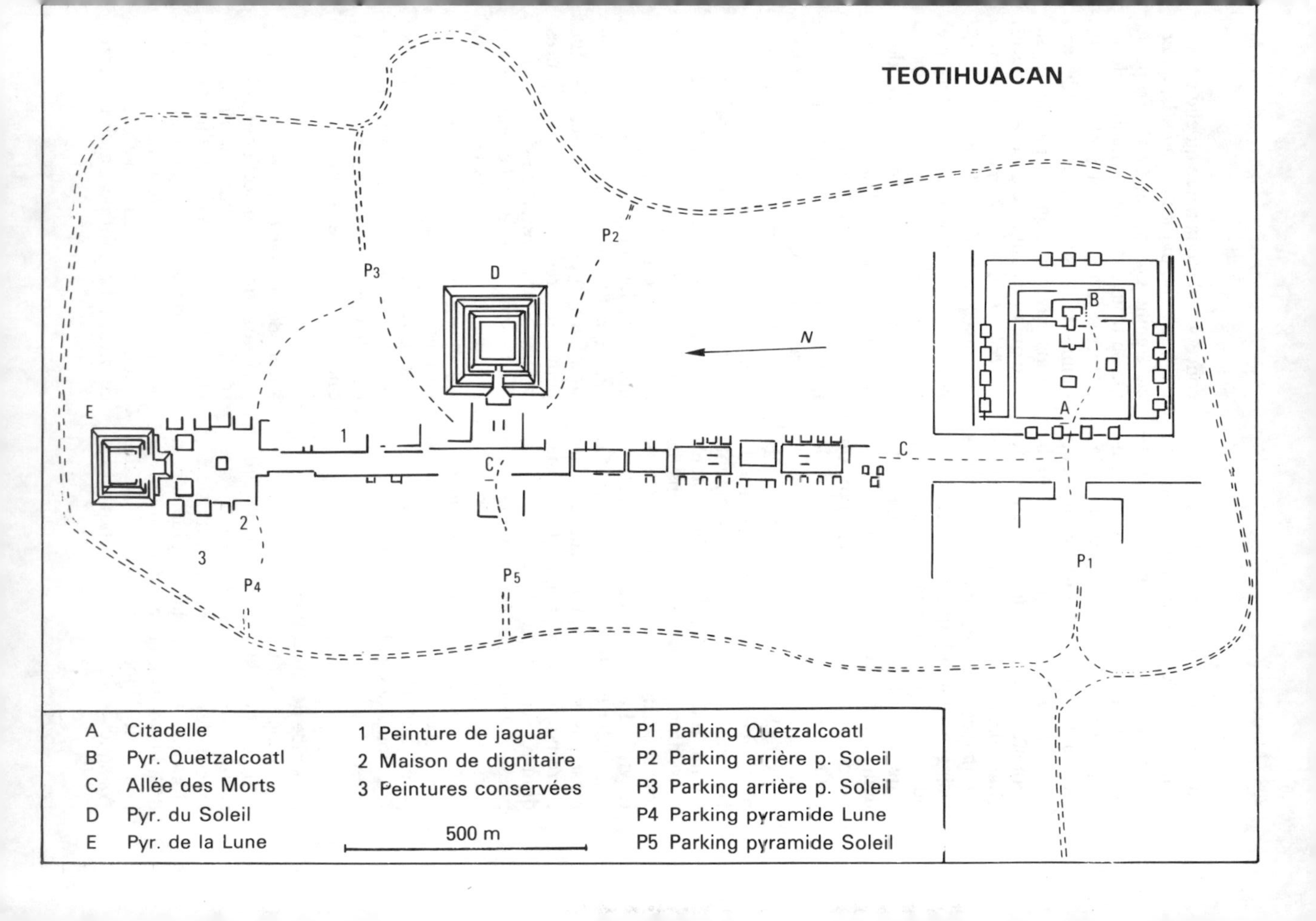
TEOTIHUACAN
N
A
B
C
C
D
E
1
2
3
P1
P2
P3
P4
P5
A Citadelle
B Pyr. Quetzalcoatl
C Allée des Morts
D Pyr. du Soleil
E Pyr. de la Lune
1 Peinture de jaguar
2 Maison de dignitaire
3 Peintures conservées
500 m
P1 Parking Quetzalcoatl
P2 Parking arrière p. Soleil
P3 Parking arrière p. Soleil
P4 Parking pyramide Lune
P5 Parking pyramide Soleil

été donnés subjectivement et comme points de repère. Ils ne correspondent pas à la fonction des lieux en question). On a là un exemple de l'ordonnance symétrique de l'architecture. Descendre pour se diriger jusqu'au fond et contourner par la droite la pyramide qui recouvrait celle de Quetzalcoatl : exemple du système de pyramides gigognes, mais cette fois-ci visible car mis à jour par les archéologues. (On retrouve partout au Mexique des superpositions qui correspondent à des rénovations effectuées à l'occasion d'événements religieux ou politiques.) Avant d'entrer dans le couloir réservé à la visite, observons deux techniques de restauration : la plus ancienne reconstitue ce qui a dû être en se basant sur des éléments connus (l'archéologue, par honnêteté, laisse alors des petites pierres dans les joints pour montrer que c'est son œuvre). La plus récente consiste à consolider ce qui a été découvert. Ce n'est pas plus honnête, car cela ne correspond à rien, n'apporte aucune donnée scientifique et détruit toute poésie, alors que le monument se conservait très bien sous la terre. On verra à côté, comme partout ailleurs, des traces de conservation du stuc peint qui couvrait les monuments. Plus loin, des peintures bien conservées.

Pyramide de Quetzalcoatl

Du couloir, on pourra voir en détail la décoration de la *pyramide de Quetzalcoatl* (le mot est emprunté à la langue des Aztèques du XIIIe siècle, alors que Teotihuacan est plus ancien de huit siècles). Ne connaissant pas la langue de l'époque, on utilise celle des Aztèques, le *nahuatl,* pour les concepts religieux parce qu'elle nous a été transcrite par les Espagnols. *Quetzal* signifie Oiseau, et *Coatl,* Serpent. On se trouve devant la dualité céleste et terrestre du serpent à plumes. On s'amusera à suivre le dessin de cet animal mythologique en partant de sa tête qui nous fait face avec ses crocs et sa collerette de plumes. Le corps continue, plaqué sur la paroi, ondulant avec ses plumes, et se termine avec les trois grelots du serpent à sonnettes, mais après être passé derrière un masque à lunettes. (On retrouvera cette forme graphique à Uxmal, Yucatan.) L'autre monstre apparaît avec sa collerette aussi, ses crocs, des grains (sans doute une divinité du maïs) et ses gros yeux que l'on retrouve généralement associés à la divinité de la Pluie. Fertilité. C'est celle que les Aztèques appelleront *Tlaloc.* La décoration est complétée par des coquilles et des coquillages. Richesse de l'eau que l'on trouvera ailleurs dans le site. On voit encore des traces de stuc peint qui recouvrait ces sculptures comme tout le reste. On s'en souviendra lorsque l'on verra l'étonnante reproduction en couleurs de ce temple au musée de Mexico. Entouré de l'aridité du paysage, on pense alors aux terres riches du Golfe où Tlaloc répand la fécondation, entouré de coquillages marins et du serpent qui ondule comme des vagues.

Pyramide du Soleil

Après être sorti de cet ensemble, on se dirige vers la *pyramide du Soleil.* On remarquera partout l'uniformité de la construction qui, avec l'étendue, ne pouvait présenter une certaine splendeur que rehaussée de motifs colorés. La forme architecturale communément utilisée est celle nommée *Talud Tablero,* une combinaison de lignes verticales et obliques avec redans. C'est la marque de l'architecture de Teotihuacan que l'on retrouvera dans les régions même très lointaines influencées par cette culture (on dira d'un site éloigné au fond du Guatemala qu'il est « Teotihuacan »). Toutes ces constructions, comme les pyramides, servaient de base à des temples.

Pyramide de la Lune

Si l'on doit choisir, la vue depuis la *pyramide de la Lune* donne une meilleure idée de l'urbanisme que celle depuis la *pyramide du Soleil.* Il suffit de monter sur la première ou deuxième terrasse. L'orientation du site est précise et constante.

A mi-chemin entre les deux pyramides, à droite (repérable par un toit de protection), un *juguar* dont la peinture est bien conservée. Le roi de la forêt tropicale, loin au sud-est. Un élément de plus pour marquer l'influence de la culture du Golfe.

Maison de dignitaire

En redescendant de la *pyramide de la Lune* et en prenant à droite, on accède à une *maison de dignitaire* avec encore des peintures originales ainsi que des pierres sculptées, celles-ci parfois refaites. On comprend l'agencement des pièces autour du patio, le toit en terrasse propre aux régions sèches, et l'écoulement central des eaux de pluie. Sur les piliers la représentation des *oiseaux-papillons* avec leurs yeux d'obsidienne. Ces oiseaux sont des *quetzals,* et vivent dans le sud du Mexique. Leurs plumes, très rares, étaient particulièrement appréciées. Sur le toit, les signes du calendrier. Il faut s'imaginer une telle demeure couverte de peaux de bêtes, de couvertures, de rideaux (on voit encore les trous pour la ficelle qui les soutenait) ; tout autour, les pyramides et monuments colorés avec les temples au-dessus, et les jours de fête la foule particulièrement bien vêtue. Actuellement, à l'occasion de courtes vacances, les gens de Mexico aiment venir passer la journée « aux ruines », comme on dit. L'allée des Morts se remplit de passants, la pyramide du Soleil se couvre comme un gâteau d'abeilles, et tout revit sous la couleur.

Peintures

Pour en revenir à la visite, on doit aller voir les bâtiments qui se trouvent au-dessous de ce dernier ensemble. Ressortir, prendre à droite pour descendre encore à droite. Après une succession de petites cours, on en atteint une plus importante curieusement encombrée d'une petite pyramide évidemment plus récente. Au fond, *des peintures bien conservées.* Un jaguar jouant d'une conque marine. A gauche et après avoir suivi un petit couloir, une autre cour, toujours avec des *peintures de jaguar,* leur signe de rugissement représenté comme les bulles de nos bandes dessinées. Enfin, en revenant sur ses pas, on pénètre à l'intérieur, près d'un bâtiment plus ancien, décoré de coquillages à plumes et de perroquets en frise. Un endroit protégé de la forte lumière, et mystérieux. Un point final pour notre visite. (Les peintures de Teotihuacan restent dans les couleurs pastel qui lui sont très particulières.)

Epoque et rayonnement

La grande époque de Teotihuacan se situe entre 300 et 600 ap. J.-C., époque du roi Dagobert. Dans la logique de la géographie, cette cité dut être construite par un peuple du Nord dont la nouvelle sédentarisation permit alors des contacts avec les séculaires civilisations du Golfe. Son rayonnement s'étendit très loin, à près de 2 000 km. Le site a été fouillé et restauré par l'Institut d'anthropologie du Mexique et étudié par l'Université d'Etat de Pennsylvanie.

Il existe un spectacle de son et lumière (réservation au 521.56.02).

Acolman

Au retour vers Mexico, on passe près d'un couvent-forteresse caractéristique du XVIe siècle, *Acolman*. S'y arrêter si l'on ne pense pas avoir l'occasion de visiter celui d'*Actopan* qui est aussi augustin. La façade est de style plateresque. Le cloître et les dépendances du couvent ont été restaurés et sont ouverts à la visite. En face, on vous montrera tout ce qu'on peut faire avec l'agave *(maguey)*.

L'ASCENSION DU POPOCATEPETL (5 465 m)

Partir de Mexico pour le village d'*Amecameca* (autobus au terminal Tapo) et continuer à *Tlamacas* (taxis depuis Amecameca), en passant au col *Paso de Cortes,* d'où ce dernier découvrit la splendeur de *Tenochtitlan* entouré de ses lacs. Il y a là un refuge où l'on doit passer la nuit pour commencer l'ascension vers 3 h du matin. Situé à près de 4 000 m, il permet l'adaptation à l'altitude. On y subit un contrôle de sécurité.

L'ascension n'est pas des plus faciles, à cause du rythme imposé par l'altitude et des cendres sur lesquelles on doit marcher un certain temps. Mais avoir grimpé le Popocatepetl, c'est tout de même quelque chose que l'on n'oublie pas de sitôt. Pour ceux qui préfèrent attendre en bas, l'ambiance du refuge est celle que connaissent tous les montagnards. Il faut compter un jour et demi au total.

On monte aussi au volcan Ixtaccihuatl.

CIRCUIT VERS LE NORD

Un bon programme pour une journée avec une voiture louée, mais il demande de partir de bonne heure considérant que les sites ferment relativement tôt. Un ensemble d'architectures très différentes. On trouvera facilement à se restaurer en cours de route. A condition de bien programmer ce circuit, on peut y ajouter Ixmiquilpan.)

Tula peut être rejoint en bus depuis Mexico (terminal del Norte, 1 heure 30). Tepotzotlan se trouve à présent en banlieue, on peut donc y aller en effectuant un aller et retour. Le circuit peut être envisagé dans un sens comme dans l'autre. Pour commencer par Actopan, prendre la route de Pachuca qui continue l'avenue Insurgentes et à une dizaine de kilomètres de cette ville, bifurquer dans la direction d'Ixmiquilpan.

Actopan

Dans un village très animé, et près du marché, le couvent d'Actopan est un bel exemple de l'architecture plateresque du XVIe siècle, avec cette influence qui nous rappelle que l'Espagne venait tout juste de se débarrasser des Arabes. Couvent construit par les pères de l'Ordre des *augustins,* il donne bien l'idée de forteresse les protégeant des tribus du désert encore récalcitrantes. Il domine les environs, s'impose au village actuel. Sa grande chapelle ouverte devait recevoir de nombreux fidèles venus pour assister à l'instruction religieuse. (Ceux qui n'étaient pas encore baptisés ne pouvaient pas entrer dans l'église.) Du monastère, on retiendra le réfectoire avec sa voûte décorée en caissons, ce qui lui donne une troisième dimension, et sa chaire pour la lecture pendant les repas. Partout ailleurs, un jeu de couloirs, terrasses, jardins, parapets et escaliers. On remarquera celui qui conduit au premier étage du cloître, avec ses peintures faisant revivre l'Ordre des augustins. La lumière particulièrement forte de la région semble pénétrer filtrée dans chaque recoin de ce monastère grandiose.

Tlahuelilpa

En allant à Tula faire un petit détour pour comparer deux styles d'architectures contemporaines. A la différence d'Actopan, tout ici est de petite dimension comme le cloître. La chapelle ouverte n'est plus qu'un balcon. Construction franciscaine. Ici, sans doute n'y avait-il qu'une petite communauté de religieux. Un ensemble différent mais très harmonieux.

Tula

Le site se trouve à quelques kilomètres du bourg. Tula est fameux pour ses atlantes. On s'étonnera de trouver ce site si petit. Et pourtant, à son époque, *il fut la capitale* de l'empire *des Toltèques.*

(Depuis le parking, on doit marcher 15 minutes pour atteindre la partie à visiter.)

Les Toltèques, qui font partie des tribus chichimèques errant dans les déserts du Nord, furent les premiers à se sédentariser. Leurs cousins lointains, les Aztèques, le feront à 100 km plus au sud et 300 ans plus tard. Les Aztèques furent impressionnés par Tula, malgré son abandon ; dans leur vocabulaire, ce qui était raffiné était toltèque, ce qui était brut était chichimèque. Ils insistèrent beaucoup sur ce point comme pour redorer leur blason du fait qu'ils étaient eux-mêmes chichimèques.

Les Toltèques eurent un grand rayonnement jusqu'au Guatemala : le Chac Mool, un autel constitué d'un personnage couché se redressant, la tête tournée vers vous avec un regard d'aveugle ; les jaguars qui défilent, les aigles qui tiennent des cœurs humains entre leurs serres, les atlantes en plus petit et supportant des dalles. A 1 500 km de Tula, le site de Chichen Itza, au cœur de la péninsule du Yucatan en est la copie sophistiquée et agrandie. *Tula est une création de Quetzalcoatl,* le roi divin qui, chassé par ses adversaires, partit avec ses fidèles vers l'est. Son retour prévu, devint avec le temps, une prophétie, un mythe. Les Aztèques étaient les premiers à l'attendre. Il devait revenir de l'est. Mais c'est Cortes qui débarque. (Le conquistador saura très bien utiliser cette coïncidence.)

C'est un Français, *Désiré Charnay,* qui effectua les premières fouilles à la fin du siècle dernier. Il comprit vite

l'importance de Tula. Les archéologues mexicains continuèrent. Le site à visiter est petit. Les atlantes servaient (ainsi que les piliers de derrière) à supporter la toiture en terrasse du temple. Ce sont tous des guerriers avec des coiffures de plumes.

De la pyramide délabrée qui ferme un des côtés de la place, on a une vue particulièrement belle du site. Au centre de la place, un petit autel en forme de croix, et de l'autre côté, un jeu de balle fermé, comme celui que l'on verra à gauche en ressortant. Ils sont caractéristiques de cette culture.

Tepotzotlan

L'église et le monastère furent fondés par les jésuites qui s'étaient chargés de l'instruction des Indiens *(otomis)* de la région. D'un très beau style churrigueresque du XVIIe siècle, la façade de l'église et l'intérieur forment un ensemble de retables dorés dont la restauration heureuse a redonné tout l'éclat tant de l'époque que de cet ordre religieux. On remarquera notamment la décoration de la pièce qui se trouve au-delà de la *chapelle Notre-Dame de Lorette.* Dans le couvent, a été aménagé un musée d'art religieux de l'époque coloniale qui abrite une collection d'une rare richesse.

Tepotzotlan est souvent le centre d'audition de musique baroque.

Ixmiquilpan

Couvent augustin, moins imposant que celui d'Actopan. Les peintures découvertes dans l'église présentent un mélange curieux et réussi de scènes de guerres mexicaines du XVIe siècle et de style Renaissance. Elles furent certainement exécutées par les Indiens de la région. Ixmiquilpan est d'origine *otomi.*

Michoacan

Michoacan, la province et ses villages : *Patzcuaro, Erongaricuaro, Patamban, Tzintzuntzan, Zirahuen* sont des noms de la langue tarasque que l'on parle encore. Un paysage de volcans dans une région élevée et souvent couverte de bois de pins où il peut y faire froid. La saison des pluies s'y exprime mieux qu'ailleurs avec ses orages de fin d'après-midi et de la nuit, nous réservant des matinées particulièrement lumineuses qui font ressortir encore plus les couleurs de la nature et celles des vêtements des habitants. Les femmes portent des blouses brillantes et colorées, des *rebozos* noirs avec rayures bleu roi. Les hommes se couvrent de leurs *sarapés* marrons. Les jeunes s'entraînent sur les lacs aux épreuves internationales de canotage, à moins qu'ils ne soient partis aux Etats-Unis pour la saison des travaux agricoles. Les habitants sont des montagnards, ils vous accueillent avec chaleur et spontanéité, assez fiers de leurs traditions pour ne pas craindre une ouverture sur le monde moderne. Ils offrent un artisanat d'une diversité particulière.

Venant de Mexico, il faut compter trois nuits sur place soit à Morelia, soit à Morelia et Patzcuaro (45 minutes de route entre les deux). Un choix à faire. Morelia est une ville plus importante avec plus d'animation le soir. Patzcuaro, assez triste le soir, est souvent couverte de brume au petit matin, ce qui lui réserve un côté

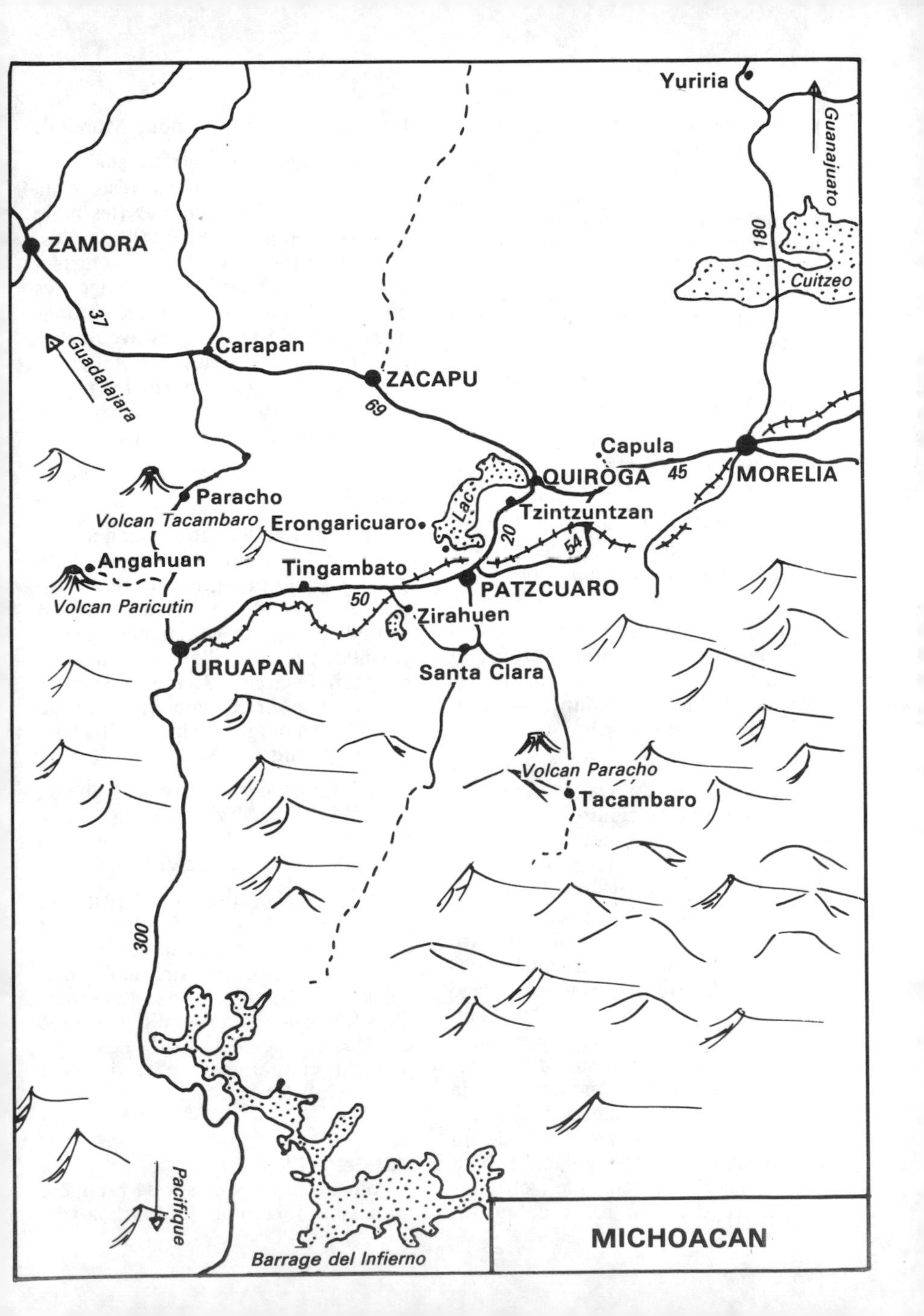
Yuriria
Guanajuato
180
Cuitzeo
ZAMORA
37
Guadalajara
Carapan
ZACAPU
69
Capula
QUIROGA
45
MORELIA
Paracho
Lac.
Tzintzuntzan
Volcan Tacambaro
Erongaricuaro
20
54
Angahuan
Tingambato
PATZCUARO
50
Volcan Paricutin
Zirahuen
URUAPAN
Santa Clara
Volcan Paracho
Tacambaro
300
Pacifique
Barrage del Infierno
MICHOACAN

magique pour ceux qui aiment découvrir les rues avant leur animation. Une première soirée, de toute façon, à Morelia, permettra d'en décider. Quatre nuits au Michoacan permettent une excursion dans la Cordillère et le retour par la Cañada. La côte maritime de cette région est bordée de plages tranquilles où vous recevront les pêcheurs.

Températures moyennes annuelles. Morelia : 17°. Patzcuaro : 15°. Uruapan : 21°.

Transport en avion : Mexico-Morelia : par *Aeromar.*

Bus. Mexico-Morelia : 5 heures, Patzcuaro : 6 heures, Uruapan : 7 heures. (Autobus au terminal Observatorio.)

Train : venant de Mexico, il passe à Patzcuaro à 8 h du matin pour arriver à Uruapan à 10 heures. Un moyen de traverser la Sierra de jour. (Voir aussi : « Mexico, trains ».)

La route actuelle de Mexico à Morelia, passe par Toluca pour monter vers le nord et reprendre vers l'ouest par Maravatio. Pour ceux qui le peuvent, s'arrêter au passage à *Tlapujahua,* curieux village juste à l'entrée de l'Etat du Michoacan, pour y visiter l'église et imaginer ce qu'il a pu être quand on exploitait les mines des alentours. Ensuite, la route se dirige vers les plaines du Nord ; on a un coup d'œil sur la lointaine Cordillère volcanique, et l'on descend sur *Maravatio,* village carrefour au moment de la grande époque du chemin de fer. Un restaurant sur le zócalo en garde un certain souvenir. On y mange bien pour un prix raisonnable, et dans l'ambiance d'ancien relais de postes (aux 2/3 du parcours pour Morelia).

L'ancienne route, par Zitacuaro, est plus longue, mais nous réserve la traversée des *Mil Cumbres* (les mille monts). Compter 1 heure 30 de plus. On peut aussi, dans ce cas, songer à coucher à *Valle de Bravo,* village très pittoresque au bord d'un lac et dans une région de montagnes avec beaucoup de petites fermes. L'hôtellerie y est plus chère que la normale ; tâcher de faire la route avant la tombée de la nuit (2 heures 30 depuis Mexico).

Les autobus n'empruntent que la nouvelle route.

On peut joindre cette région à celle de la route du Nord par Guanajuato (4 heures). On en profitera pour visiter le couvent de *Yuriria.* Il est conseillé alors de commencer par le circuit de ces trois villes. On peut aussi rejoindre le circuit Occident (6 heures de route pour Guadalara avec au passage, les berges du lac de Chapala. Voir ce circuit).

Morelia - Patzcuaro, le long du lac, île de Janitzio, Tzintzuntzan, Santa Clara del Cobre - Uruapan, volcan du Paricutin : une idée de circuit.

(*Tzintzuntzan* peut être visité au passage, en venant de Morelia. Il n'est qu'à 25 km de Patzcuaro.) Si l'on dispose de temps, la visite de *Cupula,* village de céramistes, vaut le détour. On y fabrique de la vaisselle vernissée et décorée de fleurs. Il existe un magasin coopérative mais on peut aussi visiter les ateliers.

MORELIA (1 950 m)

Pour ne pas rester sur sa première impression lorsqu'on découvre la ville depuis la hauteur, il est recommandé de rester dans le centre. Depuis ce premier coup d'œil, on remarquera le quartier colonial avec son rassemblement de clochers. La pierre rose qui a été utilisée pour sa construction donne une certaine gaieté à la ville et rend la cathédrale moins écrasante. Beaucoup de monde comme partout au Mexique, avec un centre-ville très animé, mais plus tranquille cependant le soir alors que les cafés sous les arcades gardent une certaine animation.

La cathédrale et ses environs

On appréciera l'espace tant extérieur qu'intérieur ainsi que la couleur utilisée à l'intérieur pour sa restauration. Les orgues sont toujours en service, on peut les entendre à l'occasion notamment de festivals de musique. En face, le palais du Gouvernement, sur la rue principale, dans un cadre colonial. Des fresques retracent l'histoire du pays et de la région.

Le collège *Saint-Nicolas* où Morelos fit ses études, Hidalgo en étant le recteur. En face, l'ancienne église des Jésuites transformée en bibliothèque.

Le conservatoire de *Las Rosas,* qui le fut dès sa construction. A côté, son église du XVIIe siècle avec une belle façade baroque. Un des coins des plus agréables de la ville.

Non loin de là, un musée aménagé dans une belle maison coloniale où l'on remarquera la reconstitution d'une pharmacie du siècle dernier.

La maison de la Culture

Dans l'ancien couvent du *Carmen* dont la restauration a respecté l'essentiel dans un cadre dépouillé et reposant, au milieu de quartiers bruyants. Une grande salle où sont exposés des masques dont le Michoacan est particulièrement riche. (Ils sont utilisés pour les danses.) Des ateliers, une librairie avec des disques de musique folklorique, une cafétéria. Au premier, une salle avec des objets archéologiques et une galerie présentant des expositions temporaires.

San Francisco et alentour

En repartant de l'autre côté du zócalo, on pourra visiter la *maison de l'Artisanat* (particulièrement riche au Michoacan) qui est installée dans le couvent de l'église *San Francisco.* En ressortant, prendre en face et suivre la rue marchande qui se trouve derrière la cathédrale pour atteindre la *maison natale de Morelos,* le héros de l'Indépendance. En continuant toujours, on arrive au *musée d'Anthropologie,* au coin du zócalo, et en face, le *palais de Justice* dont on visitera le patio.

Orchidées

Pour les amateurs de ces plantes, on recommandera les serres du jardin botanique au sud de la ville, près du boulevard circulaire.

Hôtellerie

*Villa Montana*** (tél. 225.88), sur les hauteurs et avec de beaux jardins. *Mendoza** (tél. 203.66), au coin ouest du zócalo, sur la sortie vers Patzcuaro. Belle demeure coloniale. *Casino* (tél. 202.87), sous les arcades. *Lorazno.*

Pour les repas, plusieurs cafés-restaurants sous les arcades du zócalo. On recommandera le restaurant *Monterrey* (pratiquement en face de la cathédrale) pour son *cabrito* et son *queso fundido,* du chevreau et de la fondue, des spécialités du Nord. Si l'on veut s'offrir un repas savoureux (avec crêpes au chocolat au dessert, par exemple) et dans un cadre raffiné et calme, on montera sur la colline qui surplombe la ville, au restaurant *Las Morelianas**.

PATZCUARO (2 200 m)

En arrivant en bas de la ville, on laisse à droite l'embarcadère et la gare de chemin de fer ainsi que la route qui continue vers Uruapan pour monter une longue avenue bordée d'arbres et atteindre le centre comprenant deux places : une petite *plaza San Augustin* à proximité du marché et le *zócalo* avec la statue de *Vasco de Quiroga.*

Cette ville doit son unité à ses maisons rustiques d'adobé chaulé avec leurs bases de couleur rouge brique. On remarquera le dépassement des toits témoignant d'une forte pluviosité. A visiter : la *Casa de Los Once Patios* (il y en a même plus), un centre de fabrication artisanale : toiles de coton colorées, laque moderne. Le *marché,* plus important les vendredis et dimanches (ne pas oublier la place *San Francisco* où les femmes de *Janitzio* viennent vendre le poisson et où l'on trouvera le plus de vaisselle utilitaire).

Le musée

Une bonne occasion de voir l'intérieur d'une maison. Au cours de la visite, on éprouvera le sentiment d'être surveillé de près par les gardiens de chaque salle. En fait, ils ne demandent qu'à vous orienter. Les prendre comme des gêneurs ne changera rien, alors que leur demander une explication de temps en temps les tranquillise.

Objets propres à la région et fabriqués depuis des siècles : *rebozos* et *sarapés,* objets en palme, comme les manteaux de pluie qui se portent palme à l'extérieur. On verra comment sont installées, encore de nos jours, les cuisines qui sont la fierté des femmes du Michoacan : murs véritablement tapissés de tasses ou gobelets, foyers avec les plaques de terre pour la cuisson des tortillas, les *comales.* Etalage de services de vaisselle fabriquée à *Capula* (petites marguerites encerclant l'assiette). Ceux de *Tzintzuntzan* ont des motifs verts sur fond brun foncé. Ceux d'*Erongaricuaro,* blanchâtres et peints de sujets locaux comme la pêche. Des objets religieux, une belle collection de masques et quelques laques anciennes. (Voir le patio à l'arrière de la maison.)

Puis une exposition de la vaisselle de *Patamban* (un village de la Sierra) dont le vert éclatant sur un fond de couleur foncée est obtenu par un traitement exécuté après une première cuisson. Sujets de décoration : abstractions de fleurs ou d'animaux, mais souvent des croisillons finement dessinés qui rappellent ceux que l'on trouve sur des céramiques précolombiennes dans le Nord et l'Ouest du pays. Le motif est similaire à celui d'une céramique encore dessinée à *Guadalajara,* le *petatillo,* le croisé de la natte *(petaté).* C'est une des plus belles céramiques fabriquées au Mexique. On en trouvera dans les magasins *Fonart.* Elle est imitée mais on ne s'y trompe pas. Du même village on verra ici des jarres sphériques, couleur terre, et décorées d'animaux fabuleux bleus ou blancs.

On remarquera pour terminer, des sculptures tordues et assez effrayantes que l'on fabrique à *Ocomucho*.

Plaza de la Basilica et Zócalo

Vasco de Quiroga, dans la foulée de sa réussite auprès des populations indigènes, voyait grand. On le devine ici ainsi que dans la disproportion du zócalo dont l'importance de la surface s'allie mal à l'équilibre des façades coloniales rustiques (il s'en fallut de peu pour que cette place soit une des plus belles du Mexique).

Achats : laines, *rebozos*. Meubles particuliers au pays dont l'exemple le plus traditionnel est le présentoir à vaisselle en bois de pin sculpté. Masques. Objets d'art contemporain. Chapeaux de la région, des plus élégants.

Hôtellerie

*Don Vasco** (tél. 202.27), en bas de la ville, à 15 minutes à pied du centre. *Meson del Gallo** (tél. 214.74), calle Cos près du zócalo. *Posada de la Basilica** (tél. 211.08) et *Valmeer**, sur la place de la cathédrale. *Los Escudos** (tél. 201.38), sur le zócalo. *Concordia,* place San Augustin.

On peut s'offrir un repas à la *Posada de la Basilica :* vue sur le lac et les toits de la ville ; dans la salle à manger de l'*hôtel San Rafaël,* sur le zócalo : vue sur la place ; dans la salle à manger de l'*hôtel Escudos*. On n'oubliera pas le poisson du lac, *pescado blanco (charal),* excellentes fritures (pas toujours très bon marché). Sur le *marché,* ou place *San Francisco,* on goûtera l'*atolé* au chocolat, parfois à la vanille ou bien nature.

Le long du lac jusqu'à Erongaricuaro

Un paysage exceptionnel. Une succession de villages, tous personnifiés, mais dans le même style de construction, adobé parfois couvert de chaux. *Jaracuaro,* l'île des chapeaux. On y entre par une digue. Si le niveau du lac montait, il y aurait toujours des passeurs pour vous faire traverser. C'est le grand centre de fabrication du chapeau du Michoacan. On peut aller voir les artisans. Palme du lac tressée et cousue à la machine. Le haut est rehaussé d'une discrète forme en relief en y faisant passer une roulette en bois. *Erongaricuaro,* sévère avec ses ruelles pavées et les galeries où attendent les gens autour de la place. Le petit cloître vaut la peine d'être visité.

Ces villages ont perdu de leur vie depuis que la construction de la route draîne leurs échanges vers Patzcuaro. Ce circuit, cependant, que l'on peut continuer sur piste pour rejoindre la route de Morelia, permet de découvrir le lac avec ses différents paysages et ses ciels qui peuvent changer d'une heure à l'autre.

Ile de Janitzio

Départs fréquents depuis l'embarcadère. Avant l'arrivée sur l'île, les pêcheurs se prêtent à la photographie pour quelques pesos avec leurs filets-papillons qui servent à la pêche du *pescado blanco*. Si l'on est déçu par la rue principale (on nous y attend), on peut aller se perdre dans les ruelles en contournant l'île. On découvre des points de fuite vers le lac à travers les toitures de tuiles romaines et les filets qui sèchent. La fête des Morts à Janitzio a été touristiquement exploitée à un niveau qui atteint le scandale. Les Indiens sont tenus d'aller se recueillir sur les tombes de leurs ancêtres au milieu des touristes des villes, déjà pas mal éméchés, qui les bombardent à coups de flash, sans compter les caméras des différentes chaînes de télévisions, projecteurs à l'appui (cela se passe la nuit).

TZINTZUNTZAN

L'ancienne capitale tarasque à l'arrivée des Espagnols est aujourd'hui un village tout en longueur où l'on vend de la vaisselle fabriquée sur place. A une extrémité, une église avec couvent et atrium, typiques de la construction des franciscains du Michoacan, dans leur émouvante simplicité et à l'ombre de vieux oliviers. Le site se trouve à un kilomètre environ. On ne peut pas parler de pyramides, à cause de l'architecture des bases qui supportaient les temples : une combinaison de formes rectangulaires et circulaires (cette dernière est particulière aux populations nomades). Ce site tarasque ne ressemble pas aux sites précolombiens que l'on a l'habitude de visiter au Mexique, mais son importance n'est pas à négliger. Son emplacement est exceptionnel ; en montant sur les terrasses on jouira d'un beau coup d'œil sur le paysage environnant.

SANTA CLARA DEL CORBRE

A 20 km de Patzcuaro, un village dont on peut visiter les ateliers de fabrication de cuivre martelé. On en voit des exemples dans les magasins *Fonart* (plats, pichets, grandes assiettes). On peut revenir par *Zirahuen,* un village d'une ambiance étrange et près d'un lac, dans les hauteurs désolées. Petit hôtel avec son restaurant dans le centre du village.

LES TARASQUES (ou *Purepechas)*

Il est encore difficile de rapprocher culturellement ce groupe des autres Indiens du Mexique, et l'on ne connaît pas encore bien leur passé. Leur territoire est une frontière entre les grandes étendues du Nord et la riche région du Rio Balsas. Jusqu'à présent, on n'avait étudié que leur dernière période (postclassique), comme le site de *Tzintzuntzan* qui était encore en service, si l'on peut dire, à l'arrivée des Espagnols. On pense parfois qu'ils avaient des origines chichimèques à cause de certaines de leurs habitudes. Dans le sud, on découvre un site d'influence Teotihuacan. Peut-être faut-il aussi dissocier époques et lieux. Les archéologues français font des recherches. Ils travaillent dans une région un peu au nord (proche de la Cañada d'ailleurs), là où les textes annoncent la naissance du fait tarasque. Les fouilles ont atteint une époque ancienne (formative et classique) et donneront sans doute des données supplémentaires.

On reconnaîtra les Tarasques au visage rectangulaire qui leur est particulier. Ils sont de caractère ouvert surtout dans le nord de la région et sont doués pour l'artisanat. Aux temps précolombiens, ils étaient déjà réputés pour les arts.

VASCO DE QUIROGA

Le Michoacan fut vite soumis aux Espagnols au passage d'un lieutenant de Cortes. Mais l'occupation de la région par le fameux *Guzman* parvint au même résultat qu'ailleurs : la disparition dans la nature des survivants. C'est Vasco de Quiroga, alors nommé évêque dans la région, qui sut remettre ce pays sur pied. Il créa des hôpitaux à la Schweitzer, mit en valeur le talent des habitants en les initiant aux nouvelles techniques européennes, et organisa un système commercial pour éviter une concurrence négative et l'intervention des Espagnols : chaque village était spécialisé et avait son jour de marché. Le système dura jusqu'à nos jours, mais il est en train d'être bousculé par les circuits commerciaux modernes. L'artisanat spécialisé demeure cependant.

Sur sa lancée, et devant le succès de sa politique, Vasco de Quiroga commençait à faire de *Patzcuaro* la capitale de la région (il avait préféré cet endroit à l'ancien centre *Tzintzuntzan*). Dès sa mort, les Espagnols obtinrent vite gain de cause pour faire passer *Valladolid* (Morelia) en premier.

C'est ainsi qu'à présent, on verra les splendeurs de l'époque coloniale espagnole à *Morelia* et le charme plus discret de *Patzcuaro,* là où l'âme indienne aura pu finalement garder sa mesure.

URUAPAN (1 600 m)

Entre Patzcuaro et cette ville on pourra visiter un site archéologique, *Tingambato,* d'époque classique cette fois et influencée par Teotihuacan (aucun rapport avec Tzintzuntzan). Y prévoir une petite heure : on descend dans le village, le site se retrouvant un peu plus loin, en contrebas. En reprenant la grand-route à travers la Sierra on traversera des champs d'avocatiers, avant de descendre sur *Uruapan,* riche cité agricole et commerçante dont la situation entre les deux climats entre le Pacifique et les Hautes Terres, ajoute à son importance. Construite à flanc de montagne, ses toits qui dépassent (encore plus qu'à Patzcuaro, semble-t-il) ajoutent au caractère de ses rues en pente. Le zócalo est entouré de rues particulièrement animées. Sur un de ses côtés, l'ancien hôpital construit par les franciscains au XVIe siècle abrite un *musée de la Laque.* Cette technique remarquable fut introduite d'Espagne à cette époque, mais dans très peu d'endroits. Les artisans de la région en ont sorti de véritables chefs-d'œuvre, et on trouvera peu de collections de cet art ailleurs. Cette technique est encore pratiquée à *Uruapan* mais sous une forme différente : une idée de cadeau facile à glisser dans ses bagages et que l'on trouvera chez les artisans de la ville. L'hôtel *Mansion de Cupatitzio*** (tél. 321.00) offre l'occasion de s'offrir un séjour dans un beau cadre, près du parc de la ville avec ses plantes exubérantes.

LE PARICUTIN

Après l'excursion de ce volcan (il ne s'agit pas de monter sur son sommet), faire la boucle en continuant de monter vers le nord : *Paracho,* centre de fabrication des guitares, *Cheran* entouré de paysages grandioses avec la silhouette de volcans anciens et l'on rejoint la route de Morelia à Carapan.

Pour gagner le *Paricutin,* compter 1 heure 15 avec sa propre voiture depuis Uruapan. Comme toujours au Mexique, on peut très facilement y accéder autrement : prendre le premier autobus qui remonte sur Paracho et descendre au carrefour de la piste qui conduit à Angahuen et Los Reyes. Attendre alors le passage d'un véhicule ou de l'autobus local. A cet endroit, on peut être pris en main par les gens du village qui s'offrent comme guides.

Il existe aussi la possibilité de se loger à *Angahuen* dans un refuge construit par le gouvernement (une très belle vue sur le Paricutin).

C'est une excursion tranquille. Avec sa propre voiture compter aller et retour 4 heures 30 depuis Uruapan ; 6 heures environ autrement. Les sportifs peuvent la compléter en se rapprochant du cône volcanique. On trouve des échoppes pour manger à *Angahuen*.

La piste traverse les paysages typiques de la Sierra du Michoacan : horizons volcaniques, troupeaux de moutons, villages aux toits de bardeau *(tejamanil)*. En saison des pluies, les manteaux en palme tressée sont remplacés par le plastique contemporain coloré. On arrive à Angahuen, village rendu triste par la couleur gris noir de la terre, la région ayant été couverte de cendres au moment des éruptions. On peut s'y rendre à pied en finissant de traverser le village, ou à cheval (vous en trouverez sans avoir à chercher longtemps) et marcher environ une petite heure. S'arranger avec un guide ne coûte pas cher et permet d'aider ce village dont on remarquera vite la pauvreté. On traverse des bois de pins pour déboucher sur une mer de lave sur laquelle on va bientôt buter. L'apparition de ce volcan a été progressive, commençant par des fumées dans des champs, puis des grondements et coulées de lave régulières et lentes (ce qui a permis aux habitants de partir au fur et à mesure du danger) qui ont englouti le village de *San Juan de Paricutin*. En continuant de marcher, et cette fois forcément sur la lave, on atteindra les tours de l'église, seul vestige qui en émerge. Les gens continuent d'honorer leurs saints en déposant des fleurs dans cet étrange sanctuaire. A la périphérie, des cahutes rescapées où l'on vend même des cartes postales.

La naissance de ce volcan, il y a moins de cinquante ans, dura plusieurs années. Il demeure éteint depuis. Cette excursion ne vaut pas seulement pour l'occasion de pénétrer dans la Sierra, mais pour ce spectacle aussi grandiose qu'étrange.

LA CAÑADA (les gorges)

C'est un autre pays (même si on y parle la même langue) avec une végétation semi-tropicale. On parcourt les villages à l'ombre de grands arbres. Petites plantations de café près des maisons d'adobé. Il fait doux. Les jeunes filles que l'on entend souvent rire portent des bijoux, et pas du toc. Une certaine douceur de vivre qu'on avait oubliée là-haut, dans la Sierra ou au bord des lacs. Les villages sont en ligne, assez proches pour pouvoir continuer à pied si on se laisse prendre au jeu de la Cañada : *Carapan, Tacuro, Ichan, Huancito, Santo Tomas, Acachuen, Uren, Tanaquillo*. A Huancito, à la Toussaint, on pourra assister à une grande fête de village pleine de couleurs et de gaieté.

Au retour, vers Morelia, *Quiroga* le grand centre du jouet en bois. On y trouve aussi toute sorte d'artisanat de la région. Le choix n'est pas des meilleurs, mais c'est un centre important où l'on trouvera facilement à se restaurer.

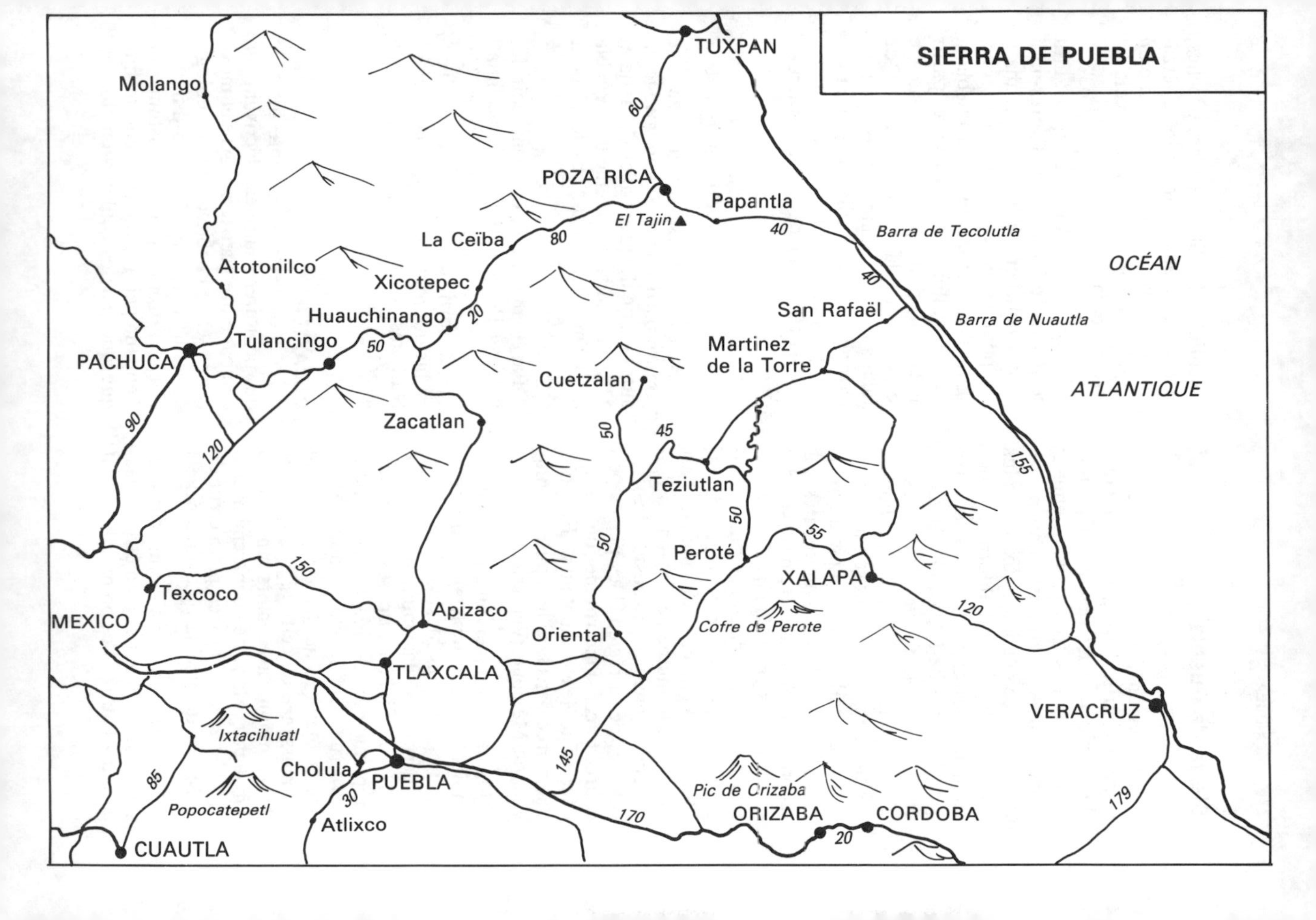
SIERRA DE PUEBLA
TUXPAN
Molango
60
POZA RICA
Papantla
El Tajin
40
Barra de Tecolutla
OCÉAN
La Ceïba
80
Atotonilco
Xicotepec
40
Huauchinango
20
San Rafaël
Barra de Nuautla
Tulancingo
50
PACHUCA
Martinez
de la Torre
Cuetzalan
ATLANTIQUE
90
Zacatlan
50
45
120
155
Teziutlan
50
55
50
Peroté
150
XALAPA
Texcoco
120
Apizaco
MEXICO
Cofre de Perote
Oriental
TLAXCALA
VERACRUZ
Ixtacihuatl
85
Cholula
145
PUEBLA
30
Pic de Orizaba
Popocatepetl
179
170
ORIZABA
CORDOBA
Atlixco
20
CUAUTLA

Sierra de Puebla

Une région peu connue, avec des paysages particuliers, propres au golfe du Mexique. Une végétation parfois exubérante (les vents qui viennent butter sur la Sierra provoquent de grandes précipitations, dix fois plus que sur la Basse-Californie. Pour comparer les extrêmes). On le verra aux alentours de *Jalapa,* de *Cuetzalan* et de *Huauchinango.* Au-dessus d'eux, les Hauts Plateaux de *Tlaxcala* dominés par le plus haut sommet de la Cordillère volcanique : le pic d'*Orizaba,* 5 640 m. Des communautés indiennes différentes, certaines avec des costumes des plus élégants. Témoin de leur passé, *El Tajin,* un site archéologique parmi les dix plus grands du Mexique. Pour ceux qui aiment l'art olmèque, le musée de Xalapa où l'on découvre aussi la richesse d'autres cultures de la région. Des plages peu courues, car l'incertitude du temps décourage les promoteurs. Et puis, une soirée dans la ville réputée la plus gaie du Mexique, Veracruz.

On doit compter un minimum de 3 nuits (4 jours complets), pour fermer un circuit depuis Mexico. Puebla : 1. Veracruz : 1. Papantla, ou bord de mer : 1. Si l'on dispose d'une nuit supplémentaire, on la réservera pour Veracruz. Enfin, avec 6 nuits (donc une semaine), on aura une bonne connaissance de cette région qui sort du commun, avec alors un arrêt à *Xicotepec* et la visite du marché indien de *Cuetzalan,* village en plein cœur de la Sierra de Puebla. (Le dimanche.)

Nous proposons un circuit dans un sens, mais il peut très bien être envisagé dans l'autre. Les points paraissant essentiels : Puebla et églises proches, musée de Jalapa, marché de Cuetzalan, une soirée à Veracruz et le site du Tajin (prononcer *tarine*). Tout cela est faisable en autobus.

Si l'on se rend à Cuetzalan, il suffit de partir de Puebla dans l'après-midi pour y coucher, ce qui laisse la matinée pour visiter la ville et les environs. Si l'on va directement de Puebla à Veracruz, il faudra, par contre, partir assez tôt pour prévoir au passage le temps de la visite du musée de Jalapa qui demande deux heures. Dormir dans cette ville n'apporte rien. Températures annuelles moyennes : Puebla : 16°, Jalapa : 18°, Veracruz : 24°.

Mexico - Cacaxtla - Tlaxcala - Acatepec - Tonantzintla - Puebla.

Ce parcours est prévu avec une voiture particulière. Si l'on voyage en autobus, on devra sacrifier Cacaxtla et Tlaxcala, aller directement à Puebla d'où l'on prendra un bus local pour Acatepec.

Par temps clair, on peut voir les volcans Popocatepetl et Iztaccihuatl depuis l'autoroute. Pour gagner Cacaxtla, sortir de l'autoroute vers Texmelucan, route de Tlaxcala, puis à Nativitas. C'est indiqué « Zona Arqueológica ».

CACAXTLA

La découverte importante fut celle de peintures murales décrivant un combat entre guerriers mayas et mexicains. (On a l'habitude en archéologie de les nommer ainsi pour les différencier, la frontière étant l'isthme de Tehuantepec.) Tant par leur technique que par les couleurs employées, elles ont certainement été exécutées par un artiste maya, alors que son pays se trouve à près de 1 000 km de là. Les types physiques sont bien différenciés : profil maya des vaincus, visages plus rectilignes, propres à cette région des Hautes Terres, des vainqueurs. La fin du combat fut des plus sanglantes, et la peinture plutôt réaliste. Vers un autre bâtiment, une salle dont l'entrée est ornée de hauts personnages en grandes parures et dont la représentation dénote une influence tant maya que des Hautes Terres, avec la vie aquatique qui participe au décor. Ces peintures sont de l'époque classique tardive, VIIIe et IXe siècles.

Le site ouvre de 10 h à 17 h. La marche de 10 minutes que l'on doit effectuer depuis le parking permet d'apprécier le paysage grandiose que le site domine. A l'entrée, on trouve souvent des femmes du pays qui font devant vous des *gorditas,* à savourer à l'ombre de toiles tendues.

Le climat assez sec de la région a certainement contribué à la conservation de ces peintures alors enfouies. Elles furent découvertes par des archéologues allemands, relayés ensuite par des Mexicains.

TLAXCALA

Capitale du plus petit Etat du Mexique. La restauration du centre de la ville a su lui redonner le cachet qu'elle dut avoir du temps de la colonie. Elle fut alors très vite supplantée par Puebla.

Les Indiens de Tlaxcala, installés là depuis longtemps (sur des terres otomies) étaient de même origine chichimèque que les Aztèques qui ne cessaient de leur faire subir harcèlements et pressions. C'est contre eux qu'avaient lieu les fameuses guerres fleuries organisées pour trouver les victimes indispensables aux sacrifices. Les premiers durs combats de Cortes eurent lieu avec les gens de Tlaxcala qui lui résistèrent assez longtemps pour finalement accepter une alliance, trop contents de trouver enfin un moyen de se venger. Ils allèrent jusqu'à aider les Espagnols, alors bien mal partis après leur grave défaite contre la capitale aztèque, pour repartir à l'attaque et restèrent à leurs côtés pour la colonisation du territoire jusque dans le sud où des quartiers de certaines villes portent encore leur nom.

A Tlaxcala, la *place* est un endroit tout trouvé pour y prendre son déjeuner. Il ne faudra pas manquer la *Casa de las Artesanias,* musée vivant où vous apprendrez tout sur le *pulqué* et visiterez une maison otomi. Très bon restaurant typique. On visite le *couvent franciscain* avec son atrium, à l'ombre de grands arbres, et son petit cloître. A 2 km de la ville, *Ocotlan* et son église élancée du XVIIIe siècle, impressionnante composition de style churrigueresque et de décoration propre à la région de Puebla. A l'intérieur, de beaux retables.

PUEBLA (2 200 m)

Puebla n'est pas qu'un centre historique. La ville est en constante évolution. Des industries, comme l'usine Volkswagen attirent beaucoup de monde des environs. Des activités culturelles s'ajoutent aux universités. De nombreuses allées et venues ont lieu entre Mexico et cette ville (un autobus toutes les dix minutes). Il est facile de s'y repérer. Il faut savoir profiter de l'animation du zócalo (divers restaurants autour, dont le *Princes* toujours plein, ce qui est bon signe). On n'oubliera pas le *Molé Poblano* (de Puebla), et les façades typiques de la ville, avec leurs briques et les carreaux de faïence émaillée, la plus curieuse étant la *Casa Alfeñique,* fin du XVIIIe siècle.

Dans le même secteur, mais de l'autre côté de la rue principale, la *Compañia,* l'église des jésuites avec sa coupole. La *maison de la culture,* ancien évêché, sur les côtés de la cathédrale dans la journée la *bibliothèque* (du XVIIe siècle) est ouverte à la visite. Dans la soirée, activités de toutes sortes et fréquentes expositions.

La *cathédrale* est imposante, sévère avec sa pierre grise. De l'autre côté du zócalo, en s'engageant dans la rue piétonne, cinco de Mayo, on atteint l'église *Santo Domingo* reconnaissable de loin par la couleur ocre choisie pour la restauration de son extérieur. Un retable central avec toutes ses statues polychromes, et au fond à gauche, une chapelle fascinante : angelots, personnages apparaissent au milieu d'une profusion de décorations blanches et dorées, le tout illuminé de nombreuses fenêtres. Un exemple particulièrement réussi du baroque de la région, un rayon de soleil au cœur de cette ville somme toute assez austère. En continuant sur la même rue, le *marché,* très vivant, et le couvent de *Santa Monica* transformé en musée. Une occasion de voir l'art colonial de l'intérieur.

Parmi les nombreuses petites églises de la région, reconnaissables à leurs dômes de faïence, celles de *San Francisco Acatepec* et de *Santa Maria Tonantzintla,* du XVIIIe siècle. Elles symbolisent la joie du croyant, la poésie de l'Indien qui participa à leur édification. L'immense pyramide de *Cholula* présente un intérêt plus historique que visuel. Cette ville fut toujours un centre indien important. Elle fut colonisée par les pères espagnols comme en témoigne le grand nombre d'églises, mais la haute société espagnole, l'évêché et les couvents s'installèrent plus loin, à Puebla. De nos jours, subsiste la différence, les jeunes issus des familles encore conservatrices allant « en boîte » à Cholula. A seulement quelques kilomètres, on est déjà plus tranquille.

Hôtellerie

On peut passer la nuit soit dans le centre, ce qui permet de découvrir les façades tranquillement (dans la journée il y a énormément de monde), soit aller à *Cholula,* à l'hôtel *Villas Arqueologicas**** (tél. 47.19.66). Vue sur les volcans Popocatepetl et Malinche au petit matin quand le ciel est dégagé. L'hôtel est entouré de champs de maïs.

*Centre-ville : Gilfer** (tél. 42.98.00) et *San Pedro** (tél. 46.50.77). *Colonial**. Un côté vieillot qui le rend sympathique. *Aristos***, av. Reforma.

La China poblana

De *china :* frisée (souvent dû au métissage avec du sang noir) et *poblana :* originaire de Puebla.

Il s'agit d'un type de personnage qui apparut au lendemain de l'indépendance : yeux faits « comme une berbère », seins mal cachés, châle laissant apparaître la taille (origine du *rebozo* actuel), bottines sans bas et jupe courte pour le montrer, blouse rehaussée de soie aux couleurs criardes, parfois brillantes. C'était le nouveau « look » des jeunes filles métisses de l'époque, libérées des bonnes sœurs mises à l'écart. La *china poblana* faisait la paire avec le *charro* (on la reconnaîtra facilement dans les ballets folkloriques).

Cette attitude s'était généralisée dans toute la province, mais l'impact de ces jeunes filles provoquantes fut plus grand à Puebla, ville des plus conservatrices. D'où la création du mythe d'une jeune fille provenant de Chine sur un des galions des Philippines (soieries scintillantes, etc.) pour venir honorer de sa présence les habitants de la Sierra de Puebla.

Route de Puebla à Jalapa. Compter 2 heures 30 (3 heures en bus). On roule sur de Hauts Plateaux avec un ensemble de paysages curieux : volcans, lagunes, champs de culture industrielle.

En descendant sur Jalapa, on approche alors des mystères du Golfe. Terres riches : café, avocats et orchidées. L'humidité apparaît.

JALAPA (ou Xalapa ; prononcez : *ralapa* 1 400 m)

Il faut imaginer cette ville à l'époque de ses grandes maisons d'adobé, fenêtres hautes, toitures dépassant sur toute la largeur du trottoir (il y pleut beaucoup), ses patios fleuris. On peut tout juste les deviner.

Musée d'anthropologie

(Fermé le lundi.) Ce musée, grandiose et spécialisé dans les cultures du Golfe (olmèque, totonaque et huaxtèque) est présenté d'une façon astucieuse afin de ne pas se fatiguer. Il existe une certaine concurrence entre les Etats de Veracruz et de Tabasco sur beaucoup de sujets dont celui des musées d'Anthropologie. C'est à la capitale (Jalapa et Villahermosa) qui aura le plus beau et qui présentera le mieux la culture olmèque au point de provoquer la confusion sur sa position géographique. Elle s'est évidemment développée à cheval sur les deux Etats : une concurrence au bénéfice du voyageur. Nous donnerons un aperçu de ce musée, tenant compte que son organisation architecturale prévoit la possibilité de changements dans la présentation. Grosses « têtes olmèques » qui datent de 1000 av. J.-C. et qui furent découvertes dans la région de San Lorenzo, Tres Zapotes (Etat de Veracruz) et de La Venta (Etat de Tabasco). Ce sont des gouverneurs, reconnaissables à leur coiffure, chacune d'elle avec son emblême. Ils louchent. C'est leur beauté.

Niveau inférieur et patio : la grande stèle d'un homme debout, c'est le dieu du Maïs.

2e niveau : un personnage accroupi et tenant une barre (sans doute la future barre cérémonielle des Mayas), son visage est surmonté d'une tête de jaguar. Puis trois têtes d'hommes-jaguars. Une vitrine avec de nombreuses céramiques de type « baby face ». Trois caractéristiques de l'art olmèque qui nous sont présentées ici.

3e niveau : représentation graphique et explicative des têtes monumentales avec leurs différents casques, ainsi que des « haches » qui ne sont pas des outils mais des pierres cérémonielles lisses ou recouvertes de motifs très différents (il nous est permis de penser que c'est la valeur attribuée à cet outil essentiel qui conduisit à sa vénération). Sur le même panneau, on nous montre les limites du territoire olmèque. Dans la salle correspondante à ce niveau, on admirera le « Señor de las limas ». Les traits félins de l'enfant (sans doute décédé) s'associent aux traits humains de son « père » : expression émouvante d'une paternité adoptive que l'on retrouve à Villahermosa sur les autels du parc de la Venta. Plus loin, est exposée une statue en jade royal, pierre rare dans cette région. On remarquera dans cette salle les déformations crâniennes, prélude à ce canon de beauté chez les Mayas. Les stèles du type « Cerro de las mesas » sont du début de l'époque classique, 500 ap. J.-C. On remarquera l'importance de la position de leurs mains et les volutes qui symbolisent la parole.

4e niveau et *patio :* différentes sculptures animalières : serpent, crapeau, ocelot.

5e niveau : vitrine exposant des personnages en céramique avec leurs grands nez, *remojadas,* de l'époque préclassique.

6e niveau : la gaieté, l'humour et le mystère, traits de caractère propres à cette région du Golfe et qui persistent de nos jours. Dans la vitrine de jouets, petits chiens montés sur roues, une technique qui fit tant défaut à la Mésoamérique (sans doute à cause du manque d'animaux de traie).

Dans une autre vitrine, sont exposées des « têtes souriantes ». Elles faisaient partie d'une statuette (en général féminine) dont le corps qui se séparait facilement à cause de sa fragilité était délaissé par les pilleurs de tombes. On pourra observer de près les motifs qui ornent leurs coiffes : hérons qui pêchent, queue de singe dans un mouvement gracieux. Les personnages en blouse avec leurs têtes couvertes de goudron sont les déesses dévoreuses d'immondices mais sont aussi les protectrices des amants adultères. Au centre de cette salle, sculpture d'un visage qui méritait l'isolement qu'on lui a réservé. Ce demi-visage émerge de la matière. Comme la vie.

7e niveau : maquette du Tajin ainsi qu'un détail de colonne provenant de ce site. Peintures de Las Higueras, d'époque classique tardive (800 ap. J.-C.). Extraire ces peintures sur stuc fut une opération délicate, mais cela permit de les sauver de leur destruction par les intempéries. Elles sont le film des cérémonies de l'époque : semailles, mariages, musiciens soufflant dans des trompettes et des conques marines, serviteurs portant les ombrelles.

Les vitrines étroites placées au centre de la salle nous montrent des « haches » sculptées et des « palmes », sculptures abstraites très caractéristiques du Golfe. Les « jougs » présentés dans la dernière vitrine en sortant, symbolisent ceux en cuir que les joueurs de balle portaient pour se protéger. Un bas-relief rectangulaire représente un personnage, son joug à la ceinture. De sa tête coupée jaillissent les serpents de la fertilité.

8e niveau : ces femmes bouches

bées, torses nus, avec une coiffure extravagante et ses serpents pour toute ceinture sont mortes en couches (site du Zapotal). On remarquera l'expression presque insolente des porteurs de coffres, puis un personnage seul portant un jaguar. Ses ongles sont déjà comme les griffes de l'animal.

9e niveau : nous entrons dans l'époque postclassique avec l'expansion aztèque (Mexica).

10e niveau : un panneau nous éclaire sur les civilisations du nord du Golfe dont celle des Huastèques, de lointaine origine maya. Leur organisation et leurs rites agricoles. Le coton.

11e niveau : statues plates et stéréotypées de la civilisation huastèque. Les vieux hommes, *Jorobados,* avec leurs bâtons de vieillesse (phalliques), bâtons à fouir, sont associés au dieu de la Terre, ancêtre des Huastèques. Une note plutôt érotique pour terminer la visite de ce musée.

12e niveau : les toilettes. On sort ensuite par le jardin en remontant la colline.

Avant de quitter Jalapa signalons le *jardin botanique* qui se trouve à quelques kilomètres en dehors de la ville, sur l'ancienne route de Coatepec. Puis, en continuant de descendre sur la côte, on atteint la ville de *Veracruz.* Nous y retrouverons la joie de vivre et la sensualité aperçues sur les statues et les statuettes, même lorsqu'elles symbolisent la mort. Les têtes monumentales, de leur côté, tout en représentant l'ordre établi, expriment aussi la sensualité. Aujourd'hui encore, les différences culturelles entre les habitants du Haut Plateau et ceux de la côte sont considérables. Ces derniers sont beaucoup moins cérémonieux, plus gais et d'un abord plus facile. Les relations sont plus libres dans tous les domaines.

VERACRUZ

Il est difficile de décrire l'ambiance de cette ville. On doit la découvrir, et pour cela, brûler ses vaisseaux comme le fit Cortes, oublier l'archéologie et l'histoire, se trouver un hôtel sur le zócalo (il y en a 6, et pour toutes les bourses), traîner dans les rues autour du port, et s'asseoir au café de la *Parroquia* du zócalo. Le café que l'on y sert y est des plus parfumés et vous fait oublier tous ceux que vous aviez déplorés auparavant. Le café de *Cherro* est le plus fort. On appelle le serveur en frappant la cuillère sur le verre. Il vous verse de ses grandes bouilloires lait et café avec une grande dextérité. On peut demander aussi du chocolat. L'espagnol est le plus épais. Et puis toutes sortes d'autres choses aussi délicieuses (petits pains et *tamales*).

De l'autre côté de la place, sous les arcades, on choisira pour le soir son milieu, son ambiance : de plus en plus populaire en s'approchant du port. Les musiciens de Veracruz jouent des *Huapangos* avec harpe et mandoline. Les *Marimbas,* xilophones en bois précieux, sont le charme du Chiapas et du Guatemala. Les *Mariachis* sont toujours là. Les *Norteños,* encore très espagnols et mal rasés, avec leurs accordéons et leurs rythmes syncopés nous offrent la musique du Nord. Les galantes vous disent qu'elles préfèrent les marins français parce qu'ils ont plus de manières. Et il y a toujours des enfants qui jouent avec les bulles de savon qu'ils n'ont pas pu vendre. Arriveriez-vous à résister au corail rouge, au corail noir, au corail d'ange, aux pierres de couleur, aux cigares ? En marchant au-delà du café de la Parroquia, c'est-à-dire derrière la cathédrale, on atteint une petite place et des ruelles où l'on trouvera les soupes de poisson *(sopa de pescado)* et les *cevichés* les plus corsés dont le *levanta Muertos* qui n'a pas besoin de traduction.

Les petites boutiques du port rivalisent en imagination entre les chemisettes posters, les christs intégrés aux coquillages, les lampes phosphorescentes, ce qui n'est pas toujours du goût académique, mais qui reflète bien l'humour propre à cette ville.

Les hôtels les plus modestes sur le zócalo ont chacun leur caractère : l'ascenseur de l'*Imperial ;* le guichet et les portes vernies de l'*Ortiz ;* les « suites » de la *Concha Dorada.* A voir de toute façon. Les gens sont toujours de bonne humeur. Maintenant, si vous aimez acheter chaussures ou vêtements, vous ne serez pas déçus avenue Independencia. Cela va jusqu'aux bottes en requin « de première classe », ou en peau de python, d'anguille, etc.

On se méfiera des plages désertes où les affaires peuvent disparaître alors qu'il n'y avait justement personne.

On fait grand cas du carnaval de Veracruz qui essaie d'imiter celui de Rio. Il n'y arrive guère, les acteurs essayant de se trémousser aux rythmes d'une musique qui n'a rien à voir avec la culture locale. Sur cette côte, on apprécie particulièrement la musique des Caraïbes. Un métissage évident s'est produit entre Indiens et Africains importés comme esclaves dans la région. Mais c'est autre chose. Merida aussi essaie de se mettre à la mode brésilienne sans plus de succès. C'est dommage. Le carnaval au Mexique est l'occasion de très belles fêtes traditionnelles. En fait, le carnaval de Veracruz est plutôt prétexte à défoulement à l'échelon national dans une ville qui de par son caractère libéral et joyeux en est l'endroit tout trouvé. On imaginerait mal la même chose à Puebla.

Hôtellerie

Autour du zócalo : *Colonial** *Prendes** (tél. 31.02.41). *Concha Dorada* (tél. 31.29.96). *Ortiz. Imperial.*

Sur le front de mer qui va du centre-ville vers le sud (à parcourir pour voir les villas, certaines de couleur bonbon acidulé) : *Emporio*** (tél. 32.00.20), près du centre. *Real del Mar** (tél. 37.36.70), plus loin. Puis un *trailer park. Gastelu* (tél. 35.20.21), deux rues derrière le front de mer.

Plage de Mocambo (après avoir suivi la côte toujours vers le sud, par la Costa de Oro) : *Torremar*** (tél. 35.21.00). *Playa Paraiso*** avec différentes formules de chambres et bungalows. Cette plage se trouve à 8 kilomètres du centre ville.

Pour déjeuner, on pourra suivre les habitudes du pays en allant à *Boca del Rio.* C'est fort sympathique. De nombreux petits restaurants vous offrent huîtres, poissons, etc., sur le bord du rio. Une ambiance de fête à 10 kilomètres de Mocambo.

De Veracruz à Papantla, la route suit les plaines fertiles puis s'approche de la côte comme coincée par les derniers contreforts de la Cordillère volcanique. Puis apparaissent de petits hôtels cachés dans les cocotiers entre *Barra de Nautla* et *Barra de Tecolutla.* Ne choisissez pas le premier avant d'en avoir visité d'autres. Il y a le choix. Et si vous tombez là un jour de vent du Nord, le *Norte,* consolez-vous en sachant profiter de ce bord de mer comme d'un bain d'iode. C'est l'anti-Acapulco. On peut aussi dormir à *Papantla* (la cité pétrolière de Poza Rica ne présente aucun intérêt).

PAPANTLA

C'est une ville commerçante, très modernisée par le béton, et dont on peut encore deviner les anciennes maisons d'adobé, avec leurs balcons, en se promenant autour et au-dessus de l'église. Cette ville est entourée de montagnes sur lesquelles elle s'accroche. Les Indiens Totonaques y viennent pour les achats. On reconnaîtra les femmes à leurs blouses de dentelles, les hommes en blanc avec parfois le foulard rouge noué autour du cou (on raconte que c'est un signe de célibat, ce qui paraît curieux vu le succès de cette coquetterie). Ils vous vendront parfois de la vanille en flacon ou en gousse tressée en forme de scorpion pour mettre dans les armoires, comme la lavande.

La grande fête de Papantla, celle de la vanille, tombe au moment du Corpus Christi, fin mai, début juin. C'est à ce moment que les Indiens totonaques exécutent la danse du volador. Sous l'église, et au coin, on goûtera du bon café.

Des bus arrivent directement depuis Mexico comme de Veracruz *(A.D.O.).*

Hôtellerie

*Tajin** (tél. 201.02), au-dessus de l'église, avec ventilation naturelle ou air conditionné. *Papantla,* sur la place.

EL TAJIN

Accès. A 45 minutes de Papantla. Bus de 2e classe au terminal qui se trouve près du zócalo, en contrebas. On doit changer au carrefour d'un axe plus important que la première piste. Le deuxième bus s'arrête près des ruines, puis il faut marcher dix minutes. Pour le retour, même chose. On n'attend pratiquement pas. Beaucoup de passages. On peut se rendre directement à *Poza Rica,* depuis les ruines en continuant dans le même sens qu'à l'arrivée. L'avantage de coucher à Papantla est de pouvoir se trouver sur le site archéologique El Tajin de bonne heure, ce qui est important si l'on veut bénéficier d'une lumière frisante sur les bas-reliefs du jeu de balle. On les voit en fin d'après-midi aussi, mais il existe plus de risque de temps couvert. Dès la fin de la matinée — à moins de s'y trouver lorsque le soleil est au zénith (mai, juin, juillet) leur relief disparaît.

A chaque fois que l'on déguste une glace à la vanille, on pourrait rendre hommage à ce peuple qui donna au monde la plus parfumée des orchidées. Les fleurs en sont fécondées par les insectes. Les *Totonaques* en observèrent le processus et pratiquèrent la fécondation artificiellement. Comme toute orchidée, elle se protège dans l'ombre de la forêt. Les Espagnols l'exportèrent aux Philippines d'où elle continua son chemin par l'océan Indien pour arriver à Madagascar qui en est le grand producteur.

Après la vente des billets, on doit marcher dix minutes pour bien voir *le site,* alors que l'on s'y trouve déjà depuis l'entrée. Il est très étendu et, comme souvent, on ne pourra en voir que la partie découverte. On appréciera vite le caractère monumental des constructions, tant des terrasses d'accès que des pyramides. (Laisser le musée pour la sortie.) Le paysage est caractéristique de la région : déboisement intensif au bénéfice de l'élevage.

A gauche en atteignant le centre dégagé, un *jeu de balle* avec des bas-reliefs de chaque côté et par panneaux. Pour mieux les visualiser, il faudra calculer si possible l'heure de la meilleure position du soleil, et s'en éloigner assez pour voir les scènes plus globalement.

A droite, en entrant dans le couloir et sur le mur sud, c'est le sacrifice d'un joueur (les couteaux étaient en obsidienne). Au centre, sur le même mur : des joueurs debout portant leur ceinture de protection, le joug, comme on l'appelle. (On se souviendra du musée de Jalapa.) A la fin du même mur : initiation d'un joueur. En face sur l'autre mur, initiation d'un joueur face à l'oiseau du soleil. Au centre, en revenant : une scène d'autosacrifice. La victime s'introduit courageusement une épine dans le pénis pour fertiliser la terre.

En reprenant le chemin d'entrée, on parvient à deux places bien organisées. On découvrira la *pyramide des 365 niches,* fameuse pour être la seule à symboliser le calendrier solaire de cette manière. (On trouve le même symbole ailleurs, mais sous d'autres formes. Une autre pyramide de ce style est connue près de *Cuetzalan,* pas loin du Tajin à vol d'oiseau.) Une belle harmonie architecturale que l'on doit imaginer couverte de stuc et de couleurs, rouge à l'intérieur des niches, bleue sur leur encadrement. En continuant toujours, on passe devant un autre jeu de balle dont on aperçoit mal les motifs et l'on parvient à un ensemble après avoir franchi une terrasse artificielle encore enfouie. En montant, jeter un regard en arrière pour revoir cette pyramide, cette fois entourée de son paysage bleuté.

De l'ensemble suivant, on remarquera *les grecques* qui ornent les édifices, les petites places, les superpositions découvertes dans certains bâtiments montrant une autre forme de raffinement décoratif. On atteint vite les bois qui cachent encore beaucoup de monuments.

Au retour, *le musée* présente des détails d'architecture ainsi que des flacons de formol à regarder maintenant de plus près : animaux curieux se cachant dans les herbes.

Des enfants rentrant de l'école viendront vous proposer quelque chose à vendre. C'est le moment de respirer la vanille des flacons en plastique, d'observer leurs visages souriants aux pommettes saillantes, leurs narines un peu écartées, d'écouter leur rire et leur langue. (Le musée de Mexico leur a rendu hommage en exposant des photos de leurs visages.)

En remontant du Tajin par la route la plus directe vers Mexico, on doit passer par *Poza Rica,* la plus ancienne ville pétrolière du pays. A un peu moins de deux heures, *Xicotepec de Juarez* est au cœur d'une région de végétation exubérante. Un motel, *Mi Ranchito*★ (tél. 4.02.12). Mais déjà,

20 km avant, depuis La Ceïba (ou Camacho, village encore en terres chaudes), on peut faire un crochet de 2 heures par une petite route pour se trouver au milieu de paysages tropicaux. Prendre vers Tlaxcalatango, La Union, Loma Bonita, pays du café. Chutes d'eau. On remonte par El Espinazo del Diablo, une petite route qui porte bien son nom, flanquée de précipices. Un paysage impressionnant même sous la brume. (Pas de brume, pas de bon café.)

Toujours en remontant de Xicotepec vers Mexico, à 20 km au-delà de Huauchinango environ (après le carrefour pour Apizaco), la *Cabaña*. Un restaurant bien protégé du froid. (On a changé de climat en moins de 70 km.) C'est maintenant le pays du cidre. Marchés indiens en fin de semaine à *Huauchinango* et *Acaxochitlan*. Communautés otomis et nahuas. On reconnaîtra les blouses des femmes à leurs broderies au point de croix avec des couleurs vives. De Xicotepec à Mexico, il faut compter 3 heures.

LE MARCHE DE CUETZALAN

Un des marchés indiens les plus spectaculaires du Mexique. Il a lieu le dimanche. Dans ce bourg métis viennent alors les Indiens de langue nahuatl. Ils habitent dans les montagnes environnantes, à côté de groupes totonaques. Les femmes portent des coiffures de laine violette et des blouses en tissu léger. Souvent dans la brume, le marché de Cuetzalan met la douceur indienne à notre portée.

Le 4 octobre, jour de la Saint-François, patron du village, ces Indiens exécutent la danse du Quetzal avec les immenses cercles colorés fixés sur leurs bonnets.

Pour le marché, on aura intérêt à arriver la veille. Différents petits hôtels près de la place. (Du monde le jour de la fête.) On peut arriver à Cuetzalan depuis Puebla ou Jalapa. La route est bonne mais sinueuse. On traverse Zacapoaxtla, gros bourg avec des Indiens de différentes communautés, puis la route fait une grande boucle pour traverser la vallée d'un grand rio. Puis on a des paysages de fougères arborescentes. Paysages indiens. Sans beaucoup de pluie, ils n'auraient pas cette exubérance.

SAN RAFAEL

Sur la route qui descend de la Sierra sur la Barra de Nautla, à 20 km de la côte, on trouvera un village bourguignon. Il ne reste plus grand-chose de leur culture, sinon quelques toits typiques près d'une végétation tropicale et des meubles fabriqués suivant la technique du terroir. Ces gens étaient venus d'Arnay-le-Duc et de Champlitte (le musée de cette ville, un des mieux faits sur le folklore, a réservé une salle sur les « cousins mexicains »). 1833 : c'était une époque de grandes difficultés économiques. Ces paysans embarquent sur les propositions d'un Français qui aurait acheté des terres paradisiaques. C'est l'humidité tropicale et la malaria qui les attend. Un Mexicain, Martinez de la Torre, les sort de cette fâcheuse aventure en leur donnant les moyens d'acheter les terres. (Les arrivées se répartirent jusqu'en 1880 : 300 personnes environ.) Ils ont réussi dans l'élevage (croisement du zébu du Brésil avec vaches européennes, élevage du porc européen), les plantations de pamplemousse, que l'on ne consomme que depuis peu au Mexique, et autour de chaque maison une petite plantation de vanille. Cette orchidée demande ombre et protection. Ces Français imitaient donc les Totonaques en pratiquant la polinisation artificielle de la fleur. Mais si les Indiens faisaient ensuite suer la gousse, cueillie encore verte, sur des nattes au soleil, l'exploitation en plus grand de cette plante demandait l'industrialisation de ce traitement. Ce sont des Italiens, cette fois, qui apparaissent sur la scène, avec l'invention d'un four. Il y a encore peu de temps, un Libanais installé à San Rafaël s'occupait de la commercialisation en suivant les cours de la bourse internationale. Il vivait entouré de meubles à grands tiroirs où les gousses étaient rangées scientifiquement : un palais des mille et une nuits.

Les choses ont évolué. La vanille aussi. Les vieux de San Rafaël, qui parlaient, il n'y a pas encore très longtemps, un français difficile à comprendre, leurs nez encore rougis sous les Tropiques, venaient prendre le déjeuner au café central et jouer aux dominos le dimanche. Leurs descendants se mexicanisent. Le bon sens paysan l'emportant, on a marié les filles aux garçons du Tabasco, propriétaires sans capitaux de la terre promise. Maintenant, combien de temps dureront les derniers toits bourguignons entourés de bananiers ? Il restera cependant les grandes cultures et l'élevage. Il y a peu de temps Champlitte et San Rafaël se sont jumelées. Des jeunes se visitent. Qui sait ? Peut-être bientôt reparlera-t-on français à San Rafaël.

L'Occident

Le mot *Occidente* est utilisé par les Mexicains comme *Middle* ou *Far West* par les Américains. C'est en effet une région qui reste un peu à l'écart du reste du pays. Au temps préhispaniques et coloniaux, l'Occident s'est caractérisé. Actuellement, les habitants de Guadalajara cherchent à se distinguer de ceux de la capitale. Le message transmis par l'art précolombien de cette région est certainement le plus parlant pour notre culture. Colima est sans doute la ville la plus élégante du Mexique. Puerto Vallarta, entouré de ses paysages tropicaux ne souffre pas de cette chaleur étouffante qui peut parfois sévir ailleurs sur la côte Pacifique. Températures moyennes annuelles des principales villes citées : Guadalajara : 16°. Colima : 25°. Puerto Vallarta : 23°. Prévoir 5 à 6 nuits. Ce circuit peut se joindre à celui du Michoacan ou à celui des trois villes coloniales (la route du Nord). Les Indiens coras et huicholes habitent dans la Sierra au nord de Nayarit.

Guadalajara, Manzanillo et Puerto Vallarta sont reliés en avion aux principales villes mexicaines et à différentes villes américaines. Par la route ; il faut compter : pour Guadalajara-Mexico : 8 heures. Puerto Vallarta-Guadalajara : 5 heures (6 heures en bus). Guadalajara-Colima : 3 heures 30 (4 heures en bus). Colima-Manzanillo-Puerto Vallarta : 7 heures (9 heures en bus). Train de Mexico à Guadalajara avec couchettes et wagon-restaurant : départ le soir à 20 h 30, arrivée à 8 h 30. Même horaire en sens inverse. Depuis Puerto Vallarta, ferryboat pour la Basse-Californie, à Cabo San Lucas, les mardi et samedi.

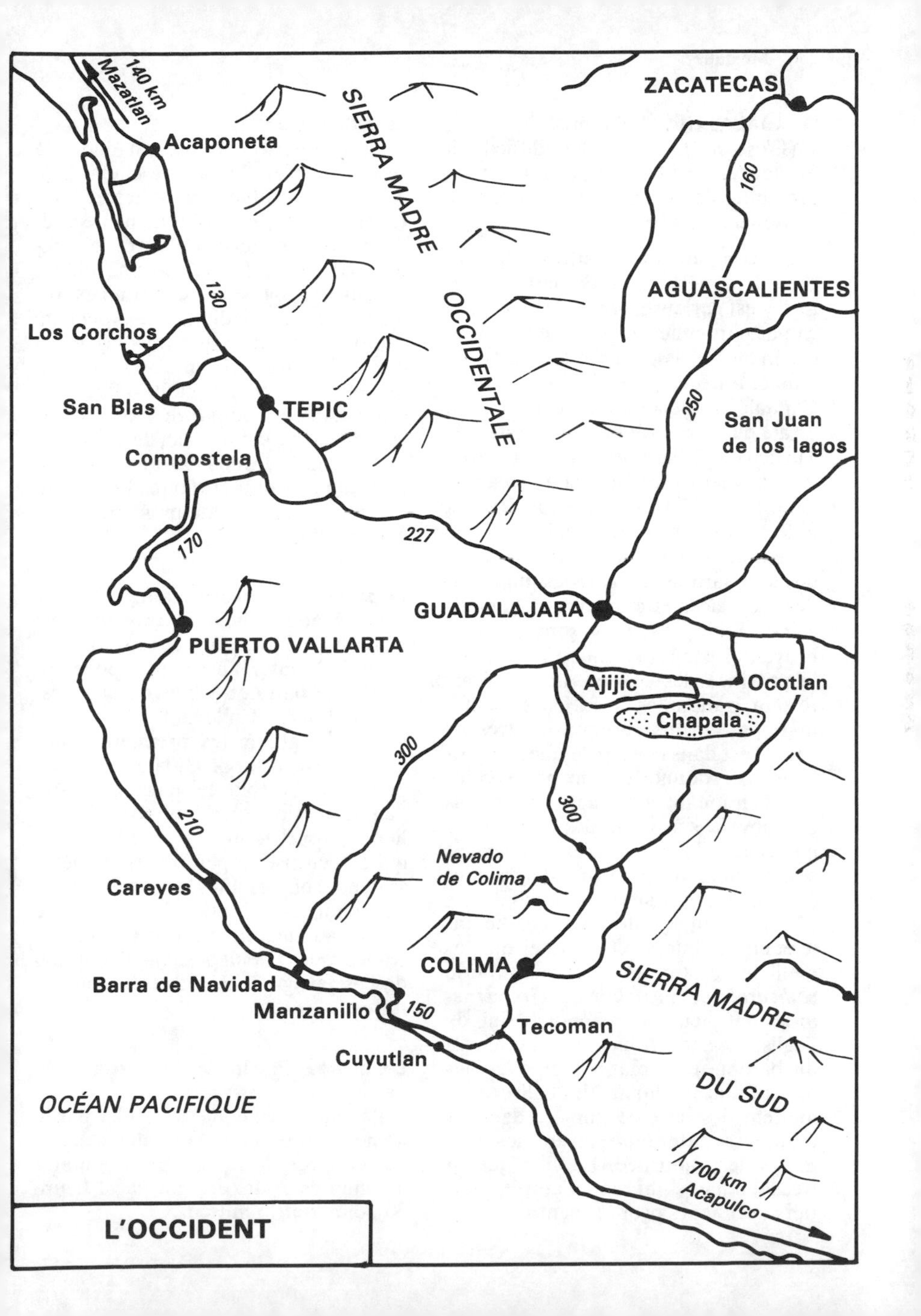
140 km
Mazatlan
Acaponeta
SIERRA MADRE
OCCIDENTALE
ZACATECAS
160
130
AGUASCALIENTES
Los Corchos
San Blas
TEPIC
250
San Juan
de los lagos
Compostela
227
170
GUADALAJARA
PUERTO VALLARTA
Ajijic
Ocotlan
Chapala
300
300
210
Nevado
de Colima
Careyes
COLIMA
Barra de Navidad
SIERRA MADRE
Manzanillo
150
Tecoman
Cuyutlan
DU SUD
OCÉAN PACIFIQUE
700 km
Acapulco
L'OCCIDENT

GUADALAJARA (1 600 m)

(C'est le mot le plus difficile à prononcer au Mexique, à cause de la proximité de la *jota* et du *R*. Il est de consonance arabe.)

En comparaison d'autres villes situées à la même altitude, la température y est curieusement assez basse, le climat particulièrement agréable avec cependant d'assez grands écarts de température entre le jour et la nuit. Capitale de l'*Occidente,* Guadalajara essaie de ne pas répéter les erreurs de Mexico en tâchant de planifier l'entrée des nouveaux arrivants. Son niveau de vie est plus élevé que dans le District fédéral. Le centre de la ville combine un ensemble heureux de rues piétonnes avec jardins, de galeries marchandes, de places et d'avenues à l'américaine. Si les avenues sont rendues bruyantes par les typiques autobus de la province, les petites rues à l'écart restent tranquilles avec leurs vieilles maisons. Un marché couvert très riche. C'est dans cette ville que l'on sait le mieux redonner vie aux patios coloniaux en jouant sur la couleur des sols à rénover, sur celle des murs pour mieux les allier à la pierre et en les complétant par des jardins d'agrément (on peut les visiter facilement, les bâtiments situés autour de la cathédrale étant des bureaux). A noter que les meilleurs éclairages des façades de la *cathédrale* et du *palais du Gouvernement* ont lieu l'après-midi, celui de l'église *Santa Monica* (chef-d'œuvre du baroque), le matin. Les coupoles qui coiffent la plupart des églises permettent des jeux de lumière dans les intérieurs différents suivant les moments de la journée. La ville qui est très étendue, comprend d'autres quartiers avec leurs propres centres.

La cathédrale

Sa silhouette curieuse est due à la reconstruction de ses clochers à la suite d'un tremblement de terre. L'intérieur, vaste, est sobrement décoré. Au fond, à gauche, on verra les reliques de *Santa Inocencia,* une enfant découverte dans les catacombes romaines et fêtée le dimanche proche du 14 novembre ainsi que tous les 14 du mois. Comme endormie sous son autel, elle fascine les petites filles qui s'accroupissent pour être à sa hauteur. A côté de la cathédrale, le *Sagrario,* bel exemple de néoclassique. Sa restauration, récente, redonne l'équilibre et l'espace prévu au moment de sa construction.

Le palais du Gouvernement

Sa façade richement travaillée est en harmonie avec le parc et le kiosque central. Monter au premier pour apprécier le patio et découvrir une fresque d'*Orozco*. En levant la tête avant même de gravir les premières marches, on verra surgir Hidalgo couvrant petit à petit tout l'espace avec son flambeau, alors que l'on monte l'escalier. Autour de lui, et avec l'humour qui caractérise le peintre, les sociétés se dénoncent les unes les autres (nazis, communistes, chrétiens). Un espace utilisé au maximum. C'est dans cet édifice que Hidalgo signa l'abolition de l'esclavage et la redistribution des terres.

Le musée (à droite en sortant du palais)

Le plus spécifique en est la partie archéologique consacrée aux sculptures propres à l'Occident. Compter 45 minutes pour cette partie ; 1 heure 30 pour tout le musée.

Les cultures de l'Occident sont connues pour leurs objets funéraires trouvés dans des tombes dont le mode de construction est très particulier : puits vertical creusé jusqu'à une profondeur de 15 m et conduisant à une ou plusieurs tombes. On en a trouvé de semblables sur la côte Pacifique de l'Amérique du Sud. Au Mexique, ces tombes n'apparaissent que dans les Etats de Nayarit, Jalisco et Colima. Parmi les objets funéraires, pas de représentations des divinités, mais beaucoup de scènes de la vie courante. Les pièces les plus anciennes expriment la joie de vivre : rondes autour de couples, femmes avec leurs enfants, défilés de musiciens, joueurs de tambour, danseurs. Des personnages avec des défauts congénitaux nous font penser à des concepts magico-religieux comme si, désignés par les dieux, ils méritaient un hommage spécial. C'est l'œuvre des artistes du Nayarit. Les costumes qu'ils figurent par un jeu de couleurs laissent présumer d'une élégance particulière. On remarquera les ornements d'oreilles et de nez.

L'art de Colima (céramique monochrome et bien polie) représente la faune et la flore. Les pièces, souvent creuses, peuvent être des vases dont le col s'intègre à la sculpture sans en rompre l'harmonie.

Au Jalisco, enfin, on trouve des figures statiques et stéréotypées : terre cuite blanchâtre relevée de couleurs pâles ; têtes allongées, nez fins et allongés, yeux incisés, ornements d'oreilles. Les femmes sont torse nu, les seins tatoués, des sacrifications sur les épaules et les bras curieusement courts. On remarquera des guerriers avec leurs armures et des porteurs d'eau.

Au premier étage de ce musée, on traite de la peinture du temps de la colonie. *Villalpardo,* au début du XVIIIe siècle avec ses personnages sensuels et fortement colorés. *Cabrera,* plus timide. *Ibarra,* avec la lumière sur le visage de ses personnages. Il adoucit sa peinture pour se mettre au goût du jour. Un christ philippin en ivoire.

On traite aussi de l'histoire. *Nuño de Guzman,* alors président de l'Audience royale de la Nouvelle Espagne, profite de cette position pour faire sa propre conquête, avant que Cortes, alors en voyage en Espagne, n'en revienne avec tout l'appui royal. Ce dernier ayant déjà exploré le sud de cette région (il cherchait une sortie par la mer pour préparer d'autres expéditions lointaines), Guzman se dirige vers le nord ; Tepic, Zacatecas. Mais les régions sont assez sèches et sans grand monde. La couronne donne le nom de Nouvelle Galice à la région, avec comme capitale Compostelle. Cette nouvelle province ne voulant pas se plier à l'autorité centrale, le vice-roi doit intervenir à la tête d'une armée, alors que, en renfort, Alvarado montait depuis la côte sud. (Guzman finira en prison, puis déporté, ses exactions contre les populations locales ayant dépassé tout ce que se permettaient les conquérants de l'époque.) La rébellion se termina dans les années 1540, et la région garda toujours un esprit d'indépendance, difficile à pratiquer cependant tant du point de vue économique que militaire. *Zapopan,* actuellement dans la banlieue de Guadalajara, devint un centre important pour les franciscains, qui en partaient pour l'évangélisation des provinces du Nord que les jésuites avaient dû laisser. Parmi les documents sur l'histoire du Mexique en général, un tableau sur la bataille du 5 mai 1862 à Puebla, contre les zouaves français.

Ce musée, fondé en 1918 dans les locaux d'un ancien séminaire, porte encore à l'entrée les recommandations de l'époque : ôter son chapeau, et interdiction d'entrer avec des cannes, des appareils photos et des chiens.

Place Tapatia

Pour y parvenir, on longe une grande place derrière la cathédrale, un peu nue mais d'où se détache une sculpture de *Hidalgo* assez surprenante. Sur le côté, les patios valent la peine d'être vus au passage. A gauche du théâtre, d'architecture néoclassique, l'église *Saint-Augustin* avec le cloître qui abrite le conservatoire de musique. Les répétitions de vocalises et de différents instrumentistes nous prouvent que le goût des gens de Guadalajara pour la musique ne se résume pas à celle des Mariachis.

Derrière le théâtre commence la longue avenue piétonne, avec des rues adjacentes. C'est Tapatia. Espaces avec jardins, grands magasins. Ici, se rejoignent le centre administratif et le centre commercial, plus populaire. Tapatia est fermée par un grand édifice néoclassique à coupole : l'Institut culturel *cabañas,* ancien hospice. A l'intérieur, de nombreux patios aussi bien aménagés qu'ailleurs, une autre école de musique, et dans la chapelle, des fresques de *Orozco.* (Le peintre était de la région.) Elles sont faites pour être regardées allongé. N'hésitez pas. C'est aménagé pour coucher une trentaine de visiteurs. Le thème en est assez confus. L'espace, comme toujours avec Orozco, est complètement utilisé, et les couleurs choisies s'harmonisent avec le caractère sévère de la chapelle.

Le marché *(mercado de libertad)* est très riche. On y trouve du cuir travaillé : selles de cheval, sandales, sacs, portefeuilles. Des éperons. Des armes blanches et de grands sombreros, plus portés dans la région qu'ailleurs. Des herboristes pour ceux qui s'intéressent à la médecine douce, des petits meubles et enfin, pour les gourmands, des flans maison, grande spécialité de la ville.

La Merced, église proche de la cathédrale et près d'un petit marché. Un classique pur et équilibré. Bien restaurée, son éclairage intérieur au néon arrive à s'harmoniser avec les dorures. *Santa Monica,* du XVIIe siècle, de style baroque. Son portail latéral richement orné. *San Francisco :* retable classique de pierre rose avec dorures; une vierge espagnole haut placée dans une niche.

San Pedro Tlaquepaque et **Tonala,** villages proches l'un de l'autre, se situent maintenant dans la périphérie de Guadalajara. C'est à *Tlaquepaque* que l'on va se divertir en fin de semaine. Restaurants, tequila, Mariachis. Le quartier a bien gardé de son pittoresque. On y est très vite depuis le centre (30 minutes en bus, que l'on prend en face du palais du Gouvernement). On trouvera toutes sortes d'ateliers, avec plus particulièrement des souffleries de verre (ces verres colorés que l'on trouve un peu partout dans le pays), des objets en papier mâché et de la céramique.

Tonala (50 minutes par le même bus et depuis le centre, toujours) est un village plus tranquille. On y fabrique une terre cuite dont la plus traditionnelle est le *Bruñido,* connu pour ses plats de 30 à 50 cm de diamètre sur lesquels sont peints des motifs de plantes et d'animaux — réels ou fabuleux — en couleur bleu gris et brun rouge. Le passage d'une pierre de pyrite avant la cuisson donne ce brillant discret que l'on rencontre souvent sur les terres cuites précolombiennes. Malheureusement, cette tradition très particulière à Tonala, a tendance à disparaître au profit d'une céramique vernissée et clinquante dont on fait des services à vaisselle qui se vendent particulièrement bien, à en juger l'importance des étalages de la rue centrale. C'est la *Loza de Greta.*

On trouve d'autres vaisselles à motifs anciens, la *Loza de Petatillo,* reconnaissable aux croisillons qui rappellent la natte (le *petate*). On a pu repérer un artisan qui continue la tradition du Bruñido (qu'il enseigne à ses enfants), calle Constitución 147. On trouvera bien sûr dans certains magasins des plats de ce type, mais on jugera vite de la différence. Même chose pour le papier mâché *(papel maché).* Il s'agit de ces fameux oiseaux des Tropiques. On conseillera de visiter un magasin, dans la même rue (69 A) avant de faire son choix. C'est cher, mais d'une rare qualité.

En voiture, pour se rendre à ces deux villages, se diriger vers le sud de la ville. Si on perd les indications, les passants vous renseignent facilement.

Hôtellerie

*Fenix*** (tél. 14.57.14). *Mendoza** (tél. 13.46.46), dans le quartier piéton ; un certain charme. *Del Parque* (tél. 25.28.00), près du parc de la Révolution. *Pension Regis* (tél. 13.30.26), un certain charme vieillot en plein centre.

Pour les repas, peu de possibilités dans le centre, à part les cafétérias à l'américaine et les petits restaurants du marché (crustacés, fruits de mer, poissons, viandes grillées. Grand choix). Un restaurant dans le quartier piéton, la *Rinconada* dans une maison porfirienne.

Spécialités de la région : le *pozolé* est une soupe avec de la viande de porc, du maïs, des épices et des radis. Cela vaut un repas. La viande grillée avec petits oignons, grillés aussi. Le *tequila.* Dans les quartiers populaires comme près des gares ferrovières et routières, on trouvera des baguettes à la française ainsi que des pains aux raisins, cuits comme autrefois. Sans doute un vestige de l'empire, alors que la haute société actuelle s'est tournée vers le pain de mie insipide des Américains.

Transport : *Tres Estrellas de Oro* (tél. 19.44.48) ; *Transporte del Norte* (tél. 19.19.12) ; *Omnibus de Mexico* (tél. 19.42.84) ; Location de voitures : *Budget* (tél. 13.02.86) ; *Avis* (tél. 15.53.18) ; *Auto Rent* (tél. 25.15.15) ; *Quick* (tél. 14.22.47).

Alentours de Guadalajara

Autour du lac de Chapala, *Ajijic* et *Chapala,* anciens villages de pêcheurs, sont à présent des lieux de résidence secondaire. On peut y aller manger le poisson blanc et la carpe ainsi que le *caldo michi,* caviar de poisson du lac.

Au nord, à 2 heures 30, *San Juan de los Lagos,* grand centre de pèlerinage particulièrement vénéré à la Chandeleur le 2 février ; fin mai ; et autour du 12 décembre.

Tequila, à une heure de route vers Tepic. Centre de culture du *maguey* dont on fait le fameux alcool, et à 10 km de là, vers l'ouest de curieuses boules de pierre dispersées dans la nature. Un sujet de promenade.

Tapelpa, en s'écartant de la route de Colima. On appréciera la beauté de ce bourg, la nature qui l'entoure ainsi que la silhouette du volcan de Colima, le dernier de la Cordillère.

Tout autour de Guadalajara, nous sommes dans la région des *charros* et des combats de coqs.

COLIMA (500 m)

Peu de villes du Mexique peuvent prétendre à autant de grâce et d'élégance. Les nombreux parcs plantés d'arbres tropicaux d'essences variées auraient ravi le douanier Rousseau. Les couleurs des façades sont discrètes. Nulle part de l'artifice. Les gens y sont d'une grande courtoisie. Depuis les trottoirs, on peut apercevoir les patios harmonieusement conservés et agrémentés de plantes. Sur le zócalo, le kiosque (sans doute un des plus beaux du pays) orné de sa girouette dorée, abrite l'orchestre que les familles viennent écouter le soir. Une ville qui ne s'est pas laissé impressionner par le béton ni par d'autres apports extérieurs, mais qui a évolué tout simplement par elle-même. Elle a su garder une dimension humaine. Autour du parc sud, les maisons sont plus rustiques, mais toujours avec de grandes fenêtres et les patios intérieurs. A la tombée de la nuit, certains arbres y dégagent alors leur parfum tropical. Un banc public sur deux y est occupé par des amoureux.

La collection de vieilles automobiles

Un large hangar protégeant une cinquantaine de vieilles automobiles américaines, parfois poussiéreuses, mais toujours belles pour les amateurs. Auburn, Chevrolet, Ford, Lincoln, Packard, Pontiac, et Studebaker des années 20, 30 et 40. Vous devez vous adresser au magasin de pièces détachées *Zaragoza* près du palais fédéral, ce qui donne l'occasion de traverser un des parcs de la ville. Si vous sentez une certaine réticence à vous le faire ouvrir, insistez discrètement. On finira par vous faire entrer par le magasin. Après s'être excusé de vous faire marcher au milieu d'enjoliveurs, de pneus en vrac couverts de feuilles mortes « que l'on doit balayer prochainement », le jeune guide vous conduira à ce trésor. Quand il vous demandera si vous avez vu le film *Dracula,* répondez oui d'emblée. Il vous emmènera vers ses secrets : derrière un coffre-fort qui ressemble à un bathyscaphe, il vous montrera un carrosse noir 4 places (comme on en voit souvent dans les musées d'histoire), en ouvrira la porte (qui grince de surcroît), et restera un moment songeur avant de déclarer tout net : « Dracula était assis là, à cet endroit. »

Le musée de l'art précolombien de l'Occident est, à la *Casa de la Cultura,* dans une architecture nouvelle qui nous protège de la chaleur et de la lumière. Autour de ce musée, une bibliothèque, un autre bâtiment qui abrite des expositions temporaires ainsi que l'administration.

Il présente un échantillonnage complet de pièces archéologiques de la région. Parmi les animaux : chiens, chiens de chasse, canards, tortues, poissons, un requin finissant d'avaler sa victime humaine. Les fameuses citrouilles (représentation particulière à l'art de l'Occident), parfois supportées par des animaux. Des musiciens. Des guerriers appelant au combat en soufflant dans des conques. Luttes entre guerriers ; certains portent des casques mobiles ou bien des casques-bec d'oiseau (l'explication de cette corne que l'on trouve souvent sur les personnages de Colima).

Il s'agit certainement de la meilleure collection de cet art universel qu'est celui de l'Occident.

Hôtellerie

Dans le centre, *America*** (tél. 203.66), élégant jusque dans sa salle à manger. Du vrai beurre pour le petit déjeuner, un détail important. *Ceballos* (tél. 213.54), un palais gothique sur la place. Pas d'air conditionné : la fraîcheur est conservée par un jeu de galeries et grâce à la hauteur des plafonds. A l'entrée de la ville (route de Guadalajara près du croisement du boulevard périphérique, ainsi que sur la route de Manzanillo, au croisement de la route de Jiquilpan) de nombreux motels.

Aucun prix n'est affiché dans cette ville. Malgré cela, il n'y existe aucun problème au moment du règlement.

De *l'océan Pacifique à Puerto Vallarta.* On quitte Colima pour finir de traverser la Sierra avec sa végétation réduite, typique des versants sud du Pacifique. Sur la plaine côtière, des briqueteries artisanales, des plantations de bananiers, de manguiers et de cocotiers. *Cuyutlan* fut la grande station balnéaire de Guadalajara et a gardé les chaises-paniers individuelles en souvenir de cette belle époque, quand le voyage était alors une expédition. Une curieuse histoire aussi, restée gravée dans les mémoires : l'apparition annuelle d'une grande vague que l'on craint autant qu'on la désire. Le mythe d'un raz de marée ancien ? On continue de venir la voir, mais on n'arrive jamais à temps. C'est la *Ola Verde.* Croyez-y.

Une longue lagune ensuite. Puis *Manzanillo,* un chantier naval. *Santiago* qui regroupe surtout des immeubles de copropriété *(condominium),* des plus en vue : *Las Hadas.* Puis, après la traversée de zones touristiques ou agricoles, une bifurcation pour *Barra de Navidad,* petite station balnéaire présentant un certain caractère : mer ouverte (nous sommes à la pointe d'une baie). Hôtellerie variée et sports nautiques. Au centre de la baie, donc plus protégée, *Melaqué,* une bourgade en désordre avec de petits hôtels et différentes échoppes pour manger. C'est la station populaire de Guadalajara, l'opposée de Puerto Vallarta. La baie n'est pas encore détruite par les constructions. Un côté bon enfant.

C'est à partir de là que le paysage change. La végétation devient luxuriante pour le rester jusqu'à *San Blas,* au nord de Puerto Vallarta. La montagne surplombe la mer. La côte se rapproche des courants froids et la végétation devient plus dense.

En continuant, on traverse des régions déboisées et habitées comme *Agua Caliente* et *Emiliano Zapata. Careyes* avec le Club Méditerranée de *Playa Blanca* (tél. 200.05) et l'hôtel *Plaza* (tél. 700.50). Ce n'est pas donné, mais le cadre est exceptionnel. Un des plus beaux coins de cette corniche. Puis, des lagunes et des salines. Le club *Playa de Chamula* avec *trailer park,* une organisation *éjidale,* avec une succession de petites îles en face. Les bungalows de la *Playa Dorada* et l'on se trouve ensuite dans une région agricole de la Sierra. *Tomatlan,* un bourg agricole très actif.

PUERTO VALLARTA

C'est le phare du continent mexicain dirigé vers l'ouest. Sa baie immense la protège des grands courants propres à la région. Elle doit son charme à la nature qui l'entoure (cette végétation que l'on a vue depuis Barra de Navidad), et au cachet de son ancienne ville coloniale qui essaie de résister à l'assaut touristique. On peut encore en avoir une idée autour du zócalo où des maisons rustiques abritent des commerces d'objets typiques. Au-dessus de ce quartier, et accrochées sur la montagne, des constructions récentes et assez bien intégrées au reste.

Hôtellerie

*Camino Real***** (tél. 200.02), un des plus beaux du Mexique et des mieux situés, au sud de la ville.

*Holiday Inn***** (tél. 217.00), *Pelicanos**** (tél. 219.15), vers le nord de la ville. *Playa de Oro**** (203.48), *Vallarta**** (214.59), à proximité de la plage Olas Grandes ; quartier de restaurants et de boîtes. *Rio** (tél. 203.66), près du marché, avec au-delà du pont le plus en amont, un petit quartier de style colonial. *Rosita** (tél. 200.33), à la fin de la promenade. *Bernal, Hortensia, Liz,* en haut de la calle Madero.

Quartier où l'on trouve des restaurants à prix raisonnables, des commerces à caractère pratique et du terminal des autobus. (A un kilomètre au sud du zócalo.)

L'achat des côtes mexicaines par les Américains

Une loi interdisait aux étrangers l'achat de terrains proches de la côte. Mais elle fut modifiée pour leur permettre l'achat pour une période de trente ans, avec droit de revente et de renouvellement.

Puerto Vallarta, dès le début de sa mise en valeur, au milieu des années 1960, fut un coin de prédilection pour un tourisme californien qui cherchait à se démarquer de celui d'Acapulco. Cette différence a été vite balayée avec cette nouvelle loi qui a permis l'installation de privés, à des conditions rendues plus avantageuses par la dévaluation du peso face au dollar (100 fois en vingt ans). Le public de cette ville a donc changé, sauf dans la partie sud de la baie qui se protège dans son exclusivité.

Acapulco, en comparaison est restée plus mexicaine, et la côte Caraïbe, avec Cancun est envahie d'Américains aussi, mais qui demeurent plus souvent dans des hôtels.

Zacatecas

Découvrir la cathédrale de Zacatecas illuminée le soir vaut un voyage. Réussite d'équilibre architectural entre un baroque des plus flamboyants et la sobriété des façades qui le supportent, sa meilleure perspective est perçue en remontant la calle Hidalgo. Les autres monuments sont aussi savamment éclairés. Trois époques prédominent à Zacatecas : les XVIIe et XVIIIe siècles, époque espagnole, sous un déploiement de richesses dues aux mines d'argent et autres métaux ; la fin du XIXe siècle, époque porfirienne, un peu à la française avec parfois de la copie du colonial, et enfin l'époque actuelle, respectueuse de son passé, mais dynamique. Une certaine unité grâce à la pierre et au respect de l'environnement. Les vieux édifices ont leur fonction nouvelle, et la *plaza Juarez* avec son architecture nouvelle en plein cœur de la ville résume bien son évolution. Le gouvernement de l'Etat fait l'effort nécessaire pour restaurer les bâtiments de la ville et ceci en collaboration avec l'Institut d'anthropologie.

Accès : avion pour Mexico par *Mexicana de Aviacion* (les horaires permettent d'y passer une fin de semaine). Vol pour Tijuana aussi. *En autobus,* compter 8 heures depuis Mexico, 4 heures depuis Guadalajara. Train-couchette de nuit.

Un circuit qui peut être fait dans la journée (nous laisserons la façade de la cathédrale pour la fin de l'après-midi. Question de lumière).

Maison Zesati, 207 calle Miguel Auza. Edifice 1900 dont on remarquera les vitres gravées de motifs. On vous laissera pénétrer et monter au premier étage (indispensable pour comprendre l'agencement d'une telle demeure), d'autant plus facilement qu'elle est utilisée pour un commerce de meubles.

Jardin Juarez, 1875, avec un bâtiment du XVIIIe siècle occupé actuellement par les bureaux centraux de l'Université. A côté, *El Meson de Jovito,* un motel également du XVIIIe siècle (on y accède en passant sous une maison cossue). Au coin nord-ouest, c'est-à-dire derrière soi et à gauche en regardant ces deux derniers édifices, *galerie marchande Juarez,* exemple intéressant et réussi d'une architecture que cette ville continue de créer. Cet ensemble s'ouvre sur l'avenue Juarez. (Au n° 110, un petit restaurant sans grande apparence, le *Camerito,* où l'on sert du *cabrito,* du *molé,* et un très bon jus de carotte.)

Revenons au point de départ : *plaza Miguel Auza :* on visitera l'évêché, ancien couvent augustin du début du XVIIe siècle (monter à l'étage), l'église, à côté, dont la restauration déjà très avancée pourra progresser grâce à un document découvert à la Bibliothèque nationale de Paris. Le gardien de cette église sera d'un précieux secours pour vous orienter dans sa ville qu'il connaît et qu'il aime. Voir le portail extérieur latéral.

Sur la rue qui donne en face de ce portail, la *Trésorerie générale.* Dans une salle sont exposées les monnaies frappées aux différentes époques, dont les « fichas » en bois utilisées dans les haciendas.

En continuant sur la même rue, on

arrive à une place avec, en face, l'*église Santo Domingo*. Huit très beaux retables en bois couvert de stuc et dorés à la feuille. Un mélange de statues, dont certaines d'époque, en bois peint et avec leur nom, comme pour apprendre. Grand christ en croix, expressif, au coin de l'autel. Cette église fut celle des jésuites jusqu'à leur expulsion, le collège correspondant donnant sur la même place. Il est transformé en *musée :*

Une collection d'objets d'art international : gravures et sculptures japonaises, jades chinois, soieries du Tibet, peintures et sculptures du Népal et de l'Inde. Pièces égyptiennes, étrusques, romaines, gréco-romaines et ivoires portugais des comptoirs. Art d'Océanie et d'Afrique. Le tout du meilleur choix. Sans compter les salles de peintures et lithographies de peintres contemporains : Kandinsky, Van Dongen, Maillol, Braque. Des eaux-fortes de Goya. Toute cette collection se trouve au premier étage. Au rez-de-chaussée, ont été disposés des objets concernant le Mexique. Malheureusement, leur qualité ne peut se mesurer à ceux du premier étage, comme si le collectionneur était plus tourné vers l'extérieur de son pays.

Pedro Coronel, peintre et sculpteur ayant vécu entre Paris et Mexico, fit don de sa fabuleuse collection à l'Etat de Zacatecas, enrichissant encore plus cette ville. Il est mort en 1983. Sa tombe se trouve sur le petit jardin du premier étage.

On peut se faire ouvrir les fenêtres des grandes salles, pour prendre des photos de la ville. Le musée est ouvert, sauf le lundi, de 10 h à 17 h.

L'Alameda : un parc résidentiel, malheureusement dominé par l'hôpital de la Sécurité sociale, certainement conçu par des architectes de la ville de Mexico.

La mine Eden. Elle vaut la peine d'être visitée. Soit depuis la gare du téléphérique, soit depuis une ruelle derrière cet hôpital. Visite bien organisée. L'intérieur judicieusement éclairé est assez impressionnant. Elle fut mise en service dès le XVIe siècle par les Espagnols, reprise au XIXe siècle, par les Français, et enfin par les Mexicains. On vous y fera revivre les conditions des mineurs. On remarquera une chapelle aménagée dans une cavité. La visite de cette mine nous offre l'occasion de voir l'envers du décor des splendides édifices de la ville. On ressort obligatoirement par l'autre sortie.

Le téléphérique conduit au *Cerro de la Bufa* avec l'église de la *Vierge del Patrocinio* (début du XVIIIe siècle).

Au centre, près de la cathédrale (également du XVIIIe siècle), on remarquera le *marché Gonzalez Ortega* (1900), transformé avec doigté en un centre commercial de produits de qualité. A côté, le théâtre, de la même époque, mérite d'être vu éclairé de l'intérieur, comme un soir de spectacle (vitrages Belle Epoque). Cafétéria animée en face.

La visite de cette ville qui nous fait passer à chaque coin de rue d'une époque à l'autre mérite son histoire anecdotique.

1546 : un soldat espagnol, en garnison à près de 300 km de là, intrigué par un bijou que portait un Indien, demande à ce dernier de l'emmener

dans sa région qui était encore inconnue des Espagnols.
1547 : commence l'exploitation du minerai. Il y a surtout de l'argent.
1553 : arrivée du premier curé de paroisse.
1580 : nomination du premier Corregidor, délégué du vice-roi.
1585 : statut de Ciudad donné par Philippe II. Arrivée des ordres religieux. Autour des mines : interdiction de la présence de plus de quatre personnes à l'enterrement d'un nègre ou d'un mulâtre ; sinon, peine de 200 coups de fouet. Interdiction aux Indiennes, négresses ou mulâtres, de porter des bijoux en or ou de s'habiller à l'européenne sous peine de confiscation et de 100 coups de fouet. (Mais comme les prostituées et même les esclaves récidivaient, la peine augmente à 6 jours de prison.) Combats à la pierre et au couteau fomentés par les tenanciers de bars, mais supprimés à l'occasion d'un passage de l'évêque.
1800 : grande richesse. Les postes publics se vendent à prix d'or. La ville devient le centre de l'activité économique du Nord et la base pour l'exploration, conquête, évangélisation et colonisation. Collège Apostolique de la Propagation de la Foi, avec rayonnement jusqu'à Chihuahua.
1804 : épidémie de variole. Plus de mille enfants sont vaccinés suivant la technique du vaccin humain qui n'est plus employé de nos jours. Six d'entre eux sont ainsi embarqués avec un médecin pour vacciner la population des Philippines (dépendantes alors du vice-roi de la Nouvelle Espagne), le vaccin se transmettant de bras à bras par les pustules de la vaccine. Un enfant vaccinant l'autre dans les délais voulus, le dernier a le privilège de transmettre ce vaccin aux Philippines. Une grande réception est donnée à leur retour.
1825 : fondation d'une loge maçonnique du rite écossais, l'Etoile chichimèque.
1842 : exploitation des mines par les Anglais.
1865 : exploitation des mines par les Français.
1884 : premier train. Fêtes pendant trois jours. (Ligne Mexico-Chicago).
1889 : Inauguration du marché principal. Incendie dans le théâtre. Y périssent 50 animaux savants.
1902 : réinauguration du marché principal, après un incendie.
1902 : apparition de la première automobile achetée en France.
La haute société danse le menuet en habits Louis XVI.
1904 : le train Mexico-Chicago déraille à quelques kilomètres de la ville, bilan 15 morts et 80 blessés.

Fêtes de la ville. Le 8 septembre, fête de la Vierge Patrocinio. Les célébrations durent du 1er au 15 septembre.

Hôtellerie

Pour sa position géographique, Zacatecas n'est pas très courue par les touristes. Elle est trop loin de Mexico, hors des circuits habituels, et déjà bien loin de la frontière avec les Etats-Unis.

Il n'y a donc pas grand choix dans les hôtels, mais ceux-ci sont correctement entretenus. *Reina Cristina* près de la cathédrale. *Posada de los Condes* (tél. 21.093). *Posada de la Moneda,* près de la cathédrale. *Motel Zacatecas** (tél. 2.03.28), en bas de la ville, mais encore central. *Quality Inn*** (tél. 233.11), en bas de la ville aussi.

*Aristos*** (tél. 2.17.88), en haut de la ville.

Alentours

A 7 km de la ville sur la route San Luis Potosi, *Guadalupe,* un village avec un musée d'Art colonial installé dans le couvent du début du XVIIIe siècle. La restauration de l'église fait apparaître une curieuse combinaison de tours, l'une d'elles ressemblant à un minaret. Prendre des pistes, parfois peu visibles, pour aller voir de plus près des haciendas perdues dans le paysage. Elles sont souvent délabrées, et les paysans qui les occupent vous recevront volontiers. Les collines sont encore couvertes de cactées, *tunas* (figues de barbarie), *yucca,* dont la fleur est comestible (goût d'endive), *agaves, mesquite.* L'agriculture des Espagnols n'a duré que le temps de la colonie. A voir la qualité de la terre, on comprend qu'il fallut pas mal d'hectares et une main-d'œuvre bon marché pour en sortir quelque chose. Actuellement, l'agriculture est pauvre. On perçoit cependant quelques régions avec une culture industrielle, comme la luzerne qui demande de l'irrigation et de gros moyens au départ. Sous ce climat sec, les maisons paysannes sont d'adobé, avec des toits de tuiles ou simplement en terrasse. Les gens, experts en l'usage de la machette, vous pèleront une figue de barbarie, sur l'arbre, et sans la toucher des doigts.

La Quemada (45 km sur la route de Guadalajara) est un site archéologique qui n'a pas son pareil : grandes constructions de pierres sèches sur le flanc d'une haute colline. Edifice de 65 mètres au carré avec colonnes (qui devait soutenir un toit en terrasse) et patio central. Pyramide de onze mètres de haut et sans escalier. Ce site, construit par des Chichimèques sédentarisés, date du Xe siècle.

Sierra Tarahumara et Basse-Californie

Pour les amoureux de la nature. Ce sera le *post-scriptum* de notre message mexicain : des paysages qui dépassent l'imagination et une façon de voyager nécessairement insolite pour aller à leur découverte. Connaître le climat est important : les gens de Basse-Californie vous déconseilleront de venir entre le 1er juillet et le 15 octobre, trouvant eux-mêmes qu'il y fait trop chaud.

Quant à la Sierra Tarahumara, il y fait froid, souvent très froid du début décembre jusqu'au 15 février, avec des chutes de neige entre le 15 décembre et le 15 janvier, « mais les gens aiment ça ». (En fait, c'est un climat de montagne avec de belles journées, et les hôtels sont bien chauffés.) Températures moyennes annuelles : Creel : 11°. Los Mochis : 24°. La Paz : 23°.

Accès facile depuis le reste du Mexique et des Etats-Unis. Entre la Sierra et la péninsule, ferryboats ou avions.

Durée d'itinéraire proposé : 4 à 6 nuits en Sierra Tarahumara, les 4 minimums se répartissant en 2 dans la Sierra et 2 aux extrémités pour l'arrivée et le départ. Puis 5 à 8 nuits en Basse-Californie (La Paz 2, Loreto 1, Mulégé 1, La Paz 1 au retour). Soit au total pour ce circuit, 9 à 14 nuits.

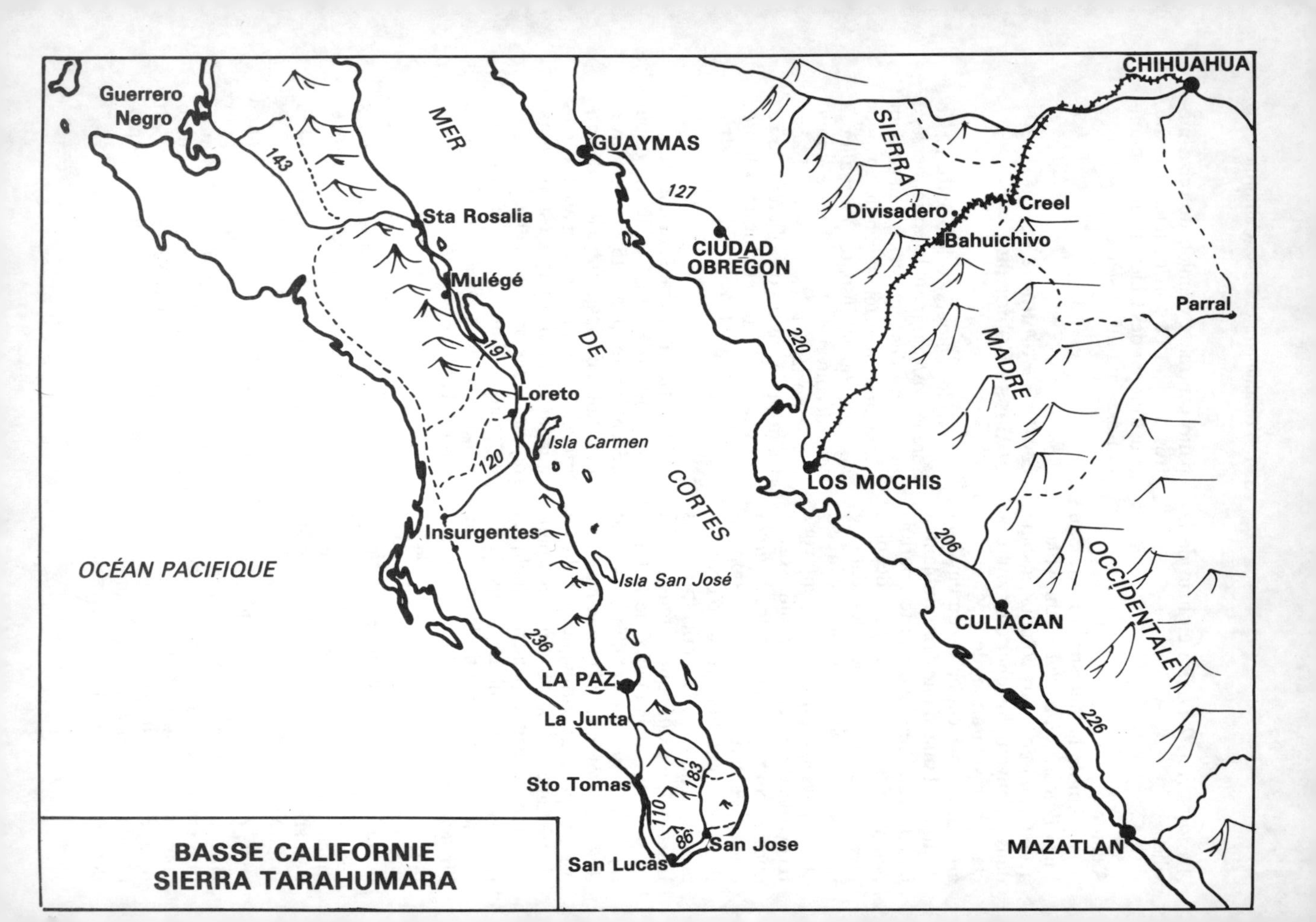

BASSE CALIFORNIE
SIERRA TARAHUMARA

Transport

En avion, *Aeromexico* et *Mexicana* relient Chihuahuha à Mexico : avions dans la journée et en soirée. Loreto, La paz, Los Cabos, Los Mochis et Mazatlan, sont reliés à Mexico ainsi qu'à d'autres villes du Mexique et des Etats-Unis (Aeromexico ou Mexicana de Aviación). Los Mochis-La Paz : *Aerocalifornia ;* départ de Los Mochis le soir, de La Paz le matin, ce qui oblige de toute façon à rester un jour à Los Mochis ; (tél. La Paz : 2.11.13 ; Mexico : 5.14.66.78 ; Los Mochis : 2.84.66).

Les Transbordadores (ferryboats)

Transport bon marché, avec possibilité de cabines.

De La Paz à Los Mochis-Topolobambo : départ mercredi et dimanche à 20 h. *De Topolobambo à La Paz :* lundi, jeudi et vendredi à 10 h.

A Los Mochis, retirer les billets avenue Juarez Poniente 125 (tél. 2.56.42 et 2.03.20) ; un autobus part toutes les demi-heures du Callejon Agustin Melgar (compter une heure de parcours pour atteindre le port).

A La Paz, le mieux est de retirer ses billets directement à Pichilingue, port d'embarquement (tél. 294.85) que l'on rejoint en bus (transportes Aguila, calle Obregon 125) et en partant trois heures avant le départ (30 minutes de bus). Si l'on doit traverser avec un véhicule, s'y prendre 24 heures à l'avance en allant au bureau du centre-ville (tél. 201.09 et 222.21). Il sera prudent de vérifier tous ces renseignements auprès des bureaux respectifs, car il est difficile d'être fixé longtemps à l'avance sur ces transports qui sont, par ailleurs, très bon marché.

De La Paz à Mazatlán : départ tous les jours à 17 h.

De Santa Rosalia à Guaymas : départ mardi, jeudi et dimanche à 23 h.

De Guaymas à Santa Rosalia : mardi, jeudi et dimanche à 10 h. (Tél. Santa Rosalia, 203.13.)

De San Lucas à Puerto Vallarta : mercredi et dimanche à 16 h. (Tél. San Lucas, 300.79.)

Pour le train prendre celui « de primera », avec restaurant. Quotidien.

7 h	Chichuahua	19 h
12 h	Creel	14 h 30
13 h	Divisadero	13 h
14 h	Bahuichivo	12 h
19 h	Los Mochis	7 h

On n'a pas intérêt à prendre l'autre train, le *Mixto,* meilleur marché, mais partant plus tard. Ses heures d'arrivée sont incertaines, car il s'arrête plus souvent. Il existe aussi un autorail *(autovía)* qui fait le parcours Chihuahua-Creel, mais on tend à le supprimer. Tarif du parcours total : 15 dollars environ. Les horaires ne sont pas à prendre à la lettre sauf pour le départ. On peut prendre son billet dans toutes les agences de voyages et dans les gares.

Pour se rendre à la gare. A Chihuahua, la distance oblige à prendre un taxi. A Los Mochis, on peut prendre un bus ou un *pesero* (indiquant Estación), dans la rue Zaragoza, à 5 h du matin. (25 minutes de parcours. Repérer la veille.)

Si on termine le circuit à Chihuahua, il est possible de partir pour

Zacatecas le soir même de la traversée de la Sierra, en train toujours, mais il faut changer de gare (taxi). Départ à minuit.

Location de voiture : à La Paz, prix estimé par jour avec une voiture de petite catégorie, Rena Sol, calle 16/9 et Obregon : 43 dollars. Volkswagen, calle 5 de Mayo et Abasolo : 45 dollars. Budget, près d'Aeromexico : 45 dollars. Hertz, restaurant El Chef : 50 dollars.

Autobus sur la péninsule : départs fréquents depuis La Paz, tant vers le nord que vers le sud, de 7 h à 22 h environ. (Tél. du terminal : 2.30.63 et 2.42.70.) Ils s'arrêtent tous dans les villes principales, quelquefois entre.

La Sierra Tarahumara

Elle offre des paysages exceptionnels. La meilleure façon de les découvrir est de prendre le train. On appréciera la grandeur d'une Sierra Madre. Le train s'accroche sur le flanc des montagnes, surplombe le vide sur des ponts sans rambardes, la partie du trajet la plus impressionnante étant entre Creel et Los Mochis (et plus exactement entre 13 h et 17 h en descendant vers le Pacifique ; entre 9 h et 14 h en en venant). Et si cette traversée est déjà un sujet de voyage, on pourra aussi s'enfoncer dans les *barrancas* (canyons) depuis certaines stations. En juin, juillet et août, de fortes pluies mais courtes, et la lumière est encore plus belle ensuite.

CREEL

Il y fait froid (2 300 m). Région de grands rochers sans pratiquement plus de terre végétale, ce qui rend le paysage de pins encore plus étrange. Dans les environs, des cavernes où vivent des Indiens clochardisés poussant leurs troupeaux de chèvres. Un air bien triste de gare de marchandises dynamisée par le transport du bois. Tout en s'agrandissant, elle n'a jamais dépassé le stade de gare de bled où les gens sont condamnés à faire leur promenade du dimanche soir sur les voies du chemin de fer. Un monde bien loin de la beauté extravagante de la demeure de la famille Creel, au cœur de la ville de *Chihuahua.* (Enrique Creel, gouverneur sous Porfirio Diaz, fin du XIXe siècle, détenait le monopole politique et économique de l'Etat de Chihuahua). Si l'on veut approfondir ce côté far west mais sans espoir, on devra prendre ses repas dans les *comedores Metate* et *Villalobos,* dont les plats durement corsés sont capables de vous réchauffer pour le reste de la nuit. S'y retrouvent dans la musique des juke-box capables de mêler culture américaine et sentiments mexicains, les filles coquettes du coin et les bûcherons ou camionneurs. Nous sommes dans le grand Nord.

Attention aux effets de l'altitude. Prendre le temps de s'adapter. Inévitable point de départ pour aller découvrir des coins plus attrayants, on choisira soit d'y passer la nuit et de se joindre à des tours pour connaître les environs (ne pas prendre de tours de moins de 6 heures, car ils ne s'approchent pas assez des *barrancas*), soit de partir vers la *Bufa* et *Batopilas* (24°-500 m) pour la beauté du paysage le

long de la route qui mène à ces anciennes villes minières. Bus qui fait un jour l'aller un jour le retour. (7 heures de route.) De Creel, on peut se rendre à pied vers la lagune de *Arareco* et le village de *San Ignacio*. Ou bien, en faisant du stop, se rendre à *Cusararé,* à 20 km ; très belle église du XVIIe siècle.

Artisanat : la boutique *« Mision »,* près de la gare, vend de très belles choses au profit de l'hôpital de la mission jésuite locale. On y trouve, entre autres choses, des photos d'une rare sensibilité.

Hôtellerie

*Nuevo**, face à la gare (tenu par le premier instituteur de Creel, le *Profé,* comme l'appellent les enfants indiens ou métis venant s'exercer aux jeux électroniques qui encombrent sa boutique déjà trop petite. Il vous renseignera avec précision sur beaucoup de choses pratiques et détient le téléphone public). *Parador*** dans le centre du village. *Cabañas Cañon de Cobré***, petit hôtel rustique à 20 minutes en voiture, dans un espace et un paysage qui inspirent le calme et la marche à pied (un véhicule attend à la gare). Dans les chambres, des poêles à bois ou des cheminées. Pas d'électricité, mais des lampes à pétrole. Des chiens tranquilles qui vous accompagnent dans la montagne. On peut participer à des excursions ou bien découvrir soi-même les environs. Réservations (important pendant les périodes de vacances mexicaines) : *Chihuahua* (tél. (14) 12.88.96 et 97. Télex : 349894 HYSAHE).

DIVISADERO

L'hôtel est là sur le bord du canyon. Après le brouhaha de la rencontre des trains (la ligne n'étant qu'à une seule voie, c'est à cet endroit qu'un aiguillage leur permet de se croiser), c'est le calme de l'hôtel. *Cabañas*** (tél. Chihuahua (14) 12.33.62 et 15.11.99. Télex : 0349785). Excursions organisées si l'on veut.

BAHUICHIVO

Station où l'on prend un bus pour *Cerocahui* (2 400 m), village colonial avec quelques hôtels, dont un très cher. De là, on peut rayonner, en prenant la camionnette vers l'ancien village minier d'*Urique* (500 m), ou bien en la laissant à la hauteur du *Cerro Gallegos* (marche à pied), d'où la *Barranca del Cobre* paraîtra la plus impressionnante. Le bus Cerocahui-Bahuichivo est quotidien. La camionnette Urique-Bahuichivo ne circule que certains jours, allant à la gare le matin pour en redescendre l'après-midi, après le passage du train. Il y a aussi d'autres sujets de randonnées aux alentours.

Une agence de voyages propose un séjour dans la Sierra à des prix hors concours. Voyage dans un wagon spécial, de trois fois le prix des autres, hôtel avec sa gare privée et autre hôtel à *Cerocahui.* Elle s'adresse à une clientèle spéciale qui ne risquera, en échange, aucune contamination.

LA SIERRA TARAHUMARA A PIED

Ceux qui veulent la connaître plus profondément seront encouragés à tenter l'aventure sac au dos, baskets aux pieds, en partant des points de départ déjà cités, mais en se renseignant bien avant d'entreprendre quelqu'étape que ce soit. On recommandera les axes sud-est et nord-est à partir de *Creel,* ainsi un axe ouest-est passant par *Bahuichivo* et par *Cerocahui.* En cours de route on peut trouver à louer des chevaux, ou bien profiter de pistes empruntées parfois par des camions de bois. Paysages différents : forêts sur plateaux et maisons construites de troncs entiers, larges rios à demi asséchés, maisons des *Tarahumaras* construites de pierres calcaires et couvertes de *canoas,* troncs entiers posés en quinconce comme les tuiles, une lumière aveuglante faisant ressortir les couleurs chaudes de leurs costumes, près de missions comme à *Norogachic.* Des contacts plus ouverts. Il faut être prévenu que les missions jésuites ne sont pas là pour s'occuper de touristes, et qu'il ne faudra donc pas trop compter sur elles. Le contact est parfois difficile jusqu'à ce que l'on vous prenne au sérieux. Cela dépendra de vous.

LES TARAHUMARAS

Bien qu'ils aient toujours vécu dans ces régions, ils se sont réfugiés dans les montagnes pour échapper aux travaux forcés dans les mines pour le compte des Espagnols. Actuellement, ils émigrent chaque année vers le bas des canyons pour éviter les rigueurs de l'hiver. Ils vivent le long de rios ou dans des vallées, par groupes de familles, chacune occupant une maison construite en bois ou en pierre, autour de laquelle se trouvent un ou deux greniers et un champ libre pour le travail domestique, les danses, les fêtes. Parfois, les personnes âgées dorment à part et sous un abri seulement (il faut cependant voir l'épaisseur des couvertures). Dans certaines régions, ils occupent des grottes en se protégeant avec des murets. Ils cultivent le maïs qu'ils plantent soit avec le bâton à fouir soit avec la charrue, le haricot et la courgette. Le maïs est consommé soit en *tortillas,* soit broyé à la meule et grillé, le *pinolé,* que l'on mélange tout simplement à de l'eau. Solution pratique pour des gens qui doivent souvent se déplacer, emportant leur nourriture enveloppée dans un mouchoir attaché à la ceinture et accompagné d'un petit godet. Les tâches sont réparties. On verra souvent, par exemple, des femmes dans la campagne avec leurs troupeaux, ou alors près de la maison, filant ou tissant sur d'immenses métiers au sol. La propriété individuelle est fondamentale et tout litige est présenté aux autorités.

Ces dernières sont dans un *pueblo,* centre religieux et administratif avec l'église, un local pour y rendre la justice et un espace réservé aux réunions et aux discussions avec les autorités. C'est le dimanche qu'elles ont lieu et que se rend la justice, en public. On fait entrer les intéressés qui serrent la main des juges et s'assoient en face d'eux. Ils expliquent leur cas, répondent aux questions qui viennent parfois des assistants. Les juges et les derniers assistants discutent et l'un d'eux décide. Les plaignants serrent les mains à nouveau et se retirent. Tout s'est passé dans le calme et la bonne humeur.

Les Tarahumaras consomment un alcool de maïs, pas plus fort que de la bière, pour fêter par exemple des travaux en commun. Cela se passe dans la maison au milieu de la journée, à l'extérieur aussi, les jarres de *Tesguïno* dans un coin. On fait passer une calebasse coupée en deux, les musiciens accompagnant de leurs violons les mélodies lancinantes. Ce breuvage met vite de l'ambiance. Les danseurs, les *Matachines* commencent à entrer en scène. Ce sont les *Tesguïnadas*.

La course à la balle

Il s'agit d'une lutte entre deux camps (deux hameaux), chacun devant pousser du pied (nu) une boule en bois tout en restant derrière elle, et en suivant un circuit fermé qui passe régulièrement devant les spectateurs. On compte plusieurs coureurs par équipe. La préparation est importante : fabrication de la boule sur place, en en préparant d'autres en cas de perte, massage des jambes des coureurs avec une certaine huile, et disposition de l'approvisionnement que les supporters utiliseront pour encourager les coureurs. Les Tarahumaras qui sont déjà d'excellents marcheurs, réalisent à cette occasion de véritables prouesses, ces courses pouvant durer deux à trois jours, et si nécessaire, à la lueur de torches. Cette manifestation a quelque chose de sérieux, de religieux, et peut rappeler les jeux de balle qui se pratiquaient aux temps précolombiens. Les paris y sont aussi pratiqués (aujourd'hui, par exemple : monnaies, savons, tissus, colliers, etc.). Cette boule qui court toujours devant soi, symbolise le soleil dans sa course, ne devant pas s'arrêter, afin d'éviter les ténèbres.

L'artisanat de ces Indiens est assez grossier en apparence, mais on trouve facilement de longues ceintures de jupe en grosse laine avec des dessins géométriques assez beaux. Des tambours en peau et des paniers.

Il y eut de nombreuses rébellions tant contre les Espagnols que contre les jésuites. Il n'y a pas si longtemps, les Tarahumaras étaient encore exploités par les Blancs venus pour les mines (terres et travail) ; ils le sont encore aujourd'hui par les compagnies forestières qui s'arrangent avec des propriétaires fictifs sur les terrains appartenant aux communautés indiennes que l'Institut indigéniste est pourtant chargé de défendre. Cet institut, installé dans la Sierra est chargé d'intégrer les Indiens à la culture mexicaine, ce qui ne les intéresse pas toujours. Ils craignent que de nouvelles routes n'accentuent leur exploitation, mais reconnaissent la présence d'hôpitaux, d'avocats et d'écoles. On leur enseigne de nouvelles cultures adaptées au climat, comme celle des pommiers et des noyers.

LOS MOCHIS

L'exemple du nouveau Mexique : une poussée paysanne au cœur de terres riches. La ville est un mélange de banques, de marchands de chaussures, lunetiers, dentistes, grands magasins vendant appareils et déodorants, de bars, billards et petits restaurants. Ville chaude et ensoleillée pendant la journée.

Dans le quartier grouillant d'autobus, on prend de la bière et une *sopa de mariscos* (soupe de crustacés), si on ne joue pas au billard. Un autre quartier, vernis insipide de la culture nord-américaine, et un troisième, près du parc, témoin d'une architecture nouvelle non sans intérêt et d'une vie nocturne animée. Les gens de Los Mochis sont ouverts à condition qu'on entame le dialogue. Au sud de la ville et le long de la côte, vivent les Indiens yaquis.

Hôtellerie

Monte Carlo, calle Angel Flores (tél. 21.818). *Lorena**, avenida Obregon (tél. 202.39). *Fenix**, calle Angel Flores (tél. 22.625). *Plaza Inn****, avenida Leyva (tél. 200.75). Il sera prudent de réserver depuis la Sierra par téléphone, cette ville étant très animée. De Creel, par exemple.

La Basse-Californie

(Baja California)

Voilà un bien curieux pays. Déjà par sa forme de long doigt qui descend sur 1 700 kilomètres, avec 3 500 km de côtes sur une moyenne de 80 kilomètres de large. Puis ses massifs montagneux que l'on doit traverser ou contourner, son climat particulièrement sec, ses paysages de cactus cierges et de bords de mer. Tournée sur toute sa longueur vers le Pacifique, elle est appelée à un grand avenir. En attendant, on peut ne rencontrer personne sur des kilomètres, découvrir des grottes couvertes de peintures rupestres, des missions jésuites abandonnées mais témoins de l'histoire de la Californie, et enfin, le grand rassemblement annuel des baleines venues de l'Alaska pour protéger la naissance de leur progéniture. C'est aussi l'endroit d'un des grands rallyes auto et moto internationaux.

Le mieux serait de suivre le parcours proposé avec une voiture louée, camper au hasard des baies cachées, ou bien de s'y arrêter dans la journée et rejoindre l'hôtel ensuite (pas beaucoup de choix sur le trajet intéressant, mais toujours corrects). Vu le caractère très particulier de l'endroit, le parcours demandera une certaine souplesse. Les autobus circulent sur la route principale et tout le long de la péninsule. Si l'on peut choisir ses heures, on prévoira la forte chaleur du milieu de la journée. Les plus belles lumières sont en début de matinée et en fin d'après-midi.

LA PAZ

Charmante petite ville, avec beaucoup d'arbres d'essences diverses plantés en ligne ou en désordre. Aucun hôtel sur le front de mer du centre. Les voitures s'arrêtent pour vous laisser traverser, ce qui est inattendu au Mexique. Un petit zócalo où a lieu un des plus beaux dimanches soir du pays (à 20 h, angle du Paseo Alvaro Obregon et de calle 16 de Septiembre). Cette ville ne sera pas le meilleur point de chute pour ceux qui cherchent à rester au bord de la plage. Malgré son côté sympathique, elle doit être considérée comme un point de relais. Sa baie presque complètement fermée est à l'intérieur d'une plus grande baie. Pour cette raison, c'est à partir du *Tesoro* (direction est), qu'il vaudra mieux se baigner.

Bibliothèque. Sur la place, en face de l'église. Pour ceux qui veulent une documentation sur les peintures rupestres, *La pintura rupestre de B.C.*, d'Enrique Hambleton. Fomento cultural Banamex 79. Et sur l'architecture des missions jésuites : *La arquitec-*

tura misional de B.C., Salvador Hinojosa. Gobierno de B.C.

Hôtellerie

*Posada*** (tél. 240.11), playa Sur et calle Nueva Reforma, à 6 kilomètres du centre. La *Purisima** (tél. 234.44), calle 16 de Septiembre. *Yeneka* (tél. 203.35), calle Madero nº 1520.

Différents restaurants locaux et touristiques. Signalons aussi pour midi, les *comedores* du marché particulièrement propres, dont la *Loncheria Colonial,* et pour le soir, une pizza en musique avec vin du pays à la *Fábula,* en face du kiosque du zócalo signalé ci-dessus.

CABO SAN LUCAS ET SAN JOSE DEL CABO

A la pointe de la péninsule. Bonne route d'aller et retour de 400 km. Celle qui descend directement sur San Lucas *(via Corta),* sans intérêt au début, devient plus belle à partir de *Todos Santos*. La nature, plus verte. Paysages de cactus et arbustes. Plages désolées. Elles sont d'une beauté exceptionnelle et peuvent être atteintes par des pistes *(Los Cerritos, Punta Lobos, San Pedrito)*. San Lucas tâche de garder sa note villageoise malgré le développement touristique manié parfois avec tact, comme sur les collines, parfois sans. Une lumière forte, de belles plages de sable blanc. Ambiance bon enfant avec ses ruelles ensablées, ses cahutes et ses lavopoids. Vers les rochers, les pêcheurs peuvent vous emmener passer sous la fameuse arche en mer. De la plage centrale, à l'est du village, on jouit d'une belle vue sur la pointe rocheuse du cap découvert par Cortes quand il baptisa alors cette terre California. On peut s'y baigner en toute sécurité alors que la plage, de l'autre côté des rochers, est dangereuse. Eau cristalline. En continuant sur San José, on percevra l'arche du bout du cap. Entre ces deux villes, belle route de corniche : rochers roses et maquis sur un fond de mer d'un bleu intense. Là aussi, les constructions laissent prévoir le meilleur comme le pire.

A San José, monter dans le centre de la ville jalousement conservé par les vieilles familles qui la défendent de l'invasion touristique en désordre. Tout autour de la *mission jésuite* (dont l'intérieur ressemble à un gâteau d'anniversaire), une ambiance sympathique tant sur la place que dans les rues. Même le parking est une réussite. Façades peintes en beige et blanc, petits hôtels sans intérêt mais un petit restaurant français imprévu, de prix raisonnable et de qualité, dont les propriétaires conquis par le cadre ont conquis, à leur tour, les familles de l'endroit.

Hôtels à San Lucas

*Marine*** (tél. 300.30), au croisement des deux routes. *Mar de Cortes*** (tél. 300.32). *Hacienda**** (tél. 301.22), cher mais bien placé.

Hôtels à San José

Dans le centre, petits hôtels, les meilleurs marchés. Sur la plage, les plus chers. Il est difficile de faire un choix.

La route remontant vers La Paz par l'est traverse de petits villages sans grand intérêt. Celle de la corniche, moins praticable, protège les riches constructions d'Américains nostalgiques d'Hemingway.

Route de La Paz à Loreto (356 km de bonne route) : après 200 km monotones, on entre dans une région agricole très riche, avec un centre récent et bien urbanisé : *Ciudad Constitución.* Cela continue jusqu'à ce qu'on rentre dans la Sierra couverte par endroits de cactus et d'arbustes. C'est à partir du km 75 depuis *Villa Insurgentes,* que l'on se trouve entouré de trois paysages (Sierra proche, horizons lointains, et la mer) ; une vision changeante et grandiose à chaque virage. Cette partie de la route est assez exceptionnelle. Puis, on longera la mer avec ses baies comme *Puerto Escondido* (le Port caché), qui porte bien son nom, endroits promis au grand tourisme.

LORETO

Un village sans prétention. Des barques et des pélicans attendant le retour des pêcheurs. Plage de sable gris.

Un petit musée bien aménagé dans le *cloître de la mission* nous explique l'histoire de la découverte de la Californie et celle des missions religieuses. Joli jardin, endroit de fraîcheur utile pour le milieu de la journée. Prévoir une petite heure. On y remarquera un coffre des Philippines du XVIIe siècle, un récipient pour épices en porcelaine de Chine du XVIIIe siècle, et une vierge en bois polychrome également du XVIIIe siècle. Ce musée est ouvert de 9 h à 17 h sauf le lundi.

Visite de la mission de *San Javier,* au sud-ouest de Loreto. Il faut 1 heure 20 de bonne piste traversant des paysages de canyons pour arriver à la palmeraie. C'est la mission la mieux conservée de la péninsule, avec les habitations qui bordent encore la rue qui accède à l'église. De beaux retables. Demander la clef aux habitants.

Hôtellerie

Dans le village même : *Mision*** (tél. 300.48), sur le bord de mer. *Salvatierra* (tél. 300.21), à 15 minutes à pied avant d'arriver au centre du village. *Casa de huespedes* dans le centre.

Pour se restaurer : à la *Central Camionera* ou à la *Casita* (près du zócalo) notamment pour ses petits déjeuners variés.

LA CALIFORNIE (aperçu historique)

Charles Quint appuie des chantiers navals dans le sud de la Nouvelle Espagne pour continuer les découvertes, dont celle du détroit qui, pensait-on, rejoignait les deux océans. Après les échecs de plusieurs expéditions, Cortes décide d'intervenir, explore la mer entre le continent et la péninsule (on l'appelle depuis Mar de Cortes), repère la baie de la Cruz (aujourd'hui La Paz), le cap San Lucas, et nomme cette nouvelle terre « California » (nom tiré d'un conte : une région proche du paradis terrestre). Nous sommes en 1536. D'autres expéditions montreront qu'il n'y a pas de détroit et qu'il s'agit d'une péninsule. Elles remonteront la côte jusqu'à l'Oregon actuel, en installant des ports et des forts afin de protéger des pirates le passage des galions venant des Philippines. (La colonisation de ces dernières et leur commerce se firent depuis la Nouvelle Espagne ; les départs depuis Acapulco.) Au retour, les courants marins obligeaient la navigation à se faire très au nord pour redescendre ensuite le long de la côte californienne, ce qui explique la présence dans ce musée d'objets orientaux. (Voir aussi « La route du Sud ».)

Le roi confie la conquête spirituelle de la péninsule aux Jésuites. Elle était habitée à cette époque par 20 000 Indiens. Loreto sera le premier établissement civil, militaire et religieux tout à la fin du XVIIe siècle, et restera capitale encore quelques années avant d'être remplacée par La Paz. Les franciscains se mettent d'accord avec l'envoyé du roi chargé de l'expulsion des jésuites pour prendre leur relais et continuer de coloniser vers le nord. Ils utilisent les fonds laissés par les missions, transfèrent leurs acquis, ainsi que les populations pour aller fonder San Diego, Monterey, San Luis Obispo, San Francisco, ces missions devant se séculariser et se convertir en pueblos une fois les Indiens christianisés et civilisés (fin du XVIIIe siècle). Les Dominicains entrent aussi en jeu, et les zones d'influence sont délimitées.

Ce fut le début de la Californie américaine, que le Mexique perdit après son indépendance et si connue de nos jours, alors que la Basse-Californie est si peu connue.

LES JESUITES

Les jésuites ont toujours été les empêcheurs de tourner en rond dans l'Eglise, ce qui leur a valu, de tout temps, l'honneur d'autant de critiques que de louanges. Le fondateur de leur ordre, *Ignace de Loyola,* commence une carrière de militaire avant de se tourner vers la religion, s'obligeant alors à des études qui dureront onze ans. Dans la constitution de la Compagnie de Jésus dans l'ordre qu'il fonde, l'essentiel l'emporte sur les formes. Pour une plus grande adaptabilité et une plus grande mobilité, il supprime certaines pratiques courantes comme les pénitences, l'uniforme, et les récitations de l'office en chœur. Pas de vœux solennels mais des dispenses plus faciles. Les exercices conduisent à l'ascétisme. Universalisme, obéissance et connaissance sont la règle de ce régime monarchique avec à la tête un général nommé à vie.

Dès le début, ils connaissent beaucoup de succès, fondent des missions et des collèges en Europe, prenant position là où le protestantisme gagnait alors du terrain. A sa mort, Loyola laisse déjà 1 000 religieux dans 100 institutions réparties en 12 provinces. Des missions sont fondées en Chine, en Indochine, aux Philippines et au Paraguay (les fameuses Réductions qui commenceront en 1609).

En France, le jansénisme intervient contre eux, et un coup sévère leur sera porté lorsque le pape condamne le rite chinois (intégration de certaines pratiques traditionnelles comme de celles acceptées par l'Eglise de nos jours). Au XVIIIe siècle, les adversaires se dévoilent : jansénistes, encyclopédistes et philosophes, les jésuites offrant la meilleure cible dans une attaque contre l'Eglise de la part des esprits anticléricaux et antipapistes qu'étaient les ministres des despotes éclairs. C'était alors leur pleine apogée et la grande réussite de leurs missions en Amérique latine.

En visitant *San Javier,* près de Loreto, on peut imaginer que les églises de la Basse-Californie étaient sur le modèle de celles qui se trouvaient aux confins du Brésil, de l'Argentine et du Paraguay et qui regroupaient 150 000 Indiens guaranis en une trentaine de missions. Le baron de *Humboldt,* un savant allemand qui laissa une précieuse documentation de ses cinq années de voyage en Amérique, donna des renseignements sur ces organismes dont il en visita de nombreux. Le village était organisé autour de la place où se trouvait l'église, la maison du peuple, collège où habitaient les pères, la municipalité, la maison des veuves, l'hôpital et les silos. Sauf aux moments des travaux agricoles urgents, la semaine de travail était de trente heures à raison de six heures par jour, le jeudi et le dimanche étant fériés. Personne ne recevant de salaire, les produits du travail étaient entreposés pour être répartis suivant les besoins familiaux. La vente des surplus à l'extérieur permettait l'achat d'outillage européen. Elevage de chevaux, chantiers de construction de bateaux fluviaux et même imprimeries complétaient les activités de ces villages. Humboldt fut émerveillé aussi du talent de ces demi-sauvages pour le violon et la flûte, de la qualité du chant choral qui accompagnait les processions grandioses et regretta que l'œuvre de ces missions soit insuffisamment reconnue en Europe.

C'est du Portugal que commence l'attaque contre les jésuites, après une campagne diffamatoire sur une mission chez les Guaranis du Brésil. Ils sont expulsés. En France, c'est le prétexte de banqueroute en Martinique. Le roi est obligé d'approuver la suppression de l'ordre et de ses possessions. Puis ils sont expulsés d'Espagne et de ses colonies (1767). Non contents de cette réussite, ces trois pays se liguent pour forcer le pape à supprimer l'ordre à travers le monde entier. Il cède pour restaurer la paix dans l'Eglise. Protégés par Catherine II, les jésuites se réfugient en Russie avec l'accord secret de la papauté qui rétablira leur ordre en 1814.

A leur suppression, on comptait 728 institutions avec 300 000 étudiants.

Depuis, tout en subissant des persécutions, comme ce fut le cas avec le régime nazi, ils concentrent leurs efforts sur l'instruction : collèges, universités, séminaires, retraites, et utilisent beaucoup les moyens audiovisuels. Leur système éducatif développe le discernement. Leurs activités progressent à nouveau sauf dans les pays communistes.

DE LORETO A MULEGE

Assez ennuyeuse au début, la route de Loreto à Mulegé traverse ensuite de beaux paysages de Sierra, puis longe la baie. *Concepción* avec de petits cirques où se cachent pêcheurs et campeurs. Des noms enchanteurs comme : *Coyote, Requeson, Muertitos.*

MULEGE

(Prononcer : *mouléré.*) De ces noms magiques qui marquent les lieux ou s'en inspirent. En langue locale cela veut dire « la grande bouche », sans doute à cause de cette eau mystérieuse qui surgit dans la palmeraie. Un petit village très mexicain, le centre à 10 minutes à pied de l'embranchement. Dans ses quelques rues, on trouve tout : petits hôtels, supermarchés, banque, et, sur la petite place, le *bureau de poste* que l'on ne manquera pas de visiter même si l'on n'a rien à y faire. Quelques petits magasins de souvenirs, comme des sculptures en bois dur (animaux marins). Un village tranquille. Y passer une nuit permet de voir la palmeraie au coucher du soleil.

Malgré son apparence depuis la route, Mulegé vaut la peine que l'on s'y arrête. Autant à cause de la chaleur que pour les jeux de lumière ; il faudra choisir ses heures pour s'y promener. Le long de la lagune qui va vers la plage, à une heure du centre, on verra une combinaison curieuse de palétuviers, de palmiers et de cactus.

On ne saurait trop recommander de se rendre à la mission, en choisissant l'après-midi déjà avancé. On y accède en passant sous le pont de la route, après avoir quitté la place. On marche un moment dans la palmeraie avant d'y monter. A 100 mètres au sud de l'église, un piton rocheux aménagé permet un coup d'œil circulaire : palmeraie, joncs de la rivière où se cachent canards et poules d'eau (on les entend), le village actuel, les bâtiments de la mission et, en contrebas, le grand plat où les jeunes jouent au base-ball. On pensera alors à un épisode du film anglais sur les jésuites, *Mission,* lorsque les Indiens chahutent avant la tombée du jour. Autres horizons mais mêmes cieux. On peut revenir par la digue qui rejoint le carrefour. A l'époque des dattes, on voit les gens les trier sur des claies.

Hôtellerie

Casa de huespedes Nachita. Vieja Hacienda, avec un patio ombragé pour se protéger de la chaleur en milieu de journée. *Vista Hermosa*** en allant vers la plage.

Pour les repas : dans le centre, le *Patio de Candil.* Au carrefour de la route, *El Michoacano.*

SANTA ROSALIA (Mulegé-Santa Rosalia, 60 km de bonne route)

C'est une véritable oasis entourée de montagnes rocailleuses, un village ramassé, fait de maisons en bois, et parsemé de petits arbres. Il doit son existence à celle de mines de cuivre exploitées par une compagnie française. Elle cessa ses activités dans les années 1940, remplacée par le Mexique, mais pas pour longtemps. (On voit encore la fonderie, la sortie vers la mer, le port servant actuellement à la pêche.) La ville fut déclarée patrimoine culturel de la nation, mais les habitants n'avaient pas attendu cette protection pour l'entretenir et lui garder son cachet, les jeunes, s'employant à balayer le sable des rues, à repeindre et retaper, à arroser les arbres. Il fait chaud en milieu de journée.

Pour ajouter au charme de cette bourgade : une église en éléments préfabriqués de *Gustave Eiffel.* Elle était présentée à l'Exposition universelle en même temps que la tour. Les historiens disent que c'est la femme du directeur de la mine qui l'acheta ; les gens du pays racontent qu'on a essayé de la voler en démontant certaines pièces (ce n'est pas probant), et les Américains prétendent qu'elle est là par erreur. Personne ne trouve à redire sur son origine, et tout le monde, comme on le voit, l'aime à sa manière. Il faut voir comme elle est entretenue. On remarquera à l'extérieur l'agencement des plaques préfabriquées, et à l'intérieur la disposition des ventilateurs intégrés à l'espace architectural. Elle a un petit air de temple protestant du nord de l'Europe, et sans elle, Santa Rosalia serait comme Paris sans la tour Eiffel.

Plusieurs petits hôtels. On est assez fier d'avoir conservé les coutumes françaises comme le pain et la cuisine.

GUERRERO NEGRO (Santa Rosalia-Guerrero Negro, 220 km de bonne route)

Traversée de la Sierra jusqu'à *San Ignacio* (hôtels*** et *). A 70 km plus loin, en face de l'embranchement de la piste pour Viscaino, un restaurant de routiers qui a la particularité de rester ouvert la nuit pour ceux qui veulent bien faire réchauffer leurs plats et payer ce qu'ils estiment correct. Puis, c'est la traversée du désert jusqu'à Guerrero Negro, grand centre de salines considérées comme les plus importantes du monde (ensoleillement exceptionnel, absence de cyclones et peu de précipitation). Des rumeurs circulent sur le développement futur de cette région avec des capitaux du Japon et de Hong Kong. Centre de la péninsule, riche en métaux, en pêche, le tourisme déjà en chantier ailleurs, elle est la porte indiquée vers le Pacifique, nouvel enjeu mondial. Depuis ces rumeurs, le président du Mexique s'est rendu au Japon, en Chine et à Hong Kong, en est revenu avec des promesses d'investissement des Japonais qui ne veulent d'ailleurs pas entendre parler de la participation légale de capitaux mexicains à 51 %, et des promesses d'accords commerciaux avec la Chine. Rien n'a transpiré sur le développement envisagé dans cette région que l'on appelle déjà le Hong Kong mexicain.

LES BALEINES

Elles viennent depuis le nord de l'Alaska se protéger dans les baies de la région et y mettre bas. Elles enseignent la respiration à leurs petits en les jetant hors de l'eau. Ces derniers qui consomment 200 litres de lait par jour grossissent en même temps de 50 kilos. C'est là aussi qu'ont lieu les croisements. Puis tout le monde remonte vers les quartiers d'été, le nord de l'Alaska pour s'y nourrir de plancton, alors que ces baleines ne consomment rien en Basse-Californie.

Pratiquement exterminées le siècle dernier par les chasses organisées dans ces endroits de prédilection (les baleines sont aimables et très curieuses), elles sont à présent protégées tant par les traités internationaux que par la législation locale, et leur nombre a pu remonter de 250 à 8 000. La réglementation étant assez sévère, on s'adressera, pour la visite, au bureau des salines de Guerrero Negro (tél. 11 à 14). C'est du 15 décembre au 15 février que l'on peut observer ce spectacle hors du commun.

PLUS AU NORD

Sur la route qui conduit vers la frontière avec les Etats-Unis, on ne manquera pas la baie, très belle, de *San Quintin,* à mi-chemin de Tijuana. *Ensenada,* le plus grand port de pêche du Mexique, avec son campus très bien aménagé de l'école d'Océanographie et son centre d'observation céleste. En remontant vers le nord, le coût de la vie monte aussi. *Tijuana* est sans intérêt, sauf pour divorcer, avorter ou passer en fraude aux Etats-Unis.

Une route vers l'est traverse d'abord un massif montagneux avec de très beaux horizons, et puis vers le sud-est, un grand désert, *parc national,* à mi-chemin entre Tijuana et Hermosillo.

Guatemala

Guatemala ou Mexique ? Lequel préfère-t-on ? Il est difficile de ne pas se poser la question du fait qu'on les visite souvent l'un après l'autre.

Les paysages montagneux sont de dimensions plus humaines que ceux du Mexique, les distances plus courtes. Le Guatemala est un territoire de 132 000 km^2, le 1/16e de son voisin. La moitié est montagneuse, au climat tempéré. Vers le nord-est le long de la vallée du rio Motagua encaissée, il fait une chaleur parfois étouffante et tout le nord du pays, vaste plaque calcaire comme au Yucatan, est sous une forêt plus dense. On compte 8 600 000 habitants, dont plus de la moitié est indienne (on parle 17 langues mayas). Les autres, même s'ils sont métissés, se font appeler *ladino ;* on dit par exemple d'un Indien qui a perdu sa culture, qu'il se ladinise. Il sera difficile de nier la douceur et la gentillesse des Guatemaltèques et, comme nous disait un professeur de français, « je n'ai jamais rencontré un élève qui ne soit pas *listo,* futé ».

Si l'on peut déplorer l'absence d'expression architecturale ou artistique contemporaine, on l'oubliera quand on partira à la recherche des rassemblements indiens au cours de leurs fêtes, ou bien à la découverte des vestiges de leur ancienne civilisation, dans la jungle du Peten.

La *marimba,* instrument national (un xylophone en bois sur courges servant de caisses de résonance) accompagne merveilleusement les chants du pays. On remarquera le nom donné aux petits cars qui sillonnent le pays : *La Precisa, Flor de mi Tierra, Novia del Sheik, Mi Reinita.* Même là, le machisme ne passe pas. Et pourtant, c'est un pays qui souffre. Peut-être aurez-vous l'occasion de séjourner dans des villages où les populations ont subi les moments les plus cruels de notre histoire, mais ils ne vous le montreront pas.

Il s'agit d'une répression aveugle à l'occasion de la lutte contre un mouvement de guérilla qui commença dans les années 70. Les choses se calmèrent quand l'armée comprit qu'elle était, en fait, en train de faire le jeu de l'adversaire qui obtenait une adhésion plus grande à l'intérieur et une reconnaissance de l'extérieur par le biais des droits de l'homme (il se peut que ce changement d'attitude ait été demandé par les Etats-Unis qui cherchaient à généraliser les régimes démocratiques en Amérique centrale afin de prouver que le seul régime militaire imposé restait le Nicaragua). D'ailleurs, des élections eurent lieu il y a quelques années, mettant en place un gouvernement de tendance Démocratie chrétienne. On comprendra que son rôle n'est pas des plus aisés.

L'histoire du Guatemala rejoint souvent celle du Mexique (le Chiapas s'en est même détaché au moment de l'Indépendance). C'était le grand centre maya. On en visitera les sites de Tikal, Aguateca, Copan (VIIIe siècle).

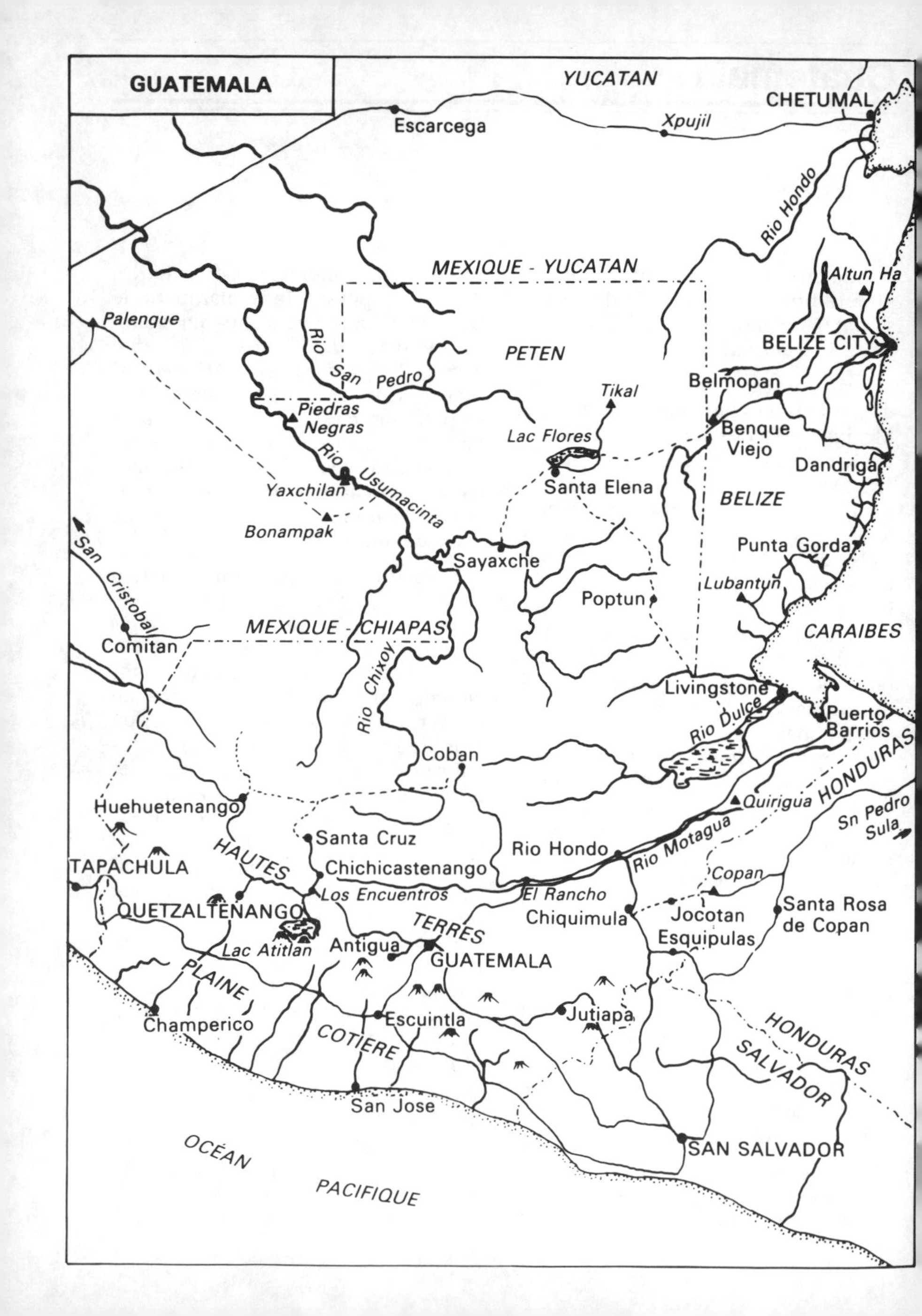
GUATEMALA
YUCATAN
CHETUMAL
Escarcega
Xpujil
Rio Hondo
MEXIQUE - YUCATAN
Altun Ha
Palenque
Rio San Pedro
PETEN
BELIZE CITY
Belmopan
Tikal
Piedras Negras
Lac Flores
Benque Viejo
Rio Usumacinta
Santa Elena
Dandriga
Yaxchilan
BELIZE
Bonampak
San Cristobal
Sayaxche
Punta Gorda
Lubantun
Poptun
MEXIQUE - CHIAPAS
CARAIBES
Comitan
Rio Chixoy
Livingstone
Rio Dulce
Puerto Barrios
Coban
HONDURAS
Huehuetenango
Quirigua
Sn Pedro Sula
Santa Cruz
HAUTES
Rio Hondo
Rio Motagua
TAPACHULA
Chichicastenango
Copan
Los Encuentros
El Rancho
QUETZALTENANGO
Santa Rosa de Copan
TERRES
Chiquimula
Jocotan
Esquipulas
Lac Atitlan
Antigua
GUATEMALA
PLAINE
Champerico
Escuintla
Jutiapa
HONDURAS
COTIERE
SALVADOR
San Jose
SAN SALVADOR
OCÉAN
PACIFIQUE

Au moment du déclin de cette civilisation, les puissants marchands du Tabasco pénétrèrent par les grands fleuves, et nous ont laissé Seïbal (xe siècle). Ils étaient les précurseurs des Toltèques dont le tempérament guerrier ne changea pas au contact des Guatemaltèques. Leurs rivalités les obligea à s'installer en défense sur les crêtes ou entourés de ravins (Zaculeu, Iximche, Mixco Viejo, xiie siècle). Au temps de la colonie, il ne se produisit pas le métissage institué du Mexique. Le conflit que l'on sent permanent chez l'individu mexicain se traduirait plutôt ici par un conflit latent entre groupes humains qui peut se résumer à une ignorance de l'un vers l'autre. L'Indépendance et les désordres qui s'en suivirent rappellent ceux du pays voisin et leader. Les récits que nous fait Stephen, le grand voyageur de cette époque, nous décrivent une violence qui nous étonne toujours lorsque l'on connaît ce pays. L'état de guerre des années 80 a fortement compromis le développement du Guatemala où affluent les aides de toute nature au risque de faire le jeu des possédants. Le nombre des hélicoptères appartenant à des particuliers, propriétaires terriens, dépasse l'entendement d'un citoyen de pays industrialisé. Le pays exporte café, coton, sucre et bétail (plaine Pacifique), et deux milliards de bananes (plaine Caraïbe).

Avant de partir

Il n'y a pas besoin de visa pour les Français. Si l'on vient du Mexique et que l'on doit y retourner, ne pas oublier de demander un nouveau visa au consulat mexicain à Guatemala. Pour le Honduras, il faut en principe un visa, sauf si l'on ne visite que Copan. Pour le Belize, il faut un visa.

Accès par avion

Depuis Mexico : *Aviateca* (tél. Mexico, 592.52.89 ; Guatemala, 36.41.81). *Mexicana* (tél. Mexico, 571.88.88 ; Guatemala, 51.88.24). Depuis l'Europe : *K.L.M.* par Amsterdam (tél. Guate 37.02.22). *Iberia* par Madrid (tél. Guate, 53.65.55).

Depuis les Etats-Unis : *Aviateca, Continental* et *Eastern,* ces trois compagnies par Houston. *Mexicana* par Los Angeles. *Eastern* (tél. Guate, 31.74.55), *Pan Am* (tél. Guate, 82.181), *Tan Sahsa* (tél. Guate, 32.10.71), ces trois dernières par Miami.

Depuis Cancun (voir Guate-transport vers la province).

Accès par voie terrestre

ROUTE DES HAUTES-TERRES

Traversée de la région montagneuse du Chiapas (San Cristobal-Huehuetenango). Voir Hautes-Terres ainsi que Chiapas-Tabasco et Guate-transport vers la province. Très belle route de montagne le long de laquelle on apercevra les plus beaux habits indiens. De San Cristobal à la ville de Guatemala, compter la journée, mais on peut s'arrêter en route, à *Cuatro Caminos* pour gagner Quetzaltenango, ou bien à *Los Encuentros,* pour gagner Atitlan ou Chichicastenango.

ROUTE DE LA COTE

Le long de la côte Pacifique, depuis l'isthme de Tehuantepec, Juchitan, Tapachula au Mexique ; Retahuleu, Santa Lucia au Guatemala. Voir aussi Guate-transport vers la province et Côte Pacifique. Route plus rapide que celle des Hautes-Terres (compter de Juchitan à la ville de Guatemala une journée en bus, 9 heures en voiture), mais c'est surtout un voyage différent : on suit la longue vallée côtière riche en histoire, en suivant à la trace les descendants des Olmèques. Il y fait très chaud, mais les grands arbres tropicaux sont splendides.

ROUTE DEPUIS BELICE

Pour Flores, compter une demi-journée.

Accès par voie fluviale

LE FLEUVE USUMACINTA

Autre accès historique, sur les pas des Putuns cette fois, et à travers la jungle. Depuis Bonampak et Yaxchilan jusqu'à Sayaxché et Seïbal. Un jour entier en pirogue individuelle à moteur (compter deux jours pour plus de sécurité). Trois jours si on se joint aux pirogues des marchands. Prévoir matériel de camping (soit une tente qui ferme bien, soit hamac avec ses cordes et sa moustiquaire adaptable *pavillon*) et de quoi se couvrir la nuit.

Côté Mexique, voir Chiapas-Tabasco, se renseigner soit à Palenque, hôtel Cañada, soit à *Etcheverria,* sur le fleuve (port d'embarquement vers Yaxchilan et poste d'immigration mexicain). Le contrôle d'immigration du Guatemala, le long du fleuve sera à *Pipiles,* près de Altar de Sacrificios et à *Sayaxché.* Mais on rencontrera d'autres postes de contrôle : El Tigre, El Betel. Côté Guatemala, voir Peten Sayaxché.

LE FLEUVE SAN PEDRO

En partant de Palenque (voir Chiapas-Tabasco), compter 24 heures pour atteindre *Flores-Santa Elena.* Bus de Palenque à *Tenosique* en changeant à Zapata. Autre bus jusqu'à *Las Palmas* au bord du fleuve. Départ du bateau en début d'après-midi pour atteindre *Naranjo* au début de la nuit (poste d'immigration mexicain en cours de traversée, les formalités avec le Guatemala se faisant à Naranjo - petit hôtel). Au milieu de la nuit, autobus pour Flores-Santa Elena (8 heures de trajet).

Dans l'autre sens, c'est-à-dire depuis le Guatemala, il faudra dormir à Naranjo pour naviguer le lendemain matin. Voir Peten-Flores. L'accès par le fleuve San Pedro revient moins cher que celui par l'Usumacinta.

A l'arrivée

A l'aéroport de Guatemala, le bureau de change est facilement repérable et pratique le cours officiel. Le tarif des taxis est affiché à l'extérieur, en face de la sortie (trois différents tarifs suivant la distance, la zona 1 étant la plus chère). Aux autres points frontière, on trouvera toujours à changer, mais se souvenir que l'on obtiendra meilleur cours en ville.

Quelle saison choisir ?

Se référer aux indications concernant le Mexique. Le Peten, cependant, connaissant un régime particulier dû à l'influence des Caraïbes, il y pleut pratiquement de juin à fin janvier (les mois de septembre, octobre et novembre connaissent le maximum de précipitations).

Budget, change

Mêmes conseils que ceux concernant le Mexique. La monnaie du Guatemala est le *quetzal;* celle du Honduras, le *lempira* (à peu près à parité). Le change d'une monnaie à l'autre se fait facilement aux postes frontière. Celle du Belize : le *belize $*.

Vocabulaire

Comment distinguer le pays et la capitale, puisque l'on utilise le même mot ? Vous remarquerez vite sur place que l'on dit *Guate* pour la capitale, Guatemala-City n'étant utilisé que par les cartographes nord-américains.

On s'étonnera peut-être de l'emploi de l'adjectif « guatémaltèque » *guatemalteco,* alors que l'on pourrait dire guatémalien, tout comme hondurien, salvadorien, mexicain, etc. Il semble, en effet, que par un phénomène linguistique on ait attribué au Guatemala l'adjectif réservé aux provinces, ou même aux civilisations zapotèque, mixtèque, yucatèque, etc. On évitera cependant de passer pour original à vouloir être trop puriste, même si l'on est gêné par le terme, et comme tout le monde, on parlera des *Guatémaltèques* et des coutumes *guatémaltèques.*

Transport

Voir ville de Guate, transports vers la province. Les voyages en petits bus *camionetas* qui sont très rapides et ne vous laissent jamais sur le bord de la route, sont pleins de poésie si l'on sait en accepter les conditions (voyageurs tassés, mais presque toujours assis, camelots qui viennent vous faire oublier l'attente du départ, facilité de contacts avec les voisins). Si l'on voit les voyageurs debout s'écraser subitement au sol, c'est que l'on passe un contrôle de police.

Hébergement

On observera la même grille de prix qu'au Mexique. Dans les hôtels bon marché, il est difficile d'obtenir une chambre pour une personne sans avoir à payer le prix pour deux.

Gastronomie

La cuisine locale a perdu du terrain au profit des habitudes nord-américaines dont les établissements, apparus dans les quartiers aisés, se généralisent partout ailleurs. Il restera donc les restaurants offrant une cuisine étrangère ou bien les étalages de fruits tropicaux sur les marchés. La cuisine est en effet assez pauvre dans ce pays. Des recettes traditionnelles sont bien encore connues, mais seulement dans certaines familles et dans de rares et très rustiques restaurants que l'on n'omettra pas de citer quand on aura pu les découvrir.

On mange plus tôt qu'au Mexique. Le déjeuner, par exemple, est à midi. Question vocabulaire : à l'inverse du Mexique, *agua* signifie ici soda, *refresco* signifie jus à base de fruit (au Honduras, c'est à nouveau le contraire. On dit comme au Mexique). Le pain se dit *pan frances*. Payer se dit souvent *cancelar*.

Guate-pratique

HOTELLERIE

Fenix (tél. 51.66.25), 7 Av.-15 C., Zona 1. Salles de bains communes. Petit déjeuner. *Ritz* (tél. 53.63.46) 6 Av.-9 C, Zona 1. Salles de bains individuelles. *Chalet Suizo* 14 C-6 Av., Zona 1. *Spring* (tél. 51.42.07) 8 Av.-12 C., Zona 1. Salles de bains privées ou communes. *Colonial*★ (tél. 22.955) 7 Av.-14 C., Zona 1. Un peu fermé sur son patio, mais loin du bruit. *Del Centro*★★ (tél. 81.519) 13 C.-4 Av., Zona 1. Agréable, bien qu'en plein centre. Demander chambres sur l'arrière. Restaurant. *Pan American*★★ (tél. 25.587) 9 C.-5 Av., Zona 1. *Fiesta*★★★★ (tél. 32.25.55) 1 Av.-13 C., Zona 10. *Dorado*★★★★ (tél. 31.77.77) 7 Av.-15 C., Zona 9. Le plus sympathique des hôtels de cette catégorie. *Camino Real*★★★★ (tél. 37.44.02) Av. Reforma-14 C., Zona 10.

RESTAURANTS

Zona 1 : *Lido,* 11 C.-7 Av., cuisine internationale. *Bologna,* 10 C.-6 Av. *Las Vegas,* 12 C.-6 Av., ces deux derniers, italiens. *Canton*★, 6 Av.-14 C. cantonnais. *Altun Ha*★, 6 Av.-12 C. espagnol. Juste ce qu'il faut de démodé pour un dîner au calme. *Cobanecita,* 12 Av.-9 C., cuisine traditionnelle (soupe de tortue ou de dindon *chompipe,* le *kak-ik*). Excellent ; restaurant des plus rustiques où vont les habitués.

Entre les repas : *Meson del Quijote*★ 11 C.-5 Av., pour l'apéritif. On peut y manger aussi. *Pasteleria Austria,* 12 C.-6 Av, pour le thé ou un café. *Peñalba,* 6 Av.-12 C., pour le petit déjeuner quand tout est fermé ailleurs.

Zona 9 : secteur Montufar, autour de la Plaza españa, 12 C.-7 Av. Reforma, nombreux restaurants de différentes catégories.

Zona 10 : autour de Reforma et 14 C., restaurants plus élégants.

TRANSPORT URBAIN

Orientation

La dénomination des rues imite le système américain, mais mal, car on recommence à zéro pour chaque quartier. Il existe ainsi cinq « sixième avenue » (on imagine New York bâti sur ce schéma). Il faudra donc faire attention à l'arrondissement, la *zona.*

La plupart des plaques de rues manquant, on se repérera aux numéros indiqués sur les maisons, le premier des deux indiquant la rue ou avenue perpendiculaire précédente. Sur la 3e avenue, l'immeuble 2-59, par exemple, se trouvera entre les 2e et 3e rues coupant cette avenue.

Taxis

Ils sont rares et donc chers, la classe sociale moyenne, pouvant les utiliser, n'existant pas encore. Deux stations en zona 1 : sur la place Centrale et sur la 18 Calle.

Autobus

Ils sont souvent en piteux état, mais fidèles au rendez-vous. Leur numéro se complète souvent d'une couleur, à laquelle il faudra faire attention, car chaque ligne a des variantes de parcours. On parle d'eux au féminin.

La *cinco negro,* qui passe dans le centre sur la 10 Av. Vous amène au zoo, au musée d'Anthropologie et au musée d'Histoire naturelle, et continue jusqu'à l'aéroport. La *cinco rojo,* seulement au zoo et aux musées. La *dos* et la *quatorce* (qui n'indiquent pas « terminal ») passent dans le centre sur la 10 Av., puis au *centro civico* et suivent tout Reforma.

La *1 hipodromo* vous conduit à la carte en relief par la 5 Av.

Peseros

Ils existent, mais on ne recommandera pas leur utilisation car leur destination n'est pas claire, et ils sont toujours bondés.

COMMUNICATIONS

Poste centrale

Elle est reconnaissable à son architecture gigantesque et à sa couleur bonbon, 7 Av.-12 C. le samedi, elle ne reste ouverte que jusqu'à 17 h. Fermée le dimanche, sauf le service des télégrammes intérieurs au pays qui reste ouvert ainsi que tard le soir.

Télécommunications

Le téléphone urbain de Guate fonctionne mal. Il est, par contre, plus aisé d'appeler la capitale depuis une cabine de province.

Pour les communications téléphoniques internationales et le télex : 8 Av.-12 C., une rue plus bas que la poste. Ouvert tous les jours 24 heures sur 24. Tarif moins cher de 19 h à 7 h du matin. Autre centre : 7 Av., près du Banco del Cafe.

CHANGE

Cambio. Dans toutes les banques, mais aussi dans la rue, près de la poste centrale. Les rabatteurs vous reconnaîtront vite et vous emmèneront dans des coins cachés mais sûrs, et vous feront gagner du temps.

CONSULATS

Belgique : Reforma 12-70, Zona 9 (tél. 31.65.97). *Canada :* 7 Av. 11-59, zona 9 (tél. 32.14.13). *France :* 16 C. 4-53, Zona 10 (tél. 37.06.47). *Suisse :* 4 C. 7-73, Zona 9 (tél. 62.726). *Mexique :* 13 C. 7-30, Zona 9 (tél. 63.573). *Honduras :* 16 C. 8-27, zona 10 (tél. 37.39.21). *États-Unis :* Av. Re-

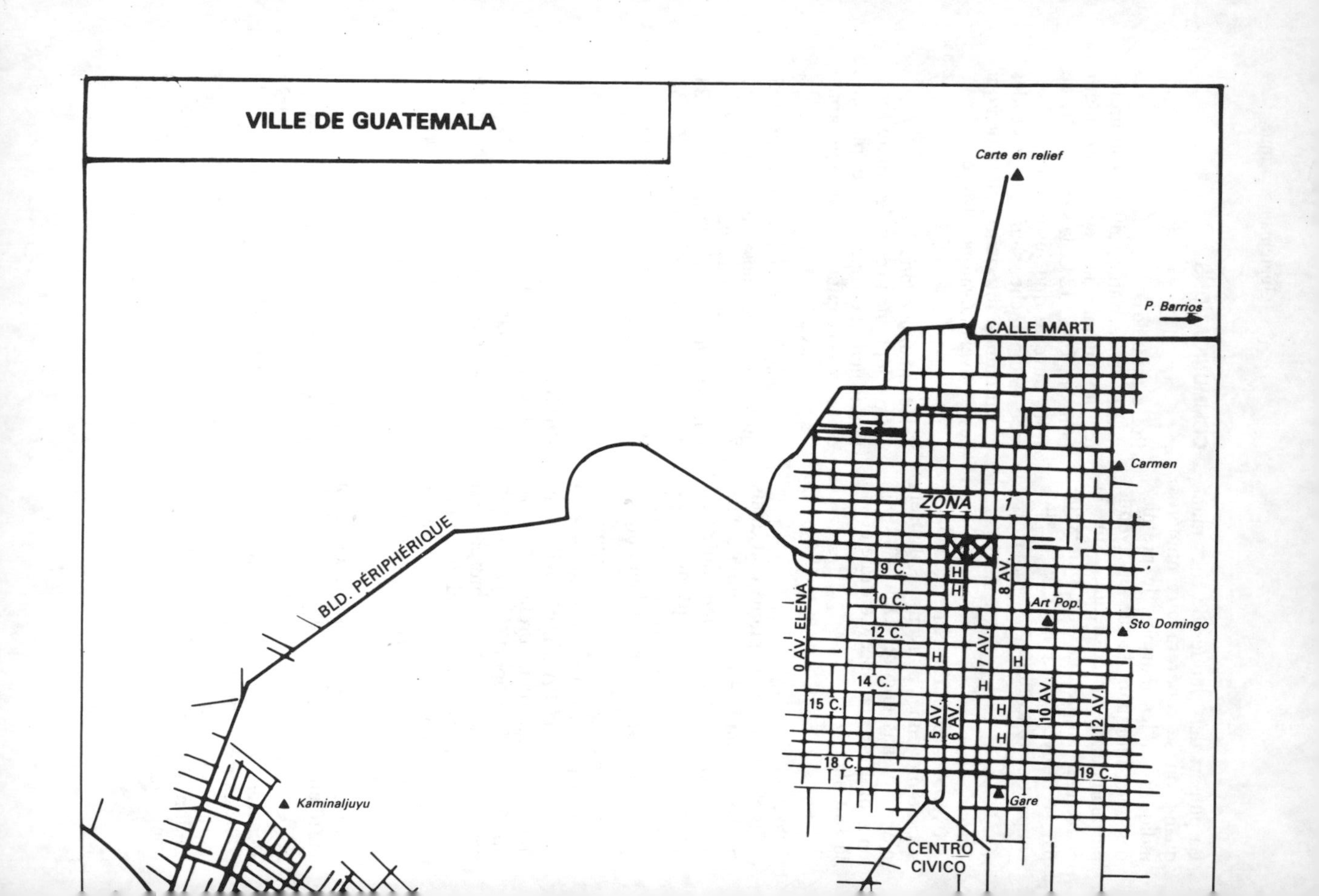
VILLE DE GUATEMALA
Carte en relief
P. Barrios
CALLE MARTI
Carmen
ZONA 1
9 C.
10 C.
12 C.
14 C.
15 C.
18 C.
19 C.
8 AV.
7 AV.
6 AV.
5 AV.
10 AV.
12 AV.
0 AV. ELENA
H
Art Pop.
Sto Domingo
Gare
CENTRO CIVICO
BLD. PÉRIPHÉRIQUE
Kaminaljuyu

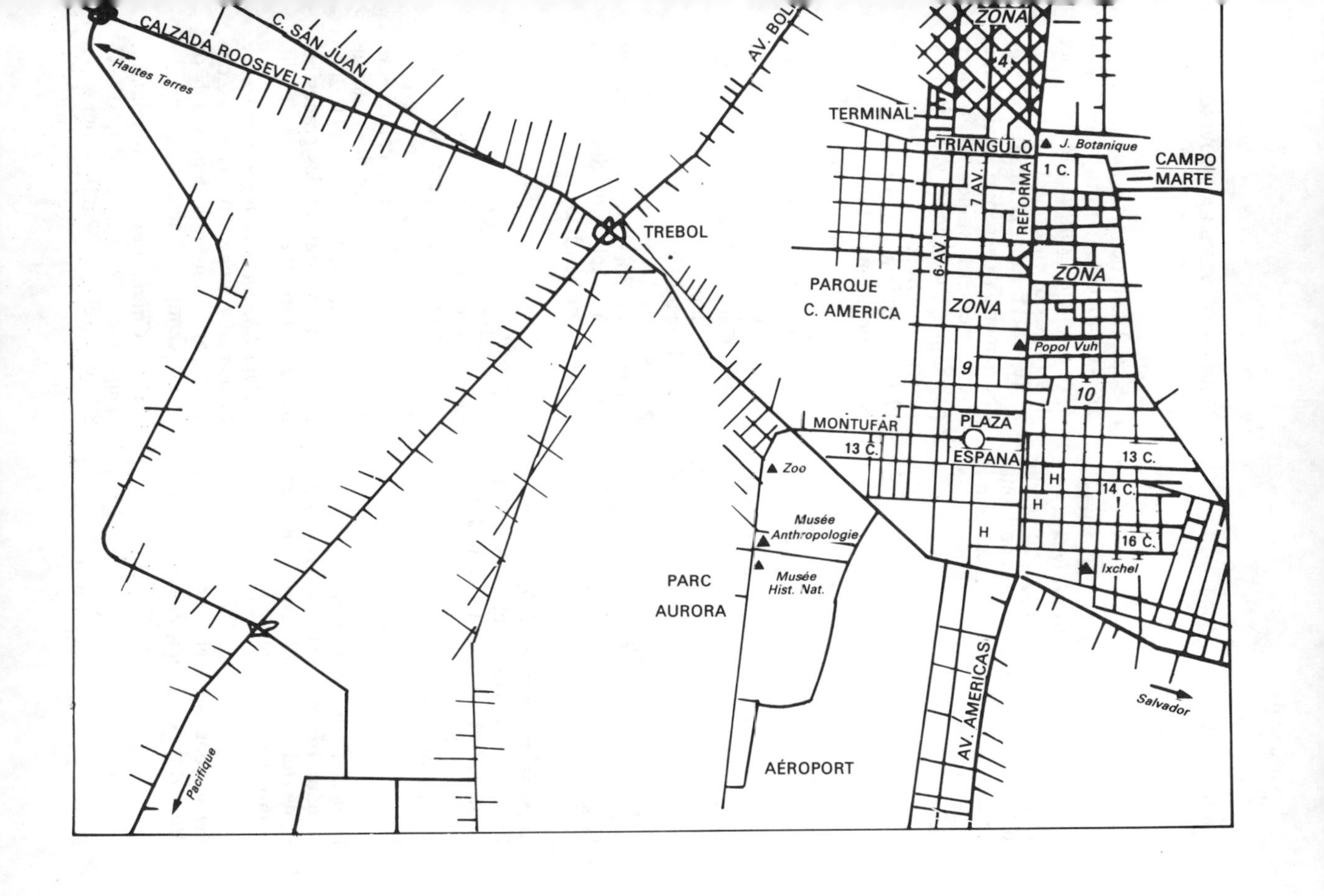
CALZADA ROOSEVELT
C. SAN JUAN
Hautes Terres
AV. BOL
ZONA
4
TERMINAL
TRIANGULO
J. Botanique
CAMPO
MARTE
1 C.
7 AV.
REFORMA
6 AV.
TREBOL
ZONA
PARQUE
C. AMERICA
ZONA
Popol Vuh
9
10
MONTUFAR
PLAZA
ESPANA
13 C.
13 C.
Zoo
H
14 C.
H
H
Musée
Anthropologie
16 C.
Ixchel
Musée
Hist. Nat.
PARC
AURORA
AV. AMERICAS
Salvador
AÉROPORT
Pacifique

forma-7 Calle, Zona 10 (tél. 31.15.41).

ACHATS

Zona 1, derrière la cathédrale : marché central avec trois niveaux. Au niveau intermédiaire, grand choix d'artisanat. Au sous-sol, échantillonage d'artisanat utilitaire, de céramique à motifs divers, d'épices et de vannerie.

Zona 9, au coin de la 7 Av. et de 13 Calle : tissus indiens.

Terminale, marché des halles. Bousculade et risques de vols. On trouvera les mêmes choses en province.

Zona 1, pour ceux qui veulent faire un placement : du jade vert ou noir très joliment travaillé, 7 Av. 3-26, derrière le palais du gouvernement.

Matériel de camping : 6 C. 0-15, Zona 1 (tél. 51.21.76), prix raisonnables.

Laveries automatiques *(lavanderia) :* Zona 1, 4 Av.-13 C. et 12 Av.-12 C. les deux fermant à 18 h. Zona 4, face au Triangulo, 7 C. 7-52, fermant à 17 h. Toutes sont fermées le dimanche.

Médecins parlant français : *Cordon,* pédiâtre (tél. 66.778). *Barrios,* cardiologue (tél. 80.373). *Herrera,* médecine interne (tél. 31.53.59).

Réparations appareils photos : *foto Muñoz,* 5 Av.-11 C., Zona 1.

TRANSPORT VERS LA PROVINCE

Avion

Pour Tikal, départ quotidien à 7 h. Trois compagnies : *Tapsa, Aerovias* et *Aero-Quetzal.* Contacter toute agence de voyage ou, en Zona 1, *Aerocentro,* 8 Av. 16-11 (tél. 53.78.85), ou bien directement à l'aéroport, mais il vaut mieux réserver la veille. Les étrangers paient plus cher que les gens du pays. Le retour s'effectue à 16 h pour être à 17 h à Guatemala. On n'est pas tenu de revenir le jour même ni de prendre un aller et retour. *Aviateca* (6 Av.-10 C., Zona 1, au 2e étage, tél. 81.372) assure des vols les vendredi et dimanche à 16 h.

Pour Cancun, Yucatan, vols directs les lundi, mercredi et vendredi à 17 h 45 (arrivée à 19 h 30 et retour aussitôt, pour arriver à Guate à 22 h) : *Aero-Quetzal* (tél. 36.41.81). Un moyen de déjeuner à Tikal et de dîner le jour même à Chichen Itza.

Autocars

Pour Antigua : 15 C-3 Av., Zona 1. Départs constants entre 7 h et 20 h. Compter une heure de trajet. Autre terminus, Calle 18 sur la petite place face à la 5 Av., Zona 1. Par ailleurs, un bus assure un service direct depuis l'aéroport (à 7 h, 10 h, 13 h, 17 h, 20 h) démarrant auparavant des grands hôtels des Zones 9 et 10.

Pour Chichicastenango : compagnie *Reinita de Utatlan,* 20 C-4 Av., Zona 1. Départs constants depuis 5 h du matin. Compter 4 heures.

Pour Chiquimula et Esquipulas : compagnie *Rutas orientales,* 19 C-8 Av., (tél. 53.72.82). Toutes les

30 minutes, de 4 h à 18 h. Compter 3 heures 30 pour Chiquimula, 4 pour Esquipulas.

Pour Coban : compagnie *Escobar, Monja blanca,* 8 Av.-15C. (tél. 51.18.78). Départs fréquents.

Pour Flores-Santa Elena : compagnie *Fuente del Norte,* 17 C-8 Av., Zona 1 (tél. 86.094). Départs à 1 h du matin, 2 h, 3 h, 7 h, 9 h. Compter 14 heures (6 heures pour Morales, 7 pour Rio Dulce).

Pour frontière La Mesilla : compagnie *Condor,* 19 C. 2-01, Zona 1 (tél. 28.504). Le départ de 4 h du matin permet d'attraper la correspondance pour San Cristobal (où l'on arrive vers 17 h), et Tuxtla. Celui de 8 h ne permet que d'atteindre Comitan dans la même journée.

Pour frontière Salvador : compagnie *Futuro Express,* 8 Av.-16 C. (tél. 804.64). Départ à 6 h du matin. *Melva,* 4 Av.-1 C., Zona 9 (tél. 67.248) à la Terminale. Départ toutes les heures de 5 h à 13 h.

Pour frontière Talisman (Tapachula) : Galgos, 7 Av. 19.44, Zona 1 (tél. 23.661). Le départ de 5 h du matin permet d'attraper la correspondance pour Mexico où l'on arrive à 7 h du matin le jour suivant (il est recommandé d'acheter à Guate même son billet complet). D'autres départs avec correspondances aussi, jusqu'à 17 h.

Pour Huehuetenango : compagnie *Halcones,* 7 Av. 15 C., Zona 1 (tél. 81.979). Départs à 7 h et 14 h. Compter 5 heures. *Condor,* 19 C. 2-01, Zona 1 (tél. 28.504). Départs assez fréquents entre 4 h et 17 h.

Pour *Panajachel :* compagnie *Rebuli,* 20 C.-3 Av., Zona 1 (tél. 51.65.05). Départs fréquents entre 5 h et 16 h. Compter 3 heures 30.

Pour Panajachel et *Chichicastenango,* on peut aussi prendre un bus plus rapide jusqu'à Los Encuentros (2 heures 30 de trajet) où l'on trouvera facilement des navettes : *Galgos* (voir Quetzaltenango), et *Condor* (voir Huehuetenango). Noter que l'on doit parfois payer le prix du voyage jusqu'au terminus.

Pour Puerto Barrios : compagnie *Litegua,* 15 C.-10 Av., Zona 1 (tél. 27.578). Départs fréquents entre 5 h 30 et 17 h. Compter 5 heures 30.

Pour Quetzaltenango : compagnie *Galgos,* 7 Av. 19 C., Zona 1 (tél. 23.661). Départs fréquents entre 5 h 30 et 21 h. *America,* 2 Av. 18 C., Zona 1. Départs entre 5 h 15 et 16 h 40.

Location de voiture

Tally, 7 Av. 14-60, Zona 1 (tél. 51.41.13). *Dollar,* à l'hôtel Ritz Continental, 6 Av. A., Zona 1. Ailleurs, dans les grands hôtels et à l'aéroport.

Guate-Visite

LA REFORMA

De l'utile à l'agréable. Une demi-journée dans un quartier élégant où l'on pourra visiter les deux plus beaux musées de la ville (autobus 2 et 14, voir Transport).

Jardin botanique. A l'entrée de la

Reforma, juste avant la Calle 1, Zona 10. Petit jardin sans grand intérêt, mais il donne les noms des plantes que l'on aura vues en cours de voyage.

Musée Popol Vuh. Reforma 8-60, Zona 9, au 6e étage (tél. 31.89.21). Ouvert du lundi au samedi de 9 h à 17 h 30. Prévoir 1 heure 30. Dans le même immeuble, bureau de poste au premier étage, et un café à l'extérieur.

Ce musée rassemble une collection de pièces archéologiques dont certaines sont uniques (urnes funéraires de Nebaj) et des objets de l'époque coloniale dont des étendards en argent que l'on ne verra nulle part ailleurs. Conférences ainsi que visites guidées de sites (se renseigner au tél. 31.89.21).

Dans la salle d'entrée sont exposées les urnes funéraires provenant de la région maya-ixil de *Nebaj,* nord de la région montagneuse du pays. Le long de la galerie sur laquelle donnent les salles, différentes sculptures. Au fond, salle réservée à l'art religieux : statues en bois doré dont un *saint Jacques* avec son cheval blanc, et des *objets liturgiques en argent.* (En revenant vers l'entrée), salle suivante : reconstitution d'une danse exécutée par une confrérie responsable de l'archange saint Michel, patron des soldats. *Alvarado,* le conquérant espagnol (masque rose), *Tecun Uman* (coiffe de plumes) et le vieux *roi quiché ;* le sorcier (vêtu de rouge comme un cardinal), le cacique *Huizilzil* et la *Malinche,* compagne de Cortes. Derrière les personnes, des étendards en argent (la guerre de la Réforme n'ayant pas atteint les Indiens retirés, cela explique pourquoi c'est chez eux que l'on trouve encore ces objets anciens de très grande valeur).

Salle G-F : céramiques du Salvador et du Honduras. Pièces de la côte Pacifique du Guatemala, époque classique tardive ; et ailleurs, d'époque classique ancienne (influence Teotihuacan : vases à trois pieds, encensoirs, figuration de Tlaloc avec les yeux cerclés).

Salle E : statuettes dont on retiendra un personnage accompagné de deux jaguars. Elles sont des fragments d'urnes funéraires de la zone Ixil. Vitrine de petites *urnes funéraires* complètes (le badigeon bleu correspond à un rite funéraire). Une autre vitrine avec *statuettes de guerriers :* Ce sont des flûtes (on retrouve l'art de Jaïna, Yucatan, avec cependant moins de grâce). Sur les vases polychromes cylindriques de *Chama* (à la limite des Hautes-Terres et du Peten), on remarquera les coiffures ainsi que les mouvements des mains exprimant des sentiments très clairs.

Salle D : copie du *Codex de Dresde,* écrit précolombien sur écorce pliée en accordéon, l'almanach de l'époque. L'original se trouve dans la bibliothèque de la ville citée. Céramique du *Peten* (vases cylindriques et grands plats). Vases à pieds mamiformes et plats à couvercles ornés (début de notre ère). Pièces du classique ancien dont des vases *Teotihuacan* avec couleurs pastel sur fond de stuc. Au centre de cette salle, un plat avec couvercle orné de tête d'oiseau, une pièce maîtresse.

Musée Ixchel. 4 Av. 16-27, Zona 10 (tél. 68.07.13), dans un très beau quartier. Ouvert du lundi au samedi, de 9 h à 17 h 30. Ce musée, qui porte le nom de la déesse du tissage et de la fécondité, peut être l'occasion d'une marche de 15 minutes (pour l'atteindre depuis la Reforma) dans un quartier qui a su garder son charme et son élégance d'autrefois : grandes propriétés, et vieux arbres (en fleurs au printemps). Restaurants et magasins de qualité aux alentours de l'hôtel *Fiesta* (13 Calle).

Si vous n'avez pas l'occasion de pénétrer loin dans les régions indiennes, vous pourrez ici admirer leur plus beaux costumes. Le musée transmet l'émotion que l'on perçoit dans un village. Le choix et la présentation témoignent d'un travail de recherche approfondi, mais avant tout d'un grand respect pour la culture indienne. Il encourage les tisserandes à utiliser des matériaux naturels et traditionnels, et reçoit d'elles des habits de première qualité que l'on peut acheter sur place. Une exposition annuelle traite d'une région particulière où la tradition se perpétue ou bien risque de disparaître (le costume tissé à la main identifie l'indigène à la communauté).

CENTRE-VILLE, ZONA 1

Cette partie de la ville eut son charme que l'on ne peut découvrir que dans les patios des maisons fermées à la rue. La 6 Avenue garde une certaine animation, mais l'intrusion de marchands ambulants la rendent impossible à parcourir. Les milieux aisés qui y avaient leurs magasins favoris, se déplacent vers le sud de la ville.

Suivant un axe nord-sud, on énumèrera plusieurs centres d'intérêt, sachant que l'on peut parcourir ce secteur à pied ou en autobus. On ne trouvera pas d'art colonial du fait que la ville fut fondée pratiquement au début du XIXe siècle.

Carte du pays en relief. Les Guatémaltèques en sont fiers et il y a de quoi. C'est inattendu et on ne regrettera pas son éloignement (accès par le bus 1 ou 18 amarillo ; le 1 suit la 5 Av. à partir de la 13 C. ; descendre au terminus Hipodromo). Cette carte originale couvre une superficie de 1 800 m^2. Elle fut exécutée au début du siècle. L'échelle verticale est cinq fois plus grande que l'échelle horizontale.

Eglise du Carmen. 12 Av.-4 C. Particulièrement animée le dimanche des Rameaux.

Basilique Santo Domingo. 12 Av.-10 C. Remarquable pour la dimension de sa façade et son espace intérieur où l'on remarquera le retable doré. Au fond, à gauche, grande peinture réaliste représentant la décapitation de saint Sadoc et de ses quarante-huit compagnons en Pologne.

Musée d'art populaire. 10 Av.-10 C. (ouvert du mardi au dimanche de 9 h à 16 h). On en retiendra les instruments de musique anciens et contemporains, dont une marimba à calebasse ainsi que les courges gravées et décorées, une spécialité de la Verapaz (une fois vidées de la pulpe, elles sont polies puis reçoivent une application de poudre noire d'écorce ; le dessin apparaît après incisions).

Gare de chemin de fer. 9 Av.-19 C. Sa façade restaurée témoigne de la grande époque des chemins de fer au début du siècle. Pour les grands amateurs, on indiquera, au passage, celle de Zacapa dont on visitera aussi le bar et l'hôtel avant qu'ils ne disparaissent.

PARC AURORA

Dans ce secteur sont regroupés le musée national d'Anthropologie, celui d'Histoire naturelle et le zoo. Accès par le bus 5 Aurora qui suit la 10 Av. de la Zona 1 pour continuer par la 6 Av., Zona 4 et 9. Ce peut être le programme d'une demi-journée. On peut se restaurer dans le parc zoologique (à gauche en entrant, comedores très rustiques où l'on sert de bons *atoles* et *caldo de pollo*). L'aéroport se trouve à 15 minutes à pied plus loin.

Parc zoologique. Depuis l'arrêt du bus *parque Aurora,* revenir sur ses pas. Présentation classique. En ce qui concerne le Guatemala, jaguars à droite en entrant ; tortues des fleuves du Peten à 100 mètres de l'entrée et à droite ; perroquets au fond du parc, derrière le grand bâtiment central.

Musée d'Histoire naturelle. Se trouve dans le bâtiment moderne. Ouvert de 9 h à 16 h, du mardi au dimanche (avec interruption le dimanche entre 12 h et 14 h). Prévoir 45 minutes de visite. Hérons *garzas,* dindons sauvages comme ceux de Tikal, toucans, piverts *carpinteros,* aras *guacamayo.* Dans la salle des dioramas, le *quetzal* (imprimé sur le drapeau, il symbolise la liberté, du fait qu'il ne peut vivre en cage). Dans le patio, exposition de papillons. Vous ne pourrez pas quitter le pays sans avoir dit aux Guatémaltèques que vous avez vu un *quetzal* que certains considèrent comme le plus bel oiseau du monde, ce que l'on peut croire volontiers (voir Le pays des quetzales).

Musée d'Anthropologie. Dans le bâtiment rococo. Ouvert de 9 h à 16 h, du mardi au dimanche (interruption ce dernier jour entre 12 h et 14 h). Prévoir une heure.

On regrettera un peu que les si belles pièces que ce musée possède aient été sorties de leur contexte culturel pour être classées par catégorie de technique de fabrication, comme si l'on s'adressait à un public de potiers. La faiblesse de l'éclairage risque de nous faire manquer des sculptures comme celles de *Kaminaljuyu* dont nous verrons de très beaux spécimens : stèle n° 3 (représentation d'un poisson), dans la troisième salle : la stèle n° 9, représentant un danseur avec la volute de la parole ; le *crapaud* de un mètre de diamètre, une des plus belles représentations de cet animal (on l'a souvent représenté). Epoque préclassique, 300 av. J.-C. environ.

Au fond de cette aile du musée, *maquette de Tikal,* la grande cité sans la forêt. Puis, dans la grande salle ouverte sur le patio, à gauche, différents linteaux de *Piedras negras,* un site en bord de l'Usumacinta difficilement accessible et dont la sculpture est originale. Dans la cour, du même côté, stèles du même site : la n° 12, pièce maîtresse, figure le vainqueur dominant une série de prisonniers aux cheveux attachés, symbole de leur défaite. La n° 15 est presque une statue, évolution de la technique de la sculpture (an 785, plus tardive). Le personnage dans une niche est une représentation particulière à Piedras Negras (nº 6). Enfin, pour conclure avec ce site, dans la salle ouverte, au fond à gauche, un trône avec deux personnages se faisant vis-à-vis.

Toujours dans cette salle et à gauche avant d'entrer dans celle sur le postclassique, stèles de *Machaquila,* centre du Peten, du plus pur style maya classique.

Salle suivante, Les Hautes-Terres du Guatemala au moment de l'invasion par les Toltèques vers le XIIe siècle. Urnes funéraires de *Mixco Viejo* dans lesquelles étaient déposées les cendres des dignitaires, les trous étant dirigés vers le nord, leurs terres d'origine. Maquette du site mam de *Zaculeu,* près de Huehuetenango.

Salles sur l'ethnographie. Tout au fond à gauche, de beaux spécimens de l'argenterie coloniale populaire (Sacapulas).

KAMINALJUYU (prononcer *rouyou*)

Accès. En voiture, arriver au *trebol* pour s'engager *calzada Roosevelt* que l'on quittera presque aussitôt pour remonter la *diagonal San Juan.* Tourner à droite à la hauteur de la Calle 23 ou suivantes (le quartier s'appelle Tikal !).

Si la cité de Kaminaljuyu existe depuis aussi longtemps que fut utilisé le passage de la plaine côtière du Pacifique, c'est qu'elle se situe à l'endroit où la sierra (depuis l'isthme de Tehuantepec) ne forme plus une barrière difficilement franchissable. A un jour de marche de la plaine, et sous un climat plus clément, cette vallée était amenée à recevoir un centre de rayonnement tout particulier. On lui connaît une occupation très ancienne et pratiquement constante.

Kaminaljuyu reçut les influences *olmèques* et celles d'*Izapa* (voir Côte Pacifique), rentra ensuite en relation avec *Teotihuacan,* fut dominée par elle, pour redécouvrir enfin sa personnalité et rayonner à son tour.

On a dénombré plus de 200 structures (ce qui est difficilement concevable dans le contexte des constructions modernes). Elles sont en terre, la plupart des façades de bâtiment ayant la forme de *talud-tablero* (voir Teotihuacan). Le site a été fouillé par la Carneghie, Washington, par la Pennsylvania State University, et par l'Institut guatémaltèque d'anthropologie.

LES ALENTOURS, MIXCO VIEJO

Accès. Difficile sans une voiture particulière. Deux heures de route depuis Guate par San Pedro, San Juan Sacatepequez et Montufar. Une idée d'excursion (de pique-nique par exemple) sur un très beau site maya-pokoman de l'époque postclassique, encore en sevice à l'arrivée des Espagnols. Il est construit en défense sur des plateaux entourés de ravins.

Mixco Viejo a été fouillé et restauré par des archéologues français, redémoli au cours du tremblement de terre de 1976, et reconstruit par les Guatémaltèques. C'est un endroit désolé, impressionnant. (Guide en français en vente sur les ruines.)

Antigua

Accès. Voir Guate, transport vers la province. Le bus qui mène directement à l'aéroport ou aux grands hôtels de la capitale part d'Antigua à 5 h, 8 h 10, 11 h 10, 15 h 10 et 18 h 10 (se renseigner de l'heure exacte auprès des différents hôtels où il prend les passagers).

Prévoir d'y passer une journée complète. Y passer une nuit permettrait de visiter le village de *Santa Maria de Jesus* ou de gagner les Hautes-Terres par Comalapa (bus fréquents).

Antigua a su garder toute la classe de la capitale espagnole coloniale qu'elle fut jusqu'à la fin du XVIIIe siècle. Les gens qui y vivent (anciennes familles ou Nord-Américains) préservent jalousement les grandes demeures peintes de couleurs douces, agrémentées d'arbres en fleurs (en mars : glycine violette *nazareno,* et arbres roses *matilisguate ;* en toutes saisons : bougainvillées). Les volcans qui dominent la ville, *Agua* et *Fuego,* n'ont pas toujours fait preuve de sagesse comme aujourd'hui, car Antigua n'a cessé de souffrir de catastrophes depuis sa fondation en 1542 (sans compter que la capitale précédente, *Ciudad Vieja* avait été détruite par une coulée de boue dévalant les pentes du volcan).

Epidémie en 1558 ; tremblements de terre en 1565 ; autres tremblements avec éruptions de cendres couvrant la ville de 1575 à 1580 ; peste en 1601 ; tremblements de terre en 1651 ; épidémie en 1686 ; quatre mois de tremblements avec éruptions volcaniques en 1717 ; désastre final dû à un tremblement de terre en 1773. Accord du roi d'Espagne pour la fondation d'une autre capitale.

Si l'on veut tenir compte des heures de la meilleure lumière sur les façades des églises, le matin : église du *Carmen* et couvent des *Capuchinas ;* l'après-midi : *Santa Clara, San Francisco,* la *Merced* et la cathédrale.

Cirma. Centre de recherches sur la Mésoamérique. Bibliothèque avec salle de lecture (ouverte du lundi au vendredi, de 8 h à 18 h ; samedi de 9 h à 13 h). Très belle maison dans laquelle on peut de toute façon entrer. La bibliothèque est publique.

Université San Carlos. Musée ouvert du mardi au dimanche de 9 h à 16 h 30 (avec interruption entre 12 h et 14 h le dimanche). C'est l'ancienne université, construite au XVIIe siècle. La nouvelle, d'Etat, se trouve à Guatemala et porte toujours le même nom. Avant d'entrer, on remarquera le profil du volcan Agua surplombant la façade. L'architecture trapue est caractéristique de la région. Salles avec des œuvres du peintre Cristobal de Villapando sur la vie de saint François. Sculptures en bois polychrome et doré des XVIIe et XVIIIe siècles ; retable. L'éclairage particulier produit par le clocheton au fond du réfectoire explique la fonction de cette originalité architecturale particulière à Antigua.

Santa Clara. On remarquera au bout de la place *tanque de union,* un lavoir avec ses vingt-deux places disponibles. Au nord, l'église de l'hôpital du père de Bethancourt. Derrière le lavoir, on aperçoit le côté de l'église Santa Clara

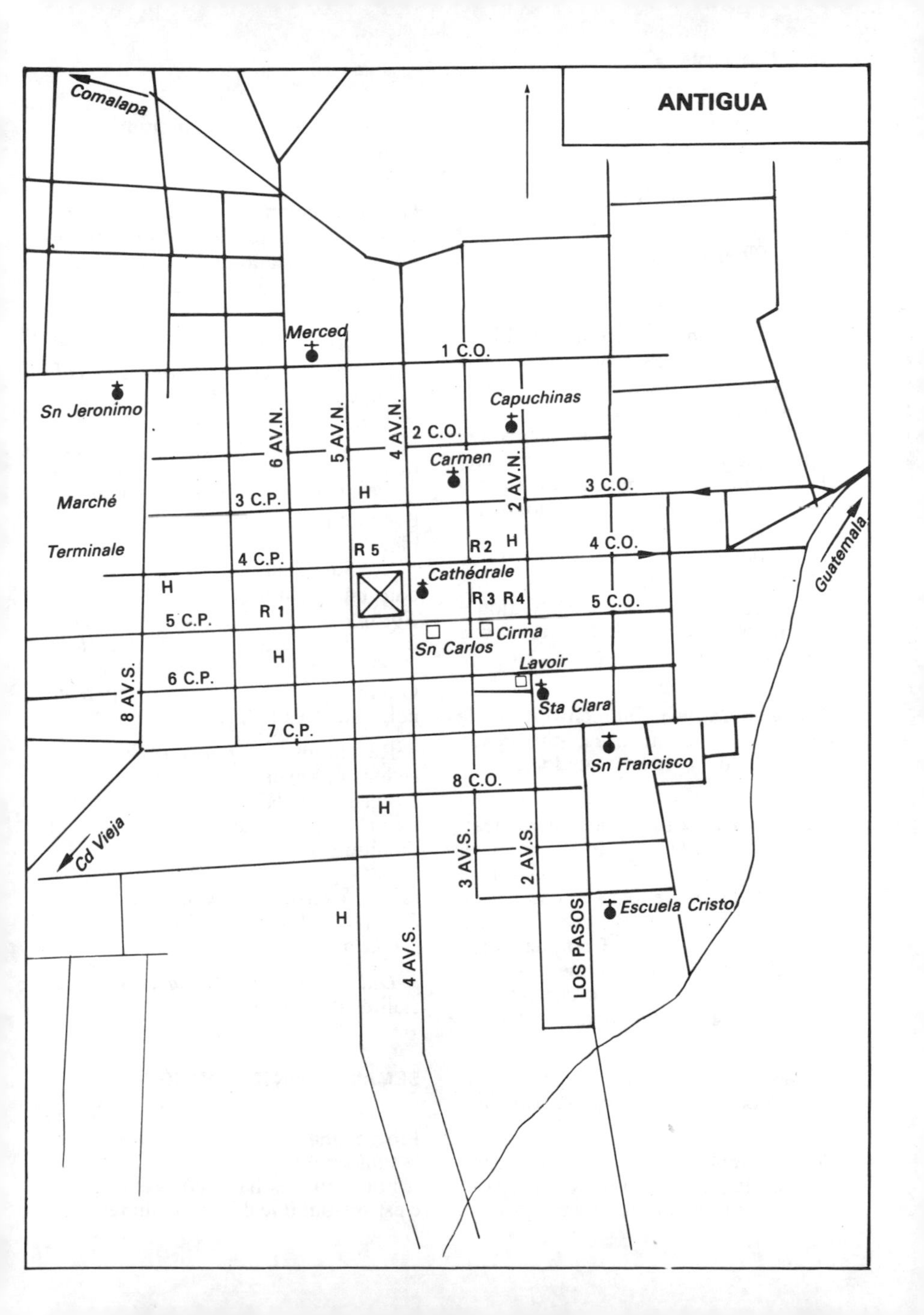
ANTIGUA
Comalapa
Merced
1 C.O.
Sn Jeronimo
Capuchinas
6 AV.N.
5 AV.N.
4 AV.N.
2 C.O.
Carmen
2 AV.N.
Marché
3 C.P.
H
3 C.O.
Terminale
R 5
R 2
H
4 C.O.
4 C.P.
Cathédrale
Guatemala
H
R 1
R 3 R4
5 C.O.
5 C.P.
Cirma
Sn Carlos
H
Lavoir
8 AV.S.
6 C.P.
Sta Clara
7 C.P.
Sn Francisco
8 C.O.
H
Cd Vieja
3 AV.S.
2 AV.S.
Escuela Cristo
H
4 AV.S.
LOS PASOS

dont la façade principale, baroque, n'est visible qu'après l'entrée du musée. A gauche, grand cloître fleuri ; en revenant sur ses pas, on atteint le jardin des dépendances domestiques d'où l'on aperçoit l'église San Francisco.

San Francisco. Beaucoup de fidèles viennent de la capitale prier sur la tombe de Pedro de San Jose de Bethancourt, un Franciscain dont la sainteté et le rôle social sont reconnus. On remarquera les nombreux *ex-votos.* Dans l'entrée, quatre retables dorés et des archanges pendus au plafond. En se dirigeant vers le maître-autel, on verra derrière soi la décoration de l'arche soutenant le chœur. Sur un des côtés de la nef, un retable ajouré entourant un Christ de Nazareth (une pièce rare).

Eglise du Carmen. On n'en voit que la façade, mais c'est un des plus beaux exemples de style baroque local.

Capuchinas. (couvent des Capucines), du XVIIIe siècle. On peut entrer et visiter. Les 18 cellules ouvrent sur un patio circulaire, le tout soutenu par un énorme pilier en étoile que l'on peut aller voir en sous-sol. Certaines fenêtres de ces cellules donnent sur un jardin que l'on visite en contournant ce curieux ensemble architectural.

La Merced. L'église est encore en service. Voir le cloître avec sa fontaine.

Ayuntamiento. C'est le palais municipal, sur la place centrale. On y découvrira un musée d'armes du temps de la colonie ainsi qu'une imprimerie de cette époque.

La Concepcion. Pour conclure une journée de visite, un endroit particulièrement romantique qui nous laissera la nostalgie d'Antigua.

Hôtellerie

On dort très bien à Antigua. *Posada las rosas,* 6 Av. entre 5 et 6 C., dans le centre. *Angelina,* 4 C. Poniente, plus près de la terminale ; ces deux, les meilleurs marché. *Aurora* (tél. 03.20.217), 4 C. Oriente. Chambres donnant sur un patio fleuri très agréable. *El Rosario Lodge* (tél. 320.336), 5 Av. Sur Final. Chambres dispersées dans un jardin tranquille. *Posada Don Rodrigo*** (tél. 03.20.387), 5 Av. Norte. Une certaine personnalité. *Hôtel Antigua**** 8 C. O. (tél. 03.20.331 ; Guate, 53.24.90). Un peu impersonnel, mais très correct.

Restaurants. *Capuchino* (R1) : excellent et véritable restaurant italien. *Doña Luisa* (R2) : nourriture bonne, naturelle et originale. Petits déjeuners diététiques. Panneau d'annonces entre voyageurs. *Patio* (R3) : spécialités de jus de fruits. *Fonda de la ciudad Real* (R5) : fondues de fromage *(queso fondido).*

Dulces de Doña Maria (R4) : spécialités de la ville.

SEMAINE SAINTE À ANTIGUA

Programme

Plus qu'un spectacle pour les touristes ou pour les habitants eux-mêmes, c'est surtout une dévotion qui remonte à l'époque où Antigua était la capitale de toute l'Amérique centrale. Les fidèles viennent des pays limitrophes pour suivre les processions et vont s'abriter dans les cloîtres en ruine, faisant revivre à cette ville l'époque de sa splendeur. Par esprit d'hospitalité et de respect pour les images saintes qui vont être portées à travers les rues, chacun doit balayer devant sa porte, éclairer ses fenêtres, et souvent participer à l'élaboration sur les chaussées de tapis faits soit de sciure colorée, soit de fruits ou de plantes.

Dimanche des Rameaux : processions à la sortie de messes des différentes églises. A 14 h, procession générale de l'image de Jésus de Nazareth à la Merced.

Lundi : veillée à la Merced.

Mardi : veillée à San Francisco.

Mercredi : veillée à l'Escuela del Christo.

Jeudi saint : en début d'après-midi, procession de Jésus de Nazareth du Pardon depuis San Francisco.

De 17 h à 19 h, cérémonie de la toilette du Christ à la cathédrale, à San Francisco, la Merced et Escuela del Christo.

De 18 h à minuit, visites d'autels à la Merced, San Francisco et Escuela del Christo.

Vendredi saint : à 3 h du matin, parcours, à travers les rues, des soldats romains qui lisent la sentence du Christ.

A 7 h, sortant de la Merced, procession des pénitents portant le Jésus de Nazareth et la Vierge des Douleurs. A 14 h, chants du Pardon. A midi, crucifixion à l'Escuela del Cristo (14 h 30, descente de la croix et procession du Christ dans sa châsse, le Señor Sepultado). A 15 h 30, la même procession depuis San Felipe de Jésus ; à 17 h, depuis la cathédrale.

Samedi saint : (Sabado de Gloria). Depuis les églises de la Merced et de Escuela del Cristo, processions de la Vierge de la Solitude (Virgen de la Soledad).

CIUDAD VIEJA

Accès. Bus du marché d'Antigua. A 4 km, *San Juan Obispo :* église et couvent d'où l'on a une très belle vue sur la vallée et la ville d'Antigua. A 8 km, *Santa Maria de Jesus :* village indien Cakchiquel sur le flanc du volcan Agua.

Le pays des Quetzales

Accès. Quatre heures et demi de bus pour *Coban,* quatre pour *Biotopo.* Moins en voiture particulière. On quitte la route de Puerto Barrios à *El Rancho.* Cette région, sur les premiers contreforts de la Sierra, bénéficie d'un maximum d'humidité due à la proximité des Caraïbes, et de la fraîcheur due à l'altitude. Coban est à 1 300 m, avec une température annuelle moyenne de 17° et 2 000 mm de précipitations. Biotopo, à 2 000 m environ avec 16° et 2 600 mm.

BIOTOPO DEL QUETZAL

Accès. L'entrée se trouve sur la route de Coban, au km 160,5 (30 kilomètres avant cette ville). Prévoir de quoi se protéger du froid et de la pluie (fréquents crachins *chipi chipi*), et des chaussures pour la boue.

C'est un parc naturel où le *quetzal* trouve son habitat. En cherchant à découvrir cet oiseau secret et timide, vous en découvrirez d'autres ainsi que des animaux et plantes (fougères arborescentes, orchidées, champignons). Trois sentiers balisés : les *musgos* les mousses, long de 3600 mètres, demandant environ 3 heures ; la *cascada,* de 450 mètres aller et retour, et partant du précédent ; *los helechos* fougères, de 2100 mètres, traversant le parc en son centre.

Sauver les *quetzales* est certainement le début d'une prise de conscience écologique des Guatémaltèques. La disparition de cet oiseau considéré comme le plus beau de la terre serait la limite de la destruction de leur environnement qu'ils ne sauraient tolérer.

Hôtellerie

Los Ranchitos, au km 161. Comedor. *Montaña del Quetzal**, au km 156. Restaurant et piscine.

TACTIC

Au km 185. Bourgade dont on visitera l'église et le *pozo vivo,* un phénomène naturel des plus particuliers et dont l'origine est un puits artésien. C'est près de la station d'essence Esso. On trouvera aussi des établissements de bains, *Cham-Che.* Au marché, indiens *maya-pokomchis* avec leurs costumes élégants. Fête le 15-8.

Hôtellerie

Sulmi. Salles de bain communes. Comedor. *Central.* Salles de bains privées et communes. Comedor.

COBAN

Ville qui doit sa richesse au café, au bétail et à l'installation de colons allemands au début du siècle. Fête le 8-8 (Saint-Dominique). Indiens maya-kekchis.

Hôtellerie

Oxib Peck (tél. 051.10.39) 1C. 12-11, Zona 1. *El Recreo* (tél. 051.14.75) 1 Av. 5-01, Zona 3. *Coban Imperial** (tél. 051.11.31) 6 Av. 1-12, Zona 1. *La posada** (tél. 051.14.95) 1 C. 4-12, Zona 2. *Central** (tél. 051.14.42) 1 C. 1-79, Zona 4.

Lait, beurre et café sont excellents dans cette région.

Les Hautes-Terres

IXIMCHÉ-TECPAN

A 80 kilomètres de la capitale. Traverser le village de Tecpan pour atteindre Iximché, petit site post-classique, capitale des Maya-Cakchiquels au moment de la conquête espagnole. Sa restauration exécutée avec sensibilité par un archéologue suisse en a fait un endroit plein de charme. Sa visite, qui peut être rapide, est à recommander.

ATITLAN ET CHICHICASTENANGO

On devrait y passer deux nuits à partager entre *Panajachel* et *Chichi*

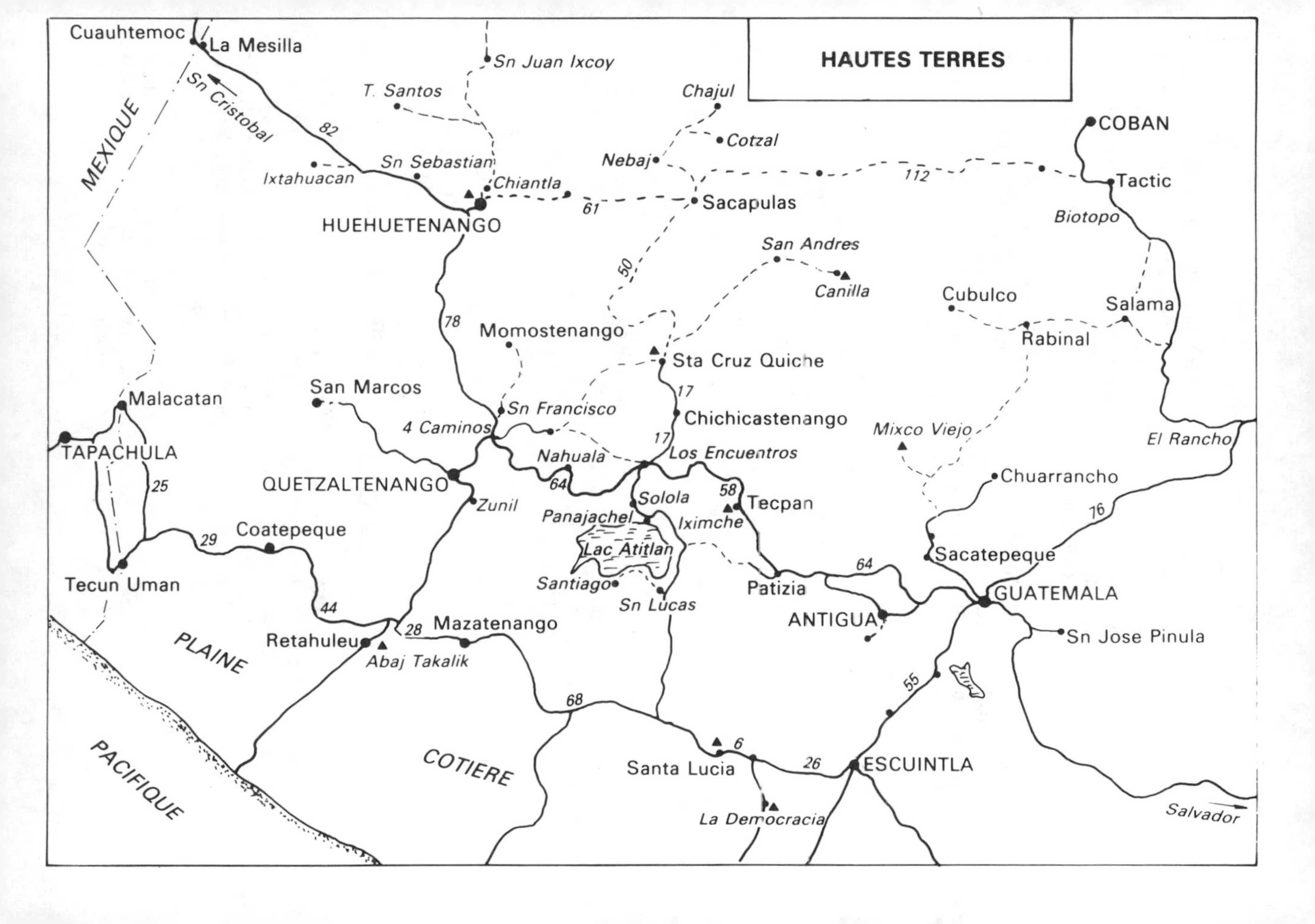
HAUTES TERRES
Cuauhtemoc
La Mesilla
Sn Juan Ixcoy
T. Santos
Sn Cristobal
82
MEXIQUE
Sn Sebastian
Ixtahuacan
Chiantla
HUEHUETENANGO
61
Chajul
Cotzal
Nebaj
Sacapulas
112
COBAN
Tactic
Biotopo
San Andres
Canilla
50
Cubulco
Salama
Rabinal
78
Momostenango
Sta Cruz Quiche
17
Chichicastenango
San Marcos
Malacatan
Sn Francisco
4 Caminos
TAPACHULA
25
Nahuala
Los Encuentros
Mixco Viejo
El Rancho
QUETZALTENANGO
64
Solola
58
Tecpan
Chuarrancho
Zunil
Panajachel
Iximche
76
Coatepeque
29
Lac Atitlan
Sacatepeque
Tecun Uman
Santiago
Sn Lucas
Patizia
GUATEMALA
44
28
Mazatenango
ANTIGUA
Retahuleu
Abaj Takalik
Sn Jose Pinula
PLAINE
55
68
6
Santa Lucia
26
ESCUINTLA
PACIFIQUE
COTIERE
La Democracia
Salvador

(comme on dit), ou à Panajachel seulement, l'accès entre les deux villages étant rapide. Le point de ralliement de ces deux villages, *Los Encuentros,* se trouve sur la grande route où passent fréquemment des autobus (il peut faire très froid sur cette crête).

Le lac Atitlan est considéré comme l'un des plus beaux paysages du monde (pour en juger, on ira le voir depuis le mirador près de Godinez, à 15 kilomètres de Panajachel). La découverte du lac depuis là-haut ne s'oublie pas.

Chichicastenango, les jours de marché (jeudi et dimanche) nous donne l'idée d'un grand centre indien. Son accès est rendu difficile par le passage de deux profonds ravins *barrancos,* et son environnement bénéficie d'une lumière toute particulière due à son altitude.

La région est une des plus peuplée du Guatemala, avec une grande diversité de langues : à Santiago, on parle tzutuhil ; à Panajachel et Solola, le cakchiquel ; à Chichi, le quiché.

Températures moyennes annuelles. Lac Atitlan : 18°. Chichicastenango : 15°.

SOLOLA

Marché les mardi et vendredi. Cette petite ville n'a pas de charme particulier, mais sa situation entre les Hauts-Plateaux et les berges du lac favorisant les échanges, le marché y est particulièrement important. Peu touristique, il mérite d'être vu. Les habits des femmes sont de tissus de fabrication industrielle, alors que quelques hommes portent encore le traditionnel boléro de grosse laine grise, décoré d'un motif cousu sur le dos et représentant une chauve-souris (cet habit est souvent remplacé par un semblable en feutre blanc). Les Indiens de Los Encuentros se protègent du froid avec une ceinture de grosse laine qu'ils portent au-dessus du pantalon.

Sur la place de Solola, autobus fréquents tant pour Panajachel que pour Los Encuentros d'où partent fréquemment des autobus pour Chichi.

PANAJACHEL

Petit marché quotidien en haut du village, sortie vers Godinez. Lorsqu'on parcourt ce village, on imagine mal ce qu'il dut être à son époque indienne. Il serait l'endroit indiqué pour un anthropologue indien (il en existe) étudiant les effets de notre civilisation. Si l'on sait s'éloigner des ruelles transformées en capharnaüm du souvenir, on redécouvrira le Panajachel des années 60, lorsque les gens de la capitale achetaient des terrains pour leurs fins de semaine. Il en reste les grands arbres et les jardins, comme ceux de certains hôtels, qui témoignent du tout début du Panajachel touristique. En marchant vers Santa Catarina, on apercevra des petites plantations de café qui cachent un habitat indigène.

Hôtellerie

Las Casitas (tél. 0621.224) en haut du village, face au marché (terminus des bus). Tranquillité. Différentes formules dont chambres avec kitchenettes. *Mini hôtel Riva Bella* (tél. 0621.348), sur la rue principale mais en retrait, en bas de la montagne. *Monterrey** (tél. 0621.126), entre la rue principale et le bord du lac. *Regis** (tél. 0621.149), sur le chemin central conduisant au bord du lac. Chambres indépendantes dans un jardin avec orchidées. *Cacique** (tél. 0621.205), sur le chemin de l'embarcadère. On recommande son restaurant. *Vision Azul** (tél. 0621.426), dans la crique, à droite avant d'atteindre le village. *Del Lago**** (tél. 0621.555), au bord du lac. De l'intérieur, et grâce à l'excellent service, on oubliera son aspect extérieur.

Restaurants. On trouvera un peu partout comedores et restaurants, dont on retiendra le *Fontana,* italien (rue principale, en face du chemin de la plage), ainsi que le restaurant de l'hôtel *Cacique.*

Transport

Autobus fréquents pour Los Encuentros. Ils démarrent du marché, mais on peut les prendre aussi sur la rue principale. De Los Encuentros, autobus fréquents pour Chichicastenango, Guate, Quetzaltenango et Huehuetenango.

LE LAC ATITLAN

Il doit son existence à la présence, au fond d'une cuvette, de blocs recouverts de lave. Des infiltrations souterraines provoquent les variations de son niveau, le fond pouvant atteindre 300 mètres suivant les endroits. Les changements de temps brusques sont la crainte des navigateurs à l'affût de signes précurseurs : nuages passant trop rapidement ou se trouvant audessus de telle montagne. Les trois démons peuvent alors apparaître (brusques courants d'air dus à la rencontre de masses d'air chaud provenant de la côte pacifique et d'air froid de l'Altiplano, ce qui rend la navigation dangereuse).

Parmi les animaux qui trouvent leur bonheur dans le lac, un certain canard sauvage considéré comme le plus rare du monde le *poc,* comme le nomment les Tzutuhils, niche dans les roseaux de la crique de San Lucas. La disproportion de son poids par rapport à son envergure ne lui permet pas de voler. Par contre, il peut nager sous l'eau sur plus de 200 mètres d'affilée.

Il existe différents moyens de connaître les villages :

A pied, vers *Santa Catarina* (prendre à droite en remontant vers le marché de Panajachel). Compter une bonne heure de marche. Les femmes y portent de beaux huipils avec broderies en zigzag. Puis, *San Antonio Palopo* (une autre bonne heure de marche). Les habitants y sont plus cultivateurs que pêcheurs, mais on pourra toujours louer une barque pour le retour.

En bateau, vers *Santiago* (embarquement à 9 h, soit sur la plage centrale, soit sur celle de l'hôtel Tzanjuyu ; on est de retour à 12 h 30, ce qui permet de rester 1 heure 30 dans le village). Petit hôtel sur place. Marché quotidien. Eglise du XVIe siècle avec des statues de saints. Huttes construites de blocs de lave et coiffées de toits de palme. Confrérie de Maximon (prononcer : *chimon*) : un « saint » que l'on ne retrouve que dans de rares villages comme Zunil. Habillé en « méchant garçon », il est vénéré d'une façon pas très catholique. Son origine n'est pas très claire, sans doute en rapport avec Simon le Magicien, réputé pour ses sortilèges qui, après avoir reçu le baptême, proposa à Pierre et Jean de leur acheter le pouvoir de conférer le Saint-Esprit.

Vers *San Pedro*. Embarquement à 15 h depuis l'hôtel Tzanjuyu. Le bateau repart aussitôt du village. Petit hôtel.

Fêtes patronales des différents villages. *San Pablo la Laguna :* 25-1. San Juan la Laguna : 24-6. *San Pedro la Laguna :* 29-6. *Santiago Atitlan :* 25-7, Saint-Jacques. *Panajachel :* 4-10, Saint-François. *Santa Catarina Palopo :* 25-11.

CHICHICASTENANGO (2 000 m)

Marché les jeudis et dimanches. Le fameux marché de ce gros bourg habité par des Indiens maya-quichés a perdu de son caractère local, car le commerce habituel (fruits et légumes, chaux pour les tortillas, ceci sur la place ; porcs et volailles dans les ruelles) ne représente qu'une petite partie de la surface utilisée, au profit d'échoppes de tissus pour touristes, tenues cependant par les indigènes qui ont toujours été des commerçants hors pair.

A l'occasion du marché, les paysans des hameaux se rendent à l'église où l'on pourra observer leurs prières tant à l'intérieur que sur les marches.

Le *huipil* que l'on voit porté couramment par les femmes et qui rappelle les tapisseries européennes n'est pas du plus traditionnel. Il s'inspire de catalogues apportés par les étrangers (on veut toujours « faire quelque chose » pour les Indiens). Le plus traditionnel se reconnaît au motif en rayon de soleil cousu autour du col. Les confrères *cofrades* portent un costume de grosse laine brune et un foulard de corsaire. On les reconnaîtra, à travers commerçants et touristes, s'efforçant de perpétuer les traditionnelles processions autour de la place (ce costume, malgré sa valeur symbolique et religieuse, est porté par les domestiques de certains hôtels, un peu comme si un hôtel romain habillait ses *bell-boys* en cardinaux).

La fête patronale de Chichi se déroule autour du 21-12 (saint Thomas et solstice d'hiver), mais comme il existe une douzaine de confréries religieuses *cofradia* chargées chacune d'un saint, on ne s'étonnera pas de rencontrer une procession inattendue en d'autres périodes de l'année.

Hôtellerie

Coucher à Chichi une veille de marché permet d'en voir la préparation et d'être présent plus tôt que les autres.

Chuguila (tél. 056.11.34), sur la sortie vers le nord. Sans doute le plus sympathique. Sans prétention et bien géré. Les chambres sur terrasses sont plus modestes, mais plus isolées. On peut, de toute façon y prendre ses repas. *Maya Inn*** (tél. 056.11.76), derrière la plus petite des églises. Tout y est couleur locale. *Santo Tomas*** (tél. 056.10.61), en face de la station d'essence *gasolinera,* sur la rue de l'arrivée. Nombreuses chambres, bien tenues et avec baignoires, mais l'ensemble manque de recul. Tâcher d'obtenir des chambres vers le fond, donnant sur les montagnes. Un buffet est servi pour le déjeuner les jours de marché.

Transport

Les autobus démarrent près de Guatel (télécommunications) dans la même rue que la station d'essence. Fréquents minibus-navette jusqu'à Los Encuentros ou même Solola. A Los Encuentros, nombreux autobus circulant sur la grand-route.

LES QUICHES

Parmi la culture indienne, celle des Maya-Quichés est sans doute la mieux mise en relation avec son passé encore récent à l'arrivée des Espagnols : l'influence toltèque du Mexique central. On peut dire que les invasions successives dans ces Hautes-Terres du Guatemala auront facilité le travail des ethnologues. Certains témoignages historiques, en effet, ont été transcrits au XVIe siècle : le *Popol Vuh* décrivant l'histoire mythique des ancêtres Quichés et de leur migration ; l'histoire des *Cakchiquels* et celle de *Totonicapan*. Il est même resté une pièce de théâtre (à rapprocher plutôt d'un « mystère » du Moyen Age), le *Rabinal Achi* encore joué de nos jours, racontant les conflits entre tribus de l'époque.

Les Quichés, avec leurs cousins Cakchiquels et Tzutuhils forment actuellement un groupe d'autant plus important qu'ils ont gardé l'habitude ancestrale de se déplacer pour le commerce (on en rencontre jusqu'à la frontière du Honduras).

De la même façon qu'on parlait français à la cour d'Angleterre après l'invasion des Normands, la langue *nahua* du Mexique central était, dans le Guatemala occupé, celle des seigneurs qui étaient de même les seuls à pouvoir pratiquer le jeu de balle, à jouer de la flûte et du tambour, à porter des vêtements de coton (ceux des autres étaient en fibre d'agave). Car l'impact qu'avaient toujours laissé les Toltèques faisait qu'il était de bon ton de se référer à eux et de se trouver un ancêtre dans leur lignée. De nos jours, les membres des confréries portent un habit spécifique et jouent de la flûte et du tambour au cours des processions. Car la vie des Quichés d'aujourd'hui est encore organisée suivant les anciens modèles.

Le maire, qui est en même temps le juge, préside au conseil des membres nommés pour administrer la communauté. La passation des pouvoirs se fait le Premier de l'An, tant chez ces derniers que chez les responsables des confréries en charge d'un saint.

Les danses sont aussi un précieux témoignage de cette culture, et certaines n'ont de parallèle parmi les autres communautés mayas. Celle du *Palo volador* qui trouve ses origines au Mexique où elle est encore exécutée par les Totonaques (voir Sierra de Puebla) est, ici, la danse des « artistes des arbres et des cimes ». Les danseurs, déguisés en singes font les pitres à travers le village avant de grimper sur un tronc d'arbre planté devant l'église. Là-haut, ils s'attachent à une corde et se jettent dans le vide, la corde se déroulant les faisant effectuer des révolutions jusqu'à l'atterrissage (le *Popol Vuh* cite deux frères qui, métamorphosés en singe, cherchaient à revenir à la maison sans succès, car on se moquait de leur nouvelle silhouette).

La *danse du serpent* est un autre témoignage de l'apport culturel « mexicain ». On attrape des serpents en agitant des hochets qui les attirent. On les enivre avec de la *chicha,* une boisson de maïs fermenté, parfois même en les faisant boire dans la bouche d'un des danseurs. Puis débute une danse ayant trait à un combat entre Quichés et Espagnols à propos d'une femme, alors que l'on joue avec les serpents. La femme est ensuite kidnappée et les serpents libérés en grande pompe. Cette danse qui a été abandonnée vers les années 50 symbolise la fertilité et remonte très loin, des déserts du Nord mexicain (origine des Chichimèques-Toltèques) où le serpent resta plus longtemps qu'ailleurs associé aux cultures locales. Une danse similaire était encore célébrée, il y a peu, chez les Totonaques. Le personnage féminin est la *Malinche,* compagne de Cortes. Elle tient un serpent en étoffe ; les participants agitent, eux aussi, des hochets.

Celle du *Palo volador* tend à se perdre à Chichicastenango. Elle est cependant exécutée à Cubulco le jour de la Saint-Jacques, le 25-7.

Recherche française

Un groupe de chercheurs français a travaillé dans cette région dans les années 70, suivant un programme conjoint (archéologie et ethnologie entre autres). Si vous voulez suivre leurs traces, ce sera l'occasion de s'engager sur une route difficile, mais pittoresque, et de visiter le petit site d'époque classique tardive qu'ils ont restauré à *Canilla.* Les habitants ont gardé un souvenir sympathique de leur séjour. (Marché le samedi ; quelques costumes d'Indiennes de Joyabaj. Petit hôtel.) Bus partant de *Santa Cruz del Quiche* à 13 h (4 heures de trajet souvent poussiéreux). Au retour, le bus démarre de Canilla à 3 h du matin. On passe à *San Andres Sajcabaja* (marché le dimanche).

NAHUALA

A 25 kilomètres de Los Encuentros, sur la route de Quetzaltenango, très beau marché quiché le dimanche. Fête : 25-11 (Sainte-Catherine).

SACAPULAS

Accès. Bus depuis Huehuetenango ou depuis Santa Cruz del Quiché. Village maya-quiché que la position géographique a prédisposé aux échanges (croisement d'une grande vallée ouest-est avec un axe remontant le massif des Cuchumatans). Mines de sel. Les habitants y sont de caractère particulièrement ouvert (c'est bien le seul endroit où l'on verra une Indienne faire lever un voyageur dans un autobus pour s'asseoir à sa place). On appréciera leur coquetterie (coiffes de pompons colorés, bijoux de corail et d'argent dont des pièces de monnaie de l'époque coloniale). Petit marché fréquent. Pension près du pont.

NEBAJ

Accès. Bus depuis Sacapulas ou parfois depuis Santa Cruz del Quiché. La montée très forte pour atteindre ce village maya-ixil est l'occasion de suivre une des plus belles routes du Guatemala. Cette région isolée a particulièrement souffert de la guerre du début des années 80. Actuellement encore, on ne sera pas surpris de sentir une ambiance pas très détendue, à cause de la tension qui y persiste. Très beaux costumes. Pension. Un archéologue français y a fouillé dans les années 60.

QUETZALTENANGO (2 300 m)

Xela en langue indigène. La ville, proche du carrefour de *Cuatro Caminos,* est assez froide mais permet une étape moins longue vers la frontière. Ses environs sont intéressants à connaître.

Hôtellerie

Canada (tél. 061.40.45), 4 C.-12 Av., Zona 1. *Casa Kaehler* (tél. 061.20.91), 13 Av.-3 C., Zona 1. Ces deux bon marché. *Centro America* (tél. 061.49.01), C. Minerva 14-09, Zona 3. *Bonifaz** (tél. 061.42.59), 4 C.-10 Av., Zona 1.

Les alentours

Belle route descendant sur la côte et rejoignant *Mazatenango.*

Zunil : village quiché aux potagers en terrasses et arrosés à la calebasse. Vêtements aux couleurs fortes. Coopératives de vente de tissus.

San Martin chile verde : village de huttes faites de bois et de boue, technique des plus traditionnelles. Beaux costumes.

San Andres Xecul : on remarquera la façade de l'église, plateresque indienne, naïve. Fête : 30-11.

San Francisco el Alto : marché le vendredi sur une plate-forme d'où l'on domine les environs, un endroit préhispanique. On y trouvera grand choix de couvertures en laine de *Momostenango,* village où il y fait très froid (attention à la fauche). Beaux retables dans l'église. Fête : 4-10.

HUEHUETENANGO (1 870 m)

Pour profiter de cette région assez exceptionnelle, il faudrait y passer deux nuits (vendredi et samedi) pour voir les marchés importants. C'est le pays des Indiens *maya-mams* dont nous verrons les plus beaux costumes et les plus beaux sourires entre cette ville et la frontière avec le Mexique. Leur langue est chantante, leur caractère spontané. Se rendre chez les Mams, c'est sans doute la manière la plus réelle, la plus profonde et la plus délicate de connaître les Mayas. C'est l'anti-Panajachel. (La science de la linguistique fait dire que cette région serait le début du fait maya.)

Huehue (comme on dit) est une petite ville sympathique, aux maisons de couleurs fraîches, aux nuits froides en hiver. Sur la place, une carte en relief de la région (massif des *Cuchumatanes* où les Indiens souffrirent particulièrement de la guerre des années 1980). Près du marché, on remarquera les habitants de *Todos Santos* avec leurs pantalons de zouave et leurs chapeaux ronds.

Hôtellerie

Central, 5 Av.-1 C., proche du parc. Balcons en bois. Très rustique. *Astoria,* derrière l'église. *Zaculeu* (tél. 064.10.86), 5 Av.-1 C., plus cher.

Restaurants. *Las Vegas,* au carrefour de la grande route. A l'*hôtel Central,* cuisine simple et originale.

Les alentours

Zaculeu : site mam de l'époque postclassique encore en service à l'arrivée des Espagnols. Sa restauration avec des fonds de la United Fruit Company n'est pas des plus heureuses

du fait que la reconstitution des stucs est faite de ciment alors que les anciens étaient de chaux, donc plus modelés et recouverts de motifs polychromes.

Chiantla : village métis à 5 km. Au fond de l'église, Vierge à grand manteau d'argent massif. Fête : 2-2, la Chandeleur.

Todos Santos : (bus vers 5 h du matin partant du marché ; retour prévu à Huehue vers 15 h). La visite de ce village vaut beaucoup pour son marché du samedi, mais aussi pour comprendre l'organisation d'un village maya : dispersion des huttes dans les champs, puis leur regroupement progressif pour former finalement le « centre cérémoniel » de la communauté. Le voyage sur un plateau désolé à 2 500 m d'altitude est des plus curieux (quitter le chemin principal qui continue sur Ixcoy, pour prendre à gauche). On trouvera de quoi se restaurer près du marché.

San Sebastian et *Ixtahuacan :* marché le dimanche dans ces deux villages. Si l'on voyage en bus, on pourra se rendre tôt à Ixtahuacan pour en repartir (au besoin avec un camion) et gagner le marché de San Sebastian avant midi (ce village se trouve à 500 m de la route). On peut faire aussi l'inverse : prendre un bus qui va vers la frontière, s'arrêter à San Sebastian, et en reprendre un autre jusqu'à *Naranjales* d'où l'on peut se rendre à pied à Ixtahuacan (une heure de marche ; on traverse Colotenango).

Les « files indiennes » ont, tant sur le bord de la route que sur les sentiers des montagnes, toute leur signification. Ce sont les familles qui se rendent au marché. A *Ixtahuacan,* les filles sont particulièrement coquettes. A *San Sebastian,* on verra beaucoup de costumes des villages alentour : les *huipils* rouges brodés de motifs jaunes sont portés par les femmes de *San Rafael.* Les hommes de *San Juan Atitan* portent une tunique de laine brune, un châle rouge vif jeté sur l'épaule, et un caleçon blanc. Leur visage est particulièrement marqué. Ceux de San Sebastian ont le visage plus rond, le nez plus épaté. Ils portent une ceinture de laine grise ainsi que le carré de tissu rouge.

Fêtes. San Sebastian : 20-1. Ixtahuacan : 23-1 (San Ildefonso).

Plus loin

En reprenant la route laissée sur le plateau à la bifurcation de Todos Santos, autre route, escarpée, vers les villages *maya-kanjobal* de San Juan Ixcoy, Soloma (station d'essence), Santa Eulalia ; puis, le village *maya-chuj* de San Mateo Ixtatan, dont les femmes portent un *huipil* extrêmement coloré et chargé, les broderies figurant une grande étoile. Paysages grandioses. Église dont la façade, petite, peinte, ressemble à une crèche. Fête le 21-9.

En reprenant la route à la hauteur de Chiantla et vers l'est, on regagne *Sacapulas.*

Le Peten

Accès. Par voie fluviale depuis le Mexique, ou par voie terrestre depuis le Belice (voir Guatemala accès).

Depuis Guate. *Par avion :* (voir Guate, transports vers la province).

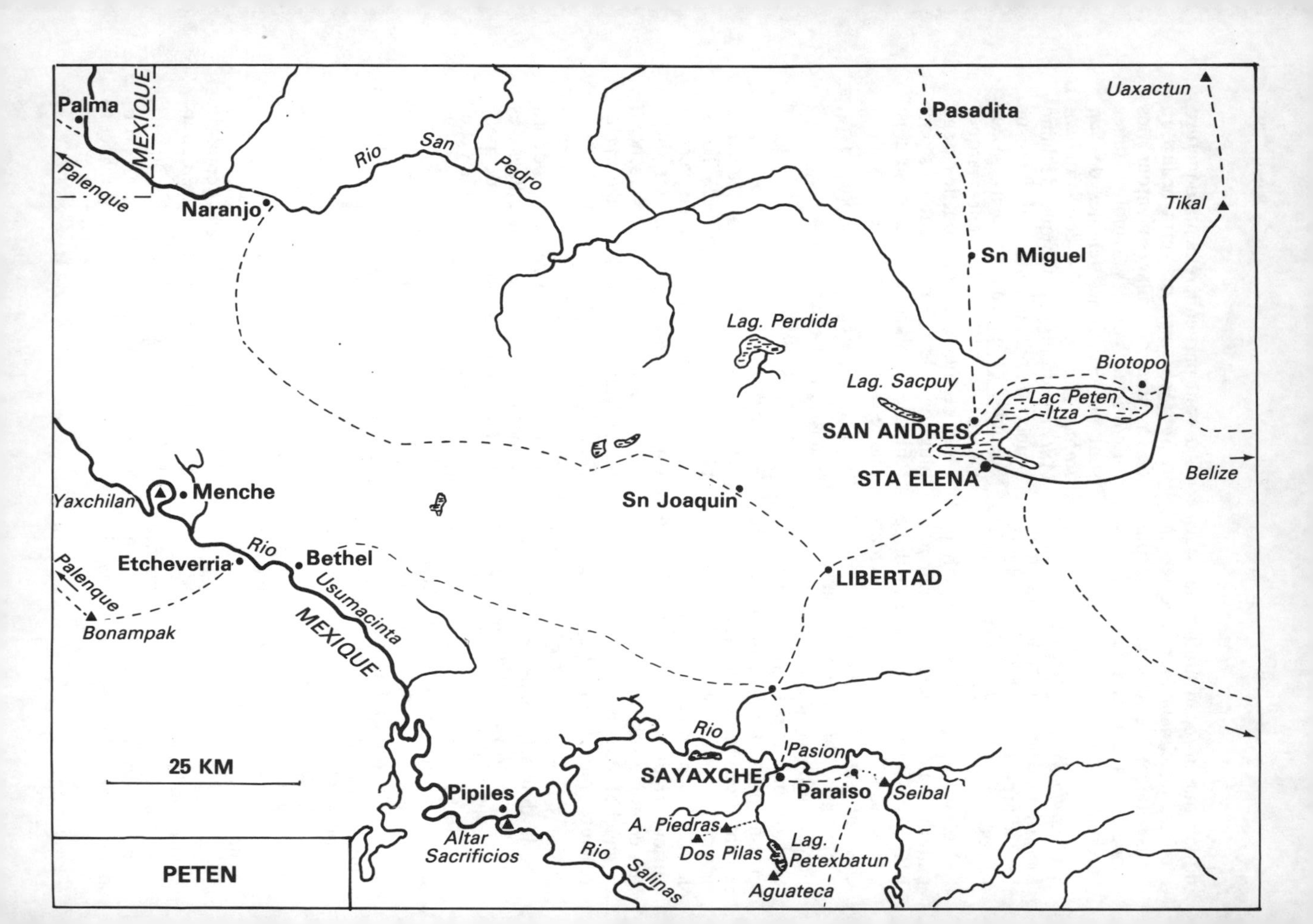

Palma
MEXIQUE
Palenque
Naranjo
Rio San Pedro
Pasadita
Uaxactun
Tikal
Sn Miguel
Lag. Perdida
Lag. Sacpuy
Biotopo
Lac Peten Itza
SAN ANDRES
STA ELENA
Belize
Yaxchilan
Menche
Sn Joaquin
Etcheverria
Rio
Bethel
Usumacinta
MEXIQUE
Palenque
Bonampak
LIBERTAD
Rio
Pasion
25 KM
SAYAXCHE
Paraiso
Seibal
Pipiles
A. Piedras
Lag. Petexbatun
Altar Sacrificios
Rio Salinas
Dos Pilas
Aguateca
PETEN

On ne saurait trop recommander cette dépense vu le caractère particulièrement pénible du voyage en bus sur une piste défoncée traversant des régions déboisées. Au retour, on doit être à l'aéroport de Santa Elena-Flores à 16 h. On arrive à Guate à 17 h. Quelques rares possibilités de retard ou, au pire, d'annulation de vols. *Par autobus :* (voir Guate, transports vers la province). De Santa Elena à Guate, compter 14 heures ; seulement 8 pour Rio Dulce et 9 pour le carrefour de la route de Puerto Barrios. Départ à 22 h 30, 23 h, 5 h, 10 h 30.

La température annuelle du Peten est de 25°.

FLORES-SANTA ELENA (120 m)

Pour ajouter à la confusion, il existe un troisième nom : San Benito, mais en fait, il s'agit de la même agglomération. L'aéroport et la terminale de bus se trouvent côté Santa Elena. Le prix des taxis tourne autour de 1 dollar suivant le parcours.

L'île de Flores a gardé une certaine personnalité avec ses maisons de couleurs pâles, ses balcons en bois et ses toits pentus même s'ils sont à présent recouverts de tôle. Loin du bruit des rues commerçantes de Santa Elena, c'est un endroit de séjour agréable. On accède en barque pour un prix modique (si l'on ne veut pas marcher sur la digue en plein soleil).

Hôtellerie

Ile de Flores : *Peten* (tél. 081.16.92), au bord du lac. Petit, simple, bon marché. Bonne ambiance. Prix différents suivant les chambres dont certaines avec une belle vue. *Yun Kax* (tél. 081.16.86). Les chambres sans air conditionné sont meilleur marché.

Santa Elena : *San Juan.* Pratique pour ses informations (départs de bus, etc.), mais moins sympathique que sur l'île. *Maya International** (tél. 081.12.76), sur le bord du lac. Chambres bien ventilées, sobres. Cadre agréable. *Tziquinaha*** (tél. 081.14.07), sur le bord de la route de l'aéroport.

Restaurants. Plusieurs dans les ruelles de Flores. Nous retiendrons *La Mesa de los Mayas* pour la relation qualité-prix.

TIKAL

Accès. Navettes depuis l'aéroport (3-4 heures) par diverses compagnies (ou hôtels de Tikal) et au même prix. Le bus local qui s'arrête devant l'aéroport démarre du marché de Santa Elena. S'informer auprès du bureau de tourisme. La plupart des hôtels de Santa Elena et de Flores assurent aussi des navettes vers le site.

Hôtellerie

Terrain de camping gratuit. *Jungle Lodge** (tél. Guate 76.02.94). Bungalows. Chambres meilleur marché dans un bâtiment en bois. Ambiance sympathique. *Jaguar Inn**.

Restaurants. On peut prendre ses repas dans ces hôtels, mais aussi dans des *comedores* se trouvant le long de la route, comme le *Imperio Maya.* La cuisine, à Tikal, est assez rudimentaire.

Pour garder le meilleur souvenir de ce site, on devrait pouvoir y passer une nuit et venir avec un magnétophone pour reproduire de la manière la plus évocatrice le réveil de la jungle. S'il pleut en fin d'après-midi (il y pleut 8 mois sur 12), on ne saurait se plaindre d'une telle expérience. Dans ce parc naturel, on observera toucans, dindons sauvages, chevreuils, porcs sauvages, singes hurleurs et peut-être même tarantules et serpents, mais plus souvent, des colonnes gigantesques de fourmies décorées des feuilles qu'elles transportent. Dans le réservoir de l'entrée, un petit crocodile. Il est recommandé de suivre les chemins tracés, trop de curiosité pouvant amener à de fâcheuses pertes de temps. Des aires de repos sont prévues. On peut contourner le site en voiture et continuer à pied depuis les différents parkings.

Tikal qui comprend 3 000 constructions connues et quatre grandes chaussées (accès cérémoniel entre les centres) est limité par des marécages, cours d'eau et remblais construits, l'accès naturel étant au sud-ouest, celui emprunté de nos jours. Le site s'étend sur 160 km^2 et sa population dut atteindre 50 000 habitants. Habitée depuis le premier millénaire avant J.-C., cette cité devint importante à la fin de la période préclassique (une stèle indique l'année 292 ap. J.-C., date la plus anciennement inscrite dans les Basses-Terres mayas), alors que Teotihuacan, à 2 000 kilomètres de là était le centre culturel et politique le plus puissant de l'époque.

Tikal se trouvait sur un nouvel axe de circulation ouest-est qui traversait cette région nouvellement occupée à la suite d'une éruption volcanique au Salvador provoquant l'exode massif des populations rescapées. Jusqu'alors, la route Mexique-Centre Amérique passait le long de la plaine côtière du Pacifique (actuellement, des populations s'installent dans le Peten ; l'accès récent par le rio San Pedro montre la reprise de cet axe de communication à travers la région).

Le premier souverain identifié à Tikal par la lecture des glyphes est *Patte de Jaguar* (IVe siècle ap. J.-C.) Il aurait marié sa fille à un émissaire de haut rang de Kaminaljuyu ville alors très en vogue, *Museau en Spirale* qui règnera ensuite un demi-siècle. Sur les objets de cette époque apparaît le style de Teotihuacan avec laquelle Kaminaljuyu entretenait d'étroites relations. *Ciel d'Orage,* ensuite, accède au pouvoir en 426, et un *katun* plus tard (20 ans), la stèle n° 31 (une des plus belles ; elle est exposée au musée local) est dédiée à cet important anniversaire. Déjà depuis quelque temps, Tikal démontrait une personnalité toute particulière, comme on peut le voir dans le grand centre du *Mundo Perdido*. La fin brutale de Teotihuacan provoque cependant un moment de flottement. Les dynasties des VIe et VIIe siècles sont difficiles à suivre ; les dates n'apparaissent plus.

Puis au VIIIe siècle, comme enfin consciente de son indépendance, une lignée de souverains se distingue : *Ah Cacao,* au pouvoir en 682 ; *Yax Kin,* son fils ; *Soleil Voilé*... Mais Tikal, comme les autres cités mayas, décline au début du IXe siècle (l'étude des ossements donne la preuve de maladies et de malnutrition : terres insuffisantes pour une population en progression, l'apport du *ramon,* un fruit farineux que l'on mélangeait au maïs ne suffisant plus). Le milieu de ce siècle connut aussi une période de sécheresse. Les grandes cités n'ayant pas de ressources commerciales (ce qu'elles pouvaient offrir était des produits manufacturés et des idées), leurs liens économiques étaient sujets aux changements politiques.

La dernière stèle de Tikal date de 869 et l'on pense qu'au début du xe siècle, la cité était déserte.

Ce site a été fouillé et restauré par l'université de Pennsylvanie dans les années 50 et 60, puis par l'Institut guatémaltèque d'anthropologie dans les années 80.

Complexe Q. Cet espace carré est bordé de quatre édifices : deux pyramides identiques se faisant vis-à-vis ; au sud, un petit palais dont les neuf chambres donnent sur la place ; au nord, un enclos auquel on accède par une porte couverte en voûte, et dans lequel sont placés un autel et une stèle. Cette dernière représente le souverain « C » (il n'a pas encore reçu son nom) en 771 ap. J.-C. et semant des grains (sans doute une cérémonie de divination que pratiquent encore les sorciers indiens). On a découvert plusieurs groupes architecturaux de ce type construits à un *katun* d'intervalles (20 ans). Cette régularité et l'abscence de constructions sur les pyramides laissent penser qu'ils étaient construits à des fins religieuses.

Place Est. On se trouve en face de l'acropole centrale et derrière le temple I dont on remarque la hauteur particulière. On longe un édifice d'architecture Teotihuacan remarquable tant par son *talud-tablero* que par les cercles spécifiques de Tlaloc (voir Teotihuacan).

Plaza Mayor. Les hautes crêtes supportaient des décors sculptés et peints qu'il est difficile d'imaginer actuellement si l'on ne bénéficie pas d'une certaine lumière. On doit le temple I (45 mètres de haut) au souverain *Ah Cacao* dont la tombe fut découverte au pied de la pyramide (les neuf terrasses nous rappellent les neuf seigneurs des enfers). Le temple II qui lui fait vis-à-vis serait dédié à sa femme *Douze Ara* représentée sur un linteau. Le petit jeu de balle, sur l'un des côtés du temple I ne semble pas avoir été important, un autre endroit étant réservé à ce jeu. L'acropole, au nord de la place est un ensemble de bâtiments cérémoniels en relation avec les deux grands temples. Celle du sud était résidentielle.

Les réservoirs creusés qu'on longe derrière l'acropole sud ou sur le chemin conduisant à la place des Sept-Temples, servaient d'approvisionnement en eau pendant les quelques mois de saison sèche (on en connaît une dizaine). On devine le *temple V* émergeant de ses 57 mètres et d'où l'on a une très belle vue, mais l'accès en est difficile.

Place des Sept-Temples. Cet espace qui crée une atmosphère toute particulière est ouvert au nord par trois jeux de balle parallèles, l'ensemble démontrant l'importance que l'on accordait à ce jeu.

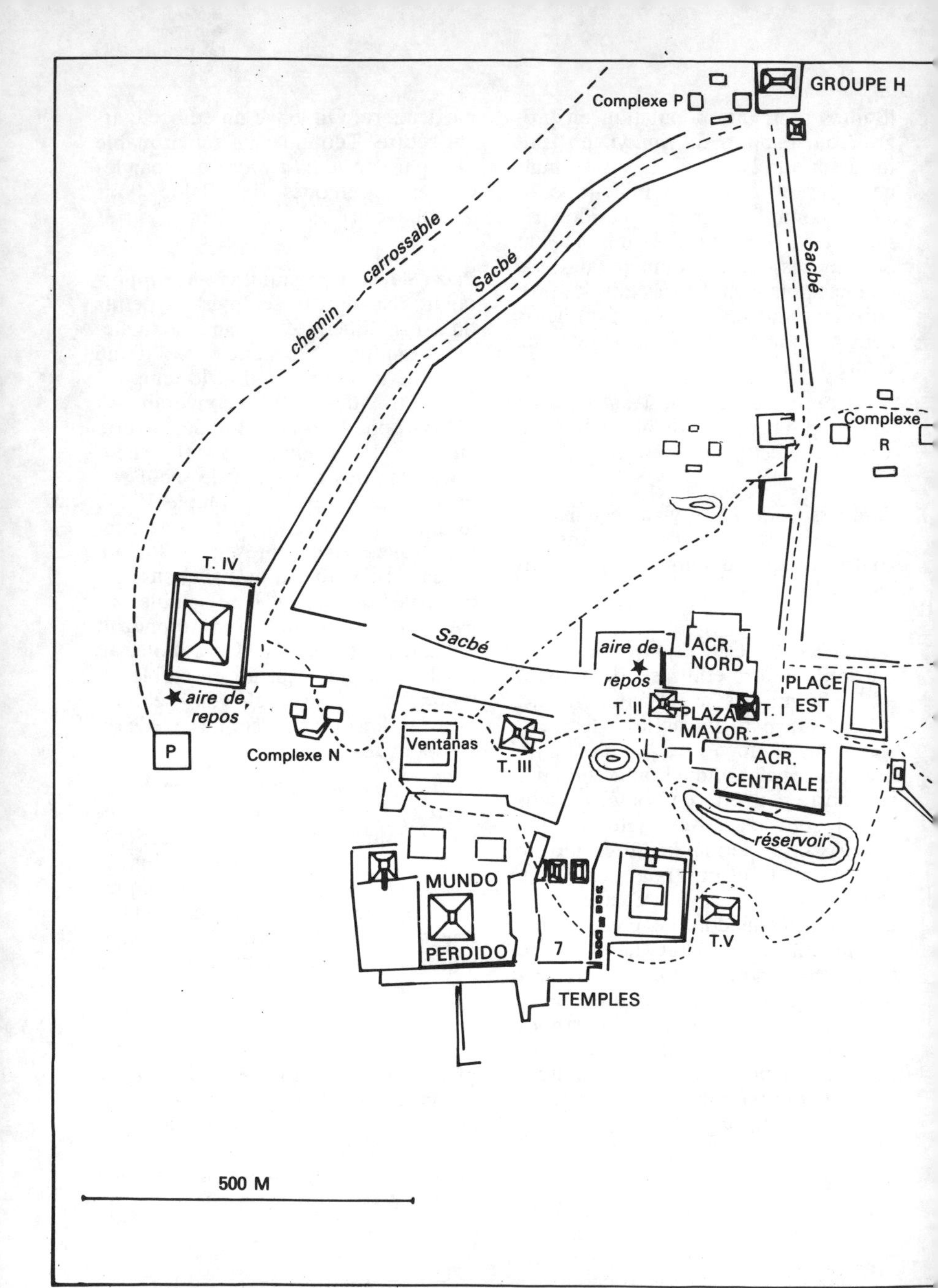
GROUPE H
Complexe P
chemin carrossable
Sacbé
Sacbé
Complexe R
T. IV
Sacbé
aire de repos
ACR. NORD
aire de repos
PLACE EST
P
Complexe N
Ventanas
T. III
T. II
PLAZA MAYOR
T. I
ACR. CENTRALE
réservoir
MUNDO PERDIDO
7
T.V
TEMPLES
500 M

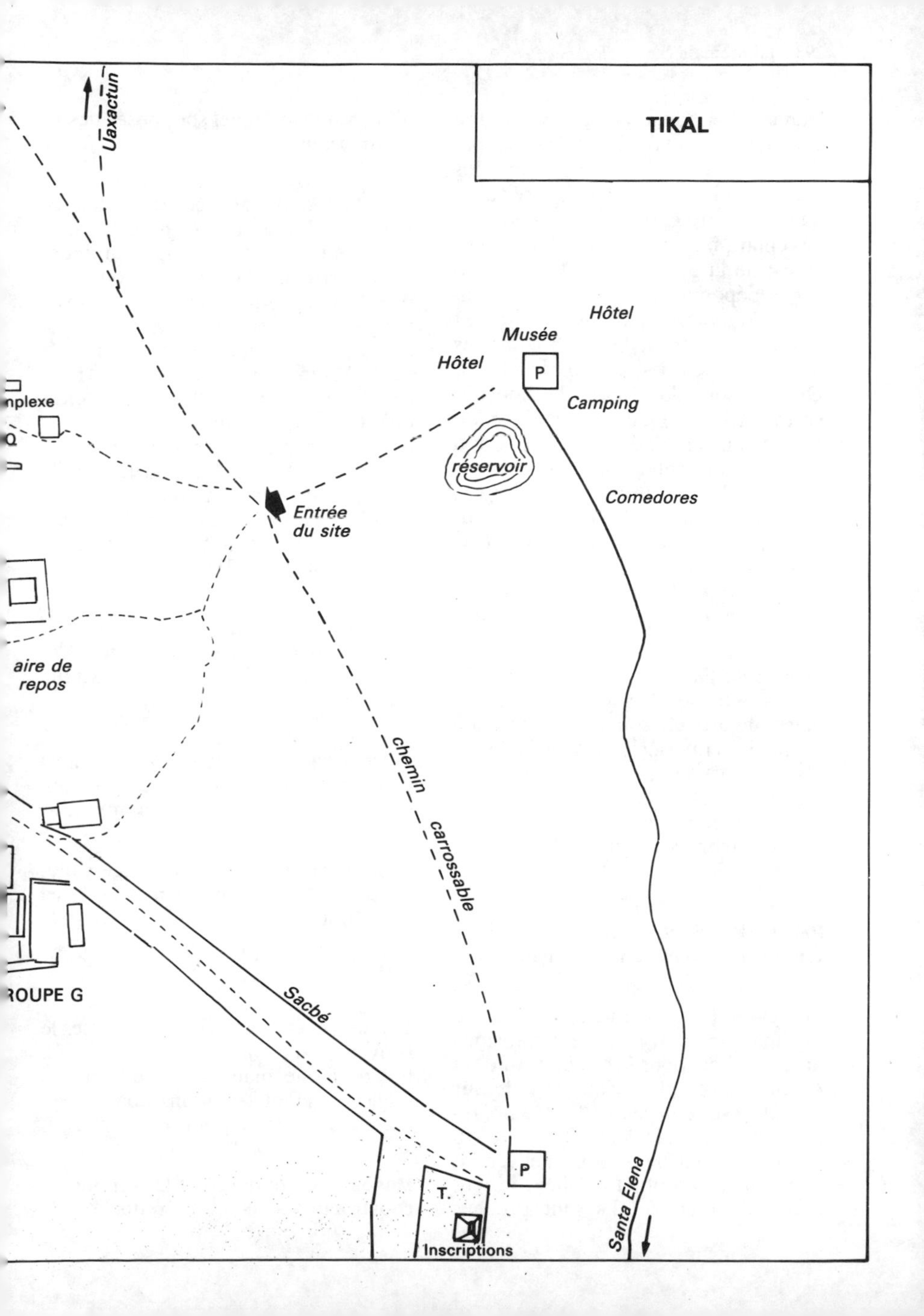
TIKAL
Uaxactun
Hôtel
Musée
Hôtel
P
Camping
nplexe
Q
réservoir
Comedores
Entrée
du site
aire de
repos
chemin
carrossable
ROUPE G
Sacbé
P
T.
Inscriptions
Santa Elena

Mundo Perdido. C'est un grand complexe datant du début de l'occupation du site et comprenant le plus grand édifice de l'époque préclassique. De cette époque, cependant, on ne remarquera que les grands masques à l'est de la place, car tout fut recouvert à l'époque classique (la restauration du temple situé au nord-ouest laisse apparaître à l'un des coins les différentes phases de construction). On a ressorti du Mundo Perdido des vases en céramique, datant de cette période ancienne, d'une beauté tout à fait exceptionnelle. Orgueil du pays, ils sont donc souvent en voyage à travers le monde. Si l'on veut continuer d'explorer cette zone de forêt de palmes, on se dirigera vers le sud, *groupe 6 C XVI* où l'on verra un grand masque du classique ancien.

Temple III. De 55 mètres de haut. Un linteau en bois sculpté, encore en place, figure un souverain obèse de la fin du VIIIe siècle, responsable de cette construction : « C », sans doute. Ce temple est en retrait de la chaussée rejoignant le temple IV à la Plaza Mayor, ces derniers étant antérieurs.

Palais des Sept-Fenêtres *(ventanas)*. Un groupe architectural élégant.

Complexe N. Construit sur le même schéma que le Q, mais de dimensions plus réduites, pour la célébration d'un *katun*. Ce complexe date de 711. Sur la stèle est représenté *Ah Cacao* tenant une barre cérémonielle ; la pierre d'autel figure deux personnages tenant une lame et un objet en silex, instruments de sacrifice. Ils sont proches d'un autel sur lequel sont posés des os et un crâne.

Temple IV. On appréciera mieux ce temple si l'on y monte (65 mètres, la pyramide la plus haute du continent américain). De là-haut, on comprendra l'idée de faire émerger les temples vers le ciel (on voit, de gauche à droite : ensemble, les temples I et II de la Plaza Mayor, le temple III et, très séparé du reste, le Mundo Perdido). C'est de cet endroit exceptionnel qu'a été tourné le final du film *La Guerre des étoiles*. On doit le temple IV au souverain *Yax Kin,* successeur de Ah Cacao et intronisé en 734. Il est représenté sur les linteaux en bois qui sont au musée de Bâle.

Groupe G. Espace caché où l'on pénètre par un couloir voûté. Cet ensemble date de l'époque classique tardive.

Temple des Inscriptions. Appelé ainsi à cause des hiéroglyphes sculptés qui ornent l'arrière de la crête faîtière.

Groupe H. Pas toujours accessible, l'accès étant souvent barré au départ des sentiers qui y conduisent. La stèle du *complexe P* représente le souverain *Yax Kin.*

Complexe M. La stèle représente le souverain *Ah Cacao,* en 692 ap. J.-C. tenant d'une main la barre cérémonielle et jetant les grains comme représenté sur la stèle du complexe Q.

Musée. Les poteaux utilisés pour sa construction sont de différents bois de la forêt. On remarquera le panneau de photos de chauve-souris.

Stèle 31. Au fond à gauche. De caractère particulièrement baroque (influence du sud sans doute). C'est *Ciel d'Orage* qui y est représenté brandissant la coiffe qu'il a le droit de porter en tant que seigneur (la coiffe prenait, à cette époque, plus d'importance). La tête qu'il serre dans son bras gauche, une des figurations du jaguar et ornée de motifs associés au dieu solaire, pourrait être celle de son père, *Museau en Spirale* (elle manque dans la tombe de ce dernier), pour valider l'origine de cette souveraineté. Le texte gravé derrière la stèle insiste sur le lien du personnage principal avec la dynastie de Tikal. Nous sommes au début de l'époque classique : les coiffes et costumes des gardiens en faction sur les côtés rappellent encore Teotihuacan (panache de plume rejeté en arrière, bouclier avec figuration de Tlaloc), mais la tête du défunt porte déjà l'emblème de Tikal (le paquet noué). C'est l'époque où cette cité prenait conscience de sa personnalité, cette stèle répondant au besoin de l'affirmer. C'est le début du Tikal libre.

La tombe de Ah Cacao, au fond à droite a été découverte au pied de la pyramide du temple I. Les vases cylindriques couverts de plaquettes de jade sont surmontés d'un couvercle avec la figure du défunt et de celle de son fils *Yax Kin.* Coquillages travaillés, perles, os gravés. Ces derniers sont des pièces exceptionnelles. Les gravures rehaussées de cinabre, mentionnent *Ah Cacao,* encore jeune, bien qu'il soit mort à l'âge de 60 ans, accompagné de créatures mythologiques (iguane, singe, ara) dans un canoë qui plonge dans le monde des morts.

UAXACTUN

L'accès de ce site est difficile à la moindre pluie. Se renseigner sur le bus qui fait assez régulièrement la navette, le hameau étant assez peuplé. Durée du trajet : au moins 2 heures.

Le site se répartit en deux groupes de part et d'autre de la piste d'aviation. Il a été étudié par la Carnegie, Washington, puis fouillé et restauré avec beaucoup de goût par de jeunes archéologues guatémaltèques au début des années 80.

PETEXBATUN ET SEIBAL

Accès. Pour atteindre *Sayaxché,* étape nécessaire, compter 2 heures 30 de piste par le bus qui part du marché de Santa Elena à 6 h et à 13 h (voir aussi Guatemala, accès par voie fluviale).

Pour les voyages en pirogue *lancha,* on trouvera information au port de Sayaxché, ou bien au café *Montañita,* ou encore à l'hôtel *Guayacan* (sur le port ; c'est le plus agréable) dont le patron vous recommandera un vieux batelier, plus lent mais moins cher. Attention aux coups de soleil pendant le voyage.

Seïbal par le fleuve : 2 heures 30, plus une marche de 15 minutes.

Seïbal par la piste : transport facile jusqu'à El Paraiso — 12 kilomètres — (s'informer à la station d'essence ou attendre à la sortie du village — on participe financièrement). Puis 7 kilomètres à pied (partir tôt, il fait chaud

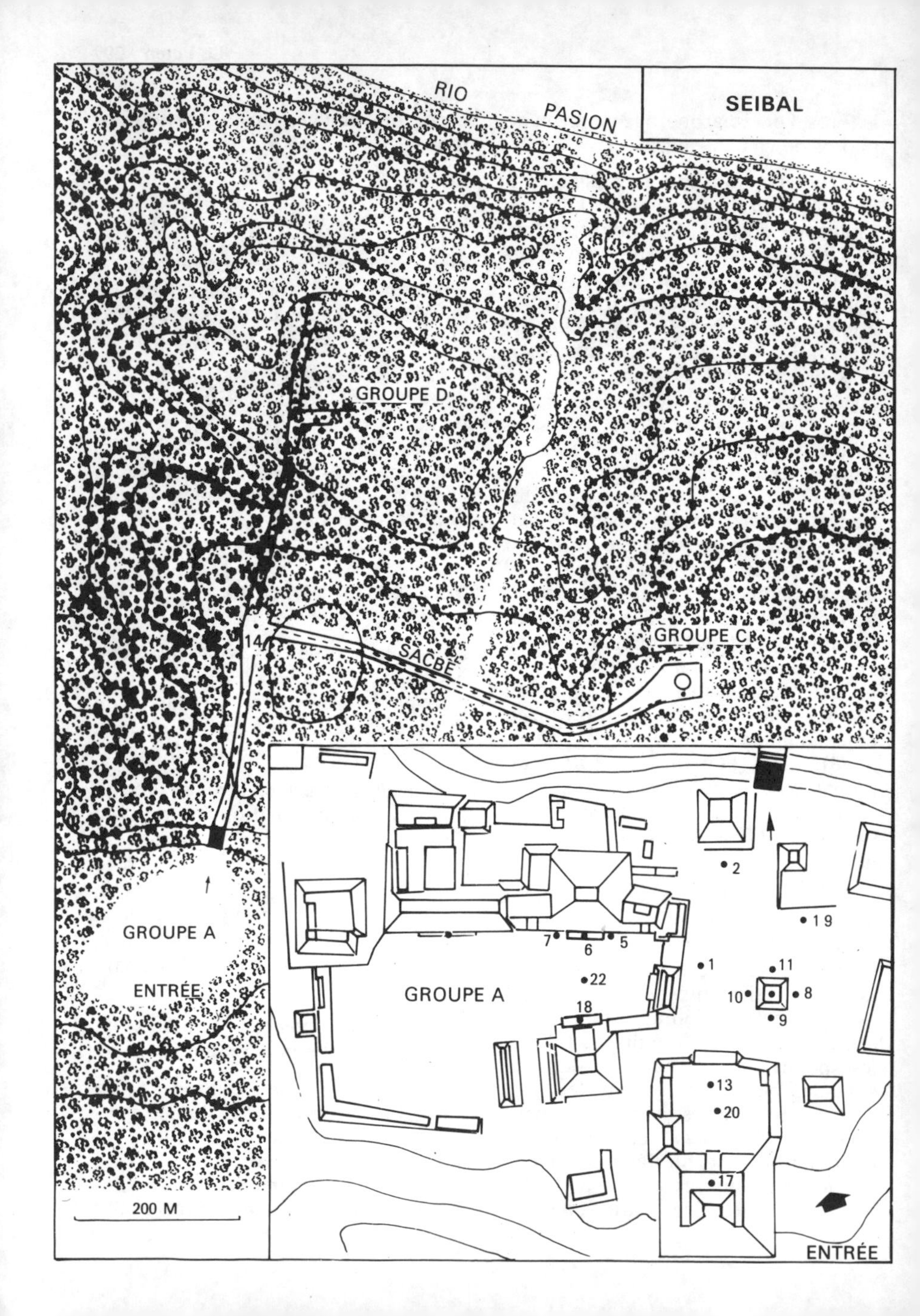

SEIBAL
RIO
PASION
GROUPE D
14
SACBE
GROUPE C
GROUPE A
ENTRÉE
200 M
2
19
7
6
5
1
11
22
10
8
GROUPE A
18
9
13
20
17
ENTRÉE

sur le chemin). Au retour, on trouvera facilement un véhicule à El Paraiso.

Dos Pilas : 2 heures de pirogue jusqu'à El Caribe et 2 heures de marche (pas toujours très aisée) jusqu'à *Arroyo Piedras* (site archéologique avec gardien), puis une heure de marche jusqu'à *Dos Pilas*.

Aguateca : 2 heures de pirogue depuis El Caribe (donc 4 heures depuis Sayaxché), puis 15 minutes à pied.

Prévoir des pellicules photos particulièrement sensibles. On trouvera en général de l'eau de pluie pour boire sur les sites, mais il est prudent d'emporter des sodas, *aguas* avec soi. On peut y camper, mais il faut être muni d'une tente, ou d'un hamac avec moustiquaire *pavillon,* de nourriture, et de linge de corps de rechange. L'accueil des gardiens, souvent abandonnés à leur sort, pourra être sympathique. En partageant vos biens, vous pourrez goûter aux soupes de faisan.

SAYAXCHE

Ce petit centre commercial est situé sur la courbe du rio Pasion, là où débouche l'affluent venant de la lagune Petexbatun. On pense que sur les berges de ces fleuves vint s'installer une population d'agriculteurs au début du premier millénaire av. J.-C. De nos jours, et à la suite du manque de terres au Guatemala, le même phénomène se produit. Sayaxché est un village actif, une étape importante pour le transport fluvial. Si l'on s'y trouve un dimanche après-midi, on assistera au retour dans les hameaux des paysans endimanchés qui se serrent sur les grandes pirogues semblables à celles qu'utilisèrent les puissants marchands intrus, les *Putuns* au moment du déclin de la civilisation maya.

SEIBAL

Il y a peu à visiter parmi les vestiges archéologiques pourtant importants, mais l'arrangement du parc par les archéologues, la beauté particulière des stèles et la marche à travers la forêt de palmes font de la visite de Seïbal une belle randonnée (prévoir du *repelent,* mais surtout se couvrir bras et jambes, car les moustiques abondent).

Si l'on se réfère aux types physiques des personnages représentés ailleurs, on remarquera qu'ici, seule la *stèle n° 9,* la première que l'on rencontre sur le site, présente des traits mayas classiques : absence du creux audessus du nez et expression de dépit. On se retrouve loin des idéaux « classiques » car Seïbal est en relation avec le Mexique central ou avec le Yucatan qui recevait à cette époque la même influence. La céramique trouvée au cours de fouilles provient des régions côtières du Tabasco par le relai de Altar de Sacrificios, carrefour important sur cet axe fluvial. Les stèles, *au bas du temple central,* qui représentent des dignitaires dans toute leur splendeur sont de 849 ap. J.-C., alors que Tikal, par exemple, connaissait son déclin. La *stèle n° 13* est de 870, alors que les grands sites étaient abandonnés. Car Seïbal (du moins tel qu'on le voit) fut construit par les premiers envahisseurs qui, remontant les fleuves Usumacinta et Pasion, s'imposèrent aux populations mayas en déclin.

Près du temple central, *les stèles 10 et 11* représentent le même personna-

ge : sur la première avec une barre cérémonielle à deux têtes ; sur l'autre avec un bâton de commandement et un prisonnier à ses pieds. Des *stèles 8 et 21* (qui représentent un autre et même personnage), les pieds et les mains du premier sont ceux d'un jaguar ; le second a un prisonnier à ses pieds. En remontant la petite acropole, on remarquera un autel qui n'est autre qu'un jaguar, et une stèle *(n° 17).* Un des personnages de celle-ci tient le sceptre vers le bas ; sa main droite posée sur le côté gauche symbolise la soumission. L'autre personnage, aux cheveux longs et portant une jupe (voir Côte Pacifique) est armé d'un javelot. Cette scène représente la reddition d'un dignitaire maya à un guerrier étranger. Sur la *stèle 19,* on remarquera le geste du semeur. Au sud du groupe C, on découvrira une *structure circulaire,* autre preuve de l'apport culturel du Mexique central (l'autel, à côté, qui ressemble à une tortue, représenterait en fait un jaguar). Sur le chemin, *stèle n° 14.*

Seïbal a été étudié depuis la fin du siècle dernier par le Peabody Museum (Université de Harvard) qui le fit fouiller et restaurer dans les années 60.

DOS PILAS, AGUATECA

Ces sites n'étant pas encore restaurés, leur visite vous permettra donc de les découvrir dans leur clairière ainsi que les nombreuses stèles encore cachées. Suivant la saison, vous rencontrerez l'équipe de jeunes archéologues américains qui en commencent tout juste les fouilles (Vanderbilt University, Tennessee).

L'effort que demande leur approche (chemins souvent boueux, montées difficiles, chaleur humide) vous fera mieux apprécier la rencontre avec les oiseaux, les grenouilles au lendemain des pluies, les singes hurleurs, et enfin le bain dans l'eau cristalline des deux *pilas,* réservoirs naturels. La forêt de palmes est, dans cette région, particulièrement belle (là où elle est protégée, c'est-à-dire près des sites, car vous assisterez aussi à sa destruction par une colonisation nécessaire, mais souvent désordonnée). De *Dos Pilas,* on marchera 15 minutes de plus pour atteindre *El Duende* remarquable par ses stèles et par le côté grandiose de son acropole. *Arroyo Piedras,* sur le chemin de Dos Pilas, est un site plus modeste, aux espaces mieux ordonnés. Très belle stèle au centre de la place.

Le soleil tape fort pendant la longue traversée de la lagune de *Petexbatun.* On verra sur les berges la forêt épaisse, coupée de clairières où s'installent les paysans émigrants. Beaucoup d'oiseaux : les *garzas,* hérons ; les *patos-coche,* canards-cochon à cause de leur cri ; les poules d'eau.

L'arrivée à *Aguateca* a quelque chose de spécial, comme si au départ du cours d'eau que l'on remonte débutait une civilisation. Ce site qui domine la lagune est aussi grandiose que Dos Pilas, mais le sous-bois est différent. Jeux de lumière sur les stèles qui entourent la place et sur les fougères protégées par la grande crevasse qui coupe ce site du Petexbatun.

La côte Pacifique

Accès. Il sera difficile d'effectuer ce

circuit sans un véhicule personnel. De Guate, on atteint *Palin* en 45 minutes, *Santa Lucia* en 1 heure 30, *Abaj Takalik* (Retalhuleu) en 2 heures 30, d'où l'on peut rejoindre les Hautes-Terres par Quetzaltenango. Enfin, on peut emprunter cette voie de passage historique pour gagner le Mexique (voir Guatemala, accès par voie terrestre).

VOLCAN PACAYA

Depuis la route principale, prendre à gauche, pour atteindre la base du volcan (c'est indiqué). Compter trois heures pour la montée, dont une heure difficile. Une occasion de voir un cratère en action.

PALIN

C'est sans doute le village indien dont l'atmosphère est restée la plus traditionnelle. Sous la grande *Ceïba* d'âge précolombien, un petit marché quotidien tenu par les Indiens maya-pokomams. C'est cet arbre qui dominait le monde dans la mythologie maya, comme il domine tous les autres arbres de la forêt.

ESCUINTLA

A la sortie sud-est de cette petite ville (vers San Salvador et San Jose), un hôtel : *Texas** (restaurant) et *Santa**. A deux kilomètres plus loin, vers le Salvador, *Edna,* restaurant avec spécialités de poissons.

Archéologie de la côte

Une grande diversité archéologique est concentrée sur les quelques sites visitables (il en existe beaucoup d'autres à découvrir). Cette plaine, voie de passage naturel entre l'océan et les massifs montagneux escarpés fut de tout temps utilisée. Actuellement encore, les commerçants ou contrebandiers d'Amérique centrale l'empruntant pour s'approvisionner au Mexique où le change leur est favorable, se plaignent de se faire détrousser au passage. Pour nous resituer dans le temps et dans l'espace :

La Venta (golfe Atlantique) : art olmèque (800 à 550 av. J.-C.).

Monte Alto, La Democracia : art d'influence olmèque (600 à 350 av. J.-C.).

Izapa (territoire du Mexique, près de la frontière) : après l'influence des Olmèques, s'y développe un art très original. Ce site contribuera au développement de la civilisation maya (300 av. à 50 ap. J.-C.)

Teotihuacan Mexique central (300 à 600 ap. J.-C.).

Santa Lucia Cotzumalhuapa : apport culturel du Mexique central et qui continue vers les Hautes-Terres (Antigua et l'est du Guatemala). Deux époques : Ve siècle ap. J.-C., au début du Classique ; Xe siècle, à la fin du Classique.

Plusieurs de ces styles cohabitent sur les sites comme Abaj Takalik et Bilbao qui sont sur cette plaine, ainsi qu'à Kaminaljuyu qui se trouve au début de la remontée vers les Hautes-Terres.

LA DEMOCRACIA

Accès. A 26 kilomètres de Escuintla,

au village de *Siquinala* (restaurant : *Costa Grande)*, prendre pendant 10 kilomètres vers le sud, direction Sinacate (salines en bord de mer).

Le parc de La Democracia est un véritable musée en plein air où sont exposées les sculptures monumentales du site de *Monte Alto*. On retrouve l'art olmèque avec ceci de particulier : les yeux des personnages sont fermés, les têtes tournées vers le ciel, les mains posées sur le ventre, et les membres inférieurs repliés. Petit musée sur un côté de la place.

BILBAO (Las Ilusiones)

Accès. Par la ferme *Las Ilusiones* ou par le village de *Santa Lucia C.* Au passage d'un pont métallique, on remarquera la raffinerie de sucre *Pantaleon* où l'on peut voir quelques pièces archéologiques (voir Casa de Huespedes après la raffinerie). Continuant sur la grande route et tout de suite après une station d'essence Esso, on prend sur la droite une piste qui longe un terrain de football. Elle conduit à l'entrée de la ferme où sont exposées des copies de sculptures de El Baul. Dans la cour, quelques pièces originales (personnages et serpents). Petit musée. Si l'on trouve un guide, on peut de là visiter le site de *Bilbao*. Sinon, l'accès se fait par Santa Lucia (reprendre alors la grande route).

On atteint le centre de la ville par un boulevard signalé par un monument en pointe. Sur la place sont exposées des copies des rochers sculptés. A l'extrémité de cette même place, prendre à droite jusqu'à l'église *Calvario*, et prendre encore à droite pour gagner la *Colonia Bilbao* où on laissera la voiture et demandera un guide (famille Lopez par exemple). Compter 15 minutes de marche pour atteindre la sculpture la plus intéressante.

Monument 34. Quitter le chemin principal après 12 minutes de marche environ. Brèche sur la droite. De l'autre côté du cours d'eau, petit rocher sculpté de 1,35 m de large représentant deux visages en cartouche de style Tlaloc, dieu de la Pluie au Mexique.

Monument 21. Depuis le chemin principal, continuer de marcher 3 minutes et prendre une brèche vers la gauche. Ce rocher de 4 mètres de haut est placé à la base d'un monticule et doit être regardé comme nous le voyons (la photo à la verticale, par exemple, fausse les proportions). On notera le remplissage par les lierres ornés de cosses de cacao, symbole de fertilité. Le personnage central est un joueur de balle (remarquez ses sandales). Il est entouré d'un sorcier (à gauche) et d'un personnage qui lui parle (à droite). Cette scène est représentée aussi au *Tajin* (voir Sierra de Puebla). C'est la préparation du chef d'équipe du jeu avec les dernières instructions magiques. Epoque : ve siècle.

Monument 19. (Repartir vers la ville et prendre rapidement à droite.) Ce monument garde des traces de vandalisme ancien. On remarquera la jupe nouée par une ceinture-serpents du personnage de gauche. Derrière celui de droite, le phallus d'un homme-jaguar. Epoque : xe siècle (fin du Classique).

EL BAUL

Accès. Depuis la place de Santa Lucia, prendre au bout à droite, laisser l'église du *Calvario* sur sa droite. Au km 2,6 (au compteur), bifurcation après un pont. Prendre à gauche. La ferme se trouve au km 6,5.

Petit auvent abritant de belles pièces dont une stèle avec joueurs de balle recouverts de peau de jaguar. Grande statue d'un jaguar. Et même de vieilles locomotives qui étaient en service au début du siècle. Demander la clef au bureau de la ferme.

SAN FRANCISCO, DIOS MUNDO

Accès. En reprenant le chemin indiqué ci-dessus pour El Baul, et à la bifurcation du km 2,6, prendre cette fois-ci à droite. 1,8 km plus loin, chemin à droite, à travers des champs de canne à sucre. 300 mètres plus loin, prendre à droite et s'arrêter à 300 mètres pour continuer à pied. Marcher vers le haut de la colline boisée où se cachent deux grosses têtes sculptées encore vénérées (on recommandera tout le respect désiré).

Ces sites ont été reconnus en 1863 par un voyageur autrichien qui loua Bilbao pour deux ans afin de le protéger du vandalisme (l'endroit était encore couvert de forêt). Les autorités guatémaltèques envoyèrent ensuite une mission scientifique, et le développement de l'agriculture permit de nouvelles découvertes. Puis vinrent étudier des représentants du musée de Berlin où sont exposées 13 stèles de la région (l'une d'elles est tombée à l'eau au moment de l'embarquement et y est restée). Puis ce fut le tour des chercheurs de la Smithsonian Institute et de la Carnegie, Washington ; du musée de Hambourg et du CNRS en France ; du Milwaukee Museum et de Saint-Paul Science Museum.

ABAJ TAKALIK

Accès. Le site est proche et au nord-ouest de Retahuleu, sur la commune de El Asintal. Partant de la place de ce village, c'est à 3 kilomètres (on devra demander un guide).

Véritable musée, ce site n'a pas de pareil en diversité de styles. Il comprend plusieurs centaines de monuments : stèles, autels et grands rochers sculptés. Les édifices sont en terre.

Ce site a été étudié par l'Université de Berkeley et devrait l'être à présent par l'Institut d'anthropologie du Guatemala.

La côte Caraïbe

Il est difficile d'intégrer cette région à un voyage au Mexique et au Guatemala, car elle est très différente. Vous risquez d'être surpris sinon déçu si vous n'avez pas le temps de vous adapter. On y parle anglais, espagnol, créole et maya. Cette côte fut le refuge des pirates qui attaquaient les galions espagnols. Ils firent alliance avec les Indiens miskitos et caribes qui peuplaient cette région. Des Anglais s'y installèrent pour exploiter les bois précieux. Vint s'y joindre une population d'origine africaine déportée de l'île Saint-Vincent au XVIIIe siècle par les autorités anglaises (il paraît qu'ils étaient « indomptables »). Leur culture *garifunda* pourra être appréciée tant au Belize qu'à Livingstone, La Ceïba et Trujillo. Des Chinois sont là aussi, gérant des restaurants et petits hôtels. La mer est très belle, mais les marins craignent ses coups de tabac. C'est là que les cyclones viennent terminer leurs rondes infernales (ils se désagrègent au contact de la terre) détruisant tout sur leur passage (Belize City en 1961, Honduras en 1970, Chetumal en 1975, Cozumel et Cancun en 1988) : aucune ville n'échappe à sa propre date historique de destruction (elles ne sont d'ailleurs jamais très développées).

LE BELIZE

Accès (voir Belize-transport).

Petit pays de 23 000 km^2 et comprenant 150 000 habitants avec au nord (Corozal) : des Indiens *maya-yucatèques ;* au centre (Dandriga) : des *Garigunas* et, au sud (Punta Gorda) : des Indiens *maya-kekchis*. Aux Africains exilés des « West Indies » s'ajoutent ceux d'un ancien régiment de la Jamaïque recrutés dans les postes anglais d'Afrique. Des Mennonites sont installés dans le centre du pays.

Il ne reste pas beaucoup des arbres tropicaux qui ont fait la richesse du pays et excité la convoitise, mais le style britannique demeure. Les autorités vous rappelleront à l'ordre si vous ne respectez pas les passages pour piétons, même s'il n'y a aucune voiture. Les récifs, eux, sont éternels. Les spécialistes disent que c'est une des plus belles formations coralliennes du monde. Une vingtaine de ces *Cays* sont prêts à vous recevoir. Sur le continent, il fait assez chaud (26° de température moyenne).

Ce pays (ex-Honduras Britannique), devenu indépendant en 1981, tient à garder une certaine présence anglaise pour sa défense, surtout en face d'un Guatemala qui revendiqua pendant longtemps le sud du pays (le problème semble se tasser). Belmopan est la nouvelle capitale, mais Belize City demeure le centre commercial. Les investissements étrangers sont stimulés, sauf dans le domaine de l'hôtellerie. La vie est beaucoup plus chère que dans les pays limitrophes (la monnaie, le dollar-belize, vaut la moitié du dollar US). Cela se fait sentir quand les établissements bon marché, qui existent cependant, ne sont pas souvent de notre goût. Un endroit à connaître et que l'on peut considérer comme le centre du pays pour les voyageurs : *Mom's***, 11, Handyside Street, Belize City (tél. 02.45.073), un hôtel-restaurant avec tableau pour messages et autres commodités. *Belize Tourist Bureau*, 53, Regent Street, P.O. Box 325, Belize City (tél. 77.213).

Transport par avion

Belize City est reliée aux Etats-Unis et au Honduras par *Continental, Eastern Airline* et *Tan Sahsa*.

Transport en autobus

Belize City-Chetumal (Mexique) : autobus réguliers de 4 h à 18 h.

Compagnies *Batty* 54E, Collet Canal, B. City (tél. 02.20.25), et *Venus,* Magazine Road, B. City (tél. 02.33.54). A Chetumal, départs de la terminale. Certains (en fin de matinée) sont directs. Compter 6 heures 30 de trajet.

Belize City-Benque Viejo (frontière Guatemala) : autobus réguliers à partir de 6 h 30 (depuis Benque Viejo, à partir de 4 h). Compter 3 heures de route. Certains vont jusqu'à Melchor de Campos, côté Guatemala ; d'autres ne vont pas plus loin que Belmopan. Compagnie *Novelo,* 19W, Collet Canal. B. City (tél. 02.737).

Belize City-Dandriga : de 10 h à 18 h, depuis B. City ; de 5 h à 10 h depuis Dandriga. Compter 4 heures. Pour Punta Gorda, mêmes horaires mais moins de bus en service. Compagnie *James Bus,* Pount Yard, B. City et *Z. Line,* Magazine Road (tél. 02.39.37).

Transport par Ferryboat

On peut se rendre ainsi au Caye Caulker (départs quotidiens dans les deux sens). *Jan's Service,* station Shell, 73, North Front Street, B. City. Pour Puerto Barrios (Guatemala) et parfois pour Puerto Cortes (Honduras) : départs les mardi et vendredi à 15 h depuis Punta Gorda. *C. Godoy,* Middle Main Street, Punta Gorda.

LIVINGSTONE (Guatemala)

Accès. Bateaux quotidiens depuis Puerto Barrios ; départs à 10 h, 15 h, et 17 h (depuis Livingstone : 5 h, 14 h et 15 h). Compter 1 heure 30 de traversée. Autrement, bateaux particuliers *(lanchas)* sur le Rio Dulce. Livingstone est un village avec beaucoup de charme et de caractère. Deux communautés y vivent : les Garifunas sur le litoral, et les Kekchis sur le bord du rio.

Hôtellerie. *Casa Rosada. Caribe* (tél. 48.10.73). *Tucan**** (tél. 48.15.88 ; Guate : 31.05.40).

RIO DULCE (Guatemala)

Au passage de la route du Peten sur un grand pont. Excursions en bateau *(lanchas)* le long du fleuve (palétuviers) jusqu'à Livingstone.

Hôtellerie. *Del Rio* (tél. 31.00.16), sortie nord du pont. *Marimonte** (tél. 31.44.37), sortie sud du pont, près de la station d'essence ; vue sur le rio. *Catamaran*** (tél. 32.48.29), sur une île ; n'a pas su respecter le charme de l'endroit. Petits hôtels à *La Ruidosa,* carrefour de la route de Puerto Barrios.

PUERTO BARRIOS (Guatemala)

Un port sous les tropiques. Dans le quartier invraisemblable du marché, partez à la découverte du bâtiment abritant à la fois un hôtel, un cinéma et *la lavanderia de su palacio del cine a sus servicios.* Un des plus pittoresques.

Transport. Autobus fréquents pour Guate, dont service Pullmann. Le service commence curieusement à 3 h du matin et s'arrête à 4 h de l'après-midi (voir Guate-transport). Bateaux pour Livingstone (voir cette ville) et ferryboats pour Punta Gorda, Belize (voir Belize-transport) ; parfois pour Puerto Cortes, Honduras.

LA CEIBA ET LES ILES (Honduras)

Accès. Autobus depuis San Pedro Sula (ville reliée à Copan), et avion.

La Ceïba, comme des villages côtiers de la région, est habitée, entre autres, par des Garifunas. Elle est le point de départ de bateaux et avions quotidiens pour les îles de *Utila* et de *Roatan* où l'on trouvera des hôtels de différentes catégories, Utila étant meilleur marché. Repos à la Robinson Crusoé et fonds marins cristallins pour les amateurs de plongée.

TRUJILLO (Honduras)

Petite ville fondée par les Garifunas qui ont leur village traditionnel à 2 kilomètres du centre. Christophe Colomb s'y réfugia dans la baie et les Espagnols installèrent un fortin pour la protection de leur flotte. Ses maisons en bois avec balcons protégés de jalousies font de Trujillo la ville la plus pittoresque du Honduras.

Quirigua

Accès. Quitter la route de Puerto Barrios à 70 kilomètres de Rio Hondo, un peu après Los Amates. Ne pas prendre la piste indiquant Quirigua-Pueblo, mais celle à 1 kilomètre plus loin, de *Cruce de la Ruinas*. Bonne piste de 3 kilomètres. Autobus fréquents se rendant aux bananeraies.

C'est une région particulièrement fertile (la partie la plus ancienne du site est enterrée sous des mètres d'alluvions). Le parc donne une idée de ce que dut être la forêt avant les plantations qui couvrent actuellement 7 000 hectares (elles occupent 5 000 ouvriers). C'est l'aval du rio Motagua. Il y fait particulièrement chaud et humide.

Les stèles immenses (l'une d'elles dépasse les 10 mètres), en grès, sont impressionnantes dans leur disposition sur la grande place. Toutes les grandes constructions et les sculptures datent de la fin du VIIIe siècle et sont postérieures à un événement assez particulier : la capture de *Dix-Huit Lapin,* le grand roi de Copan (on pense qu'il est enterré à Quirigua).

Quirigua aurait donc été dominé auparavant, et cette libération soudaine et tardive expliquerait l'art particulier qui s'y est exprimé. On est loin de l'originalité, de la grâce et de l'élégance de Copan. Mauvaise copie de l'art copanèque, les personnages engoncés restent stéréotypés. Par contre, Quirigua créa des pièces monolitiques toutes particulières en respectant les blocs rocheux utilisés pour leur sculpture (ce qui détermine leur originalité). Elles représentent un animal fabuleux (d'où leur nom de zoomorphe). Sur la sculpture P (tout au bout de la place, juste avant l'accès à l'acropole), que l'on peut considérer comme une des pièces maîtresses de l'art maya, la tête du monstre laisse apparaître le souverain avec son sceptre et son bouclier. De la gueule, à l'arrière, apparaît un masque décharné. Sur le sommet, un masque de Cauac, le monstre de la Terre. L'inscription en glyphes continue sur le rocher situé en avant du zoomorphe. Un personnage y est représenté en train de danser (on appréciera la complexité d'une telle œuvre quand on essaiera d'en faire une photo).

La représentation des glyphes de Quirigua est particulière. Ce sont des personnages fantastiques que l'on ne retrouve que sur une seule des stèles de Copan (de la même époque d'ailleurs). L'artiste aurait-il été kidnappé pour un temps ?

Copan

Accès

Il serait regrettable de ne pas y passer une nuit, les conditions d'accès demandant un minimum de temps. Or, découvrir ce site aux heures chaudes retire de son charme.

Bus (depuis Guate, compter au total 7 heures)

Guate-Chiquimula : (voir Guate, transport).

Chiquimula-Copan (par Jocotan et frontière-Florido) : départ à 6 h et à 11 h. Compter 4 heures de trajet, compte tenu de la correspondance (Copan est à 12 kilomètres de la frontière). Tous les autobus stationnent sur la place de Chiquimula et au même endroit. Il faudrait donc passer la nuit à Chiquimula ou bien partir de bonne heure de Guate pour attraper le bus de 11 h, ce qui permet d'entrer sur le site une heure avant sa fermeture. Le dernier (14 h) ne va que jusqu'à Jocotan (petit hôtel) d'où l'on peut tenter d'obtenir un transport jusqu'à la frontière, mais c'est hasardeux.

Au retour, on gagne Guate dans la journée à condition de quitter le village de Copan par le bus de midi pour attraper la dernière correspondance à la frontière (13 h). D'autres bus partent dans la matinée. Dans l'après-midi, possibilité de se joindre à un des véhicules *pick-up* faisant la navette jusqu'à Jocotan d'où l'on peut prendre un bus pour Chiquimula, mais c'est risqué. A Chiquimula, correspondance fréquente.

Voiture particulière

Depuis Guate, compter 5 heures. En saison des pluies, il faudra éviter de s'engager sur la piste (qui commence à la route de Chiquimula) l'après-midi, car il y a des gués à passer avec des risques de crues rapides (surtout en juin et septembre).

On peut prévoir, en partant tôt, de faire un crochet par Quirigua (compter trois heures et demie de plus, visite du site comprise), et de se restaurer à *Longarone, Rio Hondo*. Pour Copan, compter 3 heures depuis Longarone et 4 depuis Quirigua.

Frontière

Un droit légal est perçu à la sortie du territoire guatémaltèque. Lorsque vous ne disposez pas du visa hondurien, le service d'immigration vous donne un permis de 2 ou 3 jours, à condition de ne pas se rendre plus loin que Copan. Ce service ne se montrera pas aussi correct que celui du Guatemala et trouvera tout prétexte pour vous extirper de l'argent (entrée, sortie, voiture, etc.). Il faudra cependant éviter de prendre ces gens à rebrousse-poil, l'intérêt qu'ils portent à leur patrimoine culturel n'étant pas encore bien défini. Si l'on pense se rendre au Nicaragua, on évitera d'en parler, les mesures de rétorsion pouvant se traduire par une limitation de séjour sur le territoire hondurien.

On effectue le change *quetzal-lempira* facilement à la frontière. Au retour, s'il vous reste des lempiras, vous pourrez les changer sur la place ou sur le pont du village.

Hôtellerie sur la route

*Longarone** (tél. 0410.314) km 125, à 10 kilomètres avant le carrefour de la route de Chiquimula (en venant de Guate), et près d'une station d'essence Shell. Parc, piscine, salle à manger aérée et sans air conditionné. Le nom fut donné par le propriétaire (un hôtelier professionnel) en souvenir de son village natal enseveli par un torrent de boue. D'autres hôtels ou restaurants aux alentours, mais beaucoup moins remarquables.

A Chiquimula : *Dario,* derrière l'église et en diagonale de l'arrêt des bus. Modeste. *Chiquimulja,* à l'arrêt des bus.

LE VILLAGE DE COPAN (700 m)

Température moyenne annuelle : 21° (il fait frais en décembre et janvier, et très chaud en avril et mai). D'aucun hôtel, on n'échappera au bruit qui caractérise l'*Oriente,* une région où l'on est loin de la discrétion indienne des Hautes-Terres.

Le site se trouve à un kilomètre du village (sortie à l'opposé de l'arrivée depuis la frontière). Si l'on disposait d'une voiture, et de temps avant l'ouverture (8 h), cette route, sur une quinzaine de kilomètres, réserve des paysages très variés.

Le village commença par quelques huttes d'Indiens maya-chortis dont beaucoup vivent encore sur les flancs de montagne des alentours (ils descendent au marché le dimanche). Puis la région a été colonisée par des habitants de l'est du Guatemala et du sud-ouest du Honduras. Actuellement, les terres de la vallée appartiennent à 7 propriétaires (les plus riches possédant une trentaine d'hectares) qui y cultivent du tabac et laissent à leurs serfs la jouissance des terres pendant les mois disponibles pour qu'ils y plantent leur maïs et haricot. Les habitants du village se distinguent de ceux de la montagne *de aldea* en portant la casquette de base-ball *gora.* Tous se retrouvent sur le stade de football le dimanche.

Pour se baigner : dix minutes de marche conduisent au rio depuis l'entrée du site (portail des perroquets) ou depuis celle des *sepulturas* (demander aux gardiens).

Hôtellerie

Copan, près du terrain de football, en bas du village. *Los Gemelos,* en bas du village aussi. *Anexo,* en face de l'hôtel *Marina,* près de la place. Ces trois petits hôtels sont les meilleur marché. Salles de bains communes. Chambres un peu resserrées quand il fait chaud.

Las Brisas, sur la côte au-dessus du terrain de foot. Hôtel bien tenu. Chambres petites mais ventilées. Salles de bains individuelles. *Maya International,* en face du musée. Demander chambres sur patio. *Marina,* au coin de la place en arrivant de la frontière. Le plus cher, mais c'est très relatif.

Restaurants. Les hôtels *Marina* et *Maya* ont un restaurant. On trouve aussi de petits *comedores,* mais on ne saurait trop recommander la *Llama del Bosque** (nom de la fleur du tulipier) qui se trouve derrière le musée. Le talent de la patronne compense la pénurie de victuailles de ce village. Petits déjeuners à partir de 7 h 30 (si vous prévenez la veille, vous obtiendrez du jus de fruit naturel). Le menu du déjeuner est de la meilleure cuisine paysanne. Au dîner (vers 18 h 30), demander par exemple, la *carne de res en brasas* effilé de bœuf sur braises, et la *cuajada* fromage frais. Le café est des meilleurs que vous pourrez goûter au cours de votre voyage. En même temps, vous connaîtrez le cœur d'un petit village d'Amérique centrale. Si vous repartez content, un petit mot à *Doña Albita* la touchera beaucoup.

Le tabac

Stephens, qui fit connaître Copan le siècle dernier, décrivait déjà cette vallée comme une des plus fertiles d'Amérique centrale et reconnue pour la qualité de son tabac.

On le plante début novembre. L'irrigation au jet *mariposo* (papillon) est aisée vue la proximité du rio. Les enfants sont souvent employés pour la récolte (mars et avril) et pour disposer les feuilles dans les fours qui restent allumés plusieurs jours de suite. Ces feuilles, alors jaunies, sont triées par les femmes dans les ateliers situés dans le village, puis mises en ballots pour être envoyées dans les fabriques, en général à San Pedro Sula, capitale économique du pays. Le tabac de Copan, pourtant très apprécié, tend à être remplacé par le *Virginia,* mais vous en trouverez des cigares en coffret dans le magasin de l'hôtel Maya, d'autres plus bruts et fabriqués par les gens de la montagne, au marché.

SITE DE COPAN

Ouverture de 8 h à 16 h avec possibilité de rester jusqu'à 17 h. Le groupe *Sepulturas* suit le même horaire. Le musée (dans le village) : 8 h à 12 h et 14 h à 16 h. On doit payer un droit d'entrée pour chacun, mais le ticket reste valable du jour au lendemain.

Si l'on a passé la nuit sur place, on gagnera à se rendre sur le site dès l'ouverture, laisser la visite du *centre d'information* de l'entrée pour plus tard, quitter le *site* en milieu de journée dans l'idée d'y retourner vers 15 h quand apparaît la plus belle lumière. Si l'escalier hiéroglyphique n'est pas couvert de sa bâche protectrice, on gagnera à le voir à midi, l'éclairage faisant alors apparaître les glyphes. Réservez les heures chaudes à la visite du musée et à celle du centre d'information près duquel on trouvera une cafétéria. Cela permet, en même temps, d'utiliser sa chambre d'hôtel jusqu'à l'heure limite, un détail important sous ce climat.

Histoire

Copan, où l'on découvre la figuration de la mort à chaque recoin, garde cependant beaucoup de grâce et de majesté. L'organisation de son espace fait que l'on est jamais gêné par le rectiligne et le figé, ses architectes ayant su adapter leurs constructions à celles de leurs prédécesseurs.

De longue date, la vallée fertile du rio a vu s'installer des populations, mais la grande époque du site se situe aux VIIe et VIIIe siècles apr. J.-C. On pense que la cité s'étendait alors sur 20 km². Après une période dont on ne sait pas grand-chose sur les 11 souverains qui se seraient suivis, commence, au VIIe siècle, une dynastie. *Dix-Huit Lapin* est très populaire parmi les archéologues car il fut le premier souverain à respecter ce qu'avait construit son prédécesseur. Après le règne de *Lever-du-Jour,* le dernier, il semble qu'il y ait eu désordre au sujet du pouvoir, et, comme partout ailleurs, si ce n'est plus tôt, ce fut la fin de la splendeur de la cité. 814 est la dernière date connue.

Cour ouest

Le mur nord, à gauche en entrant, est un exemple de différentes phases de restauration : le monticule tel que le trouve l'archéologue, puis la disposition en ordre des pierres de construction, enfin, la consolidation au ciment. Sur ce côté nord, les trois conques symbolisent la surface de l'eau (comme les têtes de sauriens placées sur la plate-forme, au centre de la place). Les deux « singes » à tête de mort flanquent la tribune. L'un d'eux, décoré de cosses de cacao, mord un serpent et brandit un hochet (autant de symboles de la fertilité). La sculpture centrale est très abîmée. On peut deviner cependant deux coquilles. Dans l'alignement de ces trois personnages, trois pierres posées sur le sol. Dans cette cour, qui symbolise un aspect du monde des morts, pouvaient avoir lieu des cérémonies dédiées à la fertilité dont le monde sous-marin en était la réserve (Les glyphes qui ornent la longue marche nous parle du dernier roi, d'éclipse et de jeu de balle).

Les nombreuses têtes de mort (de singes) ornaient la pyramide, regardant vers l'ouest, vers le monde des morts. L'autel cubique est la représentation de la dynastie de Copan, le dernier roi, *Yax Pac* « Lever-du-Jour » recevant le sceptre de commandement du plus ancien, *Yax Cuc Moh* « Quetzal Vert Ara ». Les autres, en relais, et témoins de cette légalité, sont assis sur leur coussinet de glyphes : *Fumée-Jaguar* (613), *Dix-Huit Lapin* (682), *Fumée-Singe* (737), *Fumée-Écureuil* (743), pour ne citer que les plus importants. Ce qu'ils brandissent peut être la natte qui leur était réservée pour s'asseoir et qui, comme le sceptre ou le miroir, était un signe de seigneurie. Entre cet ouvrage et la pyramide, a été trouvé l'enterrement de Neuf-Jaguars. Cette découverte, aussi importante qu'émouvante, nous rappelle les 9 étages de l'Inframonde. La tête de cet animal coiffait les rois.

La stèle P est plus ancienne que son contexte. C'est le roi Fumée-Jaguar. On retrouvera ailleurs ce style caractéristique des stèles de l'époque : évasement vers le haut donnant un effet de plongée qui rend la sculpture moins lourde ; bas-relief (avec inscriptions sur les trois autres côtés) ; bras du personnage tenant un serpent à deux têtes (et dont la gueule laisse apparaître un dieu) ; tête de jaguar coiffant le personnage.

Pour les amoureux de la nature, l'arbre, au coin sud-ouest de la cour est un *castaño.*

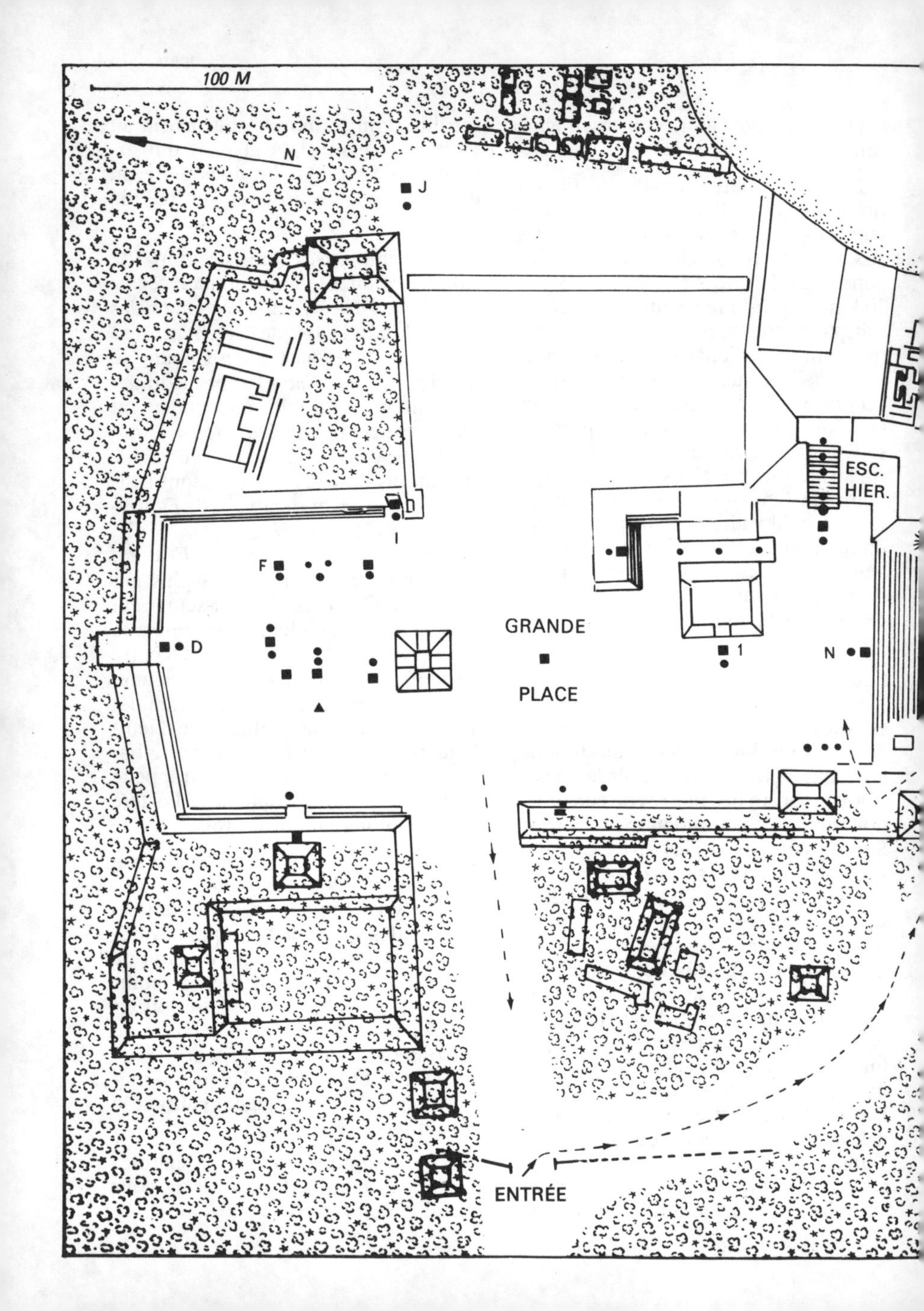
100 M
N
J
I
F
D
GRANDE
PLACE
1
N
ESC.
HIER.
ENTRÉE

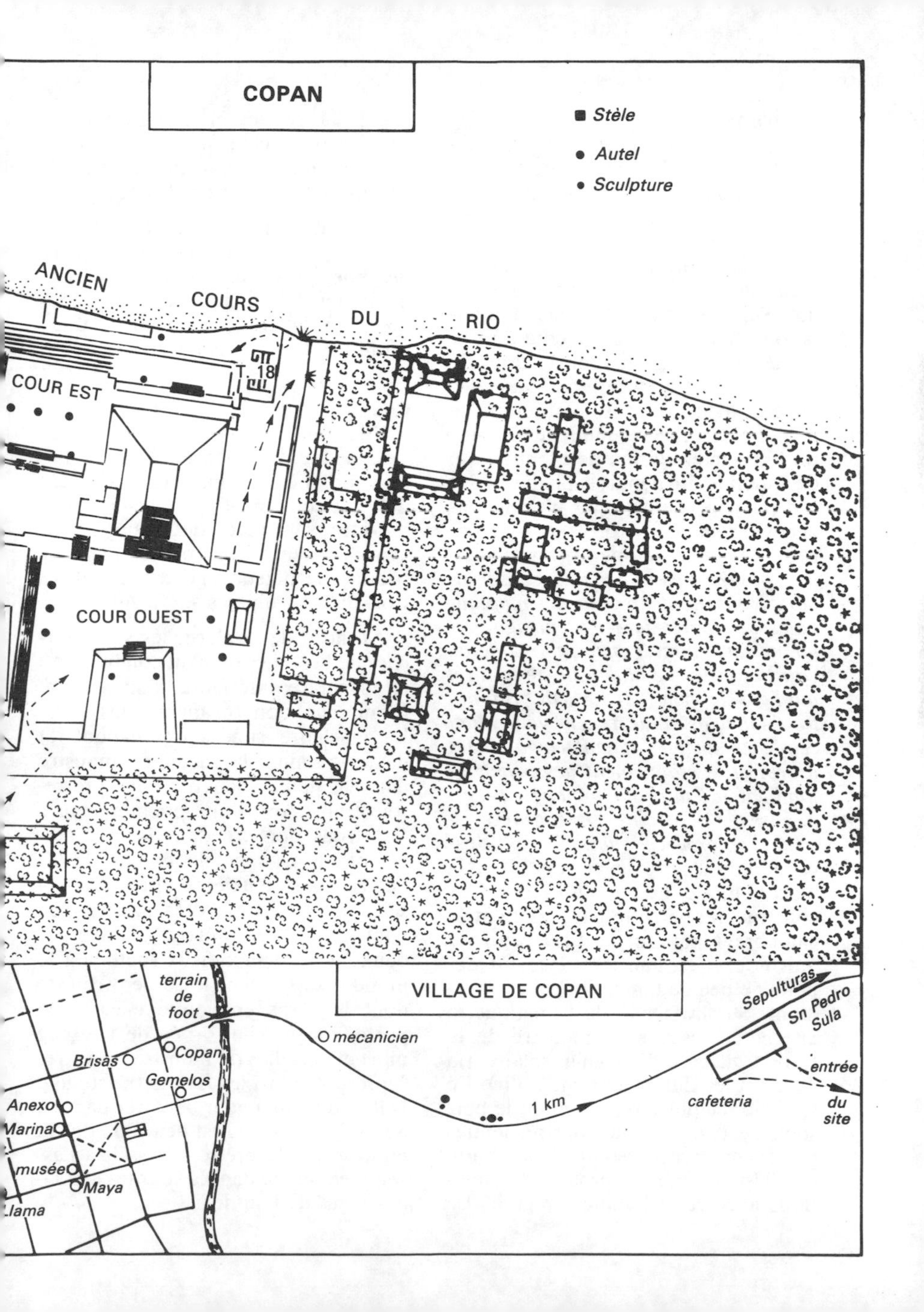
COPAN
Stèle
Autel
Sculpture
ANCIEN
COURS
DU
RIO
COUR EST
18
COUR OUEST
VILLAGE DE COPAN
terrain
de
foot
mécanicien
Copan
Brisas
Gemelos
Anexo
Marina
musée
Maya
Llama
1 km
cafeteria
Sepulturas
Sn Pedro
Sula
entrée
du
site

Temple 18

On peut s'écarter du chemin conduisant de la cour ouest à ce temple pour voir, en contrebas, les groupes construits autour de petites places. Au coin sud-est du temple, tout au bout du chemin, on domine la plaine avec les fours à tabac. On pense qu'à l'époque, elle était riche en plantations de cacao. Tout ce côté du site a été rogné par le fleuve dont le détournement a été effectué dans les années 40 et la consolidation de la falaise entreprise récemment. Ce mur fut la première vision de Stephen qui découvrit le site depuis la plaine. Il dut traverser le fleuve qui n'avait pas encore, semble-t-il, provoqué de dégâts. « *Le mur était de pierres taillées, bien posées et en bon état de conservation. Nous montâmes par des marches faites de pierres larges et atteignîmes une terrasse dont il était impossible de voir la forme vue la densité de la forêt qui l'enveloppait [...] Le seul bruit qui troublait la quiétude de cette vallée était celui des singes s'agitant en haut des arbres et le craquement des branches tombant de leur propre poids [...] Il est impossible de décrire l'intérêt avec lequel j'explorais ces ruines [...]* » L'escalier dont il parle devait conduire à la place centrale. Le temple 18, dernière construction de cette cité, contient la chambre funéraire de *Lever-du-Jour* qui mourut en l'an 800. Elle fut dépouillée peu de temps après l'enterrement. Sur la façade de la banquette alternent masques du monstre de la terre *Cauac* et du jaguar solaire (la Terre et les Enfers autrement dit). Le style de sculpture représentant le personnage (sur les côtés des anciennes portes) est caractéristique de la région de l'Usumacinta, et prouve des relations avec cette lointaine région. Le profil du souverain dénote un net profil maya « classique » que l'on ne voit pas ailleurs à Copan. La mère de Lever-du-Jour était de Palenque.

En continuant sur la plate-forme qui conduit à la cour est, on remarquera des fragments d'encensoirs en pierre, invention de Copan à la même époque. Sur la crête, un jaguar vu de profil (on devine ses taches).

Cour est

Elle est l'endroit le plus secret de Copan. L'entrée des assistants se faisait certainement par l'unique accès qu'est le couloir sud. Sur le côté ouest, on retrouvera l'idée de la cour ouest, avec les deux jaguars flanquant la tribune, le personnage central, et les trois dalles sculptées sur le sol.

Au nord de la place, les sept marches de l'escalier du haut conduisent à la mâchoire inférieure d'un serpent (8e marche) dont on aperçoit les crocs. La mâchoire supérieure manque et devait terminer la gueule du monstre dans laquelle pénétrait le prêtre-souverain. Après une première porte (les trous derrière dans le mur servaient au passage de cordes de rideaux), une deuxième ouvrait sur la salle secrète. Les côtés sculptés en haut relief interprètent l'Univers : deux *bacab* (vieux dieux soutenant le monde) supportent le serpent céleste dont le corps en volute encadre la porte. La marche, ornée de têtes de mort et de celles du monstre terrestre, représente ainsi les Enfers (c'est aussi la 9e à franchir) pour pénétrer dans ce Saint des Saints. C'est peut-être de cet endroit que le prêtre adressait à l'assemblée réunie dans la cour les messages reçus de l'au-delà.

Ce temple (22) est décoré, à ses quatre coins, de masques du monstre terrestre superposés, l'ensemble pouvant symboliser une grotte (dans le Peten et au Yucatan où les portes de temples sont souvent sculptées de bouches du monstre, les grottes, nombreuses, ont été les premiers lieux sacrés des Mayas).

La grande place

On la découvre du haut de l'acropole, avec à droite l'*escalier hiéroglyphique*. La meilleure heure pour le voir (d'en bas) est midi, quand la position du soleil permet une véritable « apparition » des glyphes. Ils sont au nombre de 1200 et racontent l'histoire de Copan. Seul le tiers en bas était en place au moment des premiers travaux des archéologues qui ont pu remettre en ordre les autres. Les progrès récents de l'épigraphie vont permettre à la nouvelle génération de mieux interpréter et, en même temps, de remettre en place les glyphes qui n'y sont pas. La statue manquante est au musée Peabody de Boston, en accord avec le gouvernement de l'époque (le partage des pièces en échange des travaux effectués était normal). La stèle du bas représente *Fumée-Écureuil* le père de *Lever-du-Jour,* auteur de cet ouvrage unique. Une autre stèle de lui se trouve au bas des marches sud (N.). C'est la plus flamboyante du site (sculpture sur trois niveaux ; détails : têtes de reptiles, poisson dans un nénuphar ; élégance des glyphes), toute une richesse qui ajoute à cet endroit où l'on perçoit une présence particulière. (L'escalier est couvert d'une bâche protectrice pendant la saison des pluies, le ruissellement provoquant des désastres irréparables.)

Le jeu de balle. Les marqueurs, au sol, sont très effacés. Ceux du terrain précédent, au-dessous, ont été trouvés en parfait état, et sont conservés au musée. La stèle (2) qui domine est du même style que celle de la cour ouest. Celles à l'extérieur est déjà d'un autre style (1). On commence à traiter la figure humaine en trois dimensions. A part la stèle isolée (3), les autres de *la grande place* sont de l'époque de *Dix-Huit Lapin* à qui l'on doit la construction de cet endroit majestueux. C'est l'époque des grands changements. Les stèles deviennent de vraies statues. Le sceptre représenté est plus rigide, la tête du personnage prend plus d'importance. On remarquera en haut de la *stèle B* des têtes de perroquets qui entourent la gueule du monstre terrestre d'où sort le roi. De la *stèle D,* au bout de la place, au nord, les glyphes sont de même style qu'à Quirigua. La *stèle F* est sans doute la plus impressionnante dans sa façon d'exprimer la souffrance, sans doute au cours d'un autosacrifice. La *stèle I* est plus ancienne, protégée dans sa niche construite à l'époque à cet effet. Le personnage arbore un masque du dieu Jaguar-Soleil nocturne, reconnaissable à ses moustaches et aux coquilles remplaçant les oreilles. Derrière la *stèle A,* on pourra reconnaître, parmi les glyphes particulièrement bien conservés, l'emblème de Copan, la chauve-souris. Enfin, de la stèle la plus majestueuse, placée d'ailleurs au centre, la *C,* on retiendra l'idée de renaissance : le souverain vieux d'un côté, un jeune de l'autre. La stèle *J,* isolée à l'est de la place est originale, couverte de la natte royale.

La pierre dont étaient faites ces sculptures est un grès provenant d'une carrière surplombant le site au nord. On y a trouvé des pierres de silex rejetées par les artisans. On trouvera de ces silex incrustés dans certaines stèles (comme à l'arrière de la D), certains n'ayant pas pu être extraits.

Le site a été fouillé et restauré depuis le début du siècle par l'institut Carnegie, Washington et le Peabody Museum, Boston. Dans les années 70, le gouvernement du Honduras fut le premier à prendre l'initiative d'organiser et de financer un projet archéologique à grande échelle. Les travaux, qui réunirent une équipe internationale, furent dirigés tour à tour par deux éminents archéologues, français et américain. Actuellement, la Northern Illinois University y travaille.

Petit lexique

Politesse avant tout

S'il vous plaît	*Por favor*
Bonjour (jusqu'à 11 heures)	*Buenos días*
Bonjour (ensuite)	*Buenas tardes*
Bonsoir	*Buenas noches*
Comment allez-vous ?	*¿Que tal ? Como está ?*
S'il vous plaît	*Por favor*
Excusez-moi, ...	*Perdone, ...*
Où se trouve... ?	*Donde está... ?*
Merci	*Muchas gracias*
Vous suis reconnaissant	*Muy agrecido*

Choses pratiques

Lundi	*Lunes*
Mardi	*Martes*
Mercredi	*Míercoles*
Jeudi	*Jueves*
Vendredi	*Viernes*
Samedi	*Sábado*
Dimanche	*Domingo*
Le matin	*En la mañana*
A midi	*Mediodía*
L'après-midi	*Por la tarde*
Le soir	*Por la noche*
De l'argent	*Dinero*
De la monnaie	*Cambio*
Centime	*Centavo*
C'est combien ?	*Cuanto vale ?*

A l'hôtel

Chambre pour une personne	*Cuarto sencillo*
Chambre pour deux	*Cuarto doble*
Lit à deux places	*Cama matrimonial*
Couverture	*Cobija (Cobertor)*
Drap	*Sábana*
Serviette	*Toalla*
Douche	*Ducha, Regadera*
Clef	*Llave*
Bagages	*Equipaje*
Valise	*Maleta*
Réveiller à telle heure	*Despertar a las...*
Eau minérale	*Agua mineral*
Décapsuleur	*Destapador*

En ville et sur la route

Atelier de réparation	*Taller*
Clef	*Llave*
Cric	*Gato*
Débrayage	*Clutch*
Delco	*Distribuidor*
Essence	*Gasolina*
Huile	*Aceite*
Réservoir	*Tanque*
Roue (pneu)	*Llanta*
Rue	*Calle*
Station d'essence	*Gasolinera*
Tournevis	*Desarmador*
Trottoir	*Banqueta*
Vidange	*Cambio de aceite*
A la derecha	A droite
A la izquierda	A gauche
Carril izquierdo solo para rebasar	Voie de gauche seulement pour doubler
Ceda el paso	Cédez le passage
Conserve su derecha	Serrez à droite
Cuadra	Pâté de maison
Cuidado	Attention !
Cuidado con el ganado	Attention bétail
Cuota	Péage
Derrumbes	Chutes de pierres
Glorieta	Rond-point
Licencia	Permis de conduire
Neblina	Brouillard
No deje piedras en el pavimento	Ne laissez pas de pierres sur la chaussée
No maltrate las señales	Ne tirez pas au pistolet sur les panneaux
Preferencia	Rue à priorité
Resbaloso	Glissante
Se ponchan llantas gratis	On dégonfle les pneus gratuitement (stationnement interdit)
Topes	Barres de béton (faire attention)
Tránsito	Sens de la circulation

Les figures de la langue

A las diez	A 10 heures (en fait, dans la matinée)
A las doce	A midi (en fait, au milieu de la journée)

A las tres	A 15 heures (en fait, dans l'après-midi)
Ahora	Maintenant (en fait, plus tard)
Ahorita	Bientôt
Ahoritita	Très bientôt (s'accompagne d'un geste rapprochant le pouce et l'index)
Mañana	Demain (en fait, une autre fois)
Invierno	Hiver (en fait, saison des pluies)
No hay	Il n'y a pas
No tenga pena	Ne soyez pas gêné
Fijese	Figurez-vous... (on vous prépare au « non »)
¿Mande?	Quoi ?
¡Andale!	Ça va !
¡Hijole!	Zut alors !
En la onda	Dans le coup
Bien padre	Très chouette
¡Que padre!	Ce que c'est chouette !
¡Que le vaya bien!	Tenez-vous sain et gaillardé ! (A. Daudet)

Bibliographie

Les titres accompagnés d'un astérisque sont les livres que l'on trouve facilement en librairie.

Sur le Mexique en général

AGUILERA C., *Flora y fauna mexicana**, éditorial Everest, Mexico 1985.
BESNAULT C., *Le Mexique,* Arthaud 1969.
HUMBERT M., *Le Mexique,* coll. Que sais-je ?
OCAMPO/GOUJON, *Le Mexique,* Marabout université 1968.
POMMERET X., *Mexique,* Seuil, coll. Petite planète.
RUDEL C., *Mexique, des Mayas au pétrole**, Karthala 1983.

Pages d'histoire

DEMARD J.-C., *Jicaltepec*-chronique d'un village français au Mexique**, Porte glaive 1987 (l'émigration de Bourguignons).
GUERRA F. X., *Le Mexique*, de l'Ancien Régime à la Révolution**, L'Harmattan, coll. Sorbonne 1985.
KÉRALY H., *Les Cristeros**, Martin Morin 1986.
LAFAYE J., *Les Conquistadores,* Seuil 1964 ; *Quetzalcoatl et Guadalupe : la formation de la conscience nationale au Mexique,* Gallimard 1974.
MEYER J., *La Christiade**, Payot 1975 ; *La Révolution mexicaine**, Calmann-Lévy 1973 ; *Apocalypse et révolution au Mexique, la guerre des Cristeros,* Archives Gallimard 1974.
REED J., *Le Mexique insurgé,* Maspero 1975.

Sur l'époque précolombienne

BAUDEZ C. F. et BECQUELIN P., *Les Mayas**, Gallimard, coll. Univers des Formes 1987.
COE M., *Les Premiers Mexicains : Olmèques, Toltèques, Aztèques,* A. Colin 1985 ; *Les Mayas,* A. Colin 1985.
DUVERGER C., *La Fleur létale : économie du sacrifice aztèque,* Seuil 1979 ; *L'Origine des Aztèques,* Seuil 1983.
SÉJOURNÉ L., *La Pensée des anciens Mexicains**, Maspero 1982.
SIMONI M., *Les Aztèques,* Seuil, le temps qui court 1976 ; avec BERNAL I. : *Le Mexique des origines aux Aztèques**, Gallimard, coll. Univers des Formes 1987.
SOUSTELLE J., *La Vie quotidienne des Aztèques à la veille de la conquête espagnole**, Hachette littérature 1982 ; *L'Art du Mexique ancien,* Arthaud 1965 ; *Les Quatre Soleils,* Plon 1967 ; *Les Olmèques**, Arthaud 1980.

Sur les voyages et la découverte

BAUDEZ C. et PICASSO S., *Cités perdues des anciens Mayas**, Gallimard, coll. Découvertes 1987.
CATHERWOOD F., *Lithographies en couleur** des dessins de sites mayas découverts avec Stephens vers les années 1840 (en vente en librairie à Merida).
STEPHENS J. L., *Incidents of Travel in Central America, Chiapas and Yucatan,* Harper and Brother, N. Y. 1841 (repris en anglais par Pingouin Books et en espagnol par Ed. Universitaria, San Jose Costa Rica, les deux éditions étant vendues en librairie à Merida).

A propos du Mexique

ARTAUD A., *Les Tarahumaras**, Gallimard, folio essais 1987 (un poète désespéré de l'Europe).
BENZI M., *Les Derniers Adorateurs du peyotl**, N.R.F. Gallimard 1972 (croyances des Indiens huichols).
CASTANEDA C., *L'Herbe du diable et la petite fumée**, Ch. Bourgois 1985 (chez les Indiens yaquis, un jeune ethnologue élève d'un shaman) ; *Voir Les Enseignements d'un sorcier yaqui**, Gallimard 1985 ; *Le Voyage à Ixtlan**, Gallimard 1986 coll. Témoins ; *Histoires de pouvoir**, Gallimard 1987, coll. Témoins ; *Le Second anneau de pouvoir**, Gallimard 1987, coll. Témoins ; *Le Don de l'aigle**, Gallimard 1987, coll. Témoins ; *Le Feu du dedans**, Gallimard 1985, coll. Témoins.
GREENE G., *La Puissance et la gloire,* Laffont 1964.
LE CLEZIO J.-M., *L'Inconnu sur la terre**, N.R.F. Gallimard 1987 (l'auteur y observe les visages mexicains) ; *Trois villes saintes**, N.R.F. Gallimard 1980 (réflexion sur la guerre des Castes au Yucatan) ; *Les Prophéties de Chilam Balam**, N.R.F. Gallimard 1976.
LEWIS O., *Les Enfants de Sanchez,* N.R.F. Gallimard 1967 (étude par un sociologue d'une famille paysanne mexicaine émigrée à Mexico) ; *Pedro Martinez**, N.R.F. Gallimard 1966 (étude sur un paysan) ; *Un mort dans la famille Sanchez**, Gallimard, coll. Témoins.
LOWRY M., *Sous le Volcan,* Grasset 1987.
TRAVEN B., *Le Trésor de la Sierra Madre ; La Révolte des pendus.*

Les Mexicains par eux-mêmes

FUENTES C., *Terra Nostra**, N.R.F. Gallimard 1979 ; *Une certaine parenté**, Gallimard 1987 ; *Zone sacrée**, Gallimard 1986 ; *Le Vieux Gringo**, Gallimard 1986 ; *La Tête de l'hydre**, Gallimard 1978.
PAZ O., *L'Arc et la lyre**, Gallimard 1987. *Marcel Duchamp : l'apparence mise à nu**, Gallimard 1987 ; *Courant alternatif**, Gallimard 1972 ; *Point de convergence**, Gallimard 1987 ; *Le Labyrinthe de la solitude**, Gallimard 1987 ; *La Fleur saxifrage**, Gallimard 1984.
Pour apprendre l'espagnol, les *bandes dessinées* de Rius, un critique engagé, mais avec un grand sens de l'humour.

Films mexicains

Maria Candelaria 1943, E. Fernandez (amour indigène à Xochimilco). *Enamorada* 1946, E. Fernandez (avec Maria Felix ; un amour sous la révolution). *Los Olvidados* 1950, Buñuel (la misère urbaine). *Tizok* 1956, I. Rodriguez (avec Maria Felix et Pedro Infante). *Tarahumara* 1964, L. Alcoriza. *Reed, Mexico insurgente* 1975, P. Leduc (un journaliste chez les révolutionnaires). *El lugar sin limite* 1977, A. Ripstein (le refoulement homosexuel des machos).

Films sur le Mexique

Que viva Mexico 1934, Eisenstein. *Viva Zapata* 1952, E. Kasan. *La Nuit de l'iguane* 1964, J. Houston. *Il était une fois la révolution* 1973, S. Leoné. *Au-dessous du volcan* 1984, J. Houston. *Milagro* 1988, Redford.

Index

A
Abaj Takalik, 306
Acapulco, 12, *202*
Acatepec, 226
Acolman, 205, *210*
Actopan, 205, *210*
Aguateca, 292, 303
Agave, 22, 210
Allende, *51,* 113, 187
Alvarado, *45,* 274
Amate, *92,* 199
Amatenango, 146, *160*
Antigua, 264, *270,* 280, 283
Argent, 49, 191, 201, 246
Arnay le Duc, 233
Artisanat, 85
Atitlan, 282, 283, *285*
Aztèques, *41,* 45, 323

B
Bacalar, 125, *143*
Bahuichivo, 248, *252*
Ballets folkloriques, 91, *121*
Barcelonnette, *58,* 108
Barra de Navidad, 241
Basse Californie, 18, 20, 248, *255*
Baul (El), 306
Becan, 125, *144*
Belize, 12, 264, *307*
Bellas Artes, 105
Bilbao, 305
Bonampak, 115, 146, *168,* 292

C
Cabo San Lucas, 12, 248, *256*
Cacao, 38, 305, 316
Cacaxtla, 224
Campeche, 12, 125, *128*
Cancun, 12, 125, *139*
Canilla, 283, *288*
Carapan, 215, *222*
Caraïbes, 12, 264, 306
Cardenas, 62, 63
Careyes, 235, *242*
Carranza, 61
Ceïba (La), 309
Champlitte, 233
Champoton, 125, *127*
Chapultepec, 16, 114
Charro, 86
Chen, 39, 115, 138
Chetumal, 12, 20, 125, *143*
Chiantla, 283, *297*
Chicannah, 125, *144*
Chichen Itza, 125, *135,* 213
Chichicastenango, 283, *286*
Chichimèques, *40,* 49
Chiclé, 145
Chihuahua, 12, 20, 248, *249*
China poblana, 226
Chols, 30, 33, 162
Cholula, 226
Chontales, 30, 33, 38, 171
Christophe Colomb, 43
Ciudad del Carmen, 125, *127,* 146
Ciudad Vieja, 278, 281
Coba, 142
Coban, 282, 283
Codex, 86
Colima, 12, 20, 235, *240*
Colima (art), 119, 237, 241
Colonial, 47, 85
Comitan, 146, *160*
Confréries, 155, 286
Constitution, 61, 62
Copan, 310
Copan (site), 312
Coras, 30, 33

Corregidora, *51,* 113, 186
Corruption, 87
Cortes, *45,* 143, 195, 257
Côte pacifique, 264, 266, 303
Courrier, 87, 271
Coyoacan, 15, *120,* 122
Coyotepec, 181
Cozumel, 125, *141*
Creel, 248, *250*
Cuatro Caminos, 283, 289
Cuauhtemoc, 46
Cuchumatanes, 289
Cuernavaca, 12, 21, *195,* 205
Cuetzalan, 90, 223, *233*
Cuilapam, 172, *181*
Cyclone (ouragan), 23, 94, 139

D
Daintzu, 180
Democracia (La), 283, *304*
Diego Rivera, 90, 105, 107, 193, 197
Dios Mundo, 306
Divisadero, 248, *254*
Dolores, 52, 182, 191
Dos Pilas, 292, 301, *303*

E
École, 26, 31
Ejido, 87
Erongaricuaro, 215, 219
Escuintla, 264, 283, *304*
États-Unis, 24, 29, 33, 54, 64

F
Fériés (jours), 89
Fêtes, 28, *87*
Figues barbarie, 22, 247
Flores, 264, 266, *293*
Franc maçonnerie, 54, 56
France, 58, 88, 233, 239, 260

G
Glyphes, 37
Gringo, 88
Guadalajara, 12, 20, 235, *236*
Guadalajara (hôtellerie), 239
Guadalupe, 48, 52, 88
Guadalupe (basilique), 121
Guanajuato, 12, 20, 49, 52, 182, 190, *191*
Guanajuato (hôtellerie), 194
Guatemala, 12, 263, 264
Guatemala (ville)-pratique, 270, 271
Guatemala (ville)-culturel, 273
Guaymas, 248, 249
Guerrero, 53, 113
Guerrero Negro, 248, 261
Hacienda, *89,* 113, 196, 247
Hidalgo, *51,* 112, 236
Honduras, 264, 309, 310
Hormiguero, 125, 144
Huatulco, 183
Huaxtèques, 30, 33, 229
Huehuetenango, 264, 283, *289*
Huicholes, 30, 33
Huistan, 146, 161

I
Ilusiones, 305
Indes, 43
Indiens, 30, 33, 48, 154, 263
Institut indigéniste, 31
Irapuato, 12, 182
Isla Mujeres, 12, 125, 139
Iturbide, 53, 113
Iximché, 282, 283
Ixmiquilpan, 205, *214*
Ixtaccihuatl, 205, 210, 223
Ixtahuacan, 283, *291*
Izamal, 125, *135*
Ixtapa, 204

J
Jade, 39, 228
Jaïna, 39, 115

Jalapa, 12, 20, 223, *227*
Jalisco, 237
Janitzio, 219
Japon, 24, 33, 63
Jésuites, 48, *258*
Jeux de balle, 35, 137, 180, 232, 297, 318
Juarez, *56,* 114, 174

K
Kabah, 125, *129*
Kaminaljuyu, 269, *277*
Kohunlich, 125, *144*

L
Labna, 129
Lacandons, 30, 33, 116, 152, 168
La Paz, 12, 20, 248, *255*
Livingstone, 264, *308*
Loreto, 12, 248, *257*
Los Encuentros, 264, 265, 283, 284
Los Mochis, 12, 254

M
Macho, 89, 324
Madero, *60,* 114, 196
Maïs, 22, 118, 157
Malinche, 143, 274
Manzanillo, 235, 241
Marchés, 90, 284, 287
Mariachis, *90,* 97, 238
Marimba, 90, 91, 264
Maximilien, 55, 114, 197
Mayas, 30, 33, 37, 54, 263, 323
Mayos, 30, 33
Mazahuas, 30, 33
Mazatèques, 181
Mazatlan, 12, 248
Merida, 12, 20, 125, *132*
Metis, 33
Mexico Alameda, 105
Mexico Bellas Artes, 105
Mexico Basilique Guad., 121
Mexico Musée Anthr., 115
Mexico Musée Hist., 112
Mexico Place 3 Cult., 109
Mexico Université, 120
Mexico Zocalo, 106
Mexico Achats, 101
Mexico Plans, 14, 16
Mexico Culturel, 104
Mexico Hébergement, 95
Mexico Pratique, 99
Mexico Transports, 102
Michoacan, 214, 215
Milpa, 22, 149
Mitla, 172, *181*
Mixco Viejo, 277, 283
Mixtèques, 30, 33, 40, 175, 176
Moctezuma, 45, 117
Momies, 194
Monte Alban, 172, 178, *179*
Morelia, 215, *216*
Morelos, 20, *53,* 113
Mulégé, 248, 259
Muralistes, 90

N
Nahuala, 283, *288*
Nahuas, 30, 33
Nautla, 223, 231
Nayarit, 119, 237
Nebaj, 283, 288
Netzahualcoyotl, 123
Niños heroes, 114
Nouvelle Espagne, 43, 112

O
Oaxaca (région), 171, 172
Oaxaca (ville), 173, *174*
Obregon, 62
Obsidienne, 117, 206
Occident, 234, 235
Ocotlan, 90, 172, *181*
O'Gorman, 91, 113, 120
Olmèques, *35,* 116, 171, 304
Orfèvrerie, 40, 49, 101, 138, 176

Orozco, 90, 106, 238
Otomis, 30, 33
Ouragan, 23, 94, 139
Oxchuc, 146, 161
Oxkutzcab, 90, 125, 135

P

Pacaya, 304
Palenque, 40, 146, *162*
Palenque (hôtel), 168
Palin, 305
Panajachel, 283, *284*
Pancho Villa, 60, 61, 196
Papantla, 223, 231
Paricutin, 215, 221
Patzcuaro, 215, 218
Peten, 264, *291,* 292
Petexbatun, 292, 299, *303*
Pétrole, 23, 62, 64
Philippines, 50, 112, 195, 257
Photo, 28, 92
Piedras Negras, 264, 276
Piñata, 92
Place 3 Cultures, 17, 109
Pluies, 22, 68
Popocatepetl, 23, 45, *210,* 211
Popol Vuh, 274, 287
Porfirio Diaz, 56
P.R.I., 63
Progreso, 125, 135
Puebla (Sierra), 223, *224*
Puebla (ville), 223, *225*
Puerto Angel, 12, 172, *183*
Puerto Barrios, 264, *308*
Puerto Escondido, 12, 172, *183*
Puerto Vallarta, 12, 235, 242
Pulqué, 92
Putuns, 38, 141, 301
Puuc, 38, 116, 126, *129*

Q

Queretaro, 12, 20, 182, 184, *185*
Quetzal, 45, 93, 117, 209, 276, 281
Quetzalcoatl, 41, 45, 117, 137, 208, 213
Quetzaltenango, 264, 283, *289*
Quichés, 287
Quirigua, 263, *309*
Quiroga, 215

R

Rebozo, 93
Recettes, 80
Réforme, 55
Religion, 27
Révolution, 60, 196
Rio Bec, 40, 125, 144
Rio Dulce, 264, 308
Rio Pasion, 292, 301
Rio San Pedro, 264, 266, 292
Rio Usumacinta, 18, 168, 264, 266, 292
Roatan, 309

S

Sacapulas, 283, 288
Sacbé, 130, 138, 142
Saisons, 68, 267
Salina Cruz, 172, 181
San Andres Sajcabaja, 283, *288*
San Andres Xecul, 289
San Angel, 14, *120,* 122
San Blas, 235
San Cristobal Casas, 146, *149,* 150
San Francisco Alto, 289
San Jose Cabo, 12, 248, *256*
San Juan Lagos, 235, *240*
San Miguel Allende, 182, *187,* 188
San Martin Chile Verde, 289
San Rafaël, 223, 233
San Sebastian, 283, *291*
Santa Anna, 54, 113
Santa Clara Cobre, 215, *220*
Santa Elena, 264, 292, *293*
Santa Lucia C., 283, 305
Santa Rosalia, 248, *260*
Sarapé, *93,* 180, 218
Sayaxché, 264, 266, 292, 299, *301*

Sayil, 129
Seibal, 292, 300, *301*
Siqueiros, 91, 105, 112
Sisal, 125, *145*
Solola, 283, *284*
Sombrero, 93

T
Tajin, 223, *231,* 305
Tamayo, 91, 105, 176
Tarahumaras, 30, 33, *253*
Tarasques, 30, 33, *220*
Taxco, 197
Tecolutla, 223, 231
Tecpan, 282, 283
Tehuantepec, 172, *181*
Tenejapa, 160
Tenochtitlan, 42, 45, 117
Teopisca, 146, *160*
Teotihuacan, 35, 117, *206,* 207, 277, 294
Teotitlan, 172, *180*
Tepic, 12
Tepotzotlan, 205, *214*
Tequila, 77, 240
Têtes monumentales, 35, 116, 169, 227
Têtes souriantes, 228
Tikal, 12, 263, 292, *293,* 296
Tlacochahuaya, 180
Tlacolula, 172, *180*
Tlahuelilpa, 205, *213*
Tlaquepaque, 238
Tlatelolco, 109, 117
Tlaxcala, 223, *225*
Tlaxiaco, 172, 183
Todos Santos C., 283, *291*
Toltèques, 40, 41, 137, 213, 265, 287
Tonala, 238
Tonantzintla, 226
Tonina, 161
Tortilla, 78
Totonaques, 30, 33, 119, 231
Transports, 69, 267
Trujillo, 309
Tula, 137, 205, 213
Tulé, 172, 180
Tulum, 125, 141
Tuxtla G., 12, 20, 146, *148*
Tzeltales, 30, 33, 151, 154
Tzintzuntzan, 215, *220*
Tzotzile, 30, 33, 151, 154

U
Uaxactun, 292, *299*
Uruapan, 215, *221*
Usumacinta (architec.), 40, 168
Utila, 309
Uxmal, 125, *131*

V
Valladolid, 55, 125, *139*
Valle de Bravo, 216
Vanille, 231, 234
Vasco de Quiroga, 220
Ventosa, 181
Veracruz, 12, 223, *229*
Vice-rois, 47, 112
Villahermosa, 12, 20, 46, *169,* 170
Volador, 119, 206, 231, 287, 288

X
Xela, 289
Xlapak, 129
Xochimilco, 15, *119*
Xpujil, 125, *144*

Y
Yagul, 181
Yaquis, 30
Yaxchilan, 115, 146, *169,* 264, 292
Yaxcopil, 132
Yucatan, 54, 116, 124
Yucatèques, 30, 33
Yucca, 22
Yuriria, 182, 194, 215, 216

Z
Zacapu, 215
Zacatecas, 12, 20, 49, *243*
Zaculeu, 289
Zamora, 215
Zapata, *60,* 196
Zapotèques, 30, 33, 175
Zihuatanejo, 204
Zirahuen, 215, 220
Zocalo, 27, 94
Zoqués, 30, 33, 148
Zunil, 289

Les photos, les cartes et les plans sont de l'auteur.

Plan cartographique

Routes principales, itinéraires, 12-13
Mexico, 14-15
Mexico centre, 16-17
Mexique - Géographie physique, 18-19
Mexique - Géographie politique, 20-21
Mexique - Groupes indiens, 30
Yucatan, 125
Merida, 133
Chichen-Itza, 136
Cozumel, 140
Chiapas - Tabasco, 146
San Cristobal, 150
Palenque, 163
Villahermosa, 170
Oaxaca, 172
Oaxaca-ville, 173
Monte-Alban, 178
La route du nord, 182
Queretaro, 184
San Miguel de Allende, 188
Guanajuato, 190
Acapulco, 203
Environs de Mexico, 205
Teotihuacan, 207
Michoacan, 215
Sierra de Puebla, 223
L'Occident, 235
Basse-Californie, Sierra Tarahumara, 248
Guatemala, 264
Guatemala-ville, 270-271
Antigua, 279
Hautes-Terres, 283
Peten, 292
Tikal, 296-297
Seibal, 300
Copan, 314-315

Notes de voyage

Notes de voyage

Achevé d'imprimer en décembre 1988
sur les presses de Clerc S.A. à Saint-Amand (Cher)
Photocomposition par Coupé S.A. - 44880 Sautron
Reliure par la SIRC à Marigny-le-Chatel
N° d'édition 1941 - Dépôt légal : janvier 1989 - Imprimeur n° 4003
Imprimé en France